EL ESPAÑOL AL DÍA

El Español al Día

LAUREL HERBERT TURK

DePauw University

EDITH MARION ALLEN

Arsenal Technical High School

Indianapolis, Indiana

D. C. HEATH AND COMPANY   Boston

Maps by JAMES LEWICKI

Illustrations by LASZLO ROTH

Front cover: IZTA–POPO NATIONAL
PARK, NEAR AMECA-
MECA, MEXICO
(Photo – Herbert Lanks)

Back cover: FLOATING GARDENS,
XOCHIMILCO, MEXICO
(Photo – Arthur Griffin)

Preface

El español al día is intended for high school students who desire a practical knowledge of Spanish. It presents in five preliminary sections, forty-five lessons, and nine reviews, the fundamental grammatical and idiomatic constructions essential for the sound training of beginning students in Spanish. This is the first in a series of two texts intended to meet a dual need in a two-year high school course: (1) To prepare high school students to meet college entrance requirements in foreign language; (2) To provide material which is interesting and useful to students of Spanish who do not plan to continue its study in colleges and universities.

Because of present-day trends toward inter-Americanism and the urgent need for hemispheric understanding, and most important of all, because modern languages are spoken languages, the lessons use conversation as an approach to grammar and idiom. The authors recognize the value and interest in the study of the history and culture of the Spanish-speaking peoples of the world, but it has been necessary to restrict the amount of this material in the present text because of the limits of time imposed by modern educational systems. Each lesson has six sections: (*a*) a dialogue, with vocabulary and idiomatic expressions listed; (*b*) questions to be answered in Spanish; (*c*) grammar explanation; (*d*) exercises; (*e*) composition; (*f*) a section called *para practicar*. In many lessons there is an additional section called *práctica*. The five preliminary sections, the first fifteen lessons, and the first three reviews also contain thorough drill exercises on pronunciation.

The five preliminary lessons, a new feature of this edition, present words and expressions which can be used in the classroom from the first day. They offer an opportunity for much practice on pronunciation before the introduction of grammatical material, beginning in Lesson 1. All the words used in these five sections are listed in the vocabularies of the regular lessons when used again.

The dialogues, which may be imitated by the student, deal with everyday situations, such as the classroom, the home, meals, shopping,

i

travel, amusements, and other phases of daily life within the experience of the average high school student. In accordance with the conviction that the introduction of a language via the spoken word appeals to students more than any other approach, the text is planned in such a way that from the beginning the student is concerned with saying in Spanish what he himself says every day in English. Each dialogue presents not only the new words, phrases, and grammatical points, but also systematic repetition of material from the earlier lessons. Words used in the text have been chosen with consideration for their practical use rather than for their literary frequency. A large number of given names are used in the dialogues, and a complete list is given in the Appendices.

The comprehensive treatment of pronunciation, taught not only as a separate but as an integral part of the preliminary sections, the first fifteen lessons, and the first three reviews, is a feature of the text. Many place names of Spain, Spanish America, and the United States, as well as a number of Spanish words which are found in English, are included in the pronunciation drill. Groups of words which should be pronounced together as one word have been indicated in this section.

Care has been used to present the explanations of grammatical usage in terms easily understood by high school pupils. Many definitions of points of English grammar are given. Emphasis is placed on general rules which arise naturally from the dialogues. Examples, drawn largely from the dialogues, are usually given before the explanations so that the student may be encouraged to make deductions on his own initiative. Frequent cross references to similar or contrasting constructions are indicated. An effort has been made to clarify and emphasize the correct usage of certain points, such as the use of *buscar, mirar, gustar,* by listing them as idioms on their first appearance. Commands are introduced in a special section called *Expresiones para la clase,* and a summary is included in Lesson XLI.

The series of questions to be answered in Spanish will facilitate oral work and comprehension, and will serve to test the student's knowledge of words and phrases that he needs and wants to learn. In many lessons there are two sets of questions, one based on the dialogue and the other on matters of general interest. The *para practicar* section has been added in the second edition to offer further oral drill and practice. It is assumed that teachers will select the sections which best suit their own method and individual classes.

Another new section called *práctica* has been included in many of

the lessons in this edition. It will facilitate the recognition and comprehension of new grammatical points and idiomatic expressions.

Exercises are varied in type — verb drill, sentence completion with
attention directed to definite major grammatical points, word recognition, English to Spanish sentences, idiomatic expressions, and composition. They provide repeated drill not only on new material in
the lesson, but also on that of the earlier lessons. This text recog-
nizes a knowledge of verb forms as essential to the efficient use of
Spanish, and gives them constant attention through frequent drill
exercises.

A feature of the second edition of this text is the addition of the
materias culturales. A short section in English, accompanied by an
appropriate illustration, is included at the end of each lesson. Naturally, only a few highlights can be included in these selections; however, it is the authors' firm conviction that something of the history,
customs, and way of life of the Spanish-speaking countries should be
studied at the same time as the language itself. This material may
serve to stimulate reading on other aspects of Spanish civilization
and culture.

Supplementary reading material in Spanish is included with each
Repaso. The sections in the first four reviews are at a plateau level,
while those in the last five deal further with the historical and cultural
background of Spain and Spanish America. Additional optional reading material is given under the heading of *Lectura*. This material
includes several *cuentos* and short sections which deal with the condor,
the llama, maize, chocolate, maté and other products of Latin America, festivals, and Columbus. In this edition a new section in Spanish
has been added in each of the first eight *Repasos*. A brief treatment of
word recognition is also included at the end of the *lectura* in the third
review lesson. In all the reading sections a number of new words and
phrases that cannot be recognized readily are translated in footnotes.
The exercises in each review lesson offer further drill on the preceding
five lessons, and, in addition, there is constant review of object pronouns, negatives, possessives, the preterite and imperfect tenses, idiomatic expressions, and similar basic points previously presented.
Some of these exercises may be used for testing.

The illustrations, both in color and in black and white, form another important part of this text. They supplement the information
included in the dialogues, the *Materias culturales*, the Spanish sections
in the *Repasos*, and in the *Lecturas*.

The Appendices contain a summary of rules for pronunciation, capitalization, and punctuation, a list of terms and expressions used in the classroom, a list of given names, a translation of the songs, and a summary of the verb forms used in the text. The end vocabularies are intended to be complete with the exception of a few proper and geographical names which are identical in Spanish and English, the supplementary list of foods on pages 402 and 403, words that appear in the spot illustrations, and a few lists of words given in the *para practicar* sections only for reference. Idioms are listed under the most important word in the phrase and frequently cross listings are given.

Each lesson is planned to cover three recitation periods. An additional day may be necessary if all of the material in the *para practicar* sections of some lessons is used. The basic grammar material is completed at the end of Lesson XL. While a few new points are included in the remaining lessons, the exercises are largely of the review type. This text endeavors to meet adequately all the needs of the first-year high school class and to eliminate the necessity of supplementing the course with reading and other materials.

The authors wish to express their deep appreciation to many teachers whose constructive criticism aided greatly in the preparation of this present edition, and to Dr. Vincenzo Cioffari and the editorial staff of D. C. Heath and Company, whose many sound observations and thoughtful suggestions have been most helpful at every stage in the preparation of this text.

E. M. A.

L. H. T.

Contents

El primer día   3
El segundo día   5
El tercer día   7
El cuarto día   10
El quinto día   13

LECCIÓN

   I. Punctuation and capitalization. Pronunciation   17

  II. Verb forms. The definite article. Gender of nouns. Plural   22
of nouns. The definite article with the name of a language

 III. Regular verbs of the first conjugation. Use of subject   29
pronouns. Negative sentences. Formation of questions

  IV. The indefinite article. Adjectives. Use of **hay**   38

   V. Present indicative of **ser**. Position of adjectives. Adjec-   45
tives of nationality. *Some* and *any*

REPASO I   54

Lectura. Song: Martinillo

  VI. Second conjugation: present indicative of **aprender**. Pos-   58
session

 VII. Third conjugation: present indicative of **escribir**. Pos-   66
sessive adjectives. Plural of nouns referring to persons

VIII. Present indicative of **tener**. Idioms with **tener**. Cardinal   74
numerals

  IX. Present indicative of **ir**. Preposition **a**. Time of day   82

LECCIÓN

x. Present indicative of **dar.** Demonstrative adjectives.   92
Summary of the uses of **ser**

REPASO II   101

Lectura: El muchacho y el panadero

xi. Present indicative of **estar.** Uses of **estar.** Use of the   105
article **el** with feminine nouns. Commands

xii. Present indicative of **ver.** Direct objects and the personal   113
a. Direct object pronouns. Position of object pronouns.
Commands

xiii. Present indicative of **saber** and **conocer.** Meaning of   121
saber and **conocer.** Use of **entrar**

xiv. Present indicative of **decir.** Indirect object pronouns.   129
Use of ¿ **cuál**?

xv. Present indicative of **salir.** Uses of **salir.** Expressions   138
with **tener.** Days of the week. Commands. *Song: La
cucaracha*

REPASO III   147

Lecturas: El burro del tío Juan. El cóndor. Economía.
Recognition of words

xvi. Present indicative of **querer.** Pronouns used as objects   154
of prepositions

xvii. Present indicative of **hacer.** Shortened forms of **bueno**   163
and **malo.** Expressions with **hacer.** The seasons

xviii. Present indicative of stem-changing verbs, Class I. Com-   171
mand forms of stem-changing verbs. Use of **gustar.**
Use of ¿ **no es verdad**? *Song: Cielito Lindo*

LECCIÓN

xix. Reflexive pronouns. Reflexive verbs. The definite ar-   179
ticle for the possessive

xx. Present indicative of **venir** and **jugar.** Use of **jugar.**   186
Position of object pronouns used as objects of an infini-
tive. Translation of *to take.* Translation of *please*

REPASO IV   194

*Lecturas: Una solución práctica. La llama. Los dos
frailes*

xxi. Preterite indicative of regular verbs in –**ar.** Uses of the   200
preterite

xxii. Preterite indicative of regular verbs in –**er** and –**ir.**   207
Negative expressions. The definite article with expressions of time. *Song: Allá en el rancho grande*

xxiii. The preterite indicative of **dar, ir, ser.** The infinitive   215
after a preposition

xxiv. Cardinal numerals. The months. Dates   221

xxv. Preterite indicative of **decir, hacer, querer, venir.** Or-   227
dinal numerals. The definite article with titles

REPASO V   235

*Lectura: Los productos de la América Española. Una
leyenda peruana*

xxvi. The imperfect indicative of regular verbs. Uses of the   241
imperfect

xxvii. The imperfect indicative of **ir, ser, ver.** Time of day   249
in the past. Verbs with changes in spelling in the
preterite

LECCIÓN

XXVIII. Present indicative of **poner.**   Preterite indicative of   255
estar, poder, poner, tener.   Uses of **hay** and **había**

XXIX. Use of the definite article in a general sense.   Adjective   263
phrases.   Adjectives used as nouns.   Preterite of **creer**

XXX. Reflexive substitute for the passive.   Position of pro-   271
noun objects with commands.   Demonstrative pro-
nouns

REPASO VI   279

*Lecturas: El maíz.   El chocolate.   La leyenda de la
Virgen de Guadalupe*

XXXI. Present tense of the auxiliary verb **haber.**   Past par-   286
ticiples.   The present perfect indicative tense.   *Song:
Me gustan todas*

XXXII. Imperfect indicative of **haber.**   The pluperfect indica-   294
tive.   Past participles used as adjectives.   *Song: El
burro de Villarino*

XXXIII. **Se** used as an indefinite subject.   **Hacer,** *ago, since*   303

XXXIV. The present participle.   Uses of the present participle.   310
Position of pronoun objects with the present participle

XXXV. Combinations of two personal object pronouns.   Uses   318
of **encontrar** and **hallar**

REPASO VII   325

*Lectura: La Navidad.   Los Reyes Magos.   Song:
Villancico de Navidad*

XXXVI. Comparison of adjectives.   Use of **gran** for **grande.**   332
Translation of *to leave.   Song: Las mañanitas*

LECCIÓN

XXXVII. Irregular comparison of adjectives. Comparison of adverbs. Translation of *very*. Comparison of equality   340

XXXVIII. The future and conditional tenses. Verbs irregular in the future and conditional. Use of the future and conditional tenses   348

XXXIX. The future and conditional perfect tenses. The expression **haber de**. Translation of *the latter*   357

XL. Use of **acabar de**. ¡ **Qué** ! Adjectives with shortened forms   366

REPASO VIII   375

    Lecturas: Fiestas. Cuento del abad honrado. Song: Adelita

XLI. Forms of **traer**. Summary of commands. *Song: La golondrina*   383

XLII. Translation of *must* and *should*   392

XLIII. Formation of adverbs   399

XLIV. The irregular verb **valer**. Uses of **valer**   407

XLV. Family names in Spanish. The directions in Spanish. Street addresses in Spanish. Informal personal letters. *Song: Las Chiapanecas*   415

REPASO IX   424

    Lectura: Cristóbal Colón

x   CONTENTS

APPENDIX

A. Given names in Spanish. *Frases para la clase.*   431
Grammatical terms. *Signos de puntuación.* Ab-
breviations and signs.   Translation of songs

B. Pronunciation.   Punctuation.   Capitalization   439

C. Verb paradigms   445

SPANISH–ENGLISH VOCABULARY   453

ENGLISH–SPANISH VOCABULARY   480

INDEX   494

List of illustrations

Page

The Cathedral of Luján, Buenos Aires (Moore-McCormack 21
Lines)

El río Júcar, Cuenca, Spain (Spanish Tourist Office) 28

The Alcázar of Seville, Spain (Gendreau) 36

A plaza in Turégano, Segovia, Spain (Spanish State Tourist 44
Department)

View of Luquillo Beach, Puerto Rico (Department of Education 64
of Puerto Rico)

Sunset over the South American coast (Moore-McCormack Lines) 73

Alhambra, Granada, Spain   between 80–81
Moorish Mosque in Córdoba, Spain
Bermeo, Vizcaya, Spain
Aqueduct of Segovia, Spain
The walls of Ávila, Spain
Typical street scene and outdoor café in Málaga, Spain
Serenade
Bogotá's Hotel Tequendama
Unloading cane from carts near Cali, Colombia
Monument to General José Artigas, Montevideo, Uruguay

Indian mayor and his helper in native dress. Cuzco (environs), 81
Peru (Pan American-Grace Airways)

Obelisk in Buenos Aires (Moore-McCormack Lines) 90

Mayan pyramid (United Fruit Company) 112

Young artists from Uruapan and their wares (National Railways of Mexico)   120

The ruins of Mitla, Oaxaca (National Railways of Mexico)   127

Balcony of the Hotel Vista Hermosa, Cuernavaca (environs), Mexico (Pan American World Airways)   136

The crater of the famous volcano Popocatépetl (American Airlines)   145

The aloe plant (E. Dahlberg, Stockholm)   161

View of Mt. Agua, Antigua, Guatemala (Pan American World Airways)   169

Painted oxcart, Costa Rica (Kurt Severin)   177

Pedro Miguel Locks, Panama (Professor Turk)   185

Morro Castle at entrance to Havana harbor (Pan American World Airways)   192

Temple oranges from Florida (Armstrong Roberts)   205

Flower vendor in the Floating Gardens of   between 208–209
Xochimilco, Mexico
The Stone of the Sun or The Aztec Calendar
Mayan ruins at Chichén Itzá, Yucatán, Mexico
Mexican handicrafts
Church of Santa Prisca, Taxco, Mexico
Dancing on the terrace of the Hotel de la Américas, Acapulco, Mexico
The lacquer work of Mexico
Lake Atitlán, Guatemala
Natives buy dyes in Saquisili market, Ecuador
Native women from Santiago de Atitlán, Guatemala
Market day in Saquisili, Ecuador

Mexican hat dance (Pan American World Airways)   213

Mexico's National Palace faces the "Zócalo" — the central
  square (American Airlines)   220

Mission of San Juan Capistrano with statue of Father Junípero
  Serra (Frasher)   226

The Alamo, San Antonio, Texas (Municipal Information Bureau,
  San Antonio)   233

Combing henequen fiber (Kurt Severin)   247

Peruvian mountains and farmers' fields in the valley (Professor
  Turk)   254

Whetting a machete (Standard Oil Company)   261

Plaza del Congreso, Buenos Aires (Moore-McCormack Lines)   269

Quechua Indian woman, Peru   between 272–273
Ruins of Machu Picchu, Peru
Quechua couple with llama, Peru
Balsa boat on Lake Titicaca, Peru
Andean terraces overlooking the Urubamba River, Peru
Mural and bronze figure, University City in Caracas
Bolivians in native dance costume
Balloon vendor in Caracas
The Polychrome Hospital in Caracas

Church of San Agustín, Arequipa, Peru (Pan American-Grace
  Airways)   277

Two Spanish women dancing the *jota* (Spanish Tourist Office)   292

Man on donkey in front of archway, Seville (Kindel)   301

Gypsy girl dances for tourists, Barcelona, Spain (Pan American
  World Airways)   308

The doorway of Toledo's cathedral, Spain (Spanish State Tourist
  Department)   316

The Government Lottery, San Juan, Puerto Rico (Department
of Education of Puerto Rico)   324

Serenading at the *reja* (Ewing Galloway)   338

Native mexican girl wears a *rebozo* (Departamento de Turismo
del Gobierno de México)   346

Bullfighting in Mexico (H. Armstrong Roberts)   355

A typical gaucho, Argentina (Pan American-Grace Airways)   364

Highlanders of Santander do an interesting folk dance (Spanish
State Tourist Department)   373

Bringing a chicken home from the market (Standard Oil Company, N.J.)   390

Kitchen of the Convent of Santa Mónica, Puebla, Mexico (National Railways of Mexico)   397

"The view of Toledo," by El Greco   between 400–401
"Don Manuel Osorio Manrique de Zúñiga," by Goya
Detail of Velázquez's "The Surrender of Breda"
"The Golden Age of the Aztecs," by Orozco
Argentine gauchos
Argentina's white marble Congress Hall
Park in a Spanish American city
Chilean musicians
Viña del Mar, Chile's most famous beach
Araucanian Indian woman, Chile
Speedboating on Lake Villarrica in southern Chile

El Cid Campeador (The Hispanic Society of America)   406

Pan American Highway, concrete bridge in Guatemala (Three
Lions, Inc.)   413

Lake set high in the Andes (Grace Line)   421

MAPS

España   5²
                                          between 80–81

La América del Sur   99

El mundo hispanoamericano   between 272–273

EL ESPAÑOL AL DÍA

$\mathcal{E}l$ *primer día* (THE FIRST DAY)

If you want to speak Spanish at every opportunity, you will want to learn some useful expressions the first day you are in class. In order to learn to pronounce Spanish correctly, you must:

1. Listen carefully to your teacher's pronunciation.
2. Imitate the Spanish sounds as closely as possible.
3. Practice saying Spanish words and phrases aloud.

Some of the sounds will be strange to you at first, but if you continue to use them over and over they will soon seem as natural as English sounds. Practice makes perfect in any language.

Listen carefully while your teacher reads the following dialogue in Spanish, then repeat the dialogue after your teacher. This is the way two students may greet each other:

CARMEN. — Buenos días, Carlos.   *"Good morning, Charles."*
CARLOS. — Buenos días, Carmen.   *"Good morning, Carmen."*
CARMEN. — ¿ Cómo está usted ?   *"How are you ?"*
CARLOS. — Muy bien, gracias.   *"Very well, thanks. And you ?"*
  ¿ Y usted ?   5
CARMEN. — Muy bien, gracias.   *"Very well, thank you."*
CARLOS. — ¡ Adiós !   *"Good-bye !"*
CARMEN. — ¡ Hasta mañana !   *"Until (I'll see you) tomorrow !"*

If two students meet in the afternoon, this might be the conversation:

CAROLINA. — Buenas tardes, Fe-   *"Good afternoon, Philip."*
  lipe.   10
FELIPE. — Buenas tardes, Caro-   *"Good afternoon, Caroline."*
  lina.
CAROLINA. — ¿ Cómo está usted ?   *"How are you ?"*
FELIPE. — Muy bien, gracias.   *"Very well, thanks. And you ?"*
  ¿ Y usted ?   15
CAROLINA. — Muy bien, gracias.   *"Very well, thank you."*
FELIPE. — ¡ Adiós !   *"Good-bye !"*
CAROLINA. — ¡ Hasta mañana !   *"I'll see you tomorrow !"*

In the dialogue you may have noticed three differences in English and Spanish punctuation:

1. In Spanish a dash is used instead of quotation marks.
2. An inverted question mark (¿) is placed at the beginning of a question and the regular question mark (?) is placed at the end.
3. An inverted exclamation point (¡) is placed at the beginning of an exclamation and the regular exclamation point (!) is placed at the end.

Practice the dialogues given above, so that tomorrow you can carry on a conversation in Spanish. No doubt you will want to know what your first name is in Spanish. Look for it in the list on pages 431–433. Remember that some English names are not used in Spanish.

Some additional given names which are used in the early lessons are:

Anita *Ann, Anita*
Bárbara *Barbara*
Dorotea *Dorothy*
Elena *Helen, Ellen*
Isabel *Betty, Elizabeth*
María *Mary*

Eduardo *Edward*
Francisco *Francis, Frank*
José *Joseph, Joe*
Juan *John*
Ricardo *Richard*
Roberto *Robert*

El segundo día (THE SECOND DAY)

TEACHER. — Buenos días (Buenas tardes).	*"Good morning (Good afternoon)."*
STUDENT. — Buenos días (Buenas tardes), señor (señora, *or* señorita).	*"Good morning (Good afternoon), sir (ma'am, or Miss)."*
TEACHER. — ¿ Cómo se llama usted, señor ?	*"What is your name, sir ?"*
STUDENT. — Me llamo (Carlos, Felipe).	*"My name is (Charles, Philip)."*
TEACHER. — ¿ Cómo se llama usted, señorita ?	*"What is your name, Miss ?"*
STUDENT. — Me llamo (Carmen, Carolina).	*"My name is (Carmen, Caroline)."*

5

10

*   *   *

TEACHER. — Voy a pasar lista.	"*I am going to call the roll. Car-*
Carmen, Carlos, ——.	*men, Charles, ——.*"
STUDENT. — Presente.	"*Present (Here)*."

In address, use **señor** for a man or a boy, **señora** for a married woman, and **señorita** for a girl or an unmarried woman.

PARA PRACTICAR (*For Practice*)

a. If you want to learn to talk Spanish, you will have to practice a great deal. Listen while your teacher carries on the following conversation with a student. The student will then turn to the student sitting next to him and carry on the same conversation. If the conversation is carried on chain fashion around the class, when it is your turn, repeat the phrases correctly:

TEACHER. — Buenos días (Buenas tardes).

1ST STUDENT. — Buenos días (Buenas tardes), señor (señora, señorita).

TEACHER. — ¿ Cómo está usted ?

1ST STUDENT. — Muy bien, gracias. ¿ Y usted ?

TEACHER. — Regular (*Fair*), gracias.

1ST STUDENT (*to 2nd Student*). — Buenos días (Buenas tardes).

2ND STUDENT. — Buenos días (Buenas tardes), señor (señorita).

1ST STUDENT. — ¿ Cómo está usted ?

2ND STUDENT. — Muy bien, gracias. ¿ Y usted ?

1ST STUDENT. — Regular, gracias.

2ND STUDENT (*to 3rd Student*). — Buenos días (Buenas tardes).

3RD STUDENT. — Buenos días (Buenas tardes). (*Then continue the same conversation as above.*)

b. TEACHER. — ¿ Cómo se llama usted, señor (señorita) ?

1ST STUDENT. — Me llamo ——, señor (señora, señorita). (*Then turning to 2nd Student*) ¿ Cómo se llama usted, señor (señorita) ?

2ND STUDENT. — Me llamo ——, señor (señorita). (*Then turning to 3rd Student*) ¿ Cómo se llama usted, señor (señorita).

3RD STUDENT. — Me llamo ——, señor (señorita). (*3rd Student then turns to 4th Student and repeats the question, and the conversation continues on around the class.*)

El tercer día (THE THIRD DAY)

ISABEL. — Buenas noches, Pablo.	*"Good evening, Paul."*
PABLO. — Buenas noches, Isabel.	*"Good evening, Betty (Elizabeth, Isabel)."*
ISABEL. — ¿ Cómo está usted ?	*"How are you ?"*
PABLO. — Perfectamente, gracias. ¿ Y usted ?	*"Fine (Very well), thanks. And you ?"*
ISABEL. — Muy bien, gracias.	*"Very well, thank you."*
PABLO. — Adiós, Isabel.	*"Good-bye, Betty."*
ISABEL. — Hasta mañana.	*"Until tomorrow."*

You have now had the three greetings used during the day: **Buenos días,** *Good morning;* **Buenas tardes,** *Good afternoon;* **Buenas noches,** *Good evening.*

Buenos días may also mean *Good day,* and **Buenas noches** may mean *Good night* in saying good-bye to a person.

7

LOS DÍAS DE LA SEMANA (The days of the week)

TEACHER. — Buenos días (Buenas tardes).	*"Good morning (Good afternoon)."*
PABLO. — Buenos días (Buenas tardes), señor (señora, señorita).	*"Good morning (Good afternoon), sir (ma'am, Miss).*
TEACHER. — ¿ Qué día de la semana es hoy ?	*"What day of the week is today?"*
PABLO. — Hoy es lunes.	*"Today is Monday."*

(Line 5: rita.)

domingo	*Sunday*	martes	*Tuesday*	jueves	*Thursday*
lunes	*Monday*	miércoles	*Wednesday*	viernes	*Friday*
		sábado	*Saturday*		

The days of the week are not capitalized within a sentence.

PRONUNCIACIÓN (*Pronunciation*)

The vowels **a, e, i (y), o, u,** are the same letters in Spanish as in English, but most of them are pronounced differently. The vowel sounds are sharp and clear. They are clipped short without slurring.

The other letters are called consonants. Several consonants, such as **f, l, m, p,** are pronounced much as in English. The letter **h** (except in the combination **ch**) is always silent, and **ñ** is pronounced like English *ny* in *canyon.*

Now listen carefully as your teacher again pronounces some of the words which you have had. Imitate exactly, stressing the syllable in capitals. The words are divided into syllables by hyphens:

> **a** like *a* in *father:* PA-ra, HAS-ta, pa-SAR
> **e** like *e* in *café:* pre-SEN-te, se-MA-na, TAR-des
> **i (y)** like *i* in *machine:* pri-MER, DÍ-a, I-sa-BEL, Y
> **o** like *o* in *obey:* CÓ-mo, NO-ches, CAR-los, PA-blo
> **u** like *u* in *rule:* us-TED, LU-nes, re-gu-LAR

Now pronounce the following words correctly, noting particularly the vowel sounds given at the top of each column:

a	e	i	o	u
MAR-tes	ter-CER	Fe-LI-pe	do-MIN-go	LU-nes
prac-ti-CAR	VIER-nes	pri-MER	se-ÑOR	se-GUN-do

a	e	i	o	u
LLA-ma	MIÉR-co-les	DÍ-as	se-ÑO-ra	Ar-TU-ro
se-MA-na	JUE-ves	Ca-ro-LI-na	LLA-mo	Su-SA-na
SÁ-ba-do	per-fec-ta-MEN-te	LIS-ta	Ro-BER-to	CU-ba

PARA PRACTICAR

a. For chain practice around the class, use the following dialogue:

1st Student. — Buenas noches, ——.
2nd Student. — Buenas noches, ——. ¿ Cómo está usted ?
1st Student. — Perfectamente, gracias. ¿ Y usted ?
2nd Student. — Regular, gracias. (*To 3rd Student*) Buenas noches, ——.

3rd Student. — Buenas noches, ——. ¿ Cómo está usted ?
2nd Student. — Perfectamente, gracias. ¿ Y usted ?
3rd Student. — Regular, gracias. (*To 4th Student*) Buenas noches, ——.

4th Student. — Buenas noches, ——. ¿ Cómo está usted ?
3rd Student. — Perfectamente, gracias. ¿ Y usted ?
4th Student. — Regular, gracias. (*He turns to 5th Student, etc.*)

b. When the teacher asks **¿ Qué día es hoy?** *What day is today?* give the correct answer: **Hoy es** ——, *Today is* ——.

c. Now let's practice with a chain conversation. **¿ Qué día es?** means *What day is it?* and **Es lunes** means *It is Monday.* In the conversation each answer to **¿ Qué día es?** must name the day following the one just mentioned:

Teacher. — ¿ Qué día es ?
1st Student. — Es lunes, señorita. (*To 2nd Student*) ¿ Qué día es ?
2nd Student. — Es martes, señor (señorita). (*To 3rd Student*) ¿ Qué día es ?
3rd Student. — Es miércoles, señor (señorita). (*To 4th Student*) ¿ Qué día es ?
4th Student. — Es jueves, señor (señorita). (*To 5th Student*) ¿ Qué día es ?
5th Student. — Es viernes, señor (señorita). (*To 6th Student*) ¿ Qué día es ?
6th Student. — Es sábado, señor (señorita). (*To 7th Student*) ¿ Qué día es ?
7th Student. — Es domingo, señor (señorita). (*To next Student, etc.*)

El cuarto día (THE FOURTH DAY)

— ¿ Qué día de la semana es domingo ?	*What day of the week is Sunday?*
— Es el primer día de la semana.	*It is the first day of the week.*
— ¿ Qué día de la semana es lunes ?	*What day of the week is Monday?*
— Es el segundo día de la semana.	*It is the second day of the week.*
— ¿ Qué día de la semana es martes ?	*What day of the week is Tuesday?*
— Es el tercer día de la semana.	*It is the third day of the week.*
— ¿ Qué día de la semana es miércoles ?	*What day of the week is Wednesday?*
— Es el cuarto día de la semana.	*It is the fourth day of the week.*
— ¿ Qué día de la semana es jueves ?	*What day of the week is Thursday?*

— Es el quinto día de la semana.	*It is the fifth day of the week.*
— ¿ Qué día de la semana es viernes ?	*What day of the week is Friday?*
— Es el sexto día de la semana.	*It is the sixth day of the week.*
— ¿ Qué día de la semana es sábado ?	*What day of the week is Saturday?* 5
— Es el séptimo día de la semana.	*It is the seventh day of the week.*

primer	*first*	quinto	*fifth*
segundo	*second*	sexto	*sixth*
tercer	*third*	séptimo	*seventh*
cuarto	*fourth*		

PRONUNCIACIÓN

a. Vowels standing together are usually pronounced in one syllable. Before another vowel, Spanish **i** is pronounced like English *y* in *yes:*

GRA-cias a-DIÓS BIEN MIÉR-co-les VIER-nes

Before another vowel, Spanish **u** is pronounced like English *w* in *wet:*

BUE-nos BUE-nas CUAR-to MUY

b. Spanish **j** is pronounced like English *h* in *halt:*

JUE-ves JUAN Jo-SÉ

c. Spanish **qu** is pronounced like English *k:*

QUE QUIN-to

PARA PRACTICAR

a. Oral practice:

When the teacher reads each sentence in Spanish, if it is correct reply with **Sí, señor (señora, señorita)**, *Yes, sir (ma'am)*. If it is not correct, reply with **No, señor (señora, señorita)**, *No, sir (ma'am)*:

1. El segundo día de la semana es martes.
2. El quinto día de la semana es jueves.
3. El primer día de la semana es sábado.

4. El cuarto día de la semana es miércoles.
5. El séptimo día de la semana es viernes.
6. El sexto día de la semana es sábado.
7. El segundo día de la semana es domingo.
8. El tercer día de la semana es lunes.

b. Dictation.

Write this paragraph in Spanish as your teacher reads it to you:

Los días de la semana son (*are*) lunes, martes, miércoles, jueves, viernes, sábado y domingo.   El quinto día es jueves.   Hoy es viernes.   El séptimo día es sábado.   El primer día de la semana es domingo.

What would your score be if you subtracted from 100 three points for each word not spelled correctly?   Watch the accent mark!

$\mathcal{E}l$ quinto día (THE FIFTH DAY)

Lunes, martes, miércoles tres
Jueves, viernes, sábado seis
Y domingo siete.

In this little jingle which Spanish boys and girls often learn, there are only three new words. Find them in the following list:

uno	*one*	cinco	*five*	nueve	*nine*
dos	*two*	seis	*six*	diez	*ten*
tres	*three*	siete	*seven*	once	*eleven*
cuatro	*four*	ocho	*eight*	doce	*twelve*

PRONUNCIACIÓN

a. Spanish **c** before the letters **e** or **i** is pronounced like English soft *s* in *sent* in most of the Spanish-speaking countries. **Z** also has the same sound. (In some parts of Spain this sound of **c** and **z** is like English *th* in *thin*.)

ON-ce   DO-ce   DIEZ

Spanish **c** before all other letters (except in the combination **ch**) is pronounced like English *k*. Remember that **qu** has this same sound.

CUAR-to   QUIN-to   CIN-co (both sounds)

b. In Spanish, **ch** is considered a single letter and is pronounced like English *ch* in *church*.

O-cho   MU-cho   NO-ches

c. Pronounce the following words after your teacher, imitating each one closely. The sounds which have not been explained will be taken up in later lessons.

CAR-los	Ca-ro-LI-na	NO-ches	JUAN
CÓ-mo	GRA-cias	HAS-ta	Jo-SÉ
CAR-men	pro-nun-cia-CIÓN	LLA-mo	JUE-ves
prac-ti-CAR	ter-CER	LLA-ma	BUE-nos
MIÉR-co-les	e-jer-CI-cios	SIE-te	NUE-ve
per-fec-ta-MEN-te	QUE	VIER-nes	HOY

EJERCICIOS (*Exercises*)

a. Count from one to twelve in Spanish.
b. Beginning with one, count by two's as far as you can.
c. Beginning with two, count by two's to twelve.
d. Beginning with twelve, count backwards to one.
e. Beginning with twelve, count backwards by two's.
f. Give the Spanish for 4, 6, 7, 9, 10.
g. Now we are going to do some arithmetic problems. The Spanish words for the signs are:

+ **y**	× **por**		= **son** (*are*), **es** (*is*)
− **menos**	÷ **dividido por**		

The problem 1 + 1 = 2 is read in Spanish: **uno y uno son dos.** Read in Spanish:

$$2 + 2 = 4 \qquad 5 + 6 = 11 \qquad 8 + 2 = 10$$
$$3 + 4 = 7 \qquad 1 + 7 = 8 \qquad 9 + 3 = 12$$

The problem 6 − 2 = 4 is read: **seis menos dos son cuatro;** 5 − 4 = 1 is read: **cinco menos cuatro es uno.** Read in Spanish:

$$7 - 5 = 2 \qquad 12 - 8 = 4 \qquad 10 - 5 = 5$$
$$9 - 6 = 3 \qquad 11 - 4 = 7 \qquad 11 - 10 = 1$$

The problem 2 × 1 = 2 is read: **dos por uno son dos.** Read in Spanish:

$$3 \times 2 = 6 \qquad 6 \times 2 = 12 \qquad 2 \times 5 = 10$$
$$3 \times 4 = 12 \qquad 3 \times 3 = 9 \qquad 4 \times 2 = 8$$

The problem 4 ÷ 2 = 2 is read: **cuatro dividido por dos son dos.** Read in Spanish:

$$8 \div 4 = 2 \qquad 10 \div 2 = 5 \qquad 6 \div 2 = 3$$
$$12 \div 3 = 4 \qquad 9 \div 3 = 3 \qquad 5 \div 5 = 1$$

Now read in Spanish:

$$9 + 2 = 11 \qquad 8 - 3 = 5 \qquad 8 \div 2 = 4$$
$$12 \div 4 = 3 \qquad 12 - 9 = 3 \qquad 6 \times 1 = 6$$
$$3 \times 1 = 3 \qquad 5 + 2 = 7 \qquad 10 + 1 = 11$$

PARA PRACTICAR

a. Supply the correct word to complete each phrase:

1. ¿ Cómo —— llama usted ?
2. —— llamo (Juan).
3. Hoy es ——.
4. El —— día de la semana es martes.
5. El séptimo día de la semana es ——.
6. Dos y —— son nueve.
7. Tres por cuatro son ——.
8. Voy a —— lista.
9. —— días, señor.
10. —— noches, Isabel.
11. ¿ Cómo —— usted ?
12. Muy ——, gracias.

b. Conversaciones (*Conversations*). To be given in Spanish by pairs of students selected by the teacher:

1. Two students meet in the morning and greet each other by name:
   — Buenos días, ——.
   — Buenos días, ——. ¿ Cómo está usted ?
   — Muy bien, gracias. ¿ Y usted ?
   — Muy bien, gracias.
   — Adiós.
   — Hasta mañana.

2. Two students meet in the afternoon and greet each other:
   — Buenas tardes, ——.
   — Buenas tardes, señorita (señor).
   — ¿ Cómo está usted ?
   — Perfectamente, gracias. ¿ Y usted ?
   — Muy bien, gracias.

3. Two students meet in the evening:
   — Buenas noches, señor (señorita).
   — Buenas noches, señor (señorita).
   — ¿ Cómo se llama usted ?
   — Me llamo (Carlos).

LECCIÓN

PRIMERA

SALUDOS
(*Greetings*)

— Buenas tardes (Buenos días), Carmen.[1]
— Buenas tardes (Buenos días), señorita (señora *or* señor) Molina.
— ¿ Cómo está usted ?
— Así, así, gracias.
— ¿ Habla usted español ?   5
— Sí, señorita (señora *or* señor), hablo español, pero hablo mal.
— ¿ Practica usted mucho ?
— Sí, señorita, practico mucho.
— ¿ Habla usted inglés también ?
— Sí, señorita, hablo inglés y español.   10
— Muy bien. Adiós.
— Hasta mañana, señorita Molina.

[1] **Carlos** or **Felipe** may be substituted for **Carmen** in this dialogue.

VOCABULARIO [1] (Vocabulary)

Nombres (Nouns)

Carlos *Charles*
Carmen *Carmen*
el día *the day*
el español *(the) Spanish*
Felipe *Philip*
el inglés *(the) English*
señor *Mr., sir*
señora *Mrs., madam, ma'am*
señorita *Miss, ma'am*
la tarde *the afternoon*

Otras palabras (Other words)

adiós *good-bye*

así *so*
bien *well*
¿ cómo ? *how?*
gracias *thanks, thank you*
hasta *until*
mal *badly*
mañana *tomorrow*
mucho *much, a great deal, hard*
muy *very*
pero *but*
sí *yes*
también *also, too*
y *and*

Verbos (Verbs)

¿ habla usted ? *are you speaking? do you speak?*
hablo *I speak, I do speak, I am speaking*
¿ practica usted ? *are you practicing? do you practice?*
practico *I practice, I do practice, I am practicing*

Expresiones (Expressions)

así, así *so-so*
buenos días *good morning, good day*
buenas tardes *good afternoon*
¿ cómo está usted ? *how are you? how do you do?*
lección primera *lesson one*

Certain words are capitalized in English and not in Spanish. Sentences begin with capital letters, but names of languages and **señor, señora, señorita** are not capitalized within a sentence:

¿ Habla usted español ?   *Do you speak Spanish?*
Buenos días, señorita Molina.   *Good morning, Miss Molina.*

PRONUNCIACIÓN

a. In Spanish and in English there are many words which are spelled alike and have the same meaning. However, the letters in the

[1] The words and expressions used in the dialogues of **El primer día, El segundo día,** etc., are listed in the vocabularies of the individual lessons when used again.

Spanish words often have different sounds and the stress may fall on a different syllable. When your teacher pronounces the words listed below, listen carefully, and repeat them:

a	e	i	o	u
al-FAL-fa	me-TAL	TA-xi	cho-co-LA-te	BU-rro
ba-NA-na	ho-TEL	ca-pi-TAL	TAN-go	mu-si-CAL
BAL-sa	ro-DE-o	a-ni-MAL	fa-VOR	RUM-ba
al-TAR	cen-TRAL	man-TI-lla	co-LOR	po-pu-LAR
ca-NAL	fe-de-RAL	prin-ci-PAL	mos-QUI-to	na-tu-RAL

b. From the words we have had note that the stress of words which end in a vowel or the consonants **n** or **s** falls on the next to the last syllable:

PE-ro   HAS-ta   ma-ÑA-na   CAR-los   TAR-des   CAR-men   GRA-cias

Words which end in a consonant, except **n** and **s**, are stressed on the last syllable:

us-TED   se-ÑOR   es-pa-ÑOL   prac-ti-CAR

Words not pronounced according to these two rules have a written accent on the stressed syllable:

a-SÍ   tam-BIÉN   es-TÁ   a-DIÓS

EN VOZ ALTA (*aloud*): Pronounce after your teacher, without pausing between words:

HAS-ta ma-ÑA-na   BUE-nas TAR-des CAR-men
BUE-nos DÍ-as   HA-blo es-pa-ÑOL
¿ CÓ-mo es-TÁ us-TED ?   ¿ HA-bla us-TED in-GLÉS ?

EJERCICIOS

a. There are many cities in the United States which have Spanish names. Pronounce these correctly in Spanish. In which state is each city located?

San-ta BÁR-ba-ra   El PA-so   San-ta FE
San An-TO-nio   Sa-cra-MEN-to   San Fran-CIS-co
San-ta CLA-ra   Pa-lo AL-to   A-ma-RI-llo

b. Pronounce the following proper names:

Do-LO-res   Le-o-NOR   Te-RE-sa   Ar-TU-ro
Car-LO-ta   MAR-ta   Do-ro-TE-a   Le-o-NAR-do
MAR-co   PA-blo   Al-BER-to   LUIS

Give in Spanish your own name.   Then give the names of three of your friends.

c. Substitute the proper Spanish for the words in italics:

1. *I speak* español.   2. Carmen, ¿ habla *you* inglés?   3. *Good* días, Felipe.   4. *Good* tardes, Carlos.   5. ¿ Cómo *are* usted?   6. *Mr.* Ortega, ¿ habla usted *well?*   7. Sí, *Miss* Molina, hablo bien.   8. ¿ *Do you speak* español?   9. *I am speaking* mal.   10. ¿ *How* habla usted?   11. *Do you practice?*   12. *I practice* mucho.

COMPOSICIÓN (*Composition*)

Write in Spanish:

1. Good morning, Mr. Molina.   How are you?   2. So-so, thank you, Charles.   And you?   3. Very well, thank you.   4. Miss Tomás, do you speak Spanish?   5. Yes, Philip, I speak Spanish.   6. I speak English also. 7. Carmen, are you speaking Spanish?   8. Yes, Miss Salinas, I am speaking Spanish, but I speak badly.   9. Do you speak English and Spanish? 10. Good-bye, Mrs. Molina.   Until tomorrow.

PARA PRACTICAR

Listen while your teacher carries on the following conversations with one of your classmates.   Your classmate will then take the role of the teacher and carry on the same conversation with another student.   When it is your turn, repeat the phrases correctly and naturally.

a. TEACHER.   — Buenos días, ——.

STUDENT.   — Buenos días, señor (señora, señorita).   ¿ Cómo está usted?

TEACHER.   — Muy bien, gracias.   ¿ Y usted?

STUDENT.   — Muy bien (*or* Así, así), gracias.

b. TEACHER.   — (Carlos), ¿ habla usted español?

STUDENT.   — Sí, señor (señora, señorita), hablo español.

TEACHER.   — ¿ Cómo habla usted?

STUDENT.   — Hablo mal, señor (señora, señorita).

c. TEACHER.   — (Carmen), ¿ habla usted inglés?

STUDENT.   — Sí, señorita (señor, señora), hablo inglés.

TEACHER.   — ¿ Habla usted bien?

STUDENT.   — Sí, señorita (señor, señora), hablo bien.

Aquí se habla español, "Spanish is spoken here." Where? It is the official language of Spain, the mother country, and of eighteen republics in the two Americas. Our nearest Spanish-speaking neighbors are Mexico and the island republic of Cuba. The Dominican Republic, the six countries of Central America, and nine republics in South America complete the list of the Spanish American countries. Portuguese is spoken in Brazil, and French in Haiti.

Spanish is still the language of Puerto Rico, discovered and colonized by Spain, but now an island possession of the United States. Hundreds of thousands of Spanish-speaking people also live within our continental boundaries. We find them in many of our large cities, particularly in New York City, and in our southeastern, southwestern, and western states. Many stores and business houses in these areas display the familiar card or sign which reads: *Aquí se habla español.*

LECCIÓN

DOS

el alumno
la alumna

But: el día

¿HABLA USTED ESPAÑOL?

— Buenos días, alumnos.

— Buenos días, señorita López.

— Anita, ¿ habla usted español ?

— Sí, señorita, hablo español.

5 — ¿ Habla usted inglés y francés también ?

— Sí, señorita, hablo inglés y francés.

— Francisco, ¿ hablan[1] inglés en España ?

— No, señorita, los alumnos de España estudian el inglés y el francés, pero hablan español.

10 — María, ¿ estudia usted mucho ?

— Sí, señorita, estudio mucho en casa.   Estudio la lección de español.

— ¿ Prepara usted la lección en la clase de español ?

— No, señorita, preparo las lecciones de español en casa.   Practico

15 las palabras y las frases con Carmen.

— ¿ Habla usted español con la profesora de inglés ?

— No, señorita, hablo con las alumnas y con los profesores de español.

[1] See **Gramática** 1 for new verb forms used in this exercise.

Nombres

la alumna *pupil, student* (girl)
el alumno *pupil, student* (boy)
Anita *Ann, Anita*
la casa *house, home*
la clase *class, classroom*
España *Spain*
el francés *French*
Francisco *Francis, Frank*
la frase *sentence*
la lección (*pl.* lecciones) *lesson*

María *Mary*
la palabra *word*
el profesor *teacher* (man)
la profesora *teacher* (woman)

Otras Palabras

con *with*
de *of, from, about*
dos *two*
en *in, on, at*
no *no, not*

Expresiones

en casa *at home*
la clase (la lección) de español *the Spanish class (lesson)*
el profesor de español (de inglés) *the Spanish (English) teacher*

PRONUNCIACIÓN

a. Remember that Spanish **c** before **e** and **i**, and Spanish **z,** are pronounced like the English soft *s* in *sent* throughout Spanish America and in southern Spain. In other parts of Spain this sound is like *th* in *thin*. Pronounce:

fran-CÉS   Fran-CIS-co   GRA-cias   LÓ-pez

Spanish **c** before all other letters (except the combination **ch**), and **qu,** are like English *c* in *cat:*

CON   CA-sa   CLA-se   lec-CIÓN (note both sounds of **c**)

b. Recall that when the vowel **i** (**y**) precedes another vowel it is pronounced like English *y* in *yes*. The two letters are pronounced as one syllable:

BIEN   tam-BIÉN   es-TU-dio   es-TU-dian   GRA-cias   y‿us-TED

c. For additional practice, pronounce after your teacher:

ca-pi-TAL	cen-TRAL	chin-CHI-lla	O-ROZ-co
BRON-co	cho-co-LA-te	ci-VIL	San An-TO-nio
co-LOR	mos-QUI-to	Cer-VAN-tes	Al-bu-QUER-que
YU-ma	Bo-LI-via	San-ta CRUZ	Ca-li-FOR-nia

EN VOZ ALTA: Pronounce after your teacher, without pausing between words:

HA-blo‿con‿el‿a-LUM-no   pre-PA-ro‿la‿lec-CIÓN
la‿CLA-se‿de‿es-pa-ÑOL   GRA-cias‿se-ño-ri-ta‿LÓ-pez
la‿lec-CIÓN‿de‿fran-CÉS   es-TU-dio‿las‿pa-LA-bras

GRAMÁTICA (Grammar)

1. VERB FORMS

Estudio el español.	*I study (do study, am studying) Spanish.*
¿ Hablan inglés ?	*Do they speak (Are they speaking) English?*
Los alumnos estudian.	*The pupils study (do study, are studying).*
Preparo la lección.	*I prepare (am preparing) the lesson.*
¿ Prepara usted la lección ?	*Do you prepare (Are you preparing) the lesson?*
¿ Estudia usted ?	*Do you study (Are you studying)?*

The English subject for verbs which end in –o is *I*, and those which end in –an have the subject *they* or a plural noun, as in the examples: **Hablan español,** *They speak Spanish;* **Los alumnos estudian,** *The students study.* When **usted,** *you,* is the subject of the verb, the ending is –a, as in ¿ **Prepara usted la lección?** *Do you prepare the lesson?* Note that in a question, the subject (**usted**) comes after the verb (**prepara**).

PRÁCTICA (*Practice*). Using the examples above as a guide, give the English for:

1. ¿ Habla usted español ?
2. Hablan inglés.
3. ¿ Estudia usted mucho ?
4. Estudio la lección.
5. Preparo las lecciones.
6. Practico las palabras.
7. Estudian el inglés.
8. ¿ Practica usted mucho ?
9. Los profesores hablan bien.
10. Hablan con los alumnos.

2. THE DEFINITE ARTICLE

	SINGULAR	PLURAL
masculine	el	los
feminine	la	las

In English the definite article, *the*, has only one form, while in Spanish it has four forms.

3. GENDER OF NOUNS

In English, nouns which refer to masculine persons are masculine gender; nouns which refer to feminine persons are feminine, and all other nouns are neuter. In Spanish, all nouns are either masculine or feminine.

Most nouns which end in –o are masculine: **el alumno**
Most nouns which end in –a are feminine: **la alumna, la casa**

But: **el día,** *day,* is masculine

Since many nouns have other endings, learn the definite article with each one: **el profesor, la lección, la tarde.**

4. PLURAL OF NOUNS

Nouns which end in a vowel regularly add –s to the singular to form the plural. A plural noun means more than one person or thing. The definite article must have the same gender (masculine or feminine) and the same number (singular or plural) as the noun:

SINGULAR		PLURAL	
el alumno	*the student* (boy)	**los alumnos**	*the students*
la alumna	*the student* (girl)	**las alumnas**	*the students* (girls)

Nouns which end in a consonant add –es to form the plural:

el profesor	*the teacher* (man)	**los profesores**	*the teachers*
la lección	*the lesson*	**las lecciones**	*the lessons*

Nouns which end in –ión drop the accent mark in the plural: **lección,** but **lecciones.** The masculine plural of nouns referring to persons may include both sexes:

los alumnos   *the (boy) student and the (girl) student, the (boy) students and the (girl) students, the students (including boys and girls)*
los profesores   *the (man) teacher and the (woman) teacher, the (men) teachers and the (women) teachers, the teachers (including men and women)*

5. THE DEFINITE ARTICLE WITH THE NAME OF A LANGUAGE

¿ Hablan inglés?   *Do they speak (Are they speaking) English?*
Estudio el español.   *I study (am studying) Spanish.*

las lecciones de español   *the Spanish lessons*
en español   *in Spanish*

In Spanish the definite article is used with the name of a language except after forms of the verb *to speak* and after the prepositions **de** and **en.**

EJERCICIOS

a. Give the correct form of the Spanish definite article (**el, la, los,** or **las**) with the following nouns:

casa	clase	español	frases	alumnos
alumno	lección	profesora	profesores	palabras

b. The following Spanish words are often used in English. Give the plural of each noun and its proper definite article:

el sombrero	el parasol	el mosquito	la cucaracha
la fiesta	la plaza	la alpaca	el patio

c. Give the Spanish for:

1. I speak. 2. I study. 3. I practice. 4. They prepare. 5. They speak. 6. I am studying. 7. I am preparing. 8. They are preparing. 9. They are speaking. 10. I do speak. 11. They do study. 12. Do you study? 13. Do you prepare? 14. Are you speaking? 15. Are you studying? 16. Are you practicing?

COMPOSICIÓN

1. Good morning, Frank. How are you? 2. Very well, thanks. And you? 3. Ann, do you speak Spanish and French? 4. No, Miss López, I speak English. 5. The students of Spain study English and French. 6. Do you prepare the Spanish lessons in the Spanish class? 7. I study the words and the sentences at home. 8. I study the lessons with the students. 9. Do you speak English with the Spanish teacher? 10. I practice a great deal with Philip.

PARA PRACTICAR

a. Listen carefully as your teacher asks each of the following questions in Spanish. Then answer in Spanish, beginning your reply with **Sí, señor** (**señora,** *or* **señorita**). Example: **¿ Habla usted español? Sí, señor, hablo español.**

1. ¿ Estudia usted mucho ?
2. ¿ Estudia usted en casa ?
3. ¿ Estudia usted el inglés ?
4. ¿ Habla usted inglés en casa ?
5. ¿ Habla usted español en la clase de español ?
6. ¿ Prepara usted las lecciones en casa ?
7. ¿ Prepara usted bien la lección de español ?
8. ¿ Practica usted mucho ?
9. ¿ Estudia usted las palabras ?
10. ¿ Habla usted español con el profesor (la profesora) ?

b. Read carefully in Spanish, linking the words together. Be sure that you can spell the words correctly, for your teacher may ask you to write the sentences when they are read in Spanish:

Anita y María estudian el español. Preparan las lecciones en casa. En la clase de español practican con la profesora y con los alumnos. Hablan inglés y español. En la clase de inglés los alumnos y el profesor hablan inglés.

What's in a name? Usually there is much more than meets the eye, and often centuries of history and tradition lie behind it. What is the origin of the name "Spain" and of the "Iberian" Peninsula, on which the country is located?

Some fifteen hundred years before Christ the Iberians inhabited the peninsula which now bears their name. These people had migrated from western Asia by way of North Africa. About four hundred years later Phoenician traders came from the eastern Mediterranean to settle in the southern part of the peninsula. They called the area "Span" or "Spania," which meant "hidden or remote land." But it was not hidden from later invaders — the Celts, from northern Europe, the Greeks, from ancient Greece, nor the Carthaginians, from the city of Carthage in North Africa. The Romans, who controlled the peninsula from 206 B.C. to 409 A.D., called it "Hispania," which became "España" in modern Spanish.

Since Spanish developed from the spoken Latin of the Romans, it is called a Romance language. Among the other Romance languages are French, Italian, and Portuguese.

LECCIÓN TRES

EN LA CLASE

— Buenos días, Carmen.   ¿ Qué estudia usted ?

— Estudio el libro de español.   Deseo pronunciar ahora las palabras de la lección tres.

— Jorge, ¿ qué busca usted ?

— Busco la pluma, la tinta y el papel, señor.   5

— ¿ Qué busca José ?

— Busca el lápiz y el libro de inglés.   Él y yo deseamos preparar la lección de inglés ahora.

— Felipe, ¿ qué buscan Carmen y Anita en el libro ?

— Buscan el mapa de España y el mapa de México.   Desean estudiar 10
los mapas.

— Anita, ¿ habla usted español con Jorge y José ?

— No hablo con Jorge, señor Gómez.   Él no estudia mucho.   José
y yo practicamos con Carmen y María porque ellas pronuncian bien
las palabras.   Ellas siempre preparan bien las lecciones.   15

29

VOCABULARIO

Nombres

Jorge *George*
José *Joseph*
el lápiz (*pl.* lápices [1]) *pencil*
el libro *book*
el mapa (*note gender*) *map*
México *Mexico*
el papel *paper*
la pluma *pen*
la tinta *ink*

Verbos

buscar *to look for, seek, get*
desear *to desire, wish, want*
estudiar *to study*

hablar *to speak, talk*
practicar *to practice*
preparar *to prepare*
pronunciar *to pronounce*

Interrogativo (Interrogative)

¿ qué? *what? which?*

Otras Palabras

ahora *now*
porque *because*
siempre *always*
tres *three*

Expresiones

busca el lápiz *he is looking for* (*seeking*) *the pencil*
deseo pronunciar *I want to pronounce*
el libro de español (inglés) *the Spanish* (*English*) *book*
¿ qué busca usted? *what are you looking for?*

PRONUNCIACIÓN

a. Spanish **g** before **e** and **i,** and Spanish **j** are pronounced like the strong English *h* in *halt:*

JOR-ge   Jo-SÉ

The letter **x** in **México** is pronounced like Spanish **j.** (The word is spelled **Méjico** in Spain.)

Spanish **g,** except before **e** and **i,** is pronounced like a weak English *g* as in *go:*

GRA-cias   in-GLÉS   GÓ-mez

b. Spanish **ll** is considered a single letter and is pronounced like *y* in *yes* in Spanish America and in some sections of Spain, otherwise like *lli* in *million:*

E-lla   E-llos

[1] To form the plural of words which end in **–z,** change **z** to **c** and add **–es.**

EN VOZ ALTA: Pronounce without pausing between words:

GRA-cias‿se-ño-ra‿GÓ-mez   Jo-SÉ‿y‿JOR-ge‿HA-blan
E-lla‿es-TU-dia‿MU-cho   BUS-can‿el‿MA-pa‿de‿MÉ-xi-co
pre-PA-ran‿las‿lec-CIO-nes   Fran-CIS-co‿BUS-ca‿el‿LÁ-piz

For further practice, pronounce the following place names:

Ca-ta-LI-na	Los ÁN-ge-les	Á-la-mo-GOR-do	A-ma-RI-llo
No-GA-les	San ÁN-ge-lo	San Jo-SÉ	Du-RAN-go
San DIE-go	El CEN-tro	La JO-lla	San Ja-CIN-to

GRAMÁTICA

1. REGULAR VERBS OF THE FIRST CONJUGATION

In Lesson Two you learned some verb forms. Before learning any others, here are some definitions:

a. An infinitive in English is a verb form beginning with the preposition *to;* in Spanish an infinitive is a verb form ending in –**ar**, –**er**, or –**ir**:

to speak	**hablar**
to study	**estudiar**

b. The verb stem is the part of the verb which remains after the infinitive ending is removed:

hablar	**habl–**
estudiar	**estudi–**

c. A verb conjugation consists of all the forms of a verb arranged according to tenses. Verbs whose infinitives end in –**ar** are called first conjugation verbs.

d. The word *tense* means *time.* The six forms of a Spanish verb used to tell *what is going on now* or *what goes on all the time* make up the *present tense.* The present indicative tense expresses facts.

e. The present tense of an –**ar** verb is made up of the stem plus the following six endings:

First Conjugation Endings	
–o	–amos
–as	–áis
–a	–an

f. The subject pronouns in English, *I, you, he, she, we, you, they,* are the pronouns which are used as subjects of verbs. In Spanish

the subject pronouns which correspond to the endings given in section
e are:

I	yo	–o	we	nosotros nosotras (*f.*) } –amos
you (*fam.*)	tú	–as	you (*fam.*)	vosotros vosotras (*f.*) } –áis
he she you (*formal*)	él ella usted } –a		they they (*f.*) you (*formal*)	ellos ellas ustedes } –an

g. Spanish has more ways of saying *you* than English. The familiar
forms **tú** and **vosotros**, which require verb forms ending in –as and
–áis, respectively, are used by relatives and by friends who call each
other by their given names. The formal **usted** and **ustedes** are used
in other cases and they require the verb endings –a and –an:

> **Carlos, tú hablas bien.**
> **Señor Molina, ¿ habla usted inglés?**

Now we have a table which shows a complete conjugation of an
–ar verb in the present indicative tense, with the subject pronouns,
the corresponding verb forms, and the English meanings.

Present Indicative Tense of **hablar**, *to speak*	
SINGULAR	
1st pers. (yo) **hablo**	*I speak, do speak, am speaking*
2nd pers. (tú) **hablas** (*fam.*)	*you speak, do speak, are speaking*
3rd pers. (él) **habla**	*he speaks, does speak, is speaking*
(ella) **habla**	*she speaks, does speak, is speaking*
usted **habla** (*formal*)	*you speak, do speak, are speaking*
PLURAL	
1st pers. (nosotros) **hablamos**	*we speak, do speak, are speaking*
(nosotras) **hablamos**	*we (f.) speak, do speak, are speaking*
2nd pers. (vosotros) **habláis** (*fam.*)	*you speak, etc.*
(vosotras) **habláis** (*fam.*)	*you (f.) speak, etc.*
3rd pers. (ellos) **hablan**	*they speak, etc.*
(ellas) **hablan**	*they (f.) speak, etc.*
ustedes **hablan** (*formal*)	*you speak, etc.*

(1) Give the stems of: **buscar, desear, estudiar, practicar, preparar, pronunciar.**

(2) Following the model verb **hablar,** give each form of each verb in (1), using the subject pronoun with the corresponding verb, and giving the English meaning.

2. USE OF SUBJECT PRONOUNS

a. **Hablo bien.**   *I speak well.*
   Ella habla y él estudia.   *She talks and he studies.*

Subject pronouns are often omitted in Spanish; however, they may be used at any time for clearness or emphasis.

b. **José y yo practicamos.**   *Joseph and I practice.*
   Él y yo estudiamos.   *He and I study.*

A pronoun may be combined with a noun or with another pronoun to form a compound subject. In these two examples the subjects **José y yo** and **Él y yo** take the same verb form as **nosotros,** *we.*

c. **Usted prepara la lección.**   *You prepare the lesson.*
   ¿ **Qué busca usted (Vd.)** ?   *What are you looking for?*

For the sake of courtesy the pronouns **usted** and **ustedes** (often abbreviated to **Vd.** and **Vds.,** respectively) are usually expressed in Spanish. Remember that **usted** and **ustedes** are used with the *third* person forms of the verb.

PRÁCTICA.   In the dialogue, find the Spanish for:

1. What are you studying? 2. I am studying. 3. I want to pronounce. 4. I am looking for. 5. What is Joseph looking for? 6. He and I want to prepare. 7. what are Carmen and Ann looking for? 8. They are looking for the map. 9. They want to study. 10. they always prepare.

3. NEGATIVE SENTENCES

Carlos no estudia.   *Charles is not studying (does not study).*
No hablo con Jorge.   *I do not talk (am not talking) with George.*

Spanish sentences are made negative by placing the word **no** before the verb. No other words are necessary.

4. FORMATION OF QUESTIONS

¿ **Qué estudia Vd. ?**   *What are you studying?*
¿ **Desea Vd. el libro ?**   *Do you want the book?*

Pronouns used as subjects in questions come immediately after the verb.

¿ Qué busca José ?	*What is Joseph looking for ?*
¿ Hablan bien los alumnos ?	*Do the students talk well ?*
¿ Habla español el profesor de inglés ?	*Does the English teacher talk Spanish ?*

Nouns used as subjects may also follow the verb in questions. If an adverb such as **bien** or **mal** is used, the word order is verb, adverb, subject. If the subject is as long as, or longer than, the predicate, it comes at the end of the question.

EJERCICIOS

a. Write the plurals of the following words, using the correct definite article with each plural form:

libro	casa	pluma	lección	lápiz
papel	mapa	clase	profesor	alumna

b. Give the correct form of the verb in parentheses:

1. Yo (hablar). 2. Yo (desear). 3. Él (preparar). 4. Ella (pronunciar). 5. Usted (estudiar). 6. Nosotros (buscar). 7. Nosotras (hablar). 8. Ellos (pronunciar). 9. Ellas (practicar). 10. Ustedes (preparar). 11. Tú (hablar). 12. Vosotros (buscar). 13. Jorge y yo (estudiar). 14. Ella y yo (practicar). 15. Él y ella (hablar).

c. Make each of the following Spanish sentences negative, then translate. Example: **José busca el lápiz, José no busca el lápiz.**

1. Jorge habla francés. 2. Ella busca los lápices. 3. Vd. estudia el inglés. 4. Francisco prepara la lección. 5. La profesora desea pronunciar las palabras. 6. Vds. pronuncian bien la palabra. 7. Jorge practica mucho. 8. Estudiamos en casa.

d. Change each Spanish sentence into a question, then translate. Example: **Carmen estudia la lección de español, ¿ Estudia Carmen la lección de español ?**

1. Vd. busca el mapa de España. 2. La alumna habla bien. 3. Anita estudia en casa. 4. Jorge prepara la lección de inglés. 5. Los profesores hablan español. 6. Ellas practican en español. 7. Vds. pronuncian las palabras. 8. Anita y Carmen estudian.

e. Read in Spanish, filling in the correct word or words:

1. Hablamos —— (el mapa, el profesor, el libro, inglés).
2. Buscan —— (el mapa, el francés, el inglés, el español).
3. Pronuncian bien —— (el libro, la tinta, las plumas, las palabras).
4. José estudia —— (el lápiz, la pluma, la tinta, las frases).
5. Jorge desea —— (el francés, la clase, el libro, la palabra).
6. En España hablan —— (francés, inglés, papel, español).
7. Usted prepara —— (el profesor, la profesora, la lección, la tinta).
8. Carlos y yo estudiamos —— (el lápiz, la pluma, el vocabulario, la clase).
9. Los alumnos practican los ejercicios —— (en casa, en la tinta, en la frase, en la palabra).
10. ¿ Habla usted —— (con, de, bien, en) ?

COMPOSICIÓN

1. Ann is not looking for the paper and the ink. 2. Mary and George are pronouncing the words of the lesson. 3. Does Carmen study hard ? 4. She is preparing the English lesson now. 5. Are you looking for the map of Mexico ? 6. Frank and Philip do not speak well because they do not study. 7. Charles and I always prepare the Spanish lessons at home. 8. Miss López, do I pronounce the sentences well ? 9. Joseph does not want to look for the pencils.   10. *He* wants the map and *we* want the pen.

PARA PRACTICAR

Today we are going to play ¿ **Qué busca usted ?** The teacher chooses a student who then selects some object that he is looking for. Other students ask questions until someone guesses what he is looking for. (Do not select a person.) That pupil then chooses the object of the next search and answers the questions of the class. The game goes like this:

JORGE. — Carmen, ¿ busca usted el libro ?
CARMEN. — No, Jorge, no busco el libro.
ANITA. — Carmen, ¿ busca usted el lápiz ?
CARMEN. — No, Anita, no busco el lápiz.
FRANCISCO. — Carmen, ¿ busca usted la pluma ?
CARMEN. — Sí, Francisco, busco la pluma.

It is then Francisco's turn to answer the questions:

JOSÉ. — Francisco, ¿ busca usted el papel ? Etc.

The Romans gave to Spain not only their language, but their system of laws and government, their religion, and their engineering skills. Today we can still see there some of the aqueducts, bridges, amphitheaters, and roads which they built.

Other invaders followed the Romans. First, some barbaric German tribes who ruled the peninsula for nearly three hundred years; and finally, some Mohammedan tribes, commonly called Moors, who swept across the Strait of Gibraltar in the year 711.   Within seven years the Moors conquered all of Spain, except one small section in the north, and some of them lived in the country until 1492.

The Moors were so advanced in agriculture, industry, science, education, literature, architecture, music, and art, that Spain had the highest culture in western Europe during these centuries.   The Alhambra palace in Granada, the Giralda tower in Sevilla, and the great Mosque or temple in Córdoba stand today as a tribute to their architectural skill. The patios, fountains, balconies, wrought-iron grille work, and flat roofs, which we consider characteristic features of Spanish architecture, are really Moorish in origin.   The sheltered and restricted life which Spanish women have been obliged to live is one example of the Moorish influence on the social customs of Spain.

LECCIÓN

CUATRO

LOS COLORES

— Buenas tardes, señorita Padilla.

— Buenas tardes, Roberto. ¿Qué estudia Vd.?

— Estudio la lección de español.

— ¿Son fáciles las lecciones?

5 — No son fáciles y trabajamos mucho. Las lecciones son difíciles pero son interesantes.

— ¿De qué desea Vd. hablar hoy, Ricardo?

— Deseo hablar de los colores.

— Muy bien. En la silla hay dos libros y en la mesa hay cuatro
10 lápices, una pluma y un cuaderno. ¿De qué colores son?

— Un libro es verde y el otro es azul. Los lápices son amarillos, la pluma es negra, y el cuaderno es negro.

— Vicente, ¿qué hay en la pared?

— Hay un mapa y una bandera.

15 — ¿Qué colores hay en la bandera de México?

— Es [1] verde, blanca y roja. La bandera de los Estados Unidos es roja, blanca y azul.

— ¿Qué colores hay en la bandera de España, Eduardo?

— Es roja y amarilla. Las tres banderas son muy bonitas.

20 — Muy bien. Hasta luego, alumnos.

— Adiós, señorita.

[1] **Es** means *it is*. English *it* when used as the subject of a verb is rarely expressed in Spanish.

VOCABULARIO

Nombres

la bandera *flag*
el color *color*
el cuaderno *notebook*
Eduardo *Edward*
el estado *state*
la mesa *table, desk*
la pared *wall*
Ricardo *Richard*
Roberto *Robert*
la silla *chair*
Vicente *Vincent*

Adjetivos (Adjectives)

amarillo, –a *yellow*
azul *blue*
blanco, –a *white*
bonito, –a *pretty, beautiful*
cuatro *four*
difícil *difficult, hard*

fácil *easy*
interesante *interesting*
negro, –a *black*
otro, –a *other, another*
rojo, –a *red*
un, una *a, an, one*
unido, –a *united*
verde *green*

Verbos

es *(it) is*
hay *there is, there are*
son *(they) are*
trabajar *to work*

Otras Palabras

hoy *today*
luego *then, next*
uno, una *(pron.) one*

Expresiones

¿ de qué color (colores)? *(of) what color (colors)?*
el otro *the other (one)*
hasta luego *until later, see you later*
los Estados Unidos *the United States*
trabajar mucho *to work hard (a great deal)*

PRÁCTICA. Find in the dialogue the answers to the following questions:

1. ¿ Son fáciles las lecciones? 2. ¿ Son difíciles las lecciones? 3. ¿ Son interesantes las lecciones? 4. ¿ Qué hay en la silla? 5. ¿ Qué hay en la mesa? 6. ¿ De qué color es un libro? 7. ¿ De qué color es el otro? 8. ¿ De qué color son los lápices? 9. ¿ De qué color es la pluma? 10. ¿ De qué color es el cuaderno? 11. ¿ Qué hay en la pared? 12. ¿ Qué colores hay en la bandera de México? 13. ¿ Qué colores hay en la bandera de los Estados Unidos? 14. ¿ Qué colores hay en la bandera de España? 15. ¿ Son bonitas las tres banderas?

PRONUNCIACIÓN

a. Spanish **b** and **v** are pronounced exactly alike. At the beginning of a word, or after **m** or **n**, the sound is like a weakly pronounced English *b:*

BUE-nas   tam-BIÉN   VER-de   Vi-CEN-te

In other places, particularly between vowels, the sound is weaker than the English *b*. The lips touch lightly and the breath continues to pass between them. Avoid the English *v* sound. Hold a pencil between your lips and pronounce these words:

tra-BA-jan   la‿ban-DE-ra   HA-bla‿BIEN   CAR-los‿y‿Vi-CEN-te

b. Spanish **d** is pronounced as follows: (1) At the beginning of a word or following l or **n** it is like a weak English *d:*

DE   DOS   di-FÍ-cil   ban-DE-ra

(2) Between vowels and at the end of a word the sound of **d** is softer and is made with the tip of the tongue touching the back of the upper teeth:

cua-DER-no   VER-de   E-DUAR-do   YO‿de-SE-o   a-DIÓS   us-TED

c. Single **r,** except at the beginning of a word, is pronounced with a single trill produced with the tip of the tongue against the gums and close to the upper teeth:

PE-ro   pa-RED   NE-gros

Initial **r** and **rr** are strongly trilled:

RO-jo   Ro-BER-to   Ri-CAR-do

EN VOZ ALTA: Pronounce after your teacher, without pausing between words:

el‿LI-bro‿ES‿a-ZUL   E-llos‿tra-BA-jan‿MU-cho
la‿ban-DE-ra‿de‿MÉ-xi-co   Ri-CAR-do‿y‿Ro-BER-to
SON‿RO-jas‿y‿VER-des   las‿SI-llas‿SON‿VER-des

GRAMÁTICA

1. THE INDEFINITE ARTICLE

un libro y una pluma	*a book and (a) pen (one book and one pen)*
¿ Busca Vd. un cuaderno?	*Are you looking for a notebook?*
Deseo uno.	*I want one.*

The English words *a* and *an* are called *indefinite articles*. The Spanish words are **un** (*m.*) and **una** (*f.*). These words also mean *one*. The indefinite article is generally repeated before each noun in a series. **Uno** (or **una**) is used when the word *one* is a pronoun (third example).

2. ADJECTIVES

a.

m. sing.	f. sing.	m. pl.	f. pl.
blanco	blanca	blancos	blancas
verde	verde	verdes	verdes
fácil	fácil	fáciles	fáciles

Adjectives are words that describe nouns or pronouns. Adjectives form their plurals in the same way as nouns. Spanish adjectives whose masculine singular form ends in –o have four forms and the endings are: –o, –a, –os, –as.

Most other adjectives have only two forms, a singular and a plural: **verde, verdes; fácil, fáciles.**

b.
    El cuaderno es negro.   *The notebook is black.*
    Una silla es blanca.   *One (A) chair is white.*
    Las cuatro frases son fáciles.   *The four sentences are easy.*
    María es bonita.   *Mary is pretty.*

Adjectives have the same gender and number as the nouns they describe, whether they modify the noun directly or are in the predicate. In the sentences above, the articles **el, una, las** are adjectives which modify the nouns **cuaderno, silla, frases,** respectively. The words **negro, blanca, fáciles,** and **bonita** are adjectives in the predicate and they also modify the subjects.

Numerals, except **uno, una,** *one,* are plural and, generally speaking, have only one form.

    ¿ Son fáciles las lecciones ?   *Are the lessons easy?*

In a question if an adjective follows a form of the verb *to be* (*is, are*), the order in the question is verb, adjective, noun subject.

3. USE OF HAY, THERE IS, THERE ARE

    Hay un cuaderno en la silla.   *There is a notebook on the chair.*
    Hay dos banderas en la pared.   *There are two flags on the wall.*

The form **hay** has no subject expressed in Spanish and means *there is* or *there are.* Do not confuse **hay** with **es,** (*it*) *is* and **son,** (*they*) *are.*

EJERCICIOS

a. Give the correct form of each verb which corresponds to the subject listed. Do not write the forms in your book.

	hablar	trabajar	estudiar	desear
1. Yo	————	————	————	————
2. Él no	————	————	————	————
3. Usted	————	————	————	————
4. Nosotros	————	————	————	————
5. Ella y yo	————	————	————	————
6. Juan y María	————	————	————	————

b. Translate as many ways as possible:

1. Ricardo pronuncia bien. 2. ¿ Qué prepara María ? 3. No buscamos los cuadernos. 4. ¿ Buscas tú la bandera ? 5. No trabajo mucho. 6. ¿ No habla Vd. español ?

c. Give the indefinite article with each of these nouns, then give the plural of each with its definite article:

mesa	color	cuaderno	lección	frase
lápiz	silla	bandera	clase	mapa

d. Complete the Spanish sentences as indicated:

1. Las frases *are* fáciles. 2. La bandera *is* roja y amarilla. 3. *There are* dos alumnas con la profesora. 4. ¿ *Is he looking for* el cuaderno? 5. Ricardo *is not working* mucho. 6. Yo *do not work* con Roberto. 7. Ellas *do not speak* bien. 8. ¿ Qué *is there* en la mesa ? 9. *I am studying* la lección. 10. Los lápices *are not* verdes.

e. Read each sentence in Spanish, supplying the proper form of each adjective in italics:

1. Las lecciones son *easy*. 2. El libro es muy *interesting*. 3. Busco *a* cuaderno y *two* lápices. 4. *A* alumna habla con *a* profesor. 5. La bandera es *pretty*. 6. Los libros son *red* y *blue*. 7. La mesa no es *black;* es *white*. 8. El mapa es *yellow* y *white*. 9. Las palabras no son *difficult*. 10. La pluma es *green*. 11. Las sillas son *yellow*. 12. El papel es *blue*. 13. Los cuadernos no son *green*. 14. Las casas son *white*. 15. La lección de español es *easy*.

f. Pronounce the names of the following cities of Spain. You can locate them on the map on page 52:

Bar-ce-LO-na	Se-VI-lla	Va-LEN-cia	MÁ-la-ga
To-LE-do	Sa-la-MAN-ca	San Se-bas-TIÁN	Le-ÓN
Ma-DRID	BUR-gos	Za-ra-GO-za	CÁ-diz
CÓR-do-ba	Gra-NA-da	Se-GO-via	San-tan-DER

COMPOSICIÓN

1. There is a map of Spain in the Spanish book. 2. The flag of the United States is red, white, and blue. 3. What colors are there in the flag of Mexico? 4. There are two Spanish books and a pencil on the chair. 5. On the table there are a notebook and a pen. 6. We work hard because the lessons are not easy. 7. They are interesting but they are difficult. 8. One pencil is red and one is green. 9. Is the house yellow? No, sir, it is white. 10. The table and the chairs are black. They are not very pretty.

PARA PRACTICAR

a. ¿ Qué es esto? *What is this?*

When your teacher indicates an object in the classroom and asks ¿ Qué es esto? reply with Es un libro, Es la mesa, depending on the object indicated.

Similarly, the question ¿ De qué color es esto? may be used, in which case the reply would be Es rojo (roja), Es blanco (blanca), depending on the object indicated.

b. Listen carefully as your teacher reads the following sentences to you in Spanish. If the sentence makes a true statement, answer Sí, señor (señora, *or* señorita). If the sentence is not true, answer No, señor (señora, *or* señorita). See how many words are just like English.

1. La alfalfa es una planta.
2. El burro y la alpaca son animales.
3. El mosquito es una fruta.
4. España es un continente.
5. México es una península.
6. La chinchilla es un animal.
7. California es un canal.
8. La banana es una fruta.
9. La balsa es un mineral.
10. El tango y la rumba son populares.

Why do Spaniards often say they speak Castilian? In history you have read about Isabella of Castile and Ferdinand of Aragon. Where is Castile and how did it get its name?

Soon after the Moors conquered Spain, the inhabitants began to push the foreign invaders southward little by little. They built *castillos* (castles) to defend each position won, and as time passed there were so many in north central Spain that they called the region *Castilla* (Castile). Thus the language of Castilla is called *castellano* (Castilian). By the 11th century Castile had become the strongest of the small kingdoms in Spain, and eventually Castilian became the official language of the country. In this century, too, lived Spain's great national hero, El Cid, who played an important role in the reconquest of the country.

The marriage of Isabella to Ferdinand in 1469 unified Spain politically, except for the southern province of Granada, which was still in Moorish hands. Soon after their marriage this Catholic King and Queen decided to bring religious unity to Spain by driving the Moorish infidels from the land. They accomplished this when Granada fell in January, 1492. A few months later Ferdinand and Isabella gave financial aid to the daring explorer Christopher Columbus, who set out in search of a western trade route to Asia only to discover a new world for the Spanish Monarchs.

LECCIÓN CINCO

LA ESCUELA

1. ¿ TRABAJA VD. MUCHO ?

— ¿ Trabaja Vd. mucho, Carolina ?

— Sí, señorita, Bárbara y yo preparamos un ejercicio difícil.

— ¿ Es pequeña la escuela ?

— No, señorita, es grande.

— ¿ Qué hay en la clase ? 5

— En las paredes hay pizarras, mapas grandes y cuadros bonitos. También hay una puerta y cinco ventanas y en el techo hay cuatro luces.

— ¿ Hay sillas y mesas ?

— Sí, señorita, y las sillas son muy cómodas. En una mesa pe- 10 queña hay plumas y lápices. En otra mesa hay tiza y papel. Es fácil estudiar en una escuela norteamericana.

2. ¿ QUÉ MIRA VD. ?

— ¿ Qué mira Vd., Juan ?
— Miro un mapa de México.
— ¿ Es Vd. mexicano ?
— No, señora, soy español.   Francisco y yo somos españoles.
— ¿ Son españolas María y Carolina ?
— No, señora, María es inglesa y Carolina es norteamericana; pero Isabel es española.
— ¿ Es grande España ?
— No, señora, no es grande; es pequeña.
— ¿ De dónde es Bárbara ?
— Ella es de México; es mexicana.
— ¿ De dónde son Felipe y Carlos ?
— Son de los Estados Unidos.
— ¿ Soy yo española ?
— No, señora, Vd. es norteamericana.
— Muchas gracias, Juan.
— No hay de qué, señora.

VOCABULARIO

Nombres

Bárbara *Barbara*
Carolina *Caroline*
el cuadro *picture*
el ejercicio *exercise*
la escuela *school*
Juan *John*
la luz (*pl.* las luces) *light*
la pizarra *blackboard*
la puerta *door*
el techo *ceiling*
la tiza *chalk*
la ventana *window*

Interrogativo

¿ dónde ? *where ?*

Adjetivos

cinco *five*
cómodo, –a *comfortable*
español, –ola *Spanish*
grande *large, big*
inglés, –esa *English*
mexicano, –a *Mexican*
mucho, –a *much, many*
norteamericano, –a *North American*
pequeño, –a *small, little* (size)

Verbos

mirar *to look at*
ser *to be*

Expresiones

es fácil estudiar *it is easy to study*
miro un mapa *I am looking at a map*
no hay de qué *you are welcome, don't mention it*

PRONUNCIACIÓN

a. Diphthongs

The strong vowels are **a, e, o**; the weak vowels are **i** and **u**. When one of the strong vowels is combined with a weak vowel, the combination is called a *diphthong*. The two vowels are pronounced together, giving each one its own sound, but at the same time stressing the strong vowel or the second of two weak vowels. These combinations are not separated when a word is divided into syllables. See page 11 for the pronunciation of vowel combinations, then pronounce:

GRA-cias   BIEN   MUY   es-CUE-la   CUA-dro   JUAN   PUER-ta

Two strong vowels are in separate syllables. If the *weak* vowel of a diphthong has a written accent, it is considered strong and the letters are in different syllables:

de-SE-o   de-SE-an   Ma-RÍ-a   DÍ-as

When the accent falls on the strong vowel in a diphthong, the vowels are not separated:

a-DIÓS   tam-BIÉN   ha-BLÁIS

b. Division into Syllables

1. A Spanish word has as many syllables as it has single vowels and diphthongs. All syllables end in a vowel whenever possible. A single consonant (including **ch, ll, rr**) is placed with the vowel which follows: pa-pel, ti-za, pe-que-ño, te-cho, si-lla, a-ma-ri-llo, pi-za-rra.

2. Two consonants coming together are divided unless they are pronounced together: es-pa-ñol, a-lum-nos, Bár-ba-ra, tam-bién, Jor-ge, li-bro, ha-blo. The second of two consonants pronounced together is usually **l** or **r**.

3. Combinations of three consonants are usually divided after the first consonant: in-glés, siem-pre.

Now review on page 19 the rules for stressed syllables and then pick out the stressed syllable in each of the words in 1, 2, and 3.

c. Copy the following sentences, divide each word into syllables, underline the stressed syllables, then read each sentence without pausing between words:

Los alumnos miran la pizarra.   Las sillas son amarillas.
Muchos españoles hablan inglés.   Vicente es norteamericano.

GRAMÁTICA

1. THE IRREGULAR VERB SER

Present Indicative Tense of **ser**, *to be*	
SINGULAR	
(yo) **soy**	*I am*
(tú) **eres** (*fam.*)	*you are*
(él, ella) **es**	*he, she, it is*
Vd. **es** (*formal*)	*you are*
PLURAL	
(nosotros, –as) **somos**	*we are*
(vosotros, –as) **sois** (*fam.*)	*you are*
(ellos, ellas) **son**	*they* (*m. and f.*) *are*
Vds. **son** (*formal*)	*you are*

There are no rules for conjugating irregular verbs. You must memorize each form.

2. POSITION OF ADJECTIVES

otra mesa pequeña	*another small table*
muchas luces bonitas	*many pretty lights*
cinco ventanas grandes	*five large windows*

Adjectives that limit as to *quantity* (*the, a, an, much, many*, numerals, etc.) come before the nouns they modify. The indefinite article (**un, una**) is not used with **otro, otra,** *another* (first example).

Adjectives which describe a noun by telling its *quality* (color, size, shape, appearance, nationality) *follow* the noun.

PRÁCTICA.   In the dialogues find the Spanish for the following expressions:

1. a difficult exercise. 2. Is the school small? 3. it is large. 4. five windows. 5. four lights. 6. Are there any chairs and tables? 7. the chairs are very comfortable. 8. a small table. 9. On another table. 10. a North American school.

11. a map of Mexico. 12. I am Spanish (a Spaniard). 13. Caroline is a North American. 14. Betty is Spanish. 15. Is Spain large? 16. She is from Mexico. 17. she is Mexican. 18. Where are Philip and Charles from? 19. They are from the United States. 20. You are welcome.

3. ADJECTIVES OF NATIONALITY

a.

m. sing.	f. sing.	m. pl.	f. pl.
mexicano	mexicana	mexicanos	mexicanas
español	española	españoles	españolas
inglés	inglesa	ingleses	inglesas

Adjectives of nationality ending in –o, like other adjectives ending in –o, have four forms (see **mexicano**). Those ending in consonants add –a, –es, –as to the masculine singular (see **español**). Those which end in –és in the masculine singular, drop the accent when an ending is added (see **inglés**).

b. Ella es norteamericana.   *She is a North American.*
   No somos mexicanos.   *We are not Mexicans.*
   Juan y él son ingleses.   *John and he are English.*
   El mexicano estudia el inglés.   *The Mexican studies English.*

Adjectives of nationality may be used as nouns, as in these examples.

c. Soy español.   *I am a Spaniard.*
   Ella es profesora.   *She is a teacher.*

After forms of the verb **ser** the indefinite article (**un, una**) is not used with unmodified nouns which indicate nationality or profession.

4. SOME AND ANY

No hay libros en la mesa.   *There aren't any books on the table.*
¿ Desea Vd. tiza ?   *Do you want (some, any) chalk?*

The English words *some* and *any* are not expressed in the predicate of a Spanish sentence unless emphasized. Forms will be given later to express these words when necessary.

EJERCICIOS

a. Read each sentence in Spanish, then repeat, making each one plural:

1. La casa es pequeña. 2. Él es español. 3. Ella es inglesa. 4. La silla no es cómoda. 5. El cuadro es bonito. 6. El mapa es grande. 7. El ejercicio no es difícil. 8. Vd. es mexicana.

b. Write in Spanish:

1. I am. 2. they are. 3. he is. 4. are you? 5. she is not. 6. we are. 7. you (*fam. sing.*) are. 8. you (*formal pl.*) are. 9. I look at. 10. we look at. 11. we are looking at. 12. do they look at? 13. you (*formal sing.*) look at. 14. you (*formal pl.*) do not look at. 15. you (*fam. sing.*) look at.

c. Place the adjectives which are now in parentheses in the correct position before or after the noun:

1. (un, bonito) cuadro. 2. (cinco, difíciles) ejercicios. 3. (otra, grande) escuela. 4. (tres, pequeñas) luces. 5. (otros, rojos) lápices. 6. (mucha, blanca) tiza. 7. (un, mexicano) alumno. 8. (una, norteamericana) profesora. 9. (muchas, cómodas) casas. 10. (dos, grandes) ventanas.

d. Give the Spanish for:

1. a large house. 2. a small picture. 3. four pretty windows. 4. two Mexican pupils. 5. the easy exercises. 6. many comfortable chairs. 7. a Spanish flag. 8. three yellow lights. 9. another green notebook. 10. five interesting lessons.

e. Read in Spanish, supplying Spanish words for those in italics:

1. Juan *is looking at* otro cuadro. 2. *We are not looking at* el mapa de México. 3. Carolina y yo *are looking for* la escuela mexicana. 4. ¿Hay *any books* en la mesa? 5. Desean *some paper* ahora. 6. Bárbara es *a Mexican*. 7. Nosotros somos *North Americans*. 8. Ellas son *Spanish*. 9. Carolina prepara bien *the Spanish lessons*. 10. Los ejercicios no son *difficult*. 11. Son muy *interesting*. 12. Ella estudia también *French*. 13. *The French teacher* es muy bonita. 14. Ella no es *Spanish*. 15. No hay *any Mexicans* en la escuela.

COMPOSICIÓN

1. Is the school large? — No, sir, it is small. 2. What is there on the walls? 3. There are three maps and many pretty pictures. 4. There are some pencils, chalk, and paper on the table. 5. John is looking at the light and the ceiling. 6. Richard and Caroline are looking at the blackboard. 7. Barbara, are you Spanish? — No, Miss López, I am a North American. 8. We want to look for a Mexican flag. 9. It is easy to pronounce the Spanish words. 10. You are welcome. See you later.

PARA PRACTICAR

a. Pronounce the names of the following rivers, mountain ranges, and provinces in Spain:

el E-bro	el Gua-dal-qui-VIR	la SIE-rra Mo-RE-na
el DUE-ro	los Pi-ri-NE-os	la SIE-rra Ne-VA-da
el TA-jo	los MON-tes Can-TÁ-bri-cos	Cas-TI-lla la VIE-ja
el Gua-DIA-na	la SIE-rra de Gua-da-RRA-ma	An-da-lu-CÍ-a

b. Turn to pages 402–403. Make a list in Spanish of twenty of your favorite foods. Divide each of the words into syllables and underline the stressed syllable in each according to the rules given on pages 19 and 47.

c. Since you have learned some more objects which can be seen in the classroom, your teacher may want to play ¿ **Qué es esto** ? again. Examples: ¿ **Qué es esto** ? — **Es una bandera.**   ¿ **Qué es esto** ? — **Es la puerta.**

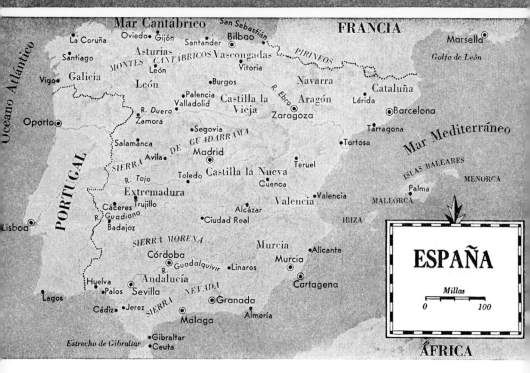

Spain is a small country in southwestern Europe, slightly larger than California, or about four times the size of the state of New York. Next to Switzerland, Spain is the most mountainous country in Europe.

On the map of Spain find the answers to the following questions:

1. What country besides Spain is in the Iberian peninsula?
2. What mountain range separates Spain from France?
3. What mountain range extends to the west across northern Spain?
4. What is the name of the range which crosses central Spain?
5. Where is the Sierra Morena range?
6. Where is Spain's highest range, the Sierra Nevada?
7. Which river (río, R.) in northeastern Spain flows into the Mediterranean Sea (Mar Mediterráneo)?
8. Into what body of water do Spain's other four large rivers flow?
9. Three of these rivers flow across Portugal. What are they?
10. Which river flows southwest across southern Spain?
11. What is the name of the strait (estrecho) between Spain and Africa?

12. What body of water is north of Spain?

13. The Balearic Islands (*Islas Baleares*) are part of Spain. Where are they?

14. The largest of these islands is a famous resort spot. What is its name?

15. What city is the capital of Spain? Where is it located?

16. Where is Barcelona, Spain's industrial center?

17. On what coast is Valencia?

18. Seville, Córdoba, and Granada are located in the province of Andalusia (*Andalucía*). Where is that region?

19. Where are the provinces of Castilla la Vieja and Castilla la Nueva?

20. In what part of Spain are the provinces of Cataluña, Valencia, and Murcia?

21. Toledo is a city of great historical interest. What direction is it from Madrid?

22. Salamanca is the home of one of the world's oldest universities. In what section of Spain is it?

23. Segovia is the site of a famous Roman aqueduct. What is its location?

24. San Sebastián and Santander are popular resort cities. On what coast are they?

25. Bilbao is a mining center in the Basque provinces (*Provincias Vascongadas*). Where are these provinces?

REPASO I *(Review I)*

A. Answer in Spanish with complete statements. If appropriate, begin your answer with *sí, señor (señorita,* or *señora),* or *no, señor (señorita, señora)*:

1. ¿ Estudia Vd. el español? 2. ¿ Habla Vd. francés? 3. ¿ Habla Vd. español? 4. ¿ Hablamos inglés en la clase? 5. ¿ Estudia Vd. en la clase? 6. ¿ Qué hablan en España? 7. ¿ Qué hablamos en los Estados Unidos? 8. ¿ De dónde son los mexicanos? 9. ¿ Hablan español en México? 10. ¿ Hay ventanas y puertas en la clase? 11. ¿ Hay una pizarra también? 12. ¿ De qué color son las paredes? 13. ¿ Hay luces en el techo? 14. ¿ Qué colores hay en la bandera de México? 15. ¿ Qué colores hay en la bandera de los Estados Unidos? 16. ¿ Son amarillos los libros de español? 17. ¿ Son difíciles los ejercicios? 18. ¿ Es fácil pronunciar bien? 19. ¿ Es Vd. norteamericano? 20. ¿ Soy yo alumno?

B. Review the rules for dividing words into syllables (page 47) and the rules concerning stressed syllables (page 19). Now write the following words, indicating by hyphens the correct division into syllables and underlining the stressed syllable:

profesor	interesante	lápiz	inglés	desean
habla	amarillo	estudian	mucho	pizarra
también	colores	buenas	lección	días

C. Read aloud without pausing between words, paying particular attention to the sounds of the letters indicated at the left:

a   La clase prepara las frases.
e   Felipe desea el cuaderno y el papel.
i   Anita mira el libro de inglés.
o   Roberto habla de los colores rojo y negro.
u   Los alumnos buscan las plumas porque estudian mucho.
ia   Carmen y Anita estudian mucho y pronuncian bien.
ua   Juan desea un cuaderno y cuatro cuadros.
ie   Muy bien. Carlos y él trabajan también.
ue   Hay cuatro puertas en la escuela.
io   Estudio la lección ahora. Adiós, María.
b, v Vicente busca las palabras en el libro.
c   Francisco mira las cinco casas blancas.
d   Eduardo desea mirar los cuadros en las paredes.
g   Gracias, Jorge. El libro de inglés es negro.

j   José y Juan trabajan en México.
ll   Ella busca una silla amarilla.
ñ   Señor Padilla, Juan es español porque es de España.
r, rr   Roberto y Ricardo miran la pizarra.
z   Carlos López busca tiza y un lápiz.

D. Form the plurals of:

1. el libro rojo.   2. la casa blanca.   3. el lápiz azul.   4. el papel verde.
5. la lección fácil.   6. la luz amarilla.

How does one form the plural of a noun or adjective which ends in a vowel? In a consonant? One which ends in –z? Why is it necessary for adjectives to have masculine and feminine, singular and plural, forms? What are the four forms of the definite article in Spanish?

E. Place the adjectives in parentheses before or after the noun, according to the rules given on page 48:

1. (un) (interesante) mapa.   2. (dos) (rojas) plumas.   3. (mucho) (blanco) papel.   4. (cinco) (fáciles) lecciones.   5. (muchas) (bonitas) alumnas.   6. (verdes) (los) lápices.   7. (otra) (difícil) frase.   8. (tres) (mexicanos) profesores.

What adjectives come before the noun they modify? What adjectives follow the noun? How do all adjectives agree with the nouns they modify?

F. Give the Spanish for the following forms, including the subject pronouns:

1. we study.   2. she is.   3. he looks for.   4. I do not wish.   5. you (*fam. sing.*) are working.   6. you (*formal sing.*) are looking at.   7. they (*f.*) pronounce.   8. you (*formal pl.*) prepare.   9. I am.   10. they are.

G. Give the English for:

deseamos	preparan	mira	eres	buscamos
estudio	somos	soy	hay	trabajáis

H. Read in Spanish, then repeat, making a question from each sentence:

1. Los mexicanos hablan español.   2. La silla es cómoda.   3. Jorge desea tinta negra.   4. Usted es el profesor de inglés.   5. El español es fácil.

I. Make each sentence negative, then translate:

1. Carmen y yo somos mexicanas. 2. Es difícil preparar las lecciones de inglés. 3. Miramos otro cuaderno negro. 4. José busca tres lápices verdes. 5. María pronuncia bien las palabras españolas.

J. Give the Spanish for:

1. a Spanish book. 2. the French teacher. 3. an English lesson. 4. Good morning, sir. 5. Good afternoon, Miss López. 6. How are you, Mrs. Padilla? 7. So-so, Philip. And you? 8. Very well, thank you. 9. at home. 10. Good-bye. Until tomorrow. 11. See you later. 12. You are welcome.

K. Write in Spanish:

1. Carmen and Vincent are studying in the classroom. 2. They are looking at the map of Spain. 3. They want to look for an easy exercise. 4. The teacher is speaking Spanish now with Richard. 5. There are four lights on the ceiling and five pictures on the walls. 6. Robert is looking at the flag of the United States. 7. It is red, white, and blue and is very pretty. 8. It is easy to pronounce the Spanish words. 9. They are not very difficult. 10. Mary and Caroline are North Americans, but Charles and I are Spanish. 11. I am a pupil and I am from Mexico. 12. There are pencils, pens, chalk, paper, and ink on the table.

L. *¿ Qué hay en la mesa?*

The teacher will place a number of objects on the desk. The students will look at them for a few moments, then after returning to their seats will write down the Spanish names of as many objects as possible. The definite article should be written with each noun.

LECTURA (*Reading*)

In this selection there are only three new words. Try to think in Spanish as you read the lines aloud. Your teacher may read the lines aloud to see if you can understand the meaning without looking at your book.

la ciudad *city*   la capital *capital*   la lengua *language*

En la clase de inglés hay muchos alumnos norteamericanos. También hay dos alumnos mexicanos y dos alumnas españolas. Carlos y Felipe son mexicanos; María y Carmen son españolas. Los alumnos norteamericanos estudian el español y el inglés. Los otros alumnos estudian el inglés y no estudian el español. Los alumnos hablan inglés en la clase de inglés y hablan español en la clase de español. Carlos y María hablan bien, pero Felipe y Carmen hablan mal. Los cuatro alumnos trabajan mucho porque el inglés no es fácil. Estudian 5 el inglés porque desean hablar bien la lengua. Y los alumnos norteamericanos estudian el español porque desean hablar con los alumnos mexicanos y con las alumnas españolas. También desean hablar bien con los profesores de español.

En la pared de la clase hay cuatro mapas y tres cuadros. Los 10 alumnos miran los mapas de México y de España. Carlos y Felipe desean hablar de México, pero María y Carmen desean hablar de España. España no es grande; es pequeña. En el mapa los alumnos buscan las ciudades grandes. Madrid es la capital de España. Otras ciudades grandes son Barcelona, Valencia y Sevilla. María y Carmen 15 también hablan de Granada, una ciudad muy interesante.

MARTINILLO

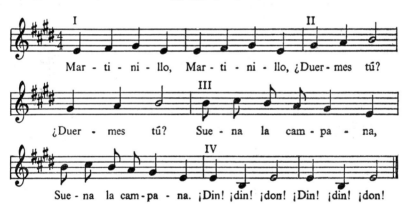

Mar - ti - ni - llo, Mar - ti - ni - llo, ¿Duer - mes tú?

¿Duer - mes tú?   Sue - na la cam - pa - na,

Sue - na la cam - pa - na. ¡Din! ¡din! ¡don! ¡Din! ¡din! ¡don!

LECCIÓN

SEIS

LUIS APRENDE EL ESPAÑOL

— Luis, ¿ qué aprende usted hoy ?

— Aprendo el español, Juan. Leo las frases de la lección de hoy.

— ¿ Comprenden los alumnos cuando la profesora lee en español ?

— Comprenden un poco si ella lee despacio. Poco a poco aprende-
5 mos la lengua. No es fácil aprender una lengua extranjera.

— ¿ Cómo es la profesora ?

— Es joven y muy simpática.

— ¿ Hay alumnos extranjeros en la escuela ?

— Hay dos argentinos.

10 — ¿ Son ricos o pobres ?

— No son ricos, pero son felices y muy simpáticos.

— ¿ De dónde son ?

— Son de Buenos Aires. Es una ciudad grande.

— Es verdad. Es vieja pero es muy moderna.

15 — ¿ Qué mira usted ahora, Juan ?

— Miro el reloj del alumno. Es de oro.

— ¿ De qué es el reloj de José ?

— Es de plata y es muy bonito.

— Mañana yo deseo buscar una pluma de oro para Carmen.

20 — Adiós, hasta luego.

— Hasta mañana.

VOCABULARIO

Nombres

la ciudad *city*
la lengua *language*
Luis *Louis*
el oro *gold*
la plata *silver*
el reloj *watch, clock*
la verdad *truth*

Adjetivos

argentino, -a *Argentine*
extranjero, -a *foreign*
feliz (*pl.* felices) *happy*
joven (*pl.* jóvenes) *young*
moderno, -a *modern*
pobre *poor*
poco, -a *little* (quantity)

rico, -a *rich*
seis *six*
simpático, -a *pleasant, congenial*
viejo, -a *old*

Verbos

aprender *to learn*
comprender *to understand*
leer *to read*

Otras Palabras

cuando *when*
del = de + el *of (from) the*
despacio *slowly*
o *or*
para *for, in order to, to*
si *if, whether*

Expresiones

¿ cómo es (la profesora) ? *what's (the teacher) like?*
(el reloj) de oro *(the) gold (watch)*
es verdad *it is true*
la lección de hoy *today's lesson*
poco a poco *little by little*
un poco *a little*

PRONUNCIACIÓN

a. Before a consonant, Spanish **x** is pronounced like English *s* in *sent:* ex-tran-JE-ro.

b. Vowels coming together in the same word or at the end of one word and the beginning of another are pronounced together. When **i,** or **y,** comes before another vowel it is pronounced much like the *y* in *yes:*

ia (**ya**) like *ya(rn):* es-TU-dia, GRA-cias, y‿a-DIÓS
ie (**ye**) like *ye(s):* BIEN, VIE-jo, y‿el‿re-LOJ
io (**yo**) like *yo(ke):* a-DIÓS, des-PA-cio, lec-CIÓN, YO
iu (**yu**) like *yu(le):* ciu-DAD, y‿us-TED, y‿un LI-bro

When **u** comes before another vowel it is pronounced like the *w* in *wet:*

ua   like *wa*(*tch*)*:* CUAN-do, cua-DER-no, LEN-gua
ue   like *wa*(*y*)*:* BUE-nos, LUE-go, TÚ es-TU-dias
ui (**uy**) like *we:* MUY, LUIS

c. Divide each word into syllables and underline the syllable stressed:

aprenden	ciudad	extranjero	verdad
argentino	despacio	viejos	leer

PREGUNTAS *(Questions)*

In the dialogue, find answers for the following:

1. ¿ Qué aprende Luis ? 2. ¿ Qué lee Luis ? 3. ¿ Comprenden los alumnos cuando la profesora lee en español ? 4. ¿ Cómo aprenden la lengua ? 5. ¿ Es fácil aprender una lengua extranjera ? 6. ¿ Cómo es la profesora ? 7. ¿ Hay alumnos extranjeros en la escuela ? 8. ¿ Son ricos o pobres ? 9. ¿ De dónde son ? 10. ¿ Es grande o pequeña la ciudad de Buenos Aires ? 11. ¿ Es vieja o moderna la ciudad ? 12. ¿ Qué mira Juan ahora ? 13. ¿ De qué es el reloj del alumno ? 14. ¿ De qué es el reloj de José ?

GRAMÁTICA

1. SECOND CONJUGATION

Verbs ending in –**ar,** –**er,** and –**ir** are called first, second, and third conjugation verbs because of the order of *a* (first), *e* (second), and *i* (third) in the alphabet.

Second conjugation verbs ending in –**er** have **e** where the first conjugation has **a:**

1st conjugation: –ar	–o	–as	–a	–amos	–áis	–an
2nd conjugation: –er	–o	–es	–e	–emos	–éis	–en

Present Indicative Tense of **aprender,** *to learn*	
SINGULAR	PLURAL
(yo) **aprendo**	(nosotros, –as) **aprendemos**
(tú) **aprendes** *(fam.)*	(vosotros, –as) **aprendéis** *(fam.)*
(él, ella) **aprende**	(ellos, –as) **aprenden**
Vd. **aprende** *(formal)*	Vds. **aprenden** *(formal)*

The form **aprendo** may mean *I learn, do learn, am learning.* What are the English meanings of **aprendes, aprende, aprendemos, aprendéis, aprenden?**
Give all the forms of **comprender** and **leer.** The stem of **leer** is **le–**.

2. POSSESSION

el reloj de Carmen	*Carmen's watch (the watch of Carmen)*
las plumas de Juan	*John's pens (the pens of John)*

Possession, or ownership, is expressed in Spanish by the use of **de.** The apostrophe is never used.

De followed by **el,** *the,* becomes **del,** but **de** with the other definite articles is not contracted: **de la, de los, de las.** Examples:

el cuaderno del alumno   *the student's notebook (the notebook of the student)*
la silla de la profesora   *the teacher's chair (the chair of the teacher)*

With each of the following nouns, give the Spanish for *of the;* for example, *of the book,* **del libro;** *of the chairs,* **de las sillas:**

—— reloj	—— ciudad	—— profesor	—— profesora
—— relojes	—— ciudades	—— profesores	—— profesoras

EJERCICIOS

a. Give the correct form of the verb in parentheses and give the English meanings for each. Example: **Yo (hablar), Yo hablo,** *I speak, do speak, am speaking:*

1. Yo (aprender).
2. Yo (leer).
3. Yo (comprender).
4. Carmen (aprender).
5. Carmen (leer).
6. Vd. (comprender).
7. Vd. (aprender).
8. Ellos (comprender).
9. Ellas (leer).
10. Nosotros (aprender).
11. Ella y yo (comprender).
12. Nosotras (mirar).
13. Anita y José (buscar).
14. Vds. (practicar).
15. Tú (aprender).
16. Vosotros (comprender).
17. Él (desear).
18. Vds. (estudiar).

b. Make each of these expressions plural:

1. la lengua moderna. 2. el alumno feliz. 3. otra ciudad grande. 4. el mexicano rico. 5. la profesora pobre. 6. el mapa viejo. 7. el reloj de Carolina. 8. la pluma de oro. 9. el lápiz de plata. 10. la alumna

española. 11. el cuadro francés. 12. el alumno joven. 13. la luz azul. 14. la ciudad inglesa. 15. el cuaderno de Eduardo.

c. Make each of these sentences negative. Example: **Ella habla bien, Ella no habla bien.**

1. Vd. aprende el español. 2. Las lenguas extranjeras son fáciles. 3. Luis y Juan leen el ejercicio. 4. Bárbara, tú comprendes la frase. 5. Vicente mira la bandera de España. 6. La ciudad es muy grande. 7. Anita aprende una lengua extranjera. 8. Hay muchos alumnos en la escuela.

d. Make each sentence in **c** into a question, then translate orally. Example: **Ella habla español, ¿ Habla ella español?** *Does she speak Spanish?*

e. Write in Spanish:

1. Carmen's watch. 2. Barbara's school. 3. Caroline's notebook. 4. the gold pencil. 5. Edward's chair. 6. a silver pen. 7. Frank's books. 8. the student's book. 9. the teacher's table. 10. today's lesson.

f. Give the Spanish for:

1. The house is old. 2. We are not rich. 3. It is not true. 4. She is an Argentine. 5. They are young. 6. The pen is (of) silver. 7. The lessons are easy. 8. She is congenial. 9. The watch is (of) gold. 10. The gold is yellow.

COMPOSICIÓN

1. George and Frank are studying at home. 2. They talk a great deal but they do not learn much. 3. George, what are you reading? 4. I am learning five difficult words from today's lesson. 5. I am reading the sentences. Do you understand the exercises? 6. I understand when we read the lesson in the class. 7. It is easy to understand because the teacher speaks slowly. 8. We are learning the language little by little. 9. Are you looking at a map? What is Buenos Aires? 10. It is a large city. It is modern and it is also very pretty.

PARA PRACTICAR

a. Read, substituting the correct Spanish forms for *is* and *are:*

1. Luis *is* argentino. 2. Él y José *are* de Buenos Aires. 3. Ellos *are* alumnos de una escuela norteamericana. 4. Nosotros *are* alumnos de la

escuela también. 5. Pero Vd. *are* alumno de otra escuela. 6. El reloj de Luis *is* de plata. 7. El reloj de oro *is* de José. 8. Los dos relojes *are* bonitos.

b. Match the adjectives in column B with the nouns in column A according to gender, number, and meaning. Translate each expression after the forms are matched:

A	B
1. la lengua	1. negra
2. el oro	2. bonitos
3. las ciudades	3. difíciles
4. el ejercicio	4. extranjera
5. la tiza	5. verdes
6. el cuaderno	6. grandes
7. las paredes	7. blanca
8. los colores	8. amarillo
9. la tinta	9. fácil
10. los ejercicios	10. azul

c. ¿ Qué estudia Vd.? ¿ Qué mira Vd.?

1. When your teacher asks **¿ Qué estudia Vd.?** *What are you studying (do you study)?* be prepared to give as many correct answers as possible, beginning with **Estudio el vocabulario (las palabras,** etc.). As the teacher goes around the class, each student must give an expression which has not been used by the other students. You should be able to give more than fifteen different answers if you use all the correct words you have had in the lessons so far.

2. Now you can use some different words when your teacher asks **¿ Qué mira Vd.?** *What are you looking at?* Example: **Miro el libro (la pared,** etc.). Use only things in your reply, not persons.

On Christmas Day, 1492, Columbus made the first settlement in the New World, on the island which the Spaniards named La Española, "The Spanish One," in honor of their mother country. This island, later called Santo Domingo by the Spanish and Hispaniola by the English, now contains Haiti and the Dominican Republic. In his four trips to the New World, Columbus also sailed along the coasts of Cuba, northern South America, and Central America. This gave Spain the right to claim possession of all these lands.

La Española was the central point from which the early explorations started. After colonizing the island now known as Puerto Rico, Ponce de León landed on the Florida coast in 1513 while searching for the

Fountain of Youth.   He named the land Florida, either because of the abundance of flowers he saw there, or possibly because he landed there on Easter Sunday, called *La Pascua Florida* in Spanish.

In 1510 Balboa had sailed from La Española for present-day Panama. Three years later he crossed the jungles of the isthmus and discovered the Pacific Ocean.   He took possession of the ocean and all the lands that touched it for God and the king of Spain.   The Isthmus of Panama was to become another stepping stone to further explorations.   Stories of rich lands and a fabulous empire in South America soon began to attract adventurers to that continent.

LECCIÓN

SIETE

LA FAMILIA DE DOROTEA

— Dorotea, ¿ qué escribe usted ?

— Escribo una carta a un amigo que estudia ahora en la Universidad de México.

— ¿ Quién es su amigo ?

5   — Carlos Padilla, y es el hijo de una amiga de mi madre. Siempre escribe cartas en español.

— ¿ Vive en México la familia de su amigo ?

— No, Elena, Carlos vive con sus tíos y con un primo y una prima. Su tío enseña en la Universidad y su tía enseña en una escuela inglesa.

10   — ¿ Dónde vive su familia, Dorotea ?

— Mis padres y mi hermano viven en El Paso. Mi hermana vive en San Francisco.

— ¿ Con quién vive usted ?

— Mi amiga Carolina y yo vivimos con mis abuelos.

15   — ¿ De dónde son sus abuelos ?

— Mi abuelo es norteamericano pero mi abuela es mexicana.

— ¿ Quién es Carolina ?

— Es la hija de un amigo de mi padre. La familia de Carolina vive en El Paso también.

20   — Usted habla muy bien, Dorotea.

— Muchas gracias. Usted es muy amable.

VOCABULARIO

Nombres

la abuela *grandmother*
el abuelo *grandfather* (*pl. grand-parents*)
la amiga *friend* (*f.*)
el amigo *friend* (*m.*)
la carta *letter*
    Dorotea *Dorothy*
    Elena *Helen*
la familia *family*
la hermana *sister*
el hermano *brother*
la hija *daughter*
el hijo *son* (*pl. children*)
la madre *mother*
el padre *father* (*pl. parents*)
la prima *cousin* (*f.*)

el primo *cousin* (*m.*)
la tía *aunt*
el tío *uncle* (*pl. aunt and uncle*)
la universidad *university*

Adjetivos

amable *kind*
siete *seven*

Verbos

enseñar *to teach, show*
escribir *to write*
vivir *to live*

Otras Palabras

a *to, at*
que *that, who, which, whom*
¿ quién(es) ? *who? whom?*

PRÁCTICA. In the dialogue find the expressions for the following, noting especially the correct Spanish for the English words underlined:

1. what are you writing?   2. a friend who is studying.   3. Who is your friend?   4. Where does your family live?   5. With whom do you live? 6. Where are your grandparents from?   7. Who is Caroline?

PRONUNCIACIÓN

a. Spanish **n** before **b, v, m, p** is pronounced like **m**:

con Bárbara = com_BÁR-ba-ra   un poco = um_PO-co
Juan vive = Juam_VI-ve   un primo = um_PRI-mo

b. The more rapidly you speak, the more you will run the words together.

(1) A final consonant is pronounced with the following syllable:

el amigo e-la-MI-go   son amables SO-na-MA-bles

(2) Two identical consonants are pronounced as one:

el libro e-LI-bro   ellas son amigas E-lla-SO-na-MI-gas

(3) Two identical vowels are pronounced as one vowel:

la abuela la-BUE-la   el libro de español e-LI-bro-des-pa-ÑOL

(4) A final vowel combines with an initial vowel in a following word to form a single syllable:

su escuela sues-CUE-la   mi abuelo mia-BUE-lo

EN VOZ ALTA: Read these sentences aloud and be able to write them when the Spanish is read to you:

La abuela tiene el lápiz.
Su hermana aprende el español.
Sus amigos son amables.
Mis hermanos estudian un poco.
¿ De dónde es la alumna ?

PREGUNTAS

In the dialogue find answers for the following questions:

1. ¿ Qué escribe Dorotea ? 2. ¿ Dónde estudia el amigo de Dorotea ?
3. ¿ Quién es su amigo ? 4. ¿ Escribe sus cartas en inglés ? 5. ¿ Con quiénes vive su amigo ? 6. ¿ Dónde enseña su tío ? 7. ¿ Dónde enseña su tía ? 8. ¿ Dónde viven los padres y el hermano de Dorotea ? 9. ¿ Dónde vive la hermana de Dorotea ? 10. ¿ Con quién vive Dorotea ? 11. ¿ Qué es el abuelo de Dorotea ? 12. ¿ Qué es su abuela ? 13. ¿ Quién es Carolina ? 14. ¿ Dónde vive la familia de Carolina ? 15. ¿ Cómo habla Dorotea ?

GRAMÁTICA

1. THIRD CONJUGATION

Present Indicative Tense of **escribir,** *to write*	
SINGULAR	PLURAL
(yo) **escribo**	(nosotros, −as) **escribimos**
(tú) **escribes** (*fam.*)	(vosotros, −as) **escribís** (*fam.*)
(él, ella) **escribe**	(ellos, −as) **escriben**
Vd. **escribe** (*formal*)	Vds. **escriben** (*formal*)

The endings of −**ir** verbs (third conjugation) are the same as those of −**er** verbs, except for the first and second persons plural.

−er	−o	−es	−e	−emos	−éis	−en
−ir	−o	−es	−e	−imos	−ís	−en

Each form has three meanings; thus, **escribo** may mean *I write, do write, am writing.* What are the English meanings of the other forms of **escribir**?

Give all the forms of **vivir**, *to live,* with English meanings, following the model verb **escribir**.

Give all the forms of **enseñar**, *to teach,* with English meanings. Note that this verb ends in −**ar**.

2. POSSESSIVE ADJECTIVES

SINGULAR	PLURAL	
mi	mis	*my*
tu	tus	*your* (fam.)
su	sus	*his, her, its, your* (formal)
nuestro, −a	nuestros, −as	*our*
vuestro, −a	vuestros, −as	*your* (fam.)
su	sus	*their, your* (formal)

The English possessive adjectives have the same form in the singular and plural: *my letter, my letters.*

Spanish possessive adjectives, like all other adjectives, have singular and plural forms, and those ending in −**o** have the regular masculine and feminine adjective endings −**o**, −**a**, −**os**, −**as**:

mi amigo	*my friend*	mis amigos	*my friends*
mi carta	*my letter*	mis cartas	*my letters*
nuestro padre	*our father*	nuestros hermanos	*our brothers*
tu hermana	*your sister*	tus primos	*your cousins*

Note particularly the meanings of **su, sus**:

su familia	*his, her, your* (formal), *their family*
sus amigos	*his, her, your* (formal), *their friends*

A possessive adjective comes before the noun it modifies and agrees with it in *gender* and *number.* A possessive never ends in −**s** unless it modifies a noun ending in −**s**.

The possessive is repeated before each noun in a series:

mi tío, mi tía y mi primo	*my uncle, aunt, and cousin*

3. PLURAL OF NOUNS REFERRING TO PERSONS

mis hermanos	*my brothers, my brother(s) and sister(s)*
sus hijos	*his sons, his son(s) and daughter(s)* or *children*
sus tíos	*his uncles, his uncle(s) and aunt(s)*
nuestros padres	*our fathers, our parents*

Remember that the masculine plural of nouns referring to persons may include individuals of both sexes, according to the meaning of the sentence. Also see page 25.

EJERCICIOS

a. After you pronounce the names of the Spanish American countries, locate them on the maps on pages 99 and between 272–273:

Ve-ne-ZUE-la	La Ar-gen-TI-na	Ni-ca-RA-gua
Co-LOM-bia	El U-ru-GUAY	Hon-DU-ras
El E-cua-DOR	El Pa-ra-GUAY	Cos-ta RI-ca
El Pe-RÚ	MÉ-xi-co	Pa-na-MÁ
Bo-LI-via	Gua-te-MA-la	CU-ba
CHI-le	El Sal-va-DOR	La Re-PÚ-bli-ca Do-mi-ni-CA-na

b. Review of regular verbs: **hablar, aprender, escribir**

SUBJECT PRONOUNS	CONJUGATION		
	First	*Second*	*Third*
yo	hablo	aprendo	escribo
tú	hablas	aprendes	escribes
él, ella, Vd.	habla	aprende	escribe
nosotros, –as	hablamos	aprendemos	escribimos
vosotros, –as	habláis	aprendéis	escribís
ellos, ellas, Vds.	hablan	aprenden	escriben

1. What ending is the same in all three conjugations? 2. What endings in the second and third conjugations are alike? 3. What letter is added to the third person singular in each conjugation to form the third person plural? 4. Which form of the verb does **Vd.** take?

c. Give the correct form of each verb which goes with the subject listed, then give the English meaning of each:

	mirar	leer	vivir	ser
1. yo	_____	_____	_____	_____
2. ella	_____	_____	_____	_____

3. ellos   ——————   ——————   ——————   ——————
4. nosotros   ——————   ——————   ——————   ——————
5. usted   ——————   ——————   ——————   ——————
6. tú   ——————   ——————   ——————   ——————

d. Read in Spanish, substituting Spanish forms for words in italics:

1. Elena, ¿ dónde *do you live?*   2. *We write* cartas a nuestros hijos.
3. Vds. *do not live* en Buenos Aires.   4. *You* (*pl.*) *are* muy amables.   5. Yo
am living en los Estados Unidos.   6. Nuestros padres *live* en Cuba.   7. Vd.
write bien, señor Molina.   8. ¿ *Does she live* en una ciudad grande?   9. Mis
tíos *are teaching* en México.   10. Carlos, ¿ *aren't you writing* otra carta?

e. Give the meaning of **su** and **sus**:

1. Luis y su hermana.   2. Dorotea y su hermano.   3. Vd. y su hijo.
4. Vds. y sus amigos.   5. La profesora y su clase.   6. La profesora y sus
alumnos.   7. Ellos y sus primos.   8. Los alumnos y su profesor.   9. Luis
y Jorge escriben sus ejercicios.   10. Ella estudia con su hermana.

f. Read in Spanish, supplying the Spanish possessives:

1. Leo *my* libro.   2. Leo *my* libros.   3. Escribo *my* lección.   4. Escribo
my lecciones.   5. Hablamos con *our* hermano.   6. Hablamos con *our* hermanos.   7. Vivimos en *our* casa.   8. Vivimos en *our* casas.   9. Juan busca
his reloj.   10. Juan busca *his* cuadernos.   11. Ellos viven con *their* familia.
12. Ellos viven con *their* abuelos.   13. ¿ Lee Vd. *your* carta?   14. ¿ Leen
Vds. *your* frases?   15. Tú no vives con *your* abuela.

g. Write in Spanish:

1. his grandmother.   2. our uncle.   3. her friend (*f.*).   4. my daughters.
5. our children.   6. their cousins.   7. your (*fam.*) family.   8. my brothers
and sisters.   9. their aunt.   10. your (*formal*) mother and father.

COMPOSICIÓN

1. I want to write another letter to my cousins.   2. They are the children of my uncle and aunt and they live in Cuba.   3. Their father is my
mother's brother.   4. Their sister Mary lives with my family.   5. Our
grandparents are from Spain but they are living in Mexico now.   6. Their
Mexican friends are very kind.   7. My grandfather teaches Spanish in the
University of Mexico.   8. Dorothy, are you writing to your uncle who
lives in Buenos Aires?   9. Yes, Helen, and I want to write two letters to my

friend Barbara who is studying in Mexico.   10. Mr. Padilla, is it difficult to teach English ?   — No, Dorothy, it is easy because the pupils work hard.

PARA PRACTICAR

a. ¿ Con quién vive Vd. ?   *With whom do you live ?*

This conversation may be used chain fashion around the class until all possible answers are given:

TEACHER.   — ¿ Con quién vive Vd. ?

1ST STUDENT.   — Vivo con mis padres (mi abuelo, mi abuela, mi familia, etc.). (*To 2nd Student*) ¿ Con quién vive Vd. ?

2ND STUDENT. — Vivo con ——. (*To 3rd Student*) ¿ Con quién vive Vd. ?

3RD STUDENT. — Vivo con ——. Etc.

b. ¿ A quién escribe Vd. ?   *To whom do you write ?*

This conversation, in which you may use first names of friends as well as relatives, may be carried on chain fashion around the class:

TEACHER.   — ¿ Escribe Vd. a su padre ?

1ST STUDENT.   — No, señor (señorita), no escribo a mi padre; escribo a mi madre. (*To 2nd Student*) ¿ Escribe Vd. a su madre también ?

2ND STUDENT.   — No, señor (señorita), no escribo a mi madre; escribo a mi hermano. (*To 3rd Student*) ¿ Escribe Vd. a su hermano también ?

3RD STUDENT.   — No, señor (señorita), no escribo a mi hermano; escribo a mi hermana. (*To 4th Student*) ¿ Escribe Vd. a su hermana también ?

4TH STUDENT.   — No, señor (señorita), no escribo a mi hermana; escribo a Felipe. (*To 5th Student*) ¿ Escribe Vd. a Felipe también ?

5TH STUDENT.   — No, etc.

c. Give the opposite of each:

1. el abuelo. 3. el hermano. 5. el tío. 7. el hijo. 9. el alumno.
2. la madre. 4. la prima. 6. la amiga. 8. la profesora. 10. blanco.

"God, gold, and glory" are the words used by many historians to sum up the purposes which led the Spaniards to explore the immense land of the New World. The native Indians soon realized that the search for gold, silver, and precious stones was a primary goal of most of the explorers. They began to circulate fantastic tales of great wealth just over the next mountain, across the next valley, or in some distant area.

One of the fabulous tales is that of El Dorado, the Gilded Man. In the highlands of Colombia was a region which was rich in minerals. The Indians who lived there had a strange ceremony in which their chieftain covered his naked body with a sticky gum and a thick layer of gold dust. The chieftain would dive into the water of a lake and wash off the gold dust. At the same time his subjects threw gold objects into the lake as offerings to their gods. As this tale circulated among the Spanish explorers, it was enlarged and changed. During the years El Dorado became a sort of magnet which attracted the Spaniards to search for this region of great wealth, not only in Colombia, but in all corners of the New World.

73

LECCIÓN

OCHO

DIÁLOGOS

1. ¿Qué escribe Juanita?

— ¿ Qué tiene Vd. en la mesa, Juanita ?

— Tengo papel y una pluma, Carmen. Tengo que escribir una carta en español a una amiga que vive en Chile.

— ¿ Hablan español allí ?

5 — ¡ Cómo no ! Hablan español en todos los países de la América del Sur, excepto en el Brasil, donde hablan portugués.

— ¿ De quién es la revista cubana ?

— Es de mi amiga Elena. Ella desea pasar la noche aquí. Tenemos que leer varias páginas de la revista, luego tenemos que escribir una
10 composición para mañana. ¿ Desea Vd. mirar la revista ?

— Sí, con mucho gusto.

2. ¿Cuántos años tiene Vd.?

— ¿ Cuántos años tiene Vd. ?

— Tengo quince años.

— ¿ Cuántos años tiene su hermana ?

15 — Ella tiene trece años y mi hermano tiene diez y seis.

— ¿ Qué lección tenemos para hoy ?

— Tenemos la lección ocho.

— ¿ Cuántos alumnos hay en su clase de español ?

— Hay veinte y un alumnos.

VOCABULARIO

Nombres

la América *America*
el año *year*
el Brasil *Brazil*
la composición (*pl.* composiciones)
  composition, theme
el diálogo *dialogue*
el gusto *pleasure*
  Juanita *Juanita, Jane*
la noche *night, evening*
la página *page*
el país *country, nation*
el portugués *Portuguese*
la revista *magazine*
el sur *south*

Adjetivos

¿ cuánto, –a ? *how much?* (*pl. how
  many?*)
cubano, –a *Cuban*
todo, –a *all, every*
varios, –as *several, various*

Verbos

pasar *to pass, spend* (time)
tener *to have* (*possess*)

Otras Palabras

allí *there*
aquí *here*
donde *where, in which*
excepto *except*

Expresiones

¡ cómo no ! *of course!*
con mucho gusto *with much pleasure, gladly*
¿ cuántos años tiene Vd. ? *how old are you?*
¿ de quién(es) es la revista ? *whose magazine is it?* (literally *of whom is the
  magazine?*)
la América del Sur *South America*
tener (quince) años *to be* (*fifteen*) *years old*
tengo que escribir *I have to write*

PRONUNCIACIÓN

a. Remember that Spanish **g** before **e** and **i,** and Spanish **j,** are
pronounced like English *h* in *halt:*

ar-gen-TI-no   PÁ-gi-na   HI-jo   Jua-NI-ta   JO-ven   JOR-ge

b. (1) In Spanish, **g** before other letters has very much the sound
of English hard *g* in *go:*

a-MI-go   a-MI-ga   GUS-to   GRAN-de   GRA-cias   TEN-go

(2) In the combinations **gue** and **gui** the **u** is not pronounced:
por-tu-GUÉS; while in **gua** and **guo** the **u** is like English *w* in *wet:*
LEN-gua.

c. Spanish **d** and **t** are pronounced with the tip of the tongue against the back of the upper teeth:

DON-de	ban-DE-ra	mo-DER-no	pa-RED	us-TED
tam-BIÉN	TAR-des	TIN-ta	PLA-ta	in-te-re-SAN-te

d. (1) Spanish **b** and **v** have the same sound. At the beginning of a word they have the sound of a soft English *b:*

BIEN BUE-nos bo-NI-to ven-TA-na VA-rios ver-DAD VER-de

(2) In pronouncing Spanish **b** and **v** between vowels, the air continues to pass between the lips. Try putting a pencil between your lips as you pronounce this sound:

cu-BA-no re-VIS-ta VI-ve la͜ver-DAD YO͜VI-vo

EN VOZ ALTA: Read these sentences in Spanish and be able to write them when the Spanish is read to you:

> Mi amiga Bárbara vive en Venezuela.
> La verdad es que el Brasil es muy grande.
> Desea escribir varias páginas en portugués.
> Jorge tiene que leer una revista cubana.

PREGUNTAS

a. Answer in Spanish the following questions which are based on the first dialogue:

1. ¿Quiénes hablan? 2. ¿Qué tiene Juanita en la mesa? 3. ¿Qué tiene que escribir? 4. ¿A quién escribe ella? 5. ¿Escribe en español o en inglés? 6. ¿Hablan español en Chile? 7. ¿Hablan español en todos los países de la América del Sur? 8. ¿Qué hablan en el Brasil? 9. ¿Tiene Juanita una revista mexicana? 10. ¿De quién es la revista? 11. ¿Quién desea pasar la noche con Juanita? 12. ¿Qué tienen que leer? 13. ¿Qué tienen que escribir? 14. ¿Desea Carmen mirar la revista?

b. General questions:

1. ¿Cuántos años tiene Vd.? 2. ¿Tiene Vd. hermanos? 3. ¿Cuántos años tiene (tienen)? 4. ¿Cuántos primos tiene Vd.? 5. ¿Cuántos alumnos hay en la clase? 6. ¿Cuántas ventanas hay en la clase? 7. ¿Cuántas luces hay en el techo? 8. ¿Cuántas clases tiene Vd.? 9. ¿Cuántas clases tiene Vd. por la tarde? 10. ¿Qué lección tenemos hoy?

GRAMÁTICA

1. THE IRREGULAR VERB TENER

Present Indicative Tense of **tener,** *to have*	
SINGULAR	
(yo) **tengo**	*I have*
(tú) **tienes** (*fam.*)	*you have*
(él, ella) **tiene**	*he, she, it has*
Vd. **tiene** (*formal*)	*you have*
PLURAL	
(nosotros, –as) **tenemos**	*we have*
(vosotros, –as) **tenéis** (*fam.*)	*you have*
(ellos, ellas) **tienen**	*they have*
Vds. **tienen** (*formal*)	*you have*

Memorize the forms of **tener.** Each form may have three meanings: **tengo,** *I have, do have, am having.*

2. IDIOMS WITH TENER

¿ **Cuántos años tiene Vd.?**	*How old are you?*
Tengo quince años.	*I am fifteen years old.*
Tengo que escribir una carta.	*I have to (must) write a letter.*
Tenemos que leer.	*We have to (must) read.*
¿ **Tiene Vd. que estudiar?**	*Do you have to study?*

Spanish expressions that are not translated into English word for word are called idioms. Note particularly the idiom **tener que** (**estudiar**), *to have to,* or *must,* (*study*). In this expression the word following **que** is always an infinitive.

PRÁCTICA. Find in the dialogues the expressions that mean:

1. I have to write a letter. 2. We have to read several pages. 3. we have to write a composition (theme). 4. How old are you? 5. How old is your sister? 6. She is thirteen years old.

Now give the English for:

1. Tengo que leer el libro. 2. Tenemos que estudiar la lección. 3. Vd. tiene que escribir una composición. 4. Ellos tienen que trabajar. 5. Ella tiene que hablar con Dorotea. 6. ¿ Tiene Vd. que practicar mucho?

3. CARDINAL NUMERALS

1 uno	7 siete	13 trece	19 diez y nueve
2 dos	8 ocho	14 catorce	20 veinte
3 tres	9 nueve	15 quince	21 veinte y un(o)
4 cuatro	10 diez	16 diez y seis	22 veinte y dos
5 cinco	11 once	17 diez y siete	30 treinta
6 seis	12 doce	18 diez y ocho	31 treinta y un(o)

Uno is the only numeral that changes in form. Before a masculine noun it becomes **un: un año;** before a feminine noun it is **una: una noche.** This change also occurs when it is combined with another numeral:

veinte y un países	*twenty-one countries*
treinta y un días	*thirty-one days*
veinte y una cartas	*twenty-one letters*
treinta y una páginas	*thirty-one pages*

Numerals come before the nouns they modify when they indicate quantity:

ocho composiciones   *eight themes*   **doce revistas**   *twelve magazines*

Sometimes, however, numerals are used to describe and in such cases they follow the noun:

la lección ocho	*lesson eight*
el ejercicio seis	*exercise six*

(From 16 to 19 and from 21 to 29 the numerals are sometimes written in the combined form in which they are always pronounced: **dieciséis, diecisiete, dieciocho, diecinueve; veintiuno (veintiún), veintidós, veintitrés, veinticuatro,** etc.)

EJERCICIOS

a. If you were to take a boat trip down the east coast of South America, cross the continent by airplane, and return via the Panama Canal, you could visit the following ports. Pronounce and locate them:

RÍ-o de Ja-NEI-ro,   SAN-tos,   Mon-te-vi-DE-o,   Bue-nos AI-res, Val-pa-ra-Í-so,   El Ca-LLA-o,   Gua-ya-QUIL,   Bue-na-ven-TU-ra, Ba-rran-QUI-lla, La GUAI-ra.

How many Spanish speaking countries would you visit? What other language would you need? Where?

b. Read in Spanish:

1. 15 años. 2. 21 países. 3. 17 primos. 4. 39 páginas. 5. 6 revistas. 6. 10 amigos. 7. 7 composiciones. 8. 9 noches. 9. 14 universidades. 10. 21 familias. 11. 19 cartas. 12. 18 lecciones. 13. 31 días. 14. 27 alumnos. 15. 24 palabras.

c. Write in Spanish:

1. thirty Cuban pupils. 2. twenty-one countries. 3. six pages. 4. seven years. 5. nine magazines. 6. the two Americas. 7. ten cities. 8. four nights. 9. eight cousins (*f.*). 10. three themes.

d. The Spanish words for the mathematical signs are: +, **y**; —, **menos**; ×, **por**; ÷, **dividido por**; =, **son**. A problem is written out thus: **uno y uno son dos**. Read the following in Spanish:

$5 + 6 = ?$	$34 - 2 = ?$	$25 - 12 = ?$
$16 ÷ 4 = ?$	$7 × 3 = ?$	$4 × 5 = ?$
$10 × 3 = ?$	$8 + 11 = ?$	$22 + 11 = ?$
$15 - 13 = ?$	$27 ÷ 9 = ?$	$18 - 4 = ?$
$39 ÷ 3 = ?$	$6 × 5 = ?$	$21 ÷ 7 = ?$
$8 × 4 = ?$	$31 - 10 = ?$	$14 + 4 = ?$

COMPOSICIÓN

1. I want to look at a Cuban magazine there. 2. In all the countries of South America, except in Brazil, they speak Spanish. 3. My cousin has to spend a year in Brazil and he wants to learn Portuguese. 4. We have Spanish books here but we do not have any Portuguese books. 5. Mr. Gómez, have you another small magazine? 6. Yes, Juanita, I have one. It has thirty-five pages. 7. How old are you, Charles? 8. I am thirteen but all my friends are fourteen or fifteen. 9. Mary, do you want to spend the night here with Caroline? 10. No, Helen, I have to write several letters to my friends who live in Chile.

PARA PRACTICAR

a. ¡ Hola! *Hello!*

Count from one to thirty-nine. When you come to a number that has four (4, 14, etc.) in it, or is a multiple of four (4, 8, 12, etc.), say ¡ **Hola!** instead of the number.

b. ¡ Adiós !

Count again, but substitute ¡ **Adiós !** for each number containing a seven or which is a multiple of seven.

c. ¿ Cuántos años tiene Vd. ?

This conversation can be carried on chain fashion around the class:

TEACHER. — ¿ Cuántos años tiene Vd. ?

1ST STUDENT. — Tengo —— años. (*To 2nd Student*) ¿ Y cuántos años tiene Vd. ?

2ND STUDENT. — Tengo —— años. (*To 3rd Student*) ¿ Y cuántos años tiene Vd. ?

3RD STUDENT. — Tengo —— años. (*To 4th Student*) Etc.

For variation, the 5th or 6th Student may ask: **¿ Y cuántos años tiene su hermano (su hermana) ?** The answer would be: **Mi hermano (hermana) tiene —— años.**

d. Since you know how to ask your friends how old they are, perhaps you would like to be able to sing "Happy Birthday" to them in Spanish The tune's the same:

> De las velas las luces
> Ellas quieren decir
> Que tú tengas (María)
> Cumpleaños feliz.

A free translation of this is: "The lights of the candles are trying to say: 'May you have a happy birthday (Mary).'"

ESPAÑA

Alhambra, Granada
(Courtesy of Pan American
World Airways)

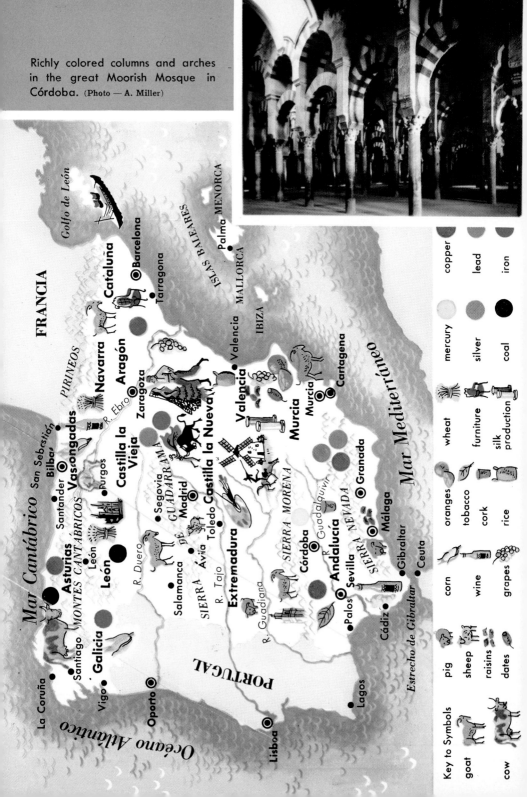

Richly colored columns and arches in the great Moorish Mosque in Córdoba. (Photo — A. Miller)

Bermeo, in the Basque province of Vizcaya, is one of many picturesque fishing villages on Spain's north coast. (Photo — P. Edwards)

The aqueduct at Segovia, built without the use of mortar, is the finest Roman monument in Spain. (Photo — Robert Barclay)

The eleventh-century walls of Ávila, built for military defense of the Castilian city, stand today in excellent condition. (Photo — Robert Barclay)

Typical street scene and outdoor café in Málaga, Andalusian coastal city, famous for its marvellous climate and sunshine. (Photo — Robert Barclay)
The serenade at the *reja* (iron grating) is an old Spanish custom. (Courtesy of Pan American World Airways)

Bogotá's new Hotel Tequendama, named for the beautiful Tequendama Falls nearby, faces the wide Avenida de la República. Located on a high plateau at the foot of the eastern Cordillera of the Andes, Bogotá is famous as a center of culture and learning. (Photo — Three Lions, Inc.)

Unloading cane from carts at a sugar mill near Cali, in southwestern Colombia.
Sugar cane is the leading agricultural crop in the fertile Cauca Valley.
(Courtesy of Professor Turk)

This monument to General José Artigas, Uruguay's national hero and liberator, stands in the middle of Independence Square in the *Ciudad Vieja* (Old City) district, the commercial and financial center of Montevideo. (Courtesy of Pan American World Airways)

South America was the home of many Indian races centuries before the coming of the Spaniards. One of these races, the Incas, reached a high level of civilization. Among the Spaniards in Panama who wanted to conquer new lands and gain wealth and glory was Francisco Pizarro. On his third trip southward in 1532, this daring adventurer and a small band of soldiers succeeded in conquering the great Inca Empire, which extended through the Andes from present-day Ecuador to Chile.

Today if we climb to the high valley of the old Inca capital, Cuzco, we can well imagine the glorious days of the Empire. On every side are ruins of temples, palaces, and walls built of stones which often weighed many tons. Vast stone-walled terraces, on which the Incas grew their crops, cover the steep mountain sides. Irrigation ditches run for miles through the high valleys. Roads which reached every corner of the Empire are still in use. Machu Picchu, the "lost city of the Incas," which was not seen by white men until 1911, is an example of their advanced engineering skill.

The Incas were also noted for their weaving, pottery, and metal work. Instead of a system of writing, they used knotted strings of various colors, called *quipus*, for keeping their records. They domesticated the llama, an indispensable animal which is still widely used by the Quechuas and other descendants of the Incas.

LECCIÓN NUEVE

LAS HORAS DEL DÍA

    — ¿ Qué hora es ?

    — Son las siete de la mañana.

    — ¿ A dónde va Vd. ?

    — Primero voy a tomar el desayuno.

5   — ¿ Cuántas clases tiene Vd. por la mañana ?

    — Generalmente tengo tres, pero hoy tengo solamente una, a las nueve.

    — ¿ A qué hora termina ?

    — A las diez menos diez.

10   — ¿ Tiene Vd. clases por la tarde ?

    — Sí, tengo una clase de historia a la una y media. Termina a las dos y veinte.

    — ¿ A qué hora toma Vd. el almuerzo ?

    — A las doce y media. Comemos a las seis.

15   — ¿ Estudia Vd. por la tarde o por la noche ?

    — Generalmente estudio desde las ocho hasta las diez menos cuarto de la noche. Pero hoy Juanita y yo vamos a estudiar juntas desde las tres hasta las cuatro y media porque mañana tenemos un examen. También voy a su casa a pasar la noche.

20   — Tengo que ir a la biblioteca ahora. Luego voy al café. Adiós.

    — Hasta mañana.

VOCABULARIO

Nombres	Verbos
el almuerzo *lunch*	comer *to eat, dine*
la biblioteca *library*	ir (a + *inf.*) *to go (to)*
el café *café*	terminar *to end, finish*
el cuarto *quarter (of an hour)*	tomar *to take*
el desayuno *breakfast*	
el examen (*pl.* exámenes) *examina-*	**Otras Palabras**
tion, test	¿ a dónde? *where?* (used with verbs
la historia *history*	of motion)
la hora *hour, time* (of day)	al = a + el *to the*
la mañana *morning*	desde *since, from*
	generalmente *generally*
	menos *less*
Adjetivos	por *in, during, through, along, by*
juntos, –as *together*	primero (*adv.*) *first*
medio, –a *half*	solamente *only*

Expresiones

de la mañana *in the morning, A.M.*
de la tarde (noche) *in the afternoon (evening), P.M.*
por la mañana (tarde, noche) *in the morning (afternoon, evening)*
tomar el desayuno (almuerzo) *to take (eat) breakfast (lunch)*

PRÁCTICA. In the dialogue find the expressions for:

1. What time is it? 2. It is seven A.M. 3. Where are you going?
4. I am going to take breakfast. 5. How many classes do you have in
the morning? 6. at nine o'clock. 7. At ten minutes to ten (at 9:50).
8. Do you have any classes in the afternoon? 9. at half past one (at 1:30).
10. at 2:20. 11. At what time? 12. At 12:30. 13. Do you study in the
afternoon or in the evening? 14. from 8:00 to 9:45. 15. from 3:00 to
4:30. 16. I am going to her house to spend the night. 17. I have to go
to the library. 18. Then I'm going to the café.

PRONUNCIACIÓN

a. Spanish **x** between vowels is pronounced like a weak English *gs:*
e-XA-men, e-XÁ-me-nes.

Before a consonant **x** is usually pronounced like *s* in *sent:* ex-CEP-to, ex-tran-JE-ro.

Remember that **x** is pronounced like Spanish **j,** a strong English *h* sound, in **México** and **mexicano.**

b. When the weak vowels **i** (or **y**) and **u** follow the strong vowels **a, e, o,** they are pronounced together with the stress on the strong vowel:

ai (ay) like *ai(sle):* VAIS, HAY, to-MÁIS
ei (ey) like *ei(ght):* SEIS, VEIN-te, a‿las‿DO-ce‿y‿ME-dia
oi (oy) like *(b)oy:* VOY, SOIS, HA-blo‿y‿LE-o
au   like *(h)ow:* HA-bla‿us-TED, a‿la‿U-na
eu   like *e* in *café* + *u* in *rule:* TIE-ne‿U-no, Eu-RO-pa
ou   like *(r)ow:* TEN-go‿un‿LI-bro

When two weak vowels come together the stress is on the second:

ui (uy) like *we:* LUIS, MUY
iu (yu) like *you:* ciu-DAD, un‿LÁ-piz‿y‿u-na‿PLU-ma

EN VOZ ALTA: Read aloud and be able to write the Spanish when it is read to you:

Voy a mi clase de español a la una y media. Hay treinta y un alumnos en la clase. Anita es una alumna de la clase. Es muy bonita y estudia mucho. Tiene un primo y seis primas, pero no tiene hermanos. Vive con sus padres en una casa bonita.

Por la noche ella y yo estudiamos juntas en casa. Preparamos la lección de español primero. Aprendemos bien el vocabulario y escribimos los ejercicios.

PREGUNTAS

Answer the following general questions in Spanish:

1. ¿Qué hora es? 2. ¿A qué hora toma Vd. el desayuno? 3. ¿A qué hora toma Vd. el almuerzo? 4. ¿A qué hora comemos aquí? 5. ¿Cuántas clases tiene Vd. por la mañana? 6. ¿Cuántas clases tiene Vd. por la tarde? 7. ¿Tiene Vd. una clase de inglés? 8. ¿Tiene Vd. una clase de historia? 9. ¿Estudia Vd. el portugués? 10. ¿Dónde hablan portugués? 11. ¿Qué lenguas habla Vd.? 12. ¿Con quién habla Vd.? 13. ¿A qué hora termina la clase de español? 14. ¿Estudia Vd. por la tarde? 15. ¿Tiene Vd. un examen para mañana? 16. ¿Va Vd. a la biblioteca ahora? 17. ¿Cuántos años tiene Vd.? 18. ¿Cuántas ventanas hay en la clase? 19. ¿Cuántas puertas hay en la clase? 20. ¿Qué hay en la pared?

GRAMÁTICA

1. THE IRREGULAR VERB IR

Present Indicative Tense of **ir**, *to go*	
SINGULAR	PLURAL
(yo) **voy**	(nosotros, –as) **vamos**
(tú) **vas** (*fam.*)	(vosotros, –as) **vais** (*fam.*)
(él, ella) **va**	(ellos, –as) **van**
Vd. **va** (*formal*)	Vds. **van** (*formal*)

Memorize and then translate each form as many ways as possible: **voy**, *I go, do go, am going.*

2. PREPOSITION A

Va al café.	*He is going to the café.*
Vamos a la biblioteca.	*We are going to the library.*
¿ A dónde van ?	*Where are they going?*

The preposition **a** must follow any form of the verb **ir** when a noun is used to tell where someone is going. **¿ A dónde ?** is used for *where?* with forms of **ir**.

Luis y yo vamos a estudiar.	*Louis and I are going to study.*
¿ Va Vd. a leer ahora ?	*Are you going to read now?*

The preposition **a** must also be used when an infinitive follows forms of **ir**. In this use **a** is not included in the English translation.

Desear, which you are already using, is followed directly by the infinitive:

Deseamos estudiar.	*We want to study.*
¿ Desea Vd. leer ?	*Do you want to read?*

When **a**, *to*, is combined with **el**, *the*, the two words are contracted to **al**, *to the*. There is no contraction when **a la**, **a los**, and **a las** are written.

3. TIME OF DAY

¿ Qué hora es ?	*What time is it?*
¿ A qué hora vamos ?	*At what time are we going?*

The word **hora** means *time* in asking the time of day.

Es la una.   Son las dos.   Son las tres.

In stating the time of day the word **hora** is understood, and the feminine **la** or **las** are used with the numerals corresponding to the hours. **Es** is used only when followed by **la una.** The other hours are expressed by **Son las dos, Son las tres,** etc.

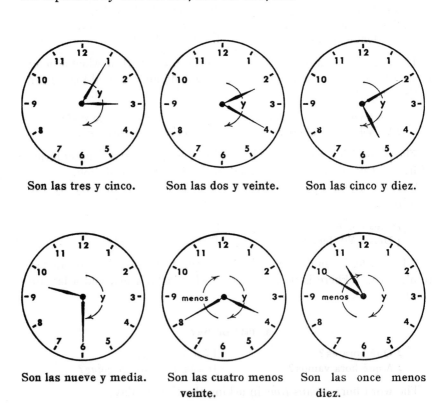

Son las tres y cinco.   Son las dos y veinte.   Son las cinco y diez.

Son las nueve y media.   Son las cuatro menos veinte.   Son las once menos diez.

Up to and including the half hour, minutes are added by using the corresponding numeral after **y**; between the half hour and the next hour they are subtracted by using **menos,** *less.* The noun **cuarto** is used for a quarter of an hour and the adjective **media** for a half hour. The word *minutes* is seldom expressed.

Voy a las cinco de la mañana.	*I go at 5:00 A.M. (in the morning).*
A las tres y diez de la tarde.	*At 3:10 P.M. (in the afternoon).*

When a definite hour in the morning, in the afternoon, or in the evening (at night) is given, *in* and *at* are translated by **de.**

Trabajo por la mañana.	*I work in the morning.*
Estudiamos por la noche.	*We study in the evening (at night).*

When no hour is mentioned, *in* and *at* are expressed by **por.**

EJERCICIOS

a. Pronounce the names of the following South American capitals. Match each one with its country, then pronounce both the capital and the country together:

LI-ma	Ca-RA-cas	Bue-nos AI-res
La PAZ	Bo-go-TÁ	A-sun-CIÓN
QUI-to	San-TIA-go	Mon-te-vi-DE-o

b. With each subject use the correct form of the following verbs:

	tomar	ir	ser	tener
1. Yo	————	————	————	————
2. Nosotros	————	————	————	————
3. Usted	————	————	————	————
4. María y Juan	————	————	————	————
5. Tú	————	————	————	————
6. Elena y yo	————	————	————	————

c. Translate as many ways as possible:

1. Tomamos el almuerzo. 2. Vds. no escriben bien. 3. ¿Qué comes? 4. ¿Dónde viven? 5. Ella no comprende. 6. ¿Qué aprende Vd.? 7. No deseo escribir. 8. Enseñan el español. 9. Pasamos la noche allí. 10. ¿Tomas el desayuno? 11. Voy a tomar el almuerzo. 12. Vd. tiene que ir al café. 13. ¿Van Vds. a vivir aquí? 14. No, no vamos a vivir en los Estados Unidos. 15. Tenemos que vivir en el Brasil.

d. Give in Spanish:

1. It is one o'clock.
2. It is ten o'clock.
3. It is half past eight.
4. At twelve o'clock.
5. At a quarter to seven.

6. At 4:15.
7. At 9:40.
8. It is 2:10 P.M.
9. It is 11:05 P.M.
10. It is 4:55 P.M.

11. At 10:20 A.M.
12. At 7:30 A.M.
13. At 3:00 A.M.
14. At 6:25 P.M.
15. At 12:12 P.M.

e. Read in Spanish, filling in the correct Spanish words according to your daily schedule:

1. Tomo el desayuno a —— de la ——. 2. Voy a mis clases a ——. 3. Tengo mi clase de inglés a —— de la ——. 4. Tengo mi clase de español desde —— hasta ——. 5. Tomo el almuerzo a ——. 6. Mis clases terminan a ——. 7. Estudio en casa desde —— hasta —— de la ——. 8. Como a ——.

COMPOSICIÓN

1. I have to study for an examination that we are going to have tomorrow. 2. First I am going to the library and then John and I are going to the café. 3. I always spend the night at (in) his house when we study together. 4. We want to work from a quarter after seven until a quarter of eleven. 5. Our examinations are generally very difficult. 6. Carmen, at what time do you have your history class? 7. At nine o'clock, when Barbara and Caroline go to their English class. 8. Is your school large or small? 9. It is small but the classes are large. 10. There are thirty-one pupils in my French class.

PARA PRACTICAR

a. Conversation around the class:

TEACHER. — ¿ A qué hora toma Vd. el desayuno?

1ST STUDENT. — Tomo el desayuno a ——. (*To 2nd Student*) ¿ A qué hora toma Vd. el desayuno?

2ND STUDENT. — Tomo el desayuno a ——. (*To 3rd Student*) ¿ A qué hora toma Vd. el desayuno?

3RD STUDENT. — Tomo el desayuno a ——. (*Etc. around the class.*)

Two other questions which can be used similarly are:

1. ¿ A qué hora toma Vd. el almuerzo?
2. ¿ A qué hora tiene Vd. la clase de inglés?

b.   HORARIO DE CLASES

Nombre _____   Aula _____
Dirección _____   Teléfono _____

Período	Asignatura	Profesor	Aula
I	español I		
2	geometría II		
3	historia IV		
4	inglés V		
5	almuerzo		
6	hora de estudio		
7	gimnasia III		gimnasio

Using the **Horario de clases,** *Schedule of Classes,* as a model, make a copy of your own schedule of classes. The meanings of the new words printed as part of the form are: **nombre,** *name;* **dirección,** *address;* **aula,** *classroom* or *homeroom;* **teléfono,** *telephone;* **período,** *period;* **asignatura,** *subject;* **geometría,** *geometry;* **hora de estudio,** *study period;* **gimnasia,** *gym* (class); **gimnasio,** *gymnasium* (building). Spanish names for other commonly taught subjects are:

agricultura *agriculture*
alemán *German*
álgebra *algebra*
arte *art*
banda *band*
biología *biology*
botánica *botany*
ciencia (general) *(general) science*
cocina *cooking, foods*
costura *sewing*
declamación *speech*
dibujo mecánico *mechanical drawing*
economía doméstica *home economics*
física *physics*
geografía *geography*

gobierno *government*
gobierno civil *civics (government)*
instrucción militar *military training*
latín *Latin*
matemáticas *mathematics*
mecanografía *typewriting*
música *music*
periodismo *journalism*
química *chemistry*
salud y seguridad *health and safety*
sociología *sociology*
taquigrafía *shorthand*
teneduría de libros *bookkeeping*
trabajos manuales *manual training*
trigonometría *trigonometry*

Do you know that practically all of South America lies *east* of the United States? An imaginary line drawn southward from Detroit, Michigan, would clear the westernmost point of Peru. Brazil, which is larger than the United States, covers nearly half the continent. Argentina is more than one third the size of our country, and Bolivia is twice the size of Texas.

Since the equator crosses northern South America, we might expect to find there only a region of steaming jungles and hot lowlands. However, climate is determined largely by altitude. The cooler temperatures of the high valleys and plateaus of the great Andes explain why millions of people live there. Bogotá, the capital of Colombia, has an altitude of 8,563 feet; Quito, almost on the equator, is 9,350 feet above sea level; and La Paz, the world's highest big city, has an elevation of 11,910 feet. Aconcagua, the highest peak in the two Americas, rises to 23,081 feet, and several other peaks are almost as high.

Remember that the seasons in southern South America are the reverse of ours. An American living in Buenos Aires would celebrate the Fourth of July in midwinter! Also the schools in Spanish America usually open in March or April, and they close for summer vacation just before Christmas!

LECCIÓN DIEZ

EN EL CAFÉ

—Luis, ¿ qué desea Vd. tomar ?

—Siempre tomo chocolate. ¿ Y Vd., Juan ?

—Generalmente tomo café con leche, pero esta tarde voy a tomar café solo. ¿ Qué toman aquellas tres muchachas ?

5 —Creo que toman té caliente. Esos tres muchachos, detrás de su silla, toman un helado y café con leche.

—Y cerca de la puerta hay dos muchachos que toman leche. Pero, ¿ qué hora es, Luis ?

—Son las tres y media.

10 —Pues, tengo una cita con María a las cuatro. Ella y yo siempre damos un paseo a esa hora.

—Generalmente yo doy un paseo con Juanita a la misma hora. Su padre tiene un coche nuevo y esta tarde ellos van a dar un paseo.

—¿ Qué es el padre de Juanita ?

15 —Es médico y es un hombre muy simpático.

—Pues, tengo que ir a casa de María ahora.

—Y yo tengo que ir a casa. (*Juan da el dinero al mozo.*) Muchas gracias, Juan.

—No hay de qué.

VOCABULARIO

Nombres

el café *coffee*
la cita *date, appointment*
el coche *car*
el chocolate *chocolate*
el dinero *money*
el helado *ice cream*
el hombre *man*
la leche *milk, cream* (in coffee)
el médico *doctor*
el mozo *waiter*
la muchacha *girl*
el muchacho *boy*
el paseo *walk, ride, drive; boulevard*
el té *tea*

Adjetivos

caliente *hot, warm*
mismo, –a *same*
nuevo, –a *new*
solo, –a *alone, single*

Verbos

creer *to believe, think*
dar *to give*

Otras Palabras

cerca de *near*
detrás de *behind*
pues *well, (well) then*

Expresiones

a casa de María *to Mary's (house)*
a esa hora *at that time (hour)*
café solo *black coffee*
dar un paseo *to take a walk (ride)*
(ir) a casa *(to go) home*
tomar un helado *to eat (take) ice cream*

PRÁCTICA. In the dialogue find the expressions for:

1. what do you want to take? 2. behind your chair. 3. near the door. 4. She and I always take a walk at that time. 5. I take a walk with Jane at the same time. 6. they are going to take a ride. 7. What is Jane's father? 8. He is a doctor. 9. I have to go to Mary's. 10. I have to go home.

PRONUNCIACIÓN

a. Review the sounds of Spanish **c** and **z** and pronounce:

ca-LIEN-te   CI-ta   CER-ca   CUAR-to   ciu-DAD   fe-LIZ

b. Spanish **s** is usually pronounced like the English *s* in *sent:*

CA-sa   pa-SE-o   GUS-to   es-cri-BIR   E-sa   E-sos

But before such consonants as **b, v, d, g, l, m,** and **n, s** is pronounced like English *s* in *rose:*

MIS-mo   DES-de   ES‿bo-NI-to   ES‿ver-DAD   los‿MO-zos

c. Spanish **n** is pronounced *ng* before **g, j,** or the *k* sound:

con‿JUAN   SON‿GRAN-des   con‿GUS-to   en‿CA-sa

d. In Spanish **ch, ll, ñ,** and **rr,** represent single sounds and are considered single letters:

cho-co-LA-te   CO-che   LE-che   a-LLÍ   a-ma-RI-llo
se-ÑOR   Es-PA-ña   pi-ZA-rra   a-QUE-llos   Mon-te-RREY

In dictionaries and vocabularies, words or syllables which begin with **ch, ll,** and **ñ** follow those which begin with **c, l,** and **n,** while **rr** is alphabetized as in English.

e. Divide into syllables and underline the syllable stressed:

sillas	tarde	puerta	muchacho
caliente	bibliotecas	almuerzo	paseo

PREGUNTAS

Answer in Spanish the following questions based on the dialogue:

1. ¿Quiénes hablan? 2. ¿Qué desea tomar Luis? 3. ¿Qué toma Juan generalmente? 4. ¿Qué toma Juan aquella tarde? 5. ¿Qué toman las tres muchachas? 6. ¿Qué toman los tres muchachos? 7. ¿Qué toman los otros muchachos? 8. ¿Qué hora es? 9. ¿Con quién tiene Juan una cita? 10. ¿A qué hora tiene la cita? 11. ¿A dónde van? 12. ¿Con quién da Luis un paseo? 13. ¿Qué tiene el padre de Juanita? 14. ¿Qué es su padre? 15. ¿Cómo es su padre? 16. ¿A quién da Juan el dinero?

GRAMÁTICA

1. THE IRREGULAR VERB DAR

Present Indicative Tense of **dar,** *to give*	
SINGULAR	PLURAL
(yo) **doy**	(nosotros, –as) **damos**
(tú) **das** (*fam.*)	(vosotros, –as) **dais** (*fam.*)
(él, ella) **da**	(ellos, –as) **dan**
Vd. **da** (*formal*)	Vds. **dan** (*formal*)

Memorize all forms with their English meanings. Which form is irregular?

2. DEMONSTRATIVE ADJECTIVES

SINGULAR			PLURAL		
Masculine	*Feminine*		*Masculine*	*Feminine*	
este	esta	*this*	estos	estas	*these*
ese	esa	*that*	esos	esas	*those*
aquel	aquella	*that*	aquellos	aquellas	*those*

The English words *this, that, these,* and *those,* and their Spanish forms are called demonstrative adjectives because they describe nouns by pointing them out and indicating where they are located.

In Spanish, demonstrative adjectives, like other adjectives, agree in gender and in number with the nouns they modify:

este coche	*this car*	esta muchacha	*this girl*
estos coches	*these cars*	estas muchachas	*these girls*

Este and **esta,** *this,* **estos** and **estas,** *these,* refer to things or persons near the person who is speaking.

ese hombre	*that man*	esa carta	*that letter*
esos hombres	*those men*	esas cartas	*those letters*

Ese and **esa,** *that,* **esos** and **esas,** *those,* refer to persons or things not very far from the speaker and close to the person spoken to.

aquel país	*that country*	aquella ciudad	*that city*
aquellos países	*those countries*	aquellas ciudades	*those cities*

Aquel and **aquella,** *that,* **aquellos** and **aquellas,** *those,* indicate distant persons and things.

Other examples are:

estos libros y estas revistas	*these books and magazines*
ese dinero que Vd. tiene	*that money which you have*
¿ Qué tiene aquel muchacho?	*What does that boy have?*

Demonstrative adjectives are repeated before each noun in a series (first example).

3. SUMMARY OF THE USES OF SER

In Lesson XI you are going to learn another verb meaning *to be.* Study carefully these uses of **ser** which you have already had.

Ser is used:

a. With a predicate noun (or pronoun), which comes after the verb and explains who or what the subject is:

Juan es médico.	*John is a doctor.*
Es una ciudad grande.	*It is a large city.*
Ella y yo somos argentinas.	*She and I are Argentines.*

b. With an adjective to express a *characteristic quality* of the subject. This means that forms of **ser** are used with adjectives of color, size, shape, nationality, appearance, and the adjectives **rico, pobre, joven, viejo,** and **feliz**:

La ciudad es grande.	*The city is large.*
Ella es simpática.	*She is congenial.*
Somos pobres (jóvenes).	*We are poor (young).*

c. With the preposition **de** to denote *ownership, origin,* or *material;* and with the preposition **para** to indicate *for whom* or *what* a thing is intended:

Son de Carolina.	*They are Caroline's.*
Soy de Buenos Aires.	*I am from Buenos Aires.*
El reloj es de oro.	*The watch is (of) gold.*
Son para aquellos hombres.	*They are for those men.*

d. In impersonal expressions (*it* + verb + adjective):

Es fácil comprender el español.	*It is easy to understand Spanish.*

e. To express *time of day:*

Es la una y cinco.	*It is five minutes after one.*
Son las seis menos cuarto.	*It is a quarter to six.*

EJERCICIOS

a. Pronounce the capitals of the Central American countries and give the country of which each is the capital:

Te-gu-ci-GAL-pa	San Sal-va-DOR	San Jo-SÉ
Ma-NA-gua	Gua-te-MA-la	Pa-na-MÁ

b. Make the following expressions plural and give the English meaning of each:

1. este muchacho.	3. esa muchacha.	5. ese médico.
2. aquel hombre.	4. aquella noche.	6. aquel país.

7. esta amiga.   10. aquel paseo.   13. esta página.
8. esa carta.   11. este año.   14. ese mapa.
9. ese mozo.   12. aquella mañana.   15. aquella universidad.

c. Complete each sentence with the correct form of **ser:**

1. Yo no —— médico.   2. Estos exámenes —— difíciles.   3. ¿ Qué hora ——?   —— las tres.   4. —— fácil estudiar aquí.   5. Su reloj no —— de oro.   6. Nosotros —— de Chile.   7. Este coche —— de Juan.   8. Ellos —— hombres simpáticos.   9. —— interesante vivir en España.   10. Mi tío —— de Madrid.   11. Mi tía —— española también.   12. España no —— un país grande.

d. Give the Spanish for:

1. I am, I go, I have, I give.
2. They are, they go, they have, they give.
3. We are, we go, we have, we give.
4. You (*fam.*) are, you go, you have, you give.
5. She is, she goes, she has, she gives.
6. You (*formal pl.*) are, you go, you have, you give.

e. Translate into Spanish:

1. this coffee.   2. that city.   3. these compositions.   4. those years.   5. that country.   6. these magazines.   7. this money.   8. that café.   9. these waiters.   10. this milk.   11. those mornings.   12. this breakfast.   13. this language.   14. these watches.   15. that university.   16. those families.

COMPOSICIÓN

1. John and I are going to take a walk this afternoon, Louis.   2. Do you want to go to look at that house where Joseph lives?   3. No, Robert, it is half past three and I have a date with Ann at four.   4. Her father has a new car and I believe that we are going to take a drive with her parents.   5. She is pretty and very congenial, and she speaks Spanish because her family is from Cuba.   6. Are John and you going to that small café where we generally take ice cream and black coffee?   7. No, because I want to go to that large café where Charles works.   8. He is a waiter and he works there from four o'clock until nine.   9. John also has to go to his aunt's (house) this afternoon.   10. She is rich and she gives a great deal of money to John.

PARA PRACTICAR

a. With the class divided into groups of five, one student is the waiter and he takes the orders of the other four, who are seated as in a café. The conversations will be similar to this:

Mozo. — ¿ Qué toma Vd., señor?
FELIPE. — Voy a tomar chocolate caliente.
Mozo. — ¿ Y qué toma Vd., señor?
LUIS. — Tomo un helado y café con leche.
Mozo. — ¿ Y qué toman Vds., señores?
JUAN. — Yo tomo café solo.
CARLOS. — Y yo voy a tomar té caliente.
Mozo. — Muchas gracias, señores.

b. Say in Spanish the multiplication tables for 2's and 3's:

1ST STUDENT. $2 \times 1 = 2$
2ND STUDENT. $2 \times 2 = 4$
3RD STUDENT. $2 \times 3 = 6$

Continue around the class, then continue with $3 \times 1 = 3$, $3 \times 2 = 6$, etc. Now the entire class may say the tables together in unison.

c. Make as many sentences as you can from each of the following, using words that you have had. Example: **Doy un paseo** —. **Doy un paseo con Anita (por la tarde, por la noche, con mi hermana, cerca de la casa,** etc.).

1. Doy —— a Juan. (*Nouns*)
2. Juan es ——. (*Nouns or adjectives*)
3. Tengo tres ——. (*Nouns*)
4. Los lápices son ——. (*Adjectives*)
5. El coche es ——. (*Adjectives*)
6. ¿ Con quién —— Vd.? (*Verbs*)

After studying the map of South America, be able to answer the following:

1. Name the countries which touch the Caribbean Sea (el Mar Caribe)

2. Which country borders on both the Caribbean and the Pacific Ocean?

99

3. Which other countries are on the Pacific?

4. One of these countries has a coast line of more than 2,600 miles and it is sometimes called the "shoe-string" republic. Which one is it?

5. Name the two inland republics.

6. What are the other two Spanish-speaking countries in the continent?

7. The Amazon River is the largest in the world. Where do we find its sources?

8. The Río de la Plata is not a river, but a huge estuary or bay. What rivers make up the Plata system?

9. What large river flows across Venezuela?

10. What is the one tremendous mountain range (*cordillera*) in South America? Through what countries does it extend?

11. Lake Titicaca is the highest large lake in the world, at an elevation of 12,500 feet. Between what two countries is it located?

12. In what countries are the following ports located: Valparaíso, Callao, Guayaquil, Buenos Aires, Montevideo, Barranquilla?

13. The region in and near Lake Maracaibo is the richest oil-producing area in the continent. In what country is this lake?

14. The three Guianas, which are English, Dutch, and French possessions, are not included in the South American countries. Where are they located?

15. What capital city located almost on the equator is noted for its cool climate?

16. What is the highest capital city in the continent?

17. Locate and name the capitals of the other Spanish-speaking countries.

18. The term Latin America includes twenty countries: the eighteen Spanish-speaking countries; Haiti, whose language is French; and one large country where Portuguese is spoken. What is that country? What is its capital?

REPASO II

A. There are no new words in this section. Try to think in Spanish as you read the passage aloud, then tell in English what you have learned about Spanish customs. Your teacher may dictate part of this passage in Spanish.

— Buenas tardes, Ricardo.

— Buenas tardes, señor Molina.

— ¿ Cómo está Vd. ?

— Muy bien, gracias.

— ¿ Vive Vd. cerca de aquí ? 5

— Sí, señor, yo vivo allí cerca de la escuela, en aquella casa nueva.

— ¿ Es Vd. alumno de la escuela ?

— Sí, señor. Generalmente dos o tres alumnos y yo damos un paseo a esta hora, pero mañana tenemos un examen. Vamos al café esta tarde a practicar las palabras de todas las lecciones. 10

— ¿ Hay alumnos extranjeros aquí ?

— Hay varios en nuestra escuela: una argentina, dos cubanos y tres o cuatro mexicanas. Creo que dos o tres de estos alumnos van al café. ¿ No desea Vd. ir también ?

— ¡ Cómo no ! En nuestro país pasamos muchas horas en el café. 15

— ¿ Es Vd. español ?

— Sí, Ricardo, yo soy de España.

— Pues, creo que los españoles comen mucho.

— Sí, Ricardo, comemos mucho pero no comemos en los cafés. Allí hablamos con nuestros amigos y tomamos café con leche, té o chocolate. 20 Generalmente vamos a un café a las once de la mañana y a las seis o las siete de la tarde.

— Pues, ¿ a qué hora toman Vds. el almuerzo ?

— Tomamos el almuerzo a las dos o a las dos y media de la tarde y no comemos hasta las nueve y media o las diez de la noche. 25

— Es muy interesante. ¿ Van al café los muchachos y las muchachas ?

— Las muchachas y los muchachos no van a las mismas escuelas y no tienen citas cuando son muy jóvenes. Si una muchacha va al café o da un paseo, ella va generalmente con sus padres, su madre, su abuela o una tía. No va con un hombre, excepto con su padre o su hermano. 30

— Pues, en España las muchachas no tienen muchos amigos.

— Es verdad, cuando son jóvenes. Pero Vd. habla muy bien, Ricardo.

— Muchas gracias. Vd. es muy amable. Pero, ¿ no desea Vd. ir al café ahora ?

— Sí, con mucho gusto. 35

B. Answer in Spanish the following questions, which are based on material from the previous lessons:

1. ¿ Qué lengua aprende Vd. ? 2. ¿ Es fácil aprender una lengua ? 3. ¿ Lee Vd. el español ? 4. ¿ Hay alumnos extranjeros en esta escuela ? 5. ¿ En qué escribimos ? 6. ¿ Qué escribe Vd. en español ? 7. ¿ Cuántos años tiene Vd. ? 8. ¿ Tiene Vd. hermanos ? 9. ¿ Cuántos años tiene(n) ? 10. ¿ Vive Vd. con su familia ? 11. ¿ De dónde es un mexicano ? 12. ¿ De dónde es un español ? 13. ¿ Qué hora es ? 14. ¿ A qué hora termina la clase ? 15. ¿ A qué hora toma Vd. el desayuno ? 16. ¿ A qué hora toma Vd. el almuerzo ? 17. ¿ A qué hora come Vd. ? 18. ¿ Estudia Vd. por la tarde ? 19. ¿ Qué tomamos en un café ? 20. ¿ Va Vd. a casa ahora ?

C. Review of the Pan American countries

The Organization of American States, established in 1890 for promoting better relations among the nations of the Americas, is made up of twenty-one republics — two in North America, six in Central America, ten in South America, and three island republics. The Pan American Union, located in Washington, D.C., serves as headquarters for the Organization. In the illustrated monthly, *Americas*, published in English, Spanish, and Portuguese editions, the Union publishes articles on recent developments in Latin America. Pan American Day, the anniversary of the founding of the Pan American Union, is celebrated each year on April 14.

From your drill exercises in pronunciation and with the aid of your maps, make a list of the Pan American countries and their capitals. French is the language of Haiti. In how many is English spoken? Portuguese? Spanish?

D. Read in Spanish without pausing between words, paying particular attention to the letters indicated at the left:

b, v El abuelo de Vicente escribe para las revistas cubanas.
c, z Creo que Carolina tiene una cita con Ricardo López.
ch   Los muchachos comen mucho chocolate en el coche.
g, j Los amigos de José y Jorge hablan portugués.
s   Estudian la misma lección desde las dos hasta las tres.
x   Los extranjeros, excepto el mexicano, escriben el examen.

E. Divide into syllables and underline the accented syllable:

moderno	leche	cuando	examen	revistas
verdad	paseo	solamente	comprender	despacio

F. Write in Spanish the subject pronouns and verb forms:

1. we eat.   2. they are writing.   3. do you (*fam. sing.*) learn?   4. I understand.   5. she is teaching.   6. he passes.   7. do you (*formal sing.*) live?   8. they are reading.   9. we take.   10. he ends.   11. she looks at. 12. you (*fam. sing.*) are looking for.   13. they have.   14. she goes.   15. we have.   16. we are going.   17. you (*fam. sing.*) have.   18. I go.   19. you (*formal pl.*) go.   20. I have.

G. Make all words in these expressions plural:

1. nuestra clase pequeña.   2. esta lección difícil.   3. ese libro negro. 4. aquella pared azul.   5. este ejercicio fácil.   6. ese reloj bonito.   7. mi primo inglés.   8. vuestro amigo simpático.   9. tu hermana bonita.   10. esta universidad grande.

H. Write in Spanish:

1. three cities.   2. fifteen letters.   3. six children.   4. nine years.   5. ten nights.   6. twenty-one hours.   7. fourteen pages.   8. one library.   9. thirteen cars.   10. six themes.   11. this test.   12. that morning.   13. these appointments.   14. this waiter.   15. your (*fam. sing.*) sister.   16. their families.   17. this country.   18. their daughters.   19. John's money. 20. the teacher's car.

I. Read in Spanish, supplying the proper forms of **ser**:

1. Yo no *am* profesor.   2. *It is* las nueve.   3. María, tú *are* simpática. 4. La casa *is* de mis abuelos.   5. El reloj de Bárbara *is* de oro.   6. *It is* interesante estudiar una lengua.   7. Nosotros *are* de España.   8. Buenos Aires *is* una ciudad grande.

J. Give the English for:

1. Es verdad.   2. No hay de qué.   3. Poco a poco aprendemos.   4. ¿ De quién es la otra carta?   5. Con mucho gusto.   6. Damos un paseo.   7. A las once de la noche.   8. Tengo que estudiar ahora.   9. ¿ Cuántos años tienes?   10. Tengo doce años.   11. ¡ Cómo no!   12. Vamos a casa de Juan por la tarde.

K. Write in Spanish:

1. First I have to write another letter to my cousins who live in Spain. 2. They are studying there and are learning Spanish because they want to speak the language.   3. They have many Spanish friends who are kind and congenial.   4. One teaches in the University of Madrid.   5. In their history class there are twenty-five or thirty foreign students.   6. In the

afternoon they go to various cafés to [1] take coffee or ice cream. 7. In the evening they have to go to the library. 8. When it is eight o'clock in the morning in Washington, it is two o'clock in the afternoon in Madrid. 9. At that hour the Spaniards go home to [1] take lunch with their families. 10. If they take a drive with their rich cousins, they always talk of the many large cars that there are in the United States.

L. *¿Cómo es?*

Complete each sentence as many ways as possible, using suitable adjectives. The student having the most correct sentences wins.

1. Mi abuelo es ——. 2. La ciudad es ——. 3. Luis y José son ——. 4. La lengua es ——.

LECTURA

The following story is an adaptation of an old Spanish tale. Do not interpret it in relation to present-day prices.

EL MUCHACHO Y EL PANADERO [2]

Luis Montes es un muchacho español. Tiene solamente diez años y trabaja mucho. Tiene que dar todo su dinero a su madre porque la familia es muy pobre. Un día, cuando da un paseo, pasa por una panadería [3] que hay cerca de su casa. Mira las cosas [4] que hay en la 5 panadería. Desea mucho dos o tres de los panecillos [5] que hay en la panadería, pero no tiene dinero. Pero Luis tiene mucha hambre [6] y va a hablar con el panadero.

— Señor, ¿ tiene Vd. panecillos grandes ?

— No, muchacho, no hay otros.

10 — ¿ Y cuál es el precio [7] de estos panecillos pequeños ?

— Son doce por [8] once centavos.[9]

— Doce por once centavos. Pues, hay once panecillos por diez centavos; diez por nueve centavos; nueve por ocho centavos; ocho por siete centavos; seis por cinco centavos; cinco por cuatro centavos; 15 cuatro por tres centavos; tres por dos centavos; dos por un centavo; y uno por nada.[10] Muy bien, señor, voy a tomar uno. Muchas gracias, señor. Hasta luego.

Y Luis toma un panecillo y se va.[11]

---

[1] See **Gramática** 2, page 85. [2] panadero, *baker.* [3] panadería, *bakery.* [4] cosas, *things.* [5] panecillos, *rolls.* [6] tiene mucha hambre, *is very hungry.* [7] ¿ cuál es el precio? *what is the price?* [8] por, *for.* [9] centavos, *cents.* [10] nada, *nothing.* [11] se va, *goes away.*

LECCIÓN

ONCE

LA CASA DE ISABEL

— Buenas tardes, Isabel.

— Muy buenas,[1] señorita Alcalá.   ¿ Cómo está Vd. ?

— Estoy muy bien, gracias.   ¿ Y Vd. ?

— Estoy cansada.

— ¿ Por qué está Vd. sentada aquí ?   5

— Deseo leer un poco aquí debajo de estos árboles hermosos.

— ¿ Están en casa sus padres ?

— No, señorita, mi padre está en el campo hoy y mi madre está en el jardín detrás de nuestra casa.

— ¿ Trabaja su madre allí ?   10

— Sí, señorita.   Hay muchas flores en nuestro jardín.   Tenemos rosas rojas y amarillas que son muy hermosas.

[1] **Muy buenas** is used only after **tardes** or **noches** has been mentioned.

— ¿ Quién es aquella muchacha que está sentada cerca de la ventana ?

— Es mi hermana.

— ¿ Por qué no está en la escuela esta tarde ?

5 — Está enferma y también está muy triste.

— ¿ Cuántos años tiene su hermano ?

— No tengo hermano. [1] Aquel muchacho que está en la calle es mi primo que pasa una semana aquí. ¿ No desea Vd. un vaso de agua ? Está muy fría. Tome Vd. este vaso.

10 — Muchas gracias.

— No hay de qué.

VOCABULARIO

Nombres	Adjetivos
el agua (*f.*) *water*	cansado, –a *tired*
el árbol *tree*	enfermo, –a *ill, sick*
la calle *street*	frío, –a *cold*
el campo *country, field*	hermoso, –a *beautiful, pretty*
la flor *flower*	sentado, –a *seated*
Isabel *Betty, Isabel*	triste *sad*
el jardín (*pl.* jardines) *garden*	**Verbo**
la rosa *rose*	estar *to be*
la semana *week*	
el vaso *glass*	**Otras Palabras**
	debajo de *under, beneath*
	¿ por qué ? *why?*

Expresiones

(estar) en la escuela (*to be*) *at* (*in*) *school*
muy buenas *good afternoon* (*evening*)
tome Vd. (este vaso) *take* (*this glass*)

PRONUNCIACIÓN

a. Pronounce the names of these Mexican cities, then locate them on the map between pages 272–273:

Mon-te-RREY	MÉ-xi-co	Gua-da-la-JA-ra
A-ca-PUL-co	MÉ-ri-da	San LUIS Po-to-SÍ
Tam-PI-co	Ve-ra-CRUZ	Chi-HUA-hua

[1] The indefinite article is often omitted after a negative verb.

b. Pronounce without pausing between words. Also be able to
write when dictated by the teacher:

> Todos los padres están cansados.
> Sus hijos jóvenes no trabajan en el jardín.
> Carlos cree que Quito no es una ciudad pequeña.
> El argentino rico tiene un reloj de oro.

PREGUNTAS

Answer in Spanish these questions which are based on the dialogue:

1. ¿ Está Isabel en casa ? 2. ¿ Cómo está ella ? 3. ¿ Dónde está sentada ?
4. ¿ Por qué está sentada allí ? 5. ¿ Dónde está el padre de Isabel ?
6. ¿ Dónde está su madre ? 7. ¿ Qué hay en el jardín ? 8. ¿ Quién está sentada cerca de la ventana ? 9. ¿ Por qué no está en la escuela ? 10. ¿ Quién
está en la calle ? 11. ¿ Qué da Isabel a su amiga ? 12. ¿ Cómo está el
agua ?

GRAMÁTICA

1. THE IRREGULAR VERB ESTAR

Present Indicative Tense of estar, *to be*			
SINGULAR		PLURAL	
(yo) **estoy**	*I am*	(nosotros, –as) **estamos**	*we are*
(tú) **estás**	*you are*	(vosotros, –as) **estáis**	*you are*
(él, ella) **está**	*he, she is*	(ellos, ellas) **están**	*they are*
Vd. **está**	*you are*	Vds. **están**	*you are*

As you have now discovered, there are two Spanish verbs whose
meaning is *to be*. Their uses are entirely different. Note particularly
the forms of **estar** which have accent marks.

2. USES OF ESTAR

a. Mi padre está en el campo.   *My father is in the country.*
   San Francisco está en **California.**   *San Francisco is in California.*

Estar is used to express *location*, whether temporary or permanent.

b. ¿ **Cómo está usted?**   *How are you?*
   Estoy cansada.   *I am tired.*
   Mi tío está enfermo.   *My uncle is sick.*
   Ellos están sentados ahora.   *They are seated now.*

Estar, followed by an adjective in the predicate, is used to show a *temporary condition* of the subject.

PRÁCTICA. Find in the dialogue the Spanish for:

1. I am tired. 2. Why are you seated here? 3. Are your parents at home? 4. my father is in the country. 5. my mother is in the garden. 6. Who is that girl who is seated? 7. It is my sister. 8. Why isn't she at school? 9. She is sick. 10. she is also very sad. 11. How old is your brother? 12. I don't have a brother. 13. Don't you want a glass of water? 14. It is very cold.

3. USE OF THE ARTICLE EL WITH FEMININE NOUNS

El agua está fría.	*The water is cold.*
Esta agua está caliente.	*This water is hot.*

Agua is a feminine noun but, to make pronunciation easier, the article **el** is used instead of **la** before feminine nouns beginning with stressed **a–** (or **ha–**). However, one says **esta agua, mucha agua,** etc.

EXPRESIONES PARA LA CLASE

For the classroom and for giving instructions, you must know the command forms in Spanish. In this section there will be an occasional word or expression not listed in the regular vocabularies.

INFINITIVE	SINGULAR	PLURAL	
hablar	**hable Vd.**	**hablen Vds.**	*speak*
estudiar	**estudie Vd.**	**estudien Vds.**	*study*
tomar	**no tome Vd.**	**no tomen Vds.**	*do not take*
mirar	**no mire Vd.**	**no miren Vds.**	*do not look* (*at*)

To make the command forms of regular –**ar** verbs, add the endings –**e** and –**en** to the stem. The subjects **Vd.** and **Vds.** are regularly used and they are placed after the verb form.

If the command is negative, **no** precedes the verb.

Give the English for the following commands:

1. Hable Vd. en español.
2. Pronuncie Vd. las palabras.
3. Tome Vd. este lápiz.
4. No miren Vds. el libro.
5. Miren Vds. el mapa.

6. Trabajen Vds. mucho.
7. Estudie Vd. el vocabulario.
8. Pasen Vds. a la pizarra.
9. No hablen Vds. en inglés.
10. Preparen Vds. la lección.

EJERCICIOS

a. Read aloud and translate the following, which illustrate the uses of **ser**:

1. (With a predicate noun) Soy la hermana de Isabel. Mi padre es profesor. Vds. son alumnos. Nosotras somos mexicanas.

2. (With an adjective in the predicate to express a characteristic quality) Carolina es muy bonita. Las rosas son rojas. El español es interesante Los ejercicios no son difíciles. Mi tío no es rico. Nuestra abuela es vieja. Somos muy felices. Carlos y José son jóvenes.

3. (With the preposition **de** to denote ownership, origin, or material; and with **para** to show for whom or what a thing is intended) El reloj es de Ricardo. Es de plata. Ricardo es de Cuba. Las flores son para Juanita.

4. (In impersonal expressions: *it* + verb + adjective) Es fácil aprender el vocabulario. No es difícil preparar el desayuno.

5. (To express time of day) ¿ Qué hora es ? Es la una y cuarto. Son las seis y media. Son las once menos diez de la noche.

b. Translate the following, which illustrate the uses of **estar**:

1. (To express location) Vd. está en la ciudad. Ellos están en México. Madrid está en España.

2. (With an adjective in the predicate to show a temporary condition) El abuelo de Roberto está triste. Mis primos están enfermos. Este chocolate no está caliente; está frío. ¿ Por qué están cansados los padres de María ?

c. Use the correct form of **ser** or **estar** in each of the blanks:

1. Yo —— debajo del árbol. 2. Jorge —— cansado. 3. Los mapas —— en la pared. 4. Las flores —— azules. 5. Isabel y yo —— españolas. 6. Nuestra tía —— triste. 7. —— las cinco de la tarde. 8. Mi madre —— sentada en una silla blanca. 9. No —— fácil mirar por esa ventana. 10. El reloj de Felipe —— de oro. 11. Roberto —— en México. 12. Isabel —— de Cuba.

d. Write in Spanish:

1. Where are those red roses? 2. That man is tired. 3. He is in the street. 4. They are under those trees. 5. His brother is sick. 6. The coffee is hot. 7. The water is not cold. 8. We are not sad. 9. We are at home. 10. Louis is not here. 11. He is in Buenos Aires. 12. We are tired and sad.

e. Read in Spanish, making the proper substitution for the words in italics:

1. Nosotros *take* el desayuno a las siete y media.   2. Sus primos *are taking* un paseo.   3. ¿ *Whose* son las rosas ?   4. Nuestros amigos *are spending* una semana en el campo.   5. Ricardo *does not have a* hermano.   6. *I am* quince años.   7. María y yo *are looking for* aquella calle.   8. ¿ Por qué *do you want to teach* el español ?   9. Elena *is going to write* una composición.   10. Tú *have to study* para un examen.

COMPOSICIÓN

1. Our house is on a pretty street.   2. Near the house there are three large trees.   3. My sister Betty is seated in a green chair that is under the trees.   4. She is tired and wants to spend a week in the country.   5. My grandfather is a doctor and lives in that large city.   6. My mother is very sad today because my grandmother is sick.   7. That garden which is behind the house is my brother's.   8. There are not many yellow roses this year but the red roses are beautiful.   9. The blue and white flowers that are in our library are from his garden too.   10. All the students have to be at school at half past one.

PARA PRACTICAR

a. Complete each sentence with the correct word for *is,* or *there is:*

1. Isabel trabaja mucho y —— muy cansada.   2. Ella —— triste también porque su madre —— enferma.   3. ¿ Dónde —— su padre ?   4. Él —— sentado en una silla grande.   5. Toma café. El café —— muy caliente.   6. La madre no desea leche porque no —— fría.   7. —— (*There is*) un vaso de agua en la mesa.   8. El agua —— muy fría.   9. El hermano de Isabel —— médico.   10. Él —— aquí ahora y —— muy simpático.

b. Match the Spanish expressions in Column I with the correct English meanings in Column II:

1. muy buenas	*1. very pretty*
2. muy bien	*2. he takes a walk with John*
3. muy bonitas	*3. I am going to Louis' house*
4. toma un helado	*4. good afternoon (evening)*
5. da el papel a Juan	*5. it is Louis' house*
6. da un paseo con Juan	*6. we take breakfast at home*
7. estoy en casa de Luis	*7. he takes ice cream*
8. voy a casa de Luis	*8. I am at Louis' house*
9. es la casa de Luis	*9. he gives the paper to John*
10. tomamos el desayuno en casa	*10. very well*

c. Write on a slip of paper a Spanish question containing the verb **estar**. The question should be about people or things in the classroom and one that can be answered with words you have had, such as: **¿ Dónde está María hoy? ¿ Cómo está María? ¿ Por qué no está aquí Felipe? ¿ Dónde está el mapa?**

The teacher will collect the questions, mix them well, and pass them so that each student may draw one. You must now, in your turn, read and answer the question you have drawn.

The Mayas were among the first of the Indian civilizations to reach a high development in the Americas. Of uncertain origin, they first settled in northern Guatemala and Honduras about 1,000 years before Christ. Later they moved to the Yucatán peninsula of Mexico. We can still see the ruins of their cities and of their temples, some of which were built on great pyramids.

The cultivation of Indian corn, or maize, became the basis of the civilization of the Mayas and other Indian races. The Mayas were experts in textile weaving, pottery making, basketry, metal work, wood and stone carving, and fresco painting. Their careful observation of the seasons led to the development of a calendar which was more accurate than the one used in Europe in Columbus' time. Independent of the Orient, they invented a symbol for zero, one of the great discoveries in mathematics.

By using symbols or picture writing for the sounds of words and syllables, the Mayas kept elaborate historical records. The early Spanish priests, however, in their zeal to convert the native Indians to Christianity destroyed everything which belonged to the pagan Indian religion. The Spaniards arrived long after the Mayan civilization had passed its height, but the descendants of these early Americans who inhabit the lands today still carry on many of the ancient arts, crafts, and traditions.

LECCIÓN

DOCE

LA CASA DE CARLOS

— Carlos, ¿ a quién busca Vd. ?
— Busco a Enrique pero no le veo.
— No está aquí en este momento.
— Pues, Tomás, yo deseo esperar un momento.
— Está bien. Pase Vd. ¿ Desea Vd. mirar el periódico ?   5
— Sí, con mucho gusto. Siempre lo leo cuando tengo tiempo.
— Aquí lo tiene Vd., Carlos.
— Gracias. (*Carlos espera a su amigo varios minutos.*)
— Hay un programa de música mexicana ahora. ¿ Desea Vd.
escuchar la radio ?   10
— Sí, generalmente la escucho a esta hora. Escucho programas
mexicanos y cubanos en mi radio.
— La música de esos países es muy popular en los Estados Unidos.
Yo la escucho también. ¿ Mira Vd. mucho la televisión ?
— Sí, la miro todas las noches, como todo el mundo. (*En este mo-* 15
mento alguien llama a la puerta. Tomás la abre y Carlos ve a su amigo
Enrique.)

VOCABULARIO

Nombres	Verbos
Enrique *Henry*	abrir *to open*
el minuto *minute*	escuchar *to listen* (*to*)
el momento *moment*	esperar *to wait, wait for*
el mundo *world*	llamar *to call, knock*
la música *music*	ver *to see*
el periódico *newspaper*	
el programa (*note gender*) *program*	**Otras Palabras**
la radio [1] *radio*	alguien *someone, somebody, anyone*
el radio *radio set*	como *as, like*
la televisión *television*	popular *popular*
el tiempo *time* (in general sense)	
Tomás *Thomas*	

Expresiones

¿ a quién(es)? *whom? to whom?*
aquí (lo) tiene Vd. *here* (*it*) *is* (literally *here you have it*)
en (este) momento *at* (*this*) *moment*
escucha programas *he listens to programs*
está bien *very well, all right, that's fine*
pase(n) Vd(s). *come in*
todas las noches *every night*
todo el mundo *everybody* (requires singular verb)

PRONUNCIACIÓN

a. Pronounce these words with attention to the consonants indicated:

b, v trabajan, Isabel, árbol, busco, varios, veo, nueve, vivo
c, qu música, Enrique, quién, escucho, creo, cubano, aquí
ll allí, ellos, silla, llamar, calle, ella, aquellos
ñ España, señor, pequeño, años, mañana, enseño, español

b. Escriban Vds. al dictado (*Write at dictation*). To be written in Spanish when read by the teacher:

Isabel es pequeña. Tiene nueve años. Su hermano Enrique está en la calle. Ella le busca porque no le ve. Ella va a pasar una semana con su abuela. Su abuela es española, y vive en Santa Bárbara. Su abuelo es profesor de español allí.

---

[1] **La radio** refers to *radio* as a means of communication; **el radio** to a receiving set.

PREGUNTAS

Answer in Spanish the following questions based on the dialogue:

1. ¿A quién busca Carlos? 2. ¿Le ve? 3. ¿Desea esperar? 4. ¿Desea mirar el periódico? 5. ¿Lo lee generalmente? 6. ¿Qué hay en la radio? 7. ¿La escucha Carlos? 8. ¿Qué programas escucha? 9. ¿Es popular en los Estados Unidos la música mexicana y la cubana? 10. ¿Mira Carlos la televisión? 11. ¿La mira todo el mundo? 12. ¿Quién llama a la puerta? 13. ¿Quién la abre? 14. ¿A quién ve Carlos?

GRAMÁTICA

1. THE IRREGULAR VERB VER

Present Indicative Tense of **ver**, *to see*	
SINGULAR	PLURAL
(yo) **veo**	(nosotros, −as) **vemos**
(tú) **ves**	(vosotros, −as) **veis**
(él, ella) **ve**	(ellos, −as) **ven**
Vd. **ve**	Vds. **ven**

2. DIRECT OBJECTS AND THE PERSONAL A

a. The direct object of a verb is the person or thing (noun or pronoun) directly affected by the action expressed by the verb:

SUBJECT	VERB	DIRECT OBJECT
Henry	opens	the door.
Henry	opens	it.

b.

Abre la puerta.	*He opens the door.*
Ven a Tomás.	*They see Thomas.*
Busca a su amigo.	*He is looking for his friend.*
Tiene un amigo aquí.	*He has a friend here.*

An unusual feature of Spanish is the use of **a** when the direct object of the verb is a noun which refers to a *definite person.* It is called the *personal* **a** and is not translated into English. The personal **a** is not used after **tener,** nor is it used with direct object pronouns, which are given in section 3.

It is also used with a few words like ¿ **quién** ? and **alguien:**

¿ **A quién ve Vd. ?**	*Whom do you see?*
¿ **Ve Vd. a alguien ?**	*Do you see someone?*

PRÁCTICA. Find in the dialogue the expressions for:

1. whom are you looking for? 2. I'm looking for Henry. 3. I want to wait a moment. 4. Do you want to look at the newspaper? 5. Charles waits for his friend. 6. I listen to Mexican and Cuban programs. 7. Do you look at television much? 8. Charles sees his friend.

3. DIRECT OBJECT PRONOUNS

SINGULAR		PLURAL	
me	*me*	**nos**	*us*
te	*you* (fam.)	**os**	*you* (fam.)
le	*him, you* (formal *m.*)	**los**	*them* (*m.*), *you* (formal *m.*)
la	*her, it* (*f.*), *you* (formal *f.*)	**las**	*them* (*f.*), *you* (formal *f.*)
lo	*it* (*m.*)		

Remember that a pronoun stands for a noun or a noun and its modifiers. Note carefully the third person direct object pronouns. Do not confuse them with the definite articles. **Lo,** in addition to referring to masculine objects, may refer to an action, a statement, or an idea: **Lo creemos,** *We believe it.* Memorize the list of pronouns. These pronouns are used only as *objects* of the verb, never as subjects.

Some Spanish-speaking people prefer to use **lo** instead of **le** to mean *him*, but only the more common form **le** is used in this text.

4. POSITION OF OBJECT PRONOUNS

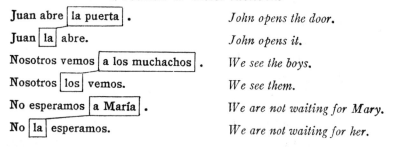

Juan abre la puerta.	*John opens the door.*
Juan la abre.	*John opens it.*
Nosotros vemos a los muchachos.	*We see the boys.*
Nosotros los vemos.	*We see them.*
No esperamos a María.	*We are not waiting for Mary.*
No la esperamos.	*We are not waiting for her.*

Object pronouns are placed immediately before the verb. If the sentence is negative, they come between **no** and the verb. No other words may come between the negative and the verb.

PRÁCTICA. Find in the dialogue expressions for:

1. I do not see him. 2. I always read it. 3. Here it is. 4. I listen to it at this time. 5. I look at it. 6. Thomas opens it.

EXPRESIONES PARA LA CLASE

INFINITIVE	SINGULAR	PLURAL	
aprender	aprenda Vd.	aprendan Vds.	*learn*
escribir	escriba Vd.	escriban Vds.	*write*
leer	no lea Vd.	no lean Vds.	*don't read*

To make the command forms of regular **er** and **–ir** verbs, add the endings **–a** and **–an** to the stem.

Give the English for the following commands:

1. Aprenda Vd. este vocabulario.
2. Lean Vds. las frases españolas.
3. No lean Vds. en inglés.
4. Abra Vd. el libro.
5. Escriban Vds. la composición.
6. Llame Vd. a Enrique.
7. No escuche Vd. la radio.
8. Espere Vd. un momento.
9. No lea Vd. el periódico.
10. Hable Vd. en voz alta.

EJERCICIOS

a. Read the following sentences in Spanish, then read them again, substituting for each noun the proper Spanish form of the direct object pronoun.   Example: **Leo el libro; lo leo.**

1. Tengo el cuaderno.   2. Tengo los cuadernos.   3. Estudiamos la lengua.   4. Estudiamos las lenguas.   5. Abren la ventana.   6. Abren las ventanas.   7. Llamamos a Tomás.   8. Llamo a María.   9. Ellos miran los periódicos.   10. Ellas escuchan la radio.   11. Abrimos las puertas.   12. Enrique ve a sus amigos.   13. Elena espera a su amigo.   14. No tengo las flores.   15. No leo la revista.   16. Miramos la televisión.   17. Paso muchas horas allí.   18. La profesora mira a los muchachos.   19. ¿ Escucha Vd. la música de México?   20. ¿ Ve Vd. a las muchachas?

b. Supply the personal **a** where necessary:

1. Veo —— dos árboles.   2. Vds. no ven —— mi primo.   3. Buscamos —— la casa.   4. No buscamos —— Enrique.   5. Miras —— tu libro.   6. No miras —— la profesora.   7. ¿ Tiene Vd. —— un amigo aquí?   8. Ella espera —— su madre.

c. Place the preposition **a** or **en** in each blank, as required:

1. Estoy —— la escuela.   2. Voy —— casa.   3. Su padre está —— casa.   4. Ella va —— estudiar.   5. Paso una hora —— el café.   6. ¿ —— quién espera Vd.?   7. Hay muchas casas —— aquella calle.   8. Estudiamos mucho — casa.

d. Write in Spanish:

1. I want the magazine; I want it. 2. We take breakfast; we take it.
3. He studies the lesson; he studies it. 4. They do not see the girls; they
do not see them. 5. My father sees me. 6. John's sister is waiting for
him. 7. Our grandfather looks at us. 8. He believes you. 9. Your (*fam.
sing.*) sister believes you (*fam. sing.*). 10. Your friends are waiting for
you (*pl.*). 11. The teachers understand them (*f.*). 12. Someone is listening to it (*f.*). 13. They do not believe it. 14. *I* see her, but *she* does not
see me. 15. Thomas is calling us.

COMPOSICIÓN

1. Carmen sees Henry in the garden. 2. She goes to the door and opens
it. 3. Carmen calls him but he does not listen to her. 4. There are red
and yellow roses near the house and he is looking at them. 5. My mother
is waiting for us in the library. 6. She listens to me when I speak Spanish.
7. I speak it at home because English is difficult and I do not understand
it well. 8. These lessons are easy if I study them every night. 9. Thomas,
are you looking for Charles? 10. Yes, but I do not see him and I am
going to wait a moment.

PARA PRACTICAR

a. Chain conversation. Use all possible objects that can be seen in
class and be sure to use the correct object pronoun in your answer:

TEACHER. — ¿ Ve Vd. el periódico ?

1ST STUDENT. — Sí, señor (señorita), lo veo. (*To 2nd Student*) ¿ Ve Vd.
la puerta ?

2ND STUDENT. — Sí, señor (señorita), la veo. (*To 3rd Student*) ¿ Ve Vd.
los mapas ?

3RD STUDENT. — Sí, señor (señorita), los veo. (*To 4th Student*) ¿ Ve
Vd. —— ? Etc.

b. ¿ Qué desea Vd. hacer ? *What do you want to do ?*

One student decides on something he wants to do, such as study, read,
listen to the radio, etc. Choose only verbs which you know. Let's sup-
pose that Charles has decided that he wants to look at television:

TOMÁS. — Carlos, ¿ desea Vd. trabajar ?

CARLOS. — No, Tomás, no deseo trabajar.

JUAN. — Carlos, ¿ desea Vd. leer mi libro ?

CARLOS. — No, Juan, no deseo leer su libro.
MARÍA. — Carlos, ¿ desea Vd. escuchar la radio ?
CARLOS. — No, María, no deseo escuchar la radio.
DOROTEA. — Carlos, ¿ desea Vd. mirar la televisión ?
CARLOS. — Sí, Dorotea, deseo mirar la televisión.

Now Dorothy, who has guessed the answer, takes over and decides what she wants to do. The questioning continues until the correct answer is given, then the student who answers it correctly takes over.

c. See how quickly you can arrange these words into correct Spanish sentences:

1. la Enrique a llama puerta.
2. amigos y radio sus la Carlos escuchan.
3. a Carlos puerta la va y Enrique a ve.
4. la abre puerta y en casa la entra Enrique.
5. los hablan amigos y un luego popular de programa escuchan música.
6. diez las a Enrique casa a va.

The Aztecs are another of the Indian races which contributed substantially to modern civilization. This warlike tribe, wandering slowly southward from the north of Mexico, eventually reached the central plateau, where they found a lake in which there were several islands. According to Aztec legend two tribesmen rowing on the lake saw a large *nopal*, or cactus plant, on the largest island. On its branches rested an eagle with a snake in its beak, and at the foot of the plant lay the bright-colored feathers of birds which the eagle had eaten. The Aztecs considered this a good omen, and in 1325 they established their capital Tenochtitlán in this shallow Lake Texcoco.

This ancient legend is reflected in the present flag of Mexico. It consists of three vertical stripes of green, white, and red. The cactus, eagle, and snake appear in the center of the white stripe.

Since commerce and agriculture formed an important part of their life, the Aztecs had great markets where they traded everything from foodstuffs to the finest textiles and precious jewels. Each product was displayed in a separate section of the market, as in our modern department stores. Then, as now, the market was held on fixed days. It became a social institution for the Aztecs — a place to trade, to visit with friends, and to amuse themselves.

LECCIÓN

TRECE

¿VA USTED AL CAFÉ?

— ¿ Cómo estás,[1] Roberto ?

— Muy bien, gracias. ¿ Qué hay de nuevo, Luis ?

— Nada de particular. Pero busco a Tomás Navarro. ¿ Le conoces ?

— Sí, le conozco bien; es muy simpático.   5

— ¿ Sabes dónde [2] está ?

— No lo sé. Casi todos los días va al café a esta hora. ¿ Por qué no le buscas allí ?

— Muy bien. ¿ No deseas ir a tomar algo ?

— Sí, con mucho gusto.   10

(*Entran en el café pero no ven a Tomás. Buscan una mesa libre y llaman al mozo. El mozo pregunta qué desean. Luis desea tomar una limonada si está fría y Roberto desea café con leche. Entonces tres amigas entran y los muchachos las invitan a tomar algo. Roberto pregunta qué desean.*)   15

— ¿ Qué tomas, Leonor ? ¿ Té o chocolate ?

— Té caliente con limón, por favor.

— ¿ Y tú, Rosa ?

— Chocolate, por favor.

— ¿ Deseas café, Isabel ?   20

— Sí, gracias, café solo si está caliente. También deseo un vaso de agua fría.

---

[1] Hereafter, familiar forms of address will be used in some of the dialogues in conversations between students.   [2] In an indirect question an accent mark must be written the same as in a direct question. "Where is he?" is a direct question. "Do you know where he is?" asks for the same information in an indirect way.

VOCABULARIO

Nombres

el favor *favor*
  Leonor *Leonore*
el limón *lemon*
la limonada *lemonade*
  Rosa *Rose*

Adjetivo

libre *free, unoccupied*

Verbos

conocer *to be acquainted with, know, meet*

entrar (en + *obj.*) *to enter*
invitar (a + *inf.*) *to invite (to)*
preguntar *to ask (a question)*
saber *to know, know how*

Otras Palabras

algo *something, anything*
casi *almost, nearly*
entonces *then, at that time*
nada *nothing*
particular *particular, special*

Expresiones

nada de particular *nothing special, nothing in particular*
no (lo) sé *I don't know*
por favor *please* (used after request)
¿ qué hay de nuevo ? *what's new ?*
todos los días *every day*

PRONUNCIACIÓN

EN VOZ ALTA: Pronounce, paying special attention to letters indicated:

d   día, nada, limonada, no deseo, ciudad, cada
g   amiga, algo, agua, gusto, inglés, preguntar, página
h   hasta, helado, hijo, hora, hombre, hay, hoy

a. Indicate whether the following vowel combinations are pronounced as diphthongs or as separate syllables (see page 47):

creo	lee	creemos	frío	habláis
gracias	nuevo	Leonor	país	sabéis

b. An accent mark in Spanish is sometimes used to indicate differences in meanings of words which are spelled exactly alike, except for the accent mark which does not affect the pronunciation. Compare the meanings of **el** and **él, que** and **¿ qué? si** and **sí, donde** and **¿ dónde?**

PREGUNTAS

Answer in Spanish the following questions based on the dialogue:

1. ¿Cómo está Roberto?   2. ¿Qué hay de nuevo?   3. ¿A quién busca Luis?   4. ¿Le conoce Roberto?   5. ¿Cómo es Tomás?   6. ¿Sabe Roberto dónde está?   7. ¿Ven a Tomás en el café?   8. ¿Qué buscan cuando entran?   9. ¿Qué pregunta el mozo?   10. ¿Qué desea tomar Luis?   11. ¿Qué desea Roberto?   12. ¿Quiénes entran en el café entonces?   13. ¿Las invitan los muchachos a tomar algo?   14. ¿Qué toma Leonor?   15. ¿Toma Rosa té caliente también?   16. ¿Qué desea Isabel?

GRAMÁTICA

1. THE IRREGULAR VERBS SABER AND CONOCER

Present Indicative Tense of **saber,** *to know,* and **conocer,** *to be acquainted with*			
SINGULAR	PLURAL	SINGULAR	PLURAL
sé	sabemos	conozco	conocemos
sabes	sabéis	conoces	conocéis
sabe	saben	conoce	conocen

2. MEANING OF SABER AND CONOCER

Sé la lección.	*I know the lesson.*
¿ Saben leer el español?	*Do they know how to read Spanish?*
Conozco a su padre.	*I know his father.*
Conoce bien la ciudad.	*He knows the city well (He is well acquainted with the city).*

Saber means *to know* in the sense of *to know facts* or *to have knowledge of something.* With an infinitive it means *to know how to.* **Conocer** means *to know* in the sense of *to be acquainted with someone or something.*

3. USE OF ENTRAR

Entran en el café.	*They enter the café.*
Leonor entra.	*Leonore enters.*

Before a direct object the verb **entrar** requires the preposition **en,** which is not translated into English. **En** is omitted if no object is expressed.

EXPRESIONES PARA LA CLASE

Be sure you know the meaning of:

Escriban Vds. al dictado.	*Write at dictation.*
Abran Vds. los libros (cuadernos).	*Open your books (notebooks).*
Tome Vd. asiento.	*Take your seat.*
Tomen Vds. asiento.	*Take your seats.*
Preste(n) Vd(s). atención.	*Pay attention.*

Change each command form to the plural and give the English meaning of each sentence:

1. Entre Vd. en el café.
2. Pase Vd., por favor.
3. Pregunte Vd. en español.
4. No espere Vd. aquí.
5. Tome Vd. estos lápices.
6. Invite Vd. a Leonor.
7. Escuche Vd. a Enrique.
8. No mire Vd. la televisión.
9. No llame Vd. a mi madre.
10. Termine Vd. el examen.

EJERCICIOS

a. Fill in the blanks with the correct form of **saber** or **conocer:**

1. ¿—— Vds. a aquel hombre? 2. ¿—— Vds. dónde vive? 3. Yo no —— la ciudad. 4. Yo —— que está en España. 5. Ella —— preparar el té. 6. Los alumnos —— la lección. 7. Mi tío —— toda la música de España. 8. Vicente, ¿—— tú quién es el profesor? 9. Yo no —— quién es. 10. Carlos y yo —— a su madre.

b. Use the correct form of **ser** or **estar** in each blank:

1. El agua —— fría. 2. Esta música —— muy popular. 3. Nosotros —— los abuelos de Tomás. 4. Enrique y Jorge —— en el campo. 5. Yo no —— en la calle. 6. ¿Quién —— la muchacha bonita? 7. Elena, ¿—— tú enferma? 8. Creo que Vd. —— cansado. 9. ¿De quién —— el reloj? 10. —— de Vicente. 11. ¿De qué —— el cuaderno? 12. —— de papel. 13. Los muchachos no —— en la ciudad. 14. ¿Sabe Vd. dónde —— ellos? 15. La limonada —— para mi padre. 16. Él y mi tío —— de Chile.

c. Give the Spanish for each pronoun, then read in Spanish, placing the pronoun in the proper position:

1. (*her*) Yo veo. 2. (*them, f.*) Tomás abre. 3. (*them*) Yo conozco. 4. (*it*) No comprenden. 5. (*you, formal f.*) Leonor ve. 6. (*it, f.*) Escuchan. 7. (*us*) Ella no llama. 8. (*me*) Juan y él esperan. 9. (*him*) Conocemos

bien. 10. (*it, f.*) Sabemos. 11. (*us*) Invitan a comer. 12. (*me*) Esperan en casa. 13. (*you, fam. sing.*) No veo. 14. (*her*) Llamo todos los días. 15. (*them, f.*) No abren.

d. Write in Spanish:

1. I know him well. 2. Do you know the lesson? 3. They are not acquainted with us. 4. I do not know the words. 5. She knows me. 6. They know Spanish. 7. Do you (*fam. sing.*) know my uncle? 8. She does not know whether he is here.

COMPOSICIÓN

1. Richard wants to take a lemonade in this café but there aren't any free tables. 2. Then he sees his friends who are seated near the door. 3. They invite him to take something at their table. 4. A pretty girl enters the café but they do not know her. 5. Charles believes that she is Cuban but he does not know where she lives. 6. She goes to talk with Isabel who is seated there with her parents. 7. She talks two or three minutes and then she sees several girls who are near the window. 8. They do not know that she is looking at them. 9. They know her and they invite her to their table. 10. "What's new?" they ask. 11. Nothing special. Is the chocolate hot? 12. Yes, we are taking it because we know that the coffee is cold.

PARA PRACTICAR

a. Plática (*Chat, Conversation*).

In this and later lessons there are brief **pláticas** to be used as models for your practice in speaking Spanish. Say them over and over until they become as natural as in English. After each **plática** you will find the new words, as well as a few others which may be substituted for some of those used in the model.

— ¡ Hola, Juan !

— ¡ Hola, Carlos ! ¿ Está Vd. ocupado ahora ?

— En este momento, no. Vamos a tomar un refresco.

— Bueno. Vamos a entrar en este café.

— Está bien. Hay una mesa libre aquí cerca de la ventana.

— ¿ Qué va Vd. a tomar ?

— Voy a tomar una naranjada.

— Y yo, una limonada.

— Voy a llamar al mozo.

bueno *all right, O.K., fine*	ocupado, -a *busy*
una coca-cola *a Coca Cola*	un refresco *a cold drink*
una leche malteada *a malted milk*	una sidra *a cider*
una naranjada *an orangeade*	una soda *a soda*

vamos a tomar (entrar) *let's take* or *have* (*enter*)

b. Conversación rápida (*Rapid conversation*).

Pairs of students may practice the following. Now that you have had familiar forms of address in the dialogue, practice using them in this conversation:

— Buenos días (Buenas tardes), (Roberto, María).
— Buenos días (Buenas tardes), (Tomás, Carmen).
— ¿ Cómo estás esta mañana (tarde)?
— Muy bien, gracias. ¿ Y tú ?
— Así, así. ¿ Qué hay de nuevo ?
— Nada de particular.
— ¿ Deseas dar un paseo ?
— Sí, con mucho gusto.

c. ¿ Dónde estoy ?

A student chooses one of the countries of the Organization of American States. Other students ask **¿ Está Vd. en la Argentina (el Uruguay, el Perú ?,** etc.) until the country is guessed. The student who guesses the country then chooses another country and the conversation continues. The other countries in the Americas which require the definite article are: **el Paraguay, el Ecuador, el Brasil, El Salvador, la República Dominicana, los Estados Unidos.** The conversation would start as follows:

— ¿ Está Vd. en la Argentina ?
— No, (Juan), no estoy en la Argentina.
— ¿ Está Vd. en el Brasil ?
— No, (María), no estoy en el Brasil. Etc.

d. Read the dialogue of this lesson in Spanish, substituting the verb forms which are used with the formal **usted** for the familiar forms. For example, begin with: — **¿ Cómo está Vd., Roberto ?**

A poor young nobleman named Hernán Cortés had the honor of being the first of many Spaniards to find the great wealth, fame, and prestige which all had been seeking. Slipping away from Cuba in 1518 with about six hundred men, a few firearms, and sixteen horses, Cortés sailed to the Mexican coast near present Veracruz. The Aztec emperor Moctezuma (or Montezuma) sent lavish gifts to the Spaniards, along with a command that they leave. Instead of this Cortés burned his ships; then he and his men slowly climbed through the rugged mountains to Tenochtitlán. The wealth and splendor of the Aztec capital dazzled the Spaniards.

Even though Cortés was a born leader, a great soldier, and a man of Christian faith, several outside factors aided him in the conquest of the Aztecs. Two interpreters, a Spaniard who had lived with the Indians in Yucatán and an Indian girl baptized with the Christian name of Marina, enabled Cortés to talk with the natives. Several tribes which had been forced to pay heavy tribute to Moctezuma were willing to help defeat the tyrant. Moreover, there was an Aztec tradition that descendants of an exiled white god named Quetzalcoatl would return some day from the east to conquer them. Moctezuma, thinking the Spaniards were of divine origin, saw their arrival as the fulfilment of that prophecy. The conquest, completed in 1521, served as an example of what a few brave men could do against heavy odds.

LECCIÓN

CATORCE

¿VA USTED DE COMPRAS?

— ¿ A dónde vas, Carmen ?

— Voy de compras, Isabel. Mi hermana Anita me espera en una tienda en el centro. Cada semana nuestro padre nos da dinero para [1] comprar las cosas que necesitamos. ¿ No deseas ir de compras también ?

— Sí, con mucho gusto. (*Van al centro donde Anita las espera. Ella les abre la puerta de la tienda y todas entran. Una empleada les pregunta qué desean, y Carmen le dice que busca un sombrero.*)

— Tenemos muchos sombreros bonitos, señorita, y son baratos. (*La empleada le enseña varios sombreros.*)

— Me gusta este sombrero rojo. ¿ Cuánto es ?

— Diez dólares.

— Pues, no es barato a ese precio.

— Señorita, le digo la verdad. Para estos tiempos el precio es barato.

— Me gusta este sombrero blanco también. ¿ Cuál es el precio ?

— Seis dólares.

— Está bien. Lo tomo. Aquí tiene Vd. el dinero.

— Muchas gracias.

---

[1] **Para** is used before an infinitive to express purpose and is translated *to* or *in order to.*

VOCABULARIO

Nombres

el centro *center, downtown*
la compra *purchase*
la cosa *thing*
el dólar *dollar* (U.S.)
la empleada *clerk, employee* (woman)
el precio *price*
el sombrero *hat*
la tienda *store, shop*

Adjetivos

barato, –a *cheap*
cada (*m. and f.*) *each*

Verbos

comprar *to buy*
decir *to say, tell*
gustar *to be pleasing, like*
necesitar *to need*

Interrogativo

¿ cuál(es) ? *which* (*one* or *ones*) ?
what?

Expresiones

¿ cuál es el precio? *what is the price?*
¿ cuánto es? *how much is it? what is the price of it?*
(estar) en el centro (*to be*) *downtown*
(ir) al centro (*to go*) *downtown*
ir de compras *to go shopping*
lo tomo *I'll take it*
me gusta (este sombrero) *I like (this hat), (this hat) is pleasing to me*

PRÁCTICA. In the dialogue find the Spanish expressions for the following:

1. Where are you going? 2. I am going shopping. 3. our father gives us money to buy. 4. Don't you want to go shopping? 5. gladly. 6. They go downtown. 7. She opens the door for them. 8. all enter. 9. A clerk asks them what they want. 10. I like this red hat. 11. How much is it? 12. I like this white hat. 13. What is the price? 14. I'll take it. 15. Here is the money.

PRONUNCIACIÓN

a. Here are some Spanish words which have been taken directly into the English. Divide them into syllables, underline the accented syllable, and pronounce them correctly:

el adobe	la chinchilla	la llama	la siesta
la mantilla	el guanaco	la mesa	el hombre
el burro	la iguana	la sierra	la vicuña

Look in your English dictionary for the meaning of any words you may not know.

b. Practice reading, so that you can write the Spanish when it is dictated in class:

Isabel y Carmen van al centro. Anita las espera allí. Ella les abre la puerta de la tienda y las tres entran. Una empleada les enseña sombreros y Carmen compra un sombrero blanco. El sombrero es muy bonito. El precio es seis dólares y la empleada dice que es barato.

PREGUNTAS

Answer in Spanish the following questions based on the dialogue:

1. ¿A dónde va Carmen?   2. ¿Quién la espera en una tienda?
3. ¿Dónde está la tienda?   4. ¿Qué les da su padre cada semana?
5. ¿Desea Isabel ir de compras?   6. ¿Qué les pregunta la empleada?
7. ¿Qué le dice Carmen?   8. ¿Qué le enseña la empleada?   9. ¿Cuál es el precio del sombrero rojo?   10. ¿Lo compra Carmen?   11. ¿Cuál es el precio del sombrero blanco?   12. ¿Qué da Carmen a la empleada?

GRAMÁTICA

1. THE IRREGULAR VERB DECIR

Present Indicative Tense of **decir**, *to say*, *tell*	
SINGULAR	PLURAL
(yo) **digo**	(nosotros, –as) **decimos**
(tú) **dices**	(vosotros, –as) **decís**
(él, ella) **dice**	(ellos, –as) **dicen**
Vd. **dice**	Vds. **dicen**

Note that the first and second persons plural of most verbs in Spanish are regular. Memorize all the forms.

2. INDIRECT OBJECT PRONOUNS

SINGULAR		PLURAL	
me	(*to*) *me*	**nos**	(*to*) *us*
te	(*to*) *you* (fam.)	**os**	(*to*) *you* (fam.)
le	(*to*) *him, her, it, you* (formal)	**les**	(*to*) *them, you* (formal)

Doy │a María│ el dinero.	*I give Mary the money (I give the money to Mary).*
│Le│ doy el dinero.	*I give her the money (I give the money to her).*
Dicen │a sus padres│ la verdad.	*They tell their parents the truth (They tell the truth to their parents).*
│Les│ dicen la verdad.	*They tell them the truth (They tell the truth to them).*
Ella enseña el sombrero │a sus hermanas│ .	*She shows the hat to her sisters (She shows her sisters the hat).*
Ella │les│ enseña el sombrero.	*She shows the hat to them (She shows them the hat).*
Ellos no nos enseñan el cuadro.	*They do not show (are not showing) us the picture.*
Carlos les abre la puerta.	*Charles opens the door for them.*

The direct object shows what or whom the verb acts upon (*money, truth, hat, picture, door*, in the sentences above).

The *indirect object* tells *to* or *for* whom the action is performed (*Mary, parents, sisters*, in the first, third, and fifth sentences above; and *her, them, them, us, them*, in the other sentences).

The indirect object pronouns **me, te, le,** etc., in Spanish include *to* (*for*) in their meanings. The word *to* is also included in English if the indirect object precedes the direct, as in the sentence *I give her the money (I give the money to her).*

Indirect object pronouns precede the verb and in a negative sentence they come between **no** and the verb (next to the last sentence).

3. USE OF ¿ CUÁL ? WHICH (ONE) ? WHAT ?

¿ Cuál de los sombreros es barato ?	*Which (one) of the hats is cheap?*
¿ Cuál es el precio ?	*What is the price?*
¿ Cuáles son países pequeños ?	*Which (ones) are small countries?*

¿ Cuál ? (pl. ¿ cuáles ?) is used as a *pronoun*. It usually indicates a choice of one or more things from among several. Compare the following:

¿ Qué libro tiene Vd. ?	*Which (What) book do you have?*
¿ Cuál de los libros tiene Vd. ?	*Which (one) of the books do you have?*

When the words *which?* and *what?* modify nouns they are adjectives and are translated by ¿ qué ?

EXPRESIONES PARA LA CLASE

a. Supply the Spanish command form for the English verb:

1. *Speak* Vd. en voz alta.
2. *Write* Vd. en español.
3. *Pass* Vds. a la pizarra.
4. María, *take* Vd. tiza.

5. *Take* Vds. asiento.
6. *Do not read* Vd. en inglés.
7. *Write* Vds. al dictado.
8. *Open* Vds. los cuadernos.

b. Give the singular and plural commands of:

comprar	comer	aprender	mirar	pasar
invitar	esperar	escuchar	creer	leer

EJERCICIOS

a. Translate each sentence two ways. Example: **Le doy las cosas,** *I give the things to him, I give him the things.* (**Le** also means *her, to her, you, to you.*)

1. Ellos me dan el dinero. 2. Yo les enseño mis compras. 3. Ella nos dice la verdad. 4. ¿Le lees tú la carta? 5. Su madre no le compra un sombrero. 6. Yo les digo el precio. 7. No te escribo muchas cartas. 8. Les leo las frases.

b. Read aloud and tell whether each of the pronouns is a direct or an indirect object:

1. Lo busco. 2. Le damos un reloj. 3. Les enseño las compras. 4. Nos escriben muchas cartas. 5. Las abren. 6. Nos abren las puertas. 7. Me espera en casa. 8. Le llamo y le digo la verdad. 9. Mi madre nos prepara el desayuno. 10. Nos llama a las siete de la mañana. 11. La invitamos a la escuela. 12. Mi hermano me habla en español. 13. Carmen te dice que desea chocolate caliente. 14. Siempre lo tomo también.

c. Say in Spanish, indicating whether each object pronoun is direct or indirect:

1. I read it (*f.*). 2. We read the lesson to him. 3. They believe it (*m.*). 4. Do you see us? 5. She teaches us the words. 6. He buys me a magazine. 7. You are telling them the truth. 8. I do not see her. 9. I like this coffee. 10. I like this store. 11. He opens the door for me. 12. Someone reads the newspaper to him. 13. He does not read it much. 14. Are they writing to him?

d. Translate into Spanish the words in italics as you read:

1. ¿ *Which* de los hombres es su padre? 2. ¿ *Where* vive él? 3. ¿ *What* lenguas habla Vd.? 4. ¿ *Which ones* de sus hijos van a la escuela? 5. ¿ *Whose* es esta tienda? 6. ¿ *Where* va él? 7. ¿ *How* estás? 8. ¿ *Whom* ve Vd.? 9. ¿ *How old* tiene Juan? 10. ¿ *Who* necesita un sombrero? 11. ¿ *Which* de los libros es de Elena? 12. ¿ *Which one* es la empleada? 13. Ella les [1] pregunta *what* desean. 14. ¿ *What* desea Vd. tomar?

e. Read, substituting Spanish words for those in italics:

1. ¿ *To whom* habla Vd.? 2. ¿ Por qué *to him* habla Vd.? 3. ¿ Dónde está *my newspaper?* 4. ¿ *It* lee Vd.? 5. *Here it is.* Yo no lo *am reading.* 6. *What's new?* ¿ Va Vd. *downtown?* 7. *I don't know.* 8. Deseo *invite Leonore* a ir también. 9. María y yo *talk to her* todos los días. 10. Ella desea *to go shopping.* 11. *I like* ir al centro. 12. En el centro hay *many large stores.*

COMPOSICIÓN

1. My sister Ann and I are going shopping this morning. 2. Our mother tells her that she has to buy a small hat. 3. My grandfather is giving us a radio. 4. It is in a store that is downtown. 5. I like the radio; I listen to it every day. 6. At five o'clock in the afternoon there is a foreign program on the radio. 7. We enter a large store where an employee (*f.*) shows us several pretty hats. 8. We do not buy them because the prices are not cheap. 9. Then we see many pretty roses in a small shop and we buy them for our mother. 10. Isabel gives her the flowers and tells her that they are from her three children.

PARA PRACTICAR

a. Plática.

— ¡ Hola, Felipe! ¿ Cómo está Vd.?
— Perfectamente bien, gracias.
— ¿ Qué va Vd. a hacer ahora?
— Nada de particular. ¿ A dónde desea Vd. ir?
— Vamos al centro (a la reunión del club).
— Bueno. ¿ Desea Vd. ir en ómnibus (taxi)?
— No; vamos a pie. No está lejos.
— Pues, aquí estamos. Vamos a entrar por esta puerta.
— Pase Vd. primero.

[1] **Preguntar** requires the indirect object if a person is used as the object of the verb.

el club *club*   el pie *foot*
  lejos *far*   la reunión *meeting*

en ómnibus (taxi) *by bus (taxi)*
vamos a pie *let's walk (go on foot)*
vamos (al centro) *let's (let us) go (downtown)*

b. ¿ Qué me da Vd.?

Carry on the following conversation chain fashion or at random around the class:

1ST STUDENT. — ¿ Qué me da Vd., señor (señorita)?

2ND STUDENT. — Le doy un libro, señor (señorita).

1ST STUDENT. — ¿ Lo necesita Vd., señor (señorita)?

2ND STUDENT. — No, señor, no lo necesito hoy. (*To 3rd Student*) ¿ Qué me da Vd.?

3RD STUDENT. — Le doy dos dólares. ¿ Los necesita Vd.?

2ND STUDENT. — No, señor, no los necesito. (*To 4th Student*) ¿ Qué me da Vd.?

4TH STUDENT. — Le doy una limonada.

3RD STUDENT. — ¿ La desea Vd.?

2ND STUDENT. — Sí, señor, la deseo mucho.

In this conversation you can drill on verbs as well as the direct and indirect object pronouns. Use as many different verbs and objects as possible in the questions and answers.

Immediately after the capture of Tenochtitlán, the Aztec capital, Cortés began to rebuild the city which was to be the center of Spanish power in North America for three hundred years. Colonization of the conquered lands began when more men came from Spain bringing seeds, plants, cattle, and horses. At the same time adventurers were pushing southward into present-day Central America and northward into the present United States.

The story of seven wealthy cities of Cíbola, far to the north, accounted for one of the greatest land explorations in history. Francisco de Coronado was chosen to search for these cities. Dressed in armor and carrying elaborate provisions, Coronado and his men set out in 1540, advancing slowly across northern Mexico and southeastern Arizona into New Mexico. Imagine their disappointment when they discovered some poor adobe pueblos of the Zuñi Indians instead of the Seven Cities of Cíbola whose streets were supposedly paved with gold!

After resting there during the winter, Coronado continued across Texas and Oklahoma into central Kansas in a vain search for another rich land, the Kingdom of Quivira. Finally he returned to Mexico without finding the promised land. At one point on the long journey Coronado was not far from the expedition of Hernando de Soto, who explored the southeastern states and discovered the Mississippi River in 1541.

LECCIÓN QUINCE

LOS DÍAS DE LA SEMANA

(*Eduardo sale de su casa para dar un paseo. Un amigo de su familia sale también y los dos hablan juntos.*)

— ¿ Tiene Vd. frío,[1] Eduardo ?

— No, señor, tengo calor porque llevo sombrero y abrigo.[2] Me gusta
5 el frío.

— ¿ Tiene Vd. sed ?

— No tengo sed pero tengo mucha hambre. No vamos a tomar el almuerzo hasta la una y media.

— ¿ No tiene Vd. clases hoy ?

10 — Hoy es día de fiesta y no voy a la escuela.

— ¿ Tiene Vd. sueño a veces en la escuela ?

— Sí, señor, a veces tengo mucho sueño, pero la profesora siempre me pregunta algo.

— ¿ Tiene Vd. clases los sábados ?[3]

15 — No hay clases en nuestra escuela los sábados.

---

[1] See **Gramática** 3, for expressions with **tener**.   [2] **llevo sombrero y abrigo,** *I am wearing a hat and an overcoat.* The indefinite article is used less in Spanish than in English. If **un** were used with **sombrero** and **abrigo** in this sentence, it would mean *one hat* and *one overcoat.* Similarly in line 10 **Hoy es día de fiesta** means *Today is a holiday.*   [3] See **Gramática** 4, for days of the week.

— ¿ A dónde vamos los domingos ?

— Vamos a la iglesia.   Tenemos clases los lunes, los martes, los miércoles, los jueves y los viernes.

— ¿ Qué día de la semana es hoy ?

— Es jueves.   5

— ¿ Cuántos días tiene la semana ?

— Tiene siete días y cada día tiene veinte y cuatro horas.

— Pues, tengo que ir a casa ahora.   Hasta luego.

— Adiós.

VOCABULARIO

Nombres

el abrigo *overcoat*
el calor *heat, warmth*
la fiesta *festival, fiesta*
el frío *cold*
el hambre (*f.*) [1] *hunger*
la iglesia *church*
la sed *thirst*

el sueño *sleep*
la vez (*pl.* veces) *time* (in a series), *occasion*

Verbos

llevar *to wear*
salir (de + *obj.*) *to leave, go (come) out*

Expresiones

a veces *at times, on occasions, sometimes*
el día de fiesta *holiday*
(ir) a la escuela *(to go) to school*
(ir) a la iglesia *(to go) to church*

PRÁCTICA.   In the dialogue find the Spanish for the following:

1. Edward leaves his house.   2. A friend of his family leaves (goes out) also.   3. Are you cold?   4. I am warm.   5. Are you thirsty?   6. I am not thirsty.   7. I'm very hungry.   8. Don't you have any classes today?   9. Today is a holiday.   10. I don't go to school.   11. Are you sleepy at times in school?   12. Do you have classes on Saturdays?   13. There are no (aren't any) classes.   14. We go to church.   15. We have classes on Mondays.

PRONUNCIACIÓN

Spanish proverbs are called **refranes**.   Practice reading these without pausing between words, then memorize them, together with their English meanings.

[1] See explanation of **el agua**, page 108.

Quien mucho habla, mucho yerra.	*He who talks much errs much.*
No es oro todo lo que reluce.	*All is not gold that glitters.*
Quien busca, halla.	*He who seeks finds.*
Lo que mucho vale, mucho cuesta.	*What is worth much costs much.*
Más vale tarde que nunca.	*Better late than never.*

PREGUNTAS

Answer in Spanish the following general questions:

1. ¿ Qué hora es ?   2. ¿ A qué hora sale Vd. de casa por la mañana ?
3. ¿ A qué hora entra Vd. en esta clase ?   4. ¿ Tiene Vd. frío ?   5. ¿ Qué
lleva Vd. a veces cuando tiene frío ?   6. ¿ Tiene Vd. sed ?   7. ¿ Tiene
Vd. mucha hambre ?   8. ¿ Qué hacemos cuando tenemos hambre ?   9. ¿ A
qué hora toma Vd. el almuerzo ?   10. ¿ Tiene Vd. sueño a veces en la
clase ?   11. ¿ Tiene Vd. mucho sueño ahora ?   12. ¿ Tiene Vd. mucho calor ?
13. ¿ Qué día de la semana es hoy ?   14. ¿ Es día de fiesta ?   15. ¿ Cuántos días tiene la semana ?   16. ¿ Cuántas horas tiene el día ?   17. ¿ Tiene
Vd. clases los sábados ?   18. ¿ Tiene Vd. clases los domingos ?   19. ¿ A
dónde vamos los domingos ?   20. ¿ Va Vd. a la escuela todos los días de
la semana ?   21. ¿ Cuáles son los días de la semana ?   22. ¿ Tiene Vd.
clases mañana ?   23. ¿ A qué hora sale Vd. de esta clase ?   24. ¿ Va Vd.
a casa ahora ?

GRAMÁTICA

1. THE IRREGULAR VERB SALIR

Present Indicative Tense of **salir**, *to leave*	
SINGULAR	PLURAL
(yo) **salgo**	(nosotros, –as) **salimos**
(tú) **sales**	(vosotros, –as) **salís**
(él, ella) **sale**	(ellos, –as) **salen**
Vd. **sale**	Vds. **salen**

Salgo, the only irregular form, is translated *I leave (go out, come
out), do leave, am leaving (do go out, am going out, do come out, am
coming out).*

2. USES OF SALIR

Mi amigo sale.	*My friend leaves (goes out).*
Vds. salen a las ocho.	*You leave at eight o'clock.*

Mi amigo sale de la iglesia.	*My friend leaves the church.*
Vds. salen de la casa a las ocho.	*You leave the house at eight.*

When **salir** is followed by an object the preposition **de** must be used before the object; if no object is expressed **de** is not used. Compare **entrar** and **entrar en**, page 123.

3. EXPRESSIONS WITH TENER

Juan tiene
- calor.
- frío.
- hambre.
- sed.
- sueño.

John is
- *warm.*
- *cold.*
- *hungry.*
- *thirsty.*
- *sleepy.*

Tenemos mucho calor (frío, sueño).	*We are very warm (cold, sleepy).*
¿ Tienes mucha hambre (sed)?	*Are you very hungry (thirsty)?*

These expressions with **tener,** which describe the physical condition of living beings, are idioms and must be memorized.

Since the words **calor, frío,** and **sueño** are masculine nouns, **mucho** is used with them to mean *very;* **mucha** is used with the feminine nouns **hambre** and **sed.**

Remember that the words used with **estar** to express temporary condition are adjectives, which agree with and describe the subject. With these adjectives **muy** is used to mean *very:*

El agua está muy fría.	*The water is very cold.*
Estamos muy cansados.	*We are very tired.*

4. DAYS OF THE WEEK

el domingo	(*on*) *Sunday*	el jueves	(*on*) *Thursday*
el lunes	(*on*) *Monday*	el viernes	(*on*) *Friday*
el martes	(*on*) *Tuesday*	el sábado	(*on*) *Saturday*
el miércoles	(*on*) *Wednesday*		

El martes es un día de la semana.	*Tuesday is a day of the week.*
Hoy es sábado.	*Today is Saturday.*

The definite article is used with the names of the days of the week, except after a form of **ser.** The names of the days of the week are not capitalized.

Voy al centro el sábado.	*I'm going downtown on Saturday.*
Sale los martes (jueves).	*He leaves on Tuesdays (Thursdays).*
Vamos a la iglesia los domingos.	*We go to church on Sundays.*

The definite articles **el** and **los** used with the days of the week may be translated *on*. With the exceptions of **los sábados** and **los domingos,** the plural forms are the same as the singular.

EXPRESIONES PARA LA CLASE

Irregular verbs usually have irregular command forms and you must memorize them. Here are some that you will need:

INFINITIVE	SINGULAR	PLURAL	
dar	dé Vd.	den Vds.	*give*
decir	diga Vd.	digan Vds.	*say, tell*
ir	vaya Vd.	vayan Vds.	*go*
salir	salga Vd.	salgan Vds.	*leave, go out*

Give the English for the following commands:

1. Diga Vd. la palabra en español.
2. Pablo, no salga Vd. de la clase.
3. No diga Vd. la expresión en inglés.
4. Preste Vd. atención.
5. Dé Vd. el lápiz a Felipe.
6. Vaya Vd. a la biblioteca ahora.
7. Tome Vd. asiento, Carlos.
8. Abra Vd. la ventana.

Read the sentences in Spanish, making each command plural.

EJERCICIOS

a. Write the correct forms of each verb with the subject indicated:

	ser	saber	estar	conocer	decir	salir
1. ellas						
2. Vd.						
3. tú						
4. yo						
5. nosotros						

b. Fill in the blanks with forms of **tener** and translate:

1. Ricardo —— sueño. 2. María y yo —— hambre. 3. Tú —— quince años. 4. Ellos —— que vivir aquí. 5. Juan y Roberto —— frío. 6. Ellos no —— abrigos. 7. Yo —— calor. 8. ¿ —— Vds. mucha sed? 9. ¿ Cuántos años —— Vd.? 10. Yo —— diez y seis años. 11. Mi hermana —— once años. 12. ¿ —— Vds. que estudiar mucho? 13. No, Leonor, nosotros no —— que estudiar mucho. 14. ¿ Quién —— un lápiz verde? 15. Carlos y yo —— lápices verdes.

c. Read in Spanish, substituting the correct Spanish words for those in italics:

1. Eduardo *is* español.   2. Él *is* de Madrid y *is* muy simpático.   3. *He is* quince años.   4. Sus padres *are* en Cuba este año.   5. Eduardo *is* aquí con sus abuelos.   6. Ellos *are* norteamericanos.   7. Hoy *is* lunes y *it is* las nueve de la mañana, pero Eduardo *is not* en la escuela.   8. *He is* en casa. 9. *He is not* frío porque *he is* en la casa.   10. *He is not* hambre porque come mucho.   11. Mira su reloj que *is* de oro.   12. No sabe qué hora *it is*. 13. *There is* un reloj grande en la pared.   14. *He is sleepy* y no desea estudiar.   15. Su abuela le pregunta si *he is* calor.   16. Eduardo dice que *he is not* calor, pero sé que *he is* sed.   17. Dice que *it is not* fácil estudiar porque *he is* enfermo.

d. Fill in for the italics, as indicated:

1. Hoy es *Wednesday*.   2. *On Thursdays* tengo mis lecciones de música. 3. Voy al centro *on Saturday*.   4. Deseamos tener una fiesta *on Friday* por la noche.   5. *On Sundays* voy *to church* con mis padres.   6. La semana tiene siete *days*.   7. En un día hay *twenty-four* horas.   8. ¿A qué hora *do you leave?*   9. Nosotros *leave the store* a las cinco.   10. No desean *to leave the house*.   11. ¿Dónde está mi abrigo?   *I want it.*   12. Entran en la tienda y la empleada *speaks to them*.   13. Me gusta este sombrero y *I'll take it*.   14. Enrique tiene mis periódicos y *he is reading them*.   15. Ellos *know me*, pero *do not write to me*.   16. Ella *sees us* y *gives us* el dinero. 17. Estudio la lección y *I know it* bien.   18. Ella tiene mis revistas y *she is looking at them*.   19. ¿Busca Vd. su pluma?   *I have it.*   20. Veo a mis padres.   *Do you know them?*

e. Review the uses of **ser,** page 96, those of **estar,** pages 107–108, and those of **tener,** page 141, then translate into Spanish:

1. I am tired.   2. My sister is very hungry.   3. This book is interesting. 4. Our house is white.   5. Are they thirsty?   6. We are cold.   7. What time is it?   8. His mother is sad.   9. Their grandmother is sleepy.   10. She is my aunt.   11. They are not very warm.   12. We are from Spain.   13. My brother is very sleepy.   14. This overcoat is John's.   15. Who is seated there?

COMPOSICIÓN

1. Today is a holiday and there are no (there aren't any) classes.   2. Generally I am sleepy in the morning but I want to go shopping today.   3. John tells me that he has to buy an overcoat.   4. He says that he needs it a great deal because he is cold when he leaves the house.   5. We are hungry and we are going to take breakfast at home.   6. If we are warm and thirsty

this afternoon, we are going to the café to take something. 7. I like a cold lemonade when I am warm. 8. When I go downtown on Saturdays and to church on Sundays I always wear a [1] hat. 9. My sisters wear hats [2] when they go to school. 10. We are there from half past eight in the morning until a quarter of four in the afternoon on Mondays, Tuesdays, Wednesdays, Thursdays, and Fridays.

PARA PRACTICAR

a. See how many ways you can complete each of the following sentences, using only words you have had. Example: **María los invita a su casa a (tomar una limonada, dar un paseo, ir al centro, etc.).**

1. Hoy es viernes y yo ——.
2. Carmen toma el dinero y ——.
3. En la calle hay ——.
4. Son las cuatro de la tarde y tenemos que ——.
5. Enrique dice que él ——.

b. La historia de mi amigo (amiga), *My friend's story.*

Take a large sheet of paper and when your teacher asks **¿ Cómo se llama su amigo (amiga)?** *What is your friend's name?* write at the top a complete sentence beginning with **Mi amigo (amiga) se llama** ——, *My friend's name is* ——.

Now fold your paper over your answer and pass the paper to the student on your right. The next question is **¿ Dónde vive su amigo (amiga)?** Write the answer **Mi amigo (amiga) vive** ——, fold it over and pass it to the right. Continue this after each question. Other questions which your teacher may use are:

1. ¿ Qué estudia su amigo ?   3. ¿ Cuántos hermanos tiene ?
2. ¿ A qué hora sale de la casa ?   4. ¿ A dónde va el sábado por la noche ?

When the last question has been answered, the papers are unfolded and read to the class.

Each time you play this game the questions can be different and you can take turns making up the questions.

c. Me gusta ——.

Make up sentences telling why you like each day of the week. Example: **Me gusta el sábado porque no tengo clases (no tengo que estudiar, no voy a la escuela,** etc.).

[1] In this and similar cases the article is not translated.   [2] Use the singular.

Mexico is a land of deserts, towering mountains, volcanoes, high plateaus, tropical lowlands. Its scenery is spectacular. The two main mountain ranges run north and northwest from the southern part of the country. Orizaba, more than 18,000 feet above sea level, is the highest peak, but more famous are the twin volcanoes Popocatépetl and Iztaccíhuatl which are not far from the capital. A great percentage of the people enjoy a delightfully cool climate since they live in the central plateau at altitudes of 4,000 to 8,000 feet. The highest temperatures are in the deserts of the north and in the tropical lowlands of the Gulf of Mexico and the Isthmus of Tehuantepec.

Answer the following points, based on the map of Mexico between pages 272–273:

1. What river runs between Texas and Mexico?
2. Three other states border on Mexico. What are they?
3. What Spanish-speaking country borders on Mexico?
4. What body of water is on the east of Mexico? On the west

and southwest?

   5. Locate the Gulf of California (*Golfo de California*).

   6. Where is the Yucatán peninsula?

   7. Where are the ports of Veracruz and Tampico?

   8. Acapulco is a port and a famous resort city. Where is it located?

   9. Monterrey is an industrial center. In what part of Mexico is it?

   10. There are many inactive volcanoes between the capital and Guadalajara. Where is Guadalajara?

   11. Many wealthy Mexicans have winter homes in Cuernavaca, which has a warmer climate than Mexico City. Which direction is it from the capital?

LA CUCARACHA

U - na co - sa me da ri - sa, Pan - cho Vi - lla sin ca -
mi - sa.   Ya se van los ca - rran - cis - tas
por - que vie - nen los vi - llis - tas.   La cu - ca -
ra - cha, la cu - ca - ra - cha, ya no pue - de ca - mi -
nar,   por - que no tie - ne, por - que le
fal - ta ga - so - li - na que que - mar.

REPASO III

A. There are no new words in this section. Try to think in Spanish as you read the passage aloud. Also be able to give in English the content when it is read by the teacher.

— Buenas tardes, Isabel.
— Buenas tardes, Leonor. ¿ Cómo estás ?
— Muy bien, gracias. ¿ Qué hay de nuevo ?
— Nada de particular. Pero en este momento tengo mucho calor.
— Yo también, y tengo mucha sed. ¿ No deseas entrar en aquel café ₅ que está cerca de la escuela para tomar algo ?
— Sí, con mucho gusto. Casi todos los días varios amigos y yo vamos a un café a esta hora. ¿ Conoces a Carlos Molina ?
— Sí, le conozco; es muy simpático. ¿ Es cubano ?
— No, es mexicano. A veces pasa la tarde aquí con varios alumnos, ₁₀ pero no sé si está aquí esta tarde.
(*Entran en el café pero no ven a sus amigos. Buscan una mesa libre, cerca de la ventana. El mozo les pregunta qué desean.*)
— Deseo una limonada fría — dice Leonor.
— Y yo deseo un helado y un vaso de agua fría — dice Isabel. (*Entonces* ₁₅ *ven a su amiga Anita que entra.*)
— ¿ No deseas tomar algo, Anita ?
— No, gracias, no tengo tiempo. Tengo que ir de compras esta tarde. Son las tres y veinte y creo que mi prima me espera en el centro en este momento. Tenemos que comprar varias cosas que necesitamos. ₂₀
— ¿ Por qué no esperas hasta mañana ?
— Porque mañana es día de fiesta, Isabel, y necesito un sombrero nuevo. El sábado tengo que estar en casa y el domingo vamos a casa de mis abuelos.
— ¿ Vas a comprar un sombrero azul ?
— No, Leonor, deseo un sombrero rojo. Tienen muchos sombreros ₂₅ en la tienda de un amigo de mi padre. Son baratos, pero mi hermana que trabaja allí dice que son muy bonitos. Pero tengo que ir al centro ahora. Adiós.
— Hasta luego, Anita.

B. Answer in Spanish the following questions, which will serve as a check on some of the vocabulary which you have had:

1. ¿ Cómo está Vd. hoy ? 2. ¿ Está Vd. cansado ? 3. ¿ Está en casa su madre ? 4. ¿ Tiene ella un jardín ? 5. ¿ Qué hay en un jardín ? 6. ¿ De

147

qué colores son las rosas? 7. ¿ Tiene Vd. hermanos? 8. ¿ Cuántos años tiene(n)? 9. ¿ Qué día de la semana es hoy? 10. ¿ A dónde vamos los domingos? 11. ¿ Cuáles son los otros días de la semana? 12. ¿ Hay clases los sábados? 13. ¿ Tiene Vd. frío ahora? 14. ¿ Tiene Vd. sueño en la clase? 15. ¿ Qué tomamos en un café? 16. ¿ Va Vd. a un café a veces? 17. ¿ Va Vd. de compras a veces? 18. ¿ Escucha Vd. la radio? 19. ¿ Escucha Vd. programas mexicanos o cubanos? 20. ¿ A qué hora sale Vd. de la escuela?

C. As you pronounce the following sentences note the sounds of the consonants on the left, the vowel combinations within words and between words, and proper linking:

b, v Bárbara y Vicente van varias veces a la biblioteca.

c, qu ¿ Cuál es el color del coche que Carlos compra?

c, z No hay luz y es difícil ver el ejercicio que está en la pizarra.

d Cada día mi padre me da dinero.

g, gue Mi amigo que lleva el abrigo negro habla portugués.

g, j Generalmente Jorge y su hijo trabajan en el jardín.

ll Llama a su hermana; ella lleva un sombrero amarillo.

r, rr Roberto escribe cuatro frases en la pizarra.

x El alumno extranjero no escribe el examen porque es mexicano.

D. Use the correct form of **ser, estar,** or **tener** in each blank:

1. Yo —— sed. 2. El agua —— caliente. 3. Hoy —— un día frío. 4. Ella —— cansada. 5. Tú —— joven. 6. Vd. —— hambre. 7. El reloj —— de oro. 8. Yo —— triste. 9. Ella —— bonita. 10. Tú no —— enfermo. 11. Nosotros —— mucho sueño. 12. La casa —— de Carlos. 13. Ellos —— sentados. 14. —— difícil estudiar. 15. Ellas —— frío.

E. Use the correct form of **saber** or **conocer:**

1. Nosotros —— bien a Tomás. 2. Ella —— donde vivimos. 3. Yo —— que está en España. 4. Yo no —— a su primo. 5. Elena no —— la lección. 6. Ellos —— hablar inglés. 7. Anita, ¿ —— tú la música mexicana? 8. Vds. no me —— bien.

F. There are several ways to translate the English word *time*. To express the time of day use **hora;** to express time in a series, such as *this time, the first time (occasion)*, use **vez;** otherwise use **tiempo.** Supply the proper word for *time:*

1. ¿ Van a esa *time?* 2. Siempre voy cuando tengo *time.* 3. Esta *time* Juan está enfermo. 4. No tiene *time* esta mañana. 5. Siempre me llama a esta *time.* 6. A *times* leen bien.

G. Supply the proper object pronoun, indicating whether it is direct or indirect. Translate each sentence:

1. *Them* (*f.*) pronunciamos.   2. *Him* doy un dólar.   3. No *me* ven.
4. *Us* compran un coche.   5. No *it* creen.   6. *Him* pregunto la hora.
7. *Them* conocemos.   8. *Him* escriben una carta.   9. Ella *me* enseña
el español.   10. *Him* digo la verdad.   11. ¿ *It* (*f.*) necesitas?   12. *Us*
esperan.   13. *You* (*fam. sing.*) busco.   14. *Her* miran.   15. *You* (*fam. pl.*)
escuchan.   16. *It* sabemos.   17. Ella *you* espera en el café.   18. ¿ *Them*
lee Vd. la carta?

H. Review the rules concerning agreement of adjectives, page 41, possessive adjectives, page 69, and demonstrative adjectives, page 95, then supply the Spanish for the words in italics:

1. *These* precios son *cheap*.   2. *Those* empleadas están *tired*.   3. *Our*
compras son *interesting*.   4. *This* sombrero *red* es de Elena.   5. *Their*
tienda está en *this* calle.   6. *My* familia va a *that* ciudad.   7. *This* agua
está *cold*.   8. *Our* cita es para *this* tarde.   9. *His* cosas están en *that* silla.
10. *Those* árboles están en *their* jardín.

I. Write in Spanish:

1. How much is this book?   2. I'll take it.   3. What is the price of this
watch?   4. I don't know.   5. What's new?   6. Nothing in particular.
7. He takes a walk every day.   8. They do not go to that café every night.
9. We are going at this moment.   10. I take coffee with cream for breakfast.   11. We have to go to church now.   12. I like that yellow house.
13. The water is not cold.   14. He is looking for his friend.   15. Tomorrow
is a holiday.   16. She wants a glass of warm water.   17. Take the newspaper.
18. Which one of the men is your father?   19. I want hot chocolate, please.
20. There are no classes on Saturdays.   21. Write the letter now.   22. Read
aloud.   23. Do not talk (*pl.*) in English.   24. Pass to the blackboard.
25. Do not leave the house.

LECTURAS

EL BURRO DEL TÍO JUAN

Alguien llama a la puerta del tío Juan.   Cuando el tío Juan sale a
abrir la puerta, ve a un vecino [1] que vive cerca de su casa.

— Buenos días, vecino.   ¿ Por qué llama Vd. a la puerta?

— Yo tengo que ir a la ciudad hoy y deseo saber si puedo [2] tomar
su burro.

---

[1] vecino, *neighbor*.   [2] puedo, *I can*.

— No es posible porque mi hijo está en Madrid con el burro y no va a estar en casa hasta el sábado.

Pero en ese momento el burro, que está en el establo,[1] empieza a rebuznar.[2] Entonces el vecino pregunta:

5   — ¿ No es su burro el que [3] rebuzna ? ¿ Por qué me dice Vd. que el burro no está en casa ? ¿ No es Vd. mi amigo ?

— Pues, yo soy quien debe enojarse.[4]

— ¿ Por qué debe Vd. enojarse ?

— Porque Vd. cree al burro en vez de a mí.[5]

PREGUNTAS

1. ¿ Dónde llama alguien ?   2. ¿ A quién ve el tío Juan ?   3. ¿ A dónde tiene que ir el vecino ?   4. ¿ Qué dice el tío Juan ?   5. ¿ Pero dónde está el burro ?   6. ¿ Qué pregunta el vecino ?   7. ¿ Por qué debe enojarse el tío Juan ?

El cóndor

10   — ¿ Qué tienes, Eduardo ?

— Es una fotografía de los Andes, montañas majestuosas de la América del Sur. ¿ Ves esta ave [6] grande ?

— Sí, es una águila,[7] ¿ no es verdad ?

— ¡ No, hombre ! El águila vive en las sierras del oeste de los 15 Estados Unidos. Esta ave es un cóndor y vive en las regiones altas de los Andes. Es más grande que [8] el águila, en efecto [9] es la más grande [10] de todas las aves. Sus alas [11] tienen una extensión de diez pies [12] o más.

— ¿ De qué color es ?

20   — Tiene plumas de color negro y el cuello blanco.[13] También tiene el pico largo y agudo [14] y las garras tan fuertes [15] que puede [16] llevar corderos [17] y otros animales pequeños de los Andes. Dicen que come diez y ocho o veinte libras de carne [18] al día.[19] ¿ Sabes de qué es el símbolo ?

25   — Probablemente, como el águila, es el símbolo de la fuerza,[20] de la libertad y de los altos ideales.

— Es verdad.

---

[1] establo, *stable.*   [2] empieza a rebuznar, *begins to bray.*   [3] el que, *which.*   [4] quien debe enojarse, *the one who should get angry.*   [5] en vez de a mí, *instead of me.*   [6] ave, *bird.*   [7] águila, *eagle.*   [8] Es más grande que, *It is larger than.*   [9] en efecto, *in fact.*   [10] la más grande, *the largest.*   [11] alas, *wings.*   [12] pies, *feet.*   [13] el cuello blanco, *a white neck.*   [14] el pico largo y agudo, *a long and sharp bill.*   [15] las garras tan fuertes, *such strong claws.*   [16] puede, *it can.*   [17] corderos, *lambs.*   [18] libras de carne, *pounds of meat.*   [19] al día, *daily.*   [20] la fuerza, *strength.*

PREGUNTAS

1. ¿ De qué es la fotografía ? 2. ¿ Dónde están los Andes ? 3. ¿ Dónde vive el águila ? 4. ¿ Qué ave vive en los Andes ? 5. ¿ Es grande o pequeño el cóndor ? 6. ¿ De qué color es ? 7. ¿ Qué puede llevar en las garras ? 8. ¿ De qué es el símbolo ?

ECONOMÍA [1]

Un alumno pobre pasa por una librería [2] de Madrid todos los días cuando sale de la escuela. Generalmente lee los títulos [3] de los libros y a veces compra uno. Un día entra en la tienda y dice al dueño [4] con mucha cortesía: [5]

— Buenos días. ¿ Cómo está usted ?   5

— Muy bien, gracias. ¿ Y usted ?

— Así, así.

— ¿ Desea usted algo ?

El alumno mira los libros, luego pregunta:

— ¿ Tiene usted el *Texto de economía política* [6] de . . . ?   10

— Sí, señor, tengo un ejemplar [7] muy hermoso.

— ¿ Cuál es el precio ?

— Setenta reales.[8]

El alumno lo mira dos o tres minutos y dice al dueño:

— Es muy hermoso, pero muy caro.[9] ¿ No tiene Vd. otro más 15 barato ?

— Sí, señor, tengo otro aquí.

El alumno lo examina [10] para ver si tiene todas las hojas.[11]

— Es el *Texto de economía política* completo, y el precio es solamente cincuenta [12] reales — dice el dueño.   20

— Pues, ese libro es caro también. ¿ No tiene usted uno en rústica ? [13]

— ¡ Cómo no ! — contesta [14] el dueño, un poco nervioso.[15] — Yo lo tengo en rústica y su precio es treinta reales, pero se lo doy a usted [16] por veinte.   25

— Pero este ejemplar es nuevo. ¿ No tiene usted uno usado ? [17]

---

[1] Economía, *Economy.*   [2] librería, *bookstore.*   [3] títulos, *titles.*   [4] dueño, *owner.*   [5] cortesía, *courtesy.*   [6] Texto de economía política, *Text of Political Economy.*   [7] ejemplar, *copy.*   [8] Setenta reales, *Seventy reals* (an ancient Spanish coin).   [9] caro, *expensive.*   [10] examina, *examines.*   [11] hojas, *pages.*   [12] cincuenta, *fifty.*   [13] en rústica, *in a paper binding.*   [14] contesta, *answers.*   [15] nervioso, *nervous.*   [16] se lo doy a usted, *I'll give it to you.*   [17] uno usado, *a used one.*

— Tengo un ejemplar muy viejo y se lo doy a usted por catorce reales.

— ¿ Tiene todas las hojas?

— Sí, señor.

5 El alumno lo toma y lo examina, luego pregunta:

— ¿ No tiene usted uno un poco más usado ?

En este momento el dueño, pálido y enojado,[1] coge [2] al alumno por el cuello, le pone [3] en la calle, y le dice:

— ¡ Vaya usted con Dios! [4] ¡ Usted no tiene que estudiar más 10 economía porque ya [5] sabe bastante! [6]

PREGUNTAS

1. ¿ Por dónde pasa un alumno pobre? 2. ¿ Qué lee generalmente? 3. ¿ Qué dice al dueño un día cuando entra en la tienda? 4. ¿ Qué pregunta al dueño? 5. ¿ Tiene el dueño un ejemplar? 6. ¿ Cuál es el precio? 7. ¿ Por qué no compra el libro? 8. ¿ Cuál es el precio del otro libro? 9. ¿ Qué dice el alumno entonces? 10. ¿ Cuál es el precio del libro en rústica? 11. ¿ Tiene el dueño otro ejemplar? 12. ¿ Lo toma el alumno? 13. ¿ Qué pregunta el alumno entonces? 14. ¿ Qué dice el dueño cuando pone al alumno en la calle?

RECOGNITION OF WORDS

The ability to recognize the meaning of words is of great value in learning a foreign language. Many Spanish and English words have the same spelling (in the singular) and the same meaning, but they usually do not have the same stressed syllable. A few such words used in the reading sections of the text are: color, animal, ideal, mineral, capital, tropical, metal, social, artificial, interior, industrial, popular, central.

Many words are approximately the same in both languages.

1. The English word has no written accent or it has a double consonant: región, cóndor, diversión, dólar, península, posible, misión.

2. The English word lacks the Spanish final vowel –a, –e, –o: planta, persona, elegante, parte, arte, moderno, aspecto.

---

[1] pálido y enojado, *pale and angry.* [2] coge, *seizes.* [3] pone, *he puts.* [4] ¡ Vaya usted con Dios! *Good-bye!* (literally, *Go with God!*) [5] ya, *already.* [6] bastante, *enough, quite a lot.*

3. Spanish nouns in –ia, –io, end in –y in English: historia, gloria, familia, territorio, vocabulario.

4. Spanish nouns in –cia, –cio, end in –ce in English: importancia, influencia, provincia, palacio.

5. Spanish nouns ending in –ción are feminine and end in –tion in English: civilización, producción, aviación, organización.

6. Spanish nouns in –dad, –tad are feminine and end in –ty in English: sociedad, universidad, variedad, libertad.

7. Many English words beginning with s followed by a consonant begin with es in Spanish: establo, *stable;* espíritu, *spirit;* espectador, *spectator;* estado, *state.*

8. Certain changes in consonants occur: fotografía, *photograph;* símbolo, *symbol;* hemisferio, *hemisphere;* catedral, *cathedral;* católico, *Catholic.*

9. Spanish adverbs in –mente end in –ly in English: probablemente, perfectamente, rápidamente.

10. The English verb has no ending: formar, transformar, adoptar, corresponder, consistir, existir.

11. The English verb ends in –e: usar, conservar, producir, practicar, invadir.

12. Spanish verbs in –ar may end in –ate in English: cultivar, dedicar, iniciar.

LECCIÓN

DIEZ Y SEIS

POR TELÉFONO

(*Juan llama a María por teléfono pero la madre de ella contesta.*)

— ¿ Está en casa María ?

— Creo que sí. Espere Vd. un momento, por favor. (*Juan no tiene que esperar mucho tiempo.*)

5 — ¡ Bueno !

— ¿ Qué tal, María ?

— Perfectamente, gracias. ¿ Y tú ?

— Muy bien, gracias. ¿ Qué hay de nuevo ?

— Nada de particular.

10 — ¿ Estás ocupada esta tarde ?

— Sí, voy a escribir una carta a mi hermana. Le escribo a ella casi todos los días.

— ¿ Tienes una cita para esta noche ?

— No, no tengo cita.

15 — ¿ Quieres ir al baile conmigo ?

— Con mucho gusto. Siempre es un placer ir contigo.

— Muchas gracias. Dorotea Castillo y Carlos van al baile también y quieren ir con nosotros.

— Aunque no conozco a Dorotea, ya sé que va a ser [1] un placer estar con ellos. ¿ Dónde vive ella?
— En aquella casa nueva cerca del parque.
— Ya sé donde vive.
— ¿ A qué hora quieres salir esta noche?   5
— A las nueve.
— Mi papá y mi mamá dicen que no van a usar el coche.
— Está bien. Hasta luego.

VOCABULARIO

Nombres

el baile *dance*
la mamá *mama, mother*
el papá *dad, papa, father*
el parque *park*
el placer *pleasure*
el teléfono *telephone*

Adjetivo

ocupado, –a *busy, occupied*

Verbos

contestar *to answer, reply*
querer *to wish, want*
usar *to use*

Otras Palabras

aunque *although, even though*
conmigo *with me*
contigo *with you* (fam.)
perfectamente *fine, perfect(ly)*
ya *now, already*

Expresiones

¡ bueno! *hello!* (in answering the telephone)
creo que sí (no) *I believe so (not)*
esta noche *tonight*
mucho tiempo *long, a long time*
por teléfono *by (on the) telephone*
¿ qué tal? *how goes it? how are you?*
¿ quieres (quiere Vd.) ir? *will you go?*

PRÁCTICA. In the dialogue find the Spanish for the following expressions:

1. John calls Mary by telephone. 2. her mother answers. 3. Is Mary at home? 4. I believe so. 5. John doesn't have to wait long. 6. What's new? 7. Nothing special. 8. Are you busy this afternoon? 9. I write to her almost every day. 10. Do you have a date for tonight? 11. Will you go to the dance with me? 12. Gladly. 13. It is always a pleasure to go with you. 14. they want to go with us. 15. it's going to be a pleasure to be with them.

[1] va a ser, *it is going to be.*

PREGUNTAS

Answer in Spanish the following questions based on the dialogue:

1. ¿ Quién llama a María? 2. ¿ Quién contesta? 3. ¿ Está en casa María? 4. ¿ Cómo está ella? 5. ¿ Qué hay de nuevo? 6. ¿ Está ocupada María? 7. ¿ A quién escribe ella una carta? 8. ¿ Tiene ella una cita? 9. ¿ A dónde quiere ir Juan? 10. ¿ Quiere ir con él María? 11. ¿ Quiénes van con ellos? 12. ¿ Conoce María a Dorotea? 13. ¿ Dónde vive Dorotea? 14. ¿ A qué hora van a salir? 15. ¿ Quiénes no van a usar el coche?

GRAMÁTICA

1. THE IRREGULAR VERB QUERER

Present Indicative of **querer**, *to wish, want*	
SINGULAR	PLURAL
(yo) **quiero**	(nosotros, –as) **queremos**
(tú) **quieres**	(vosotros, –as) **queréis**
(él, ella) **quiere**	(ellos, –as) **quieren**
Vd. **quiere**	Vds. **quieren**

Quiere comprar un abrigo.   *He wants to buy an overcoat.*
¿ Quiere Vd. ir al baile?   *Will you go to the dance?*

Querer, like **desear,** may be followed by an infinitive and it requires no preposition. You learned **desear** first because it is a regular verb, but **querer** is used more often.

Querer plus an infinitive may also have the meaning of *will* in the sense of *be willing to,* particularly in a question.

2. PRONOUNS USED AS OBJECTS OF PREPOSITIONS

a.   SINGULAR   PLURAL

para ⎰ mí   for ⎰ *me*   para ⎰ nosotros, –as   for ⎰ *us*
⎱ ti   *you* (fam.)   vosotros, –as   *you* (fam.)
él   *him, it* (*m.*)   ellos   *them* (*m.*)
ella   *her, it* (*f.*)   ellas   *them* (*f.*)
usted   *you* (formal)   ustedes   *you* (formal)

Este abrigo es para él.   *This overcoat is for him.*
Viven cerca de nosotros.   *They live near us.*

Estudiamos con ellos.	*We study with them.*
¿ Hablan de mí ?	*Are they talking about me ?*
Entramos en él.	*We enter it (m.).*
Salgo de ella.	*I am leaving (going out of) it (f.).*
Ella va conmigo (contigo).	*She is going with me (with you,* fam.).*

With the exception of **mí** and **ti** the pronouns used as objects of *prepositions* have the same forms as the subject pronouns. The meanings are different. Direct and indirect object pronouns (**me, te, le,** etc.) are used only in connection with a verb, *never* after prepositions.

With **con** the first and second persons singular have the special forms **conmigo** and **contigo,** *with me* and *with you* (fam.).

b. Me enseña a mí el cuadro.	*He shows me the picture.*
Le doy a él el dinero.	*I give him the money.*
Le doy a ella el dinero.	*I give her the money.*
Le doy a Vd. el dinero.	*I give you the money.*
Les dice a ellos (ellas) la verdad.	*He tells them the truth.*
Les dice a Vds. la verdad.	*He tells you the truth.*

The prepositional forms are often used with the preposition **a** *in addition to* the direct and indirect object pronouns for emphasis and, in the third person, also for clearness. In the case of **usted(es)**, it is more polite to use the prepositional form in addition to the object pronoun (last example).

c. Él tiene su vaso.	*He has his glass.*
Ella tiene su reloj.	*She has her watch.*
La hermana de ella lo quiere.	*Her sister wants it.*
Tengo sus libros.	*I have his (her, your, their) books.*

	de él.	*his*
	de ella.	*her*
Tengo los libros	de Vd.	*I have* *your* *books.*
	de ellos.	*their*
	de ellas.	*their*
	de Vds.	*your*

Su madre de Vd. sale ahora.	*Your mother is leaving now.*

Since the possessive adjectives **su** and **sus** may mean *his, her, your, its, their,* it is often necessary to use **de él, de ella** (usted, ustedes, ellos, ellas), after the noun for clearness. In this case **su** and **sus** are usually (not always) replaced by the definite article.

Do not confuse the contractions **al** and **del** with **a él** and **de él.**

For a complete list of all pronouns see the table in Review Lesson IV, page 195.

EJERCICIOS

a. Write in Spanish:

1. with me. 2. for you. 3. near him. 4. behind us. 5. under them (*f.*).
6. with her. 7. for them (*m.*). 8. from me. 9. near you (*formal pl.*).
10. with you (*fam. sing.*). 11. behind it (*m.*). 12. in it (*f.*). 13. for me.
14. with them (*f.*). 15. near us. 16. behind them (*m.*). 17. under it (*f.*).
18. from him. 19. for her. 20. in them (*m.*).

b. Read each sentence four times, first supplying the Spanish for
me, then for *you* (*formal sing.*), *us,* and *them:*

1. Ellos —— conocen. 2. Juan —— da un dólar. 3. El coche es para
——. 4. María va con ——. 5. Mis hermanos están detrás de ——.

c. Fill in the subject and prepositional pronouns:

1. ¿ Va *you* al baile con *him?* 2. *They* están en el parque con *us.* 3. *I*
quiero estudiar con *you* (*fam. sing.*). 4. *She* habla de *her.* 5. *We* salimos
de *it* (*f.*). 6. *You* viven cerca de *me.* 7. *They* (*f.*) quieren ir con *her.*
8. *They* (*m.*) estudian con *them* (*m.*). 9. *He* dice que el libro es para *you.*
10. *We* sabemos que ellos van con *us.* 11. *They* (*m.*) entran en la iglesia
con *them* (*m.*). 12. *He* está detrás de *me.*

d. Express each of the following verbs two ways:

1. I wish. 2. they do not wish. 3. we wish. 4. he wants. 5. she
is wishing. 6. you (*fam. sing.*) do not want. 7. who wants? 8. you
(*formal pl.*) want. 9. I know. 10. they know.

e. Complete the following sentences and translate:

1. Voy a llamar a María *by telephone.* 2. No quiero esperar *long.*
3. ¿ *How goes it,* María? 4. *Fine, thanks.* ¿ *And you* (*fam.*), Juan?
5. ¿ Cómo está *your* (*fam.*) *mother,* María? 6. *So-so. Tonight* ella va a
un baile con mi *dad.* 7. *That's fine.* Quiero salir también. ¿ *Will you go*
conmigo? 8. *Gladly.* ¿ A qué *time?* 9. *At nine o'clock.* ¿ Qué vas a
wear? Something new? 10. *I believe not.* No voy *shopping* hoy.
I am busy esta tarde. 11. Como sabes, siempre *I buy you* (*fam.*) flores.
¿ De qué color *do you want them?* 12. Blancas, *please.*

f. Read in Spanish, changing the infinitive to the singular command
form with Vd.:

1. Contestar en español.
2. Usar el libro de Juan.
3. Pasar a la pizarra.
4. Escribir al dictado.
5. No llevar ese sombrero.

6. Llamar a su madre por teléfono.
7. Decir la verdad.
8. No comprar este abrigo.
9. No ir con él.
10. Salir de la clase ahora.

COMPOSICIÓN

1. Father,[1] are you[2] going to use the car tonight? 2. I have a date with Caroline and we are going to a dance. 3. Robert, your mother and I have to use the car because we want to go to see your grandparents. 4. Even though your grandfather is sick he wants to talk with us. 5. Father, why don't you buy a new car? We need two. 6. I know it, Robert, but I do not have the money to[3] buy a new car this year. 7. All my friends have cars when they have dates. 8. If all your friends have them, why don't you go with them tonight? Isn't it a pleasure to be with your friends? 9. Father, you don't understand. I always have to ask if you need the car. My friends want to go with me tonight. 10. Robert, I am tired. Your mother and I want to talk of other things now.

PARA PRACTICAR

Pláticas.

1. — ¡ Hola, María! ¿ Qué tal?
— Muy bien, gracias. ¿ A dónde vas?
— Voy a la farmacia. ¿ Quieres ir conmigo?
— No puedo, gracias. Tengo que ir a la librería.
— ¿ Qué vas a buscar allí?
— Papel de escribir y una revista para mi hermana.
— Pues, ¿ por qué no me esperas en la esquina?
— Está bien. ¿ Cuándo? No tengo mucho tiempo.
— En quince minutos.

¿ cuándo? *when? how soon?*	la librería *bookstore*
la esquina *corner (street)*	no puedo *I cannot*
la farmacia *drugstore*	el papel de escribir *writing paper*

2. — ¿ Quiere Vd. ir a la panadería conmigo?
— No, no puedo. Tengo que ir por un periódico.

[1] The definite article is not used with **papá** and **mamá** when one's parents are addressed directly.   [2] Use familiar forms for *you* and *your*.   [3] Whenever *to* followed by an infinitive means *in order to*, use **para**.

— ¿ Va Vd. en bicicleta ?

— No, voy a pie.   Mi bicicleta está rota.

— Pues, yo voy a pie también.   ¿ Por qué no va Vd. a la panadería conmigo primero ?

— Está bien.   Tengo tiempo, porque mi padre no va a estar en casa hasta las cinco y media.

— Vamos a aquella panadería que está cerca de la librería.

— Bueno, vamos por esta calle hasta la esquina.

la bicicleta *bicycle*	la panadería *bakery*
ir por *to go for*	roto, –a *broken*

¿ va Vd. en bicicleta ?   *are you going on your bicycle?*

Flying south from Yucatán toward Panama we cross five countries — Guatemala, El Salvador, Honduras, Nicaragua, and Costa Rica — before we reach this crossroads of the hemisphere. Our first glimpse of Central America is that of the dense jungle in northern Guatemala, but soon we begin to see narrow roads and mountain slopes dotted with Indian villages. When we step from our plane in Guatemala City we realize that the reason the capital boasts of springlike temperatures the year around is because of its altitude of 5,000 feet. Our next stop is San Salvador, capital of El Salvador, the smallest and most densely populated country in all Spanish America. As we

161

fly eastward to Tegucigalpa, Honduras, we look down on coffee plantations and on a patchwork pattern of cultivated fields. Honduras, known as the banana country, is also noted for mahogany and other hard woods.

En route southward to Managua, Nicaragua, we have excellent views of many volcanoes. Our next landing is at San José, the capital of Costa Rica, located on the central plateau. As soon as we enter the air terminal, we are welcomed with a cup of coffee, for this is one of the principal products of the country. The last leg of our flight takes us south over banana plantations, coconut groves, and jungles. Soon both oceans come into view and we know that it is almost time to land at beautiful Tocumen airport, outside of Panama City.

LECCIÓN

DIEZ Y SIETE

¿QUÉ TIEMPO HACE?

— ¿ Qué tiempo hace hoy ?

— Hace mal tiempo porque hace mucho viento.   Y hay mucha nieve.

— ¿ Qué tiempo hace en el verano ?

— Hace calor.   Siempre hay sol entonces.   5

— ¿ Hace fresco en el otoño ?

— Sí, y hace buen tiempo en la primavera también.   Es una estación agradable.

— ¿ Cómo son los días del verano ?

— Son largos.   10

— ¿ Y las noches ?

— Son cortas.

— ¿ Cómo son los días del invierno ?

— Son cortos y fríos.

— ¿ Dónde vive el hermano de Vd. ahora ?   15

— Vive en Buenos Aires.

— ¿ Hace frío allí ahora ?

— Pues no, cuando es invierno en esta parte del mundo es verano en la Argentina.

— Sí, es verdad. ¿ No quiere Vd. pasar un verano allí donde no hace calor ?

— ¡ Cómo no ! Pero no es posible este año.

— ¿ Le gusta a Vd. el invierno ?

5 — Sí, me gusta el invierno.

VOCABULARIO

Nombres	Adjetivos
la Argentina *Argentina*	agradable *pleasant, agreeable*
la estación (*pl.* estaciones) *season*	bueno (buen), –a *good, well*
el invierno *winter*	corto, –a *short*
la nieve *snow*	fresco, –a *cool, fresh* (*m. noun with*
el otoño *autumn, fall*	hacer)
la parte *part*	largo, –a *long*
la primavera *spring*	malo (mal), –a *bad*
el sol *sun*	posible *possible*
el tiempo *weather*	
el verano *summer*	**Verbo**
el viento *wind*	hacer *to do, make*

Expresiones

¿ le gusta a Vd. (el invierno) ? *do you like (winter) ?*

me gusta (la primavera) *I like (spring)*

PRÁCTICA. In the dialogue find the Spanish expressions for:

1. What kind of weather is it today ? 2. It is bad weather. 3. it is very windy. 4. there is much snow. 5. What is the weather like in summer ? 6. It is warm. 7. It is always sunny then. 8. Is it cool in the fall ? 9. it is good weather. 10. It is a pleasant season. 11. What are the summer days like ? (How are the summer days ?) 12. They are long. 13. Is it cold there now ? 14. where it isn't warm. 15. Do you like winter ? 16. I like winter.

PREGUNTAS

Answer in Spanish the following general questions:

1. ¿ Qué tiempo hace hoy ? 2. ¿ Hace frío ? 3. ¿ Hace calor ? 4. ¿ Hay sol ? 5. ¿ Hace mucho viento ? 6. ¿ Hay nieve hoy ? 7. ¿ Cuáles son las cuatro estaciones del año ? 8. ¿ Qué tiempo hace aquí en el verano ?

9. ¿ En el otoño?   10. ¿ En el invierno?   11. ¿ Cómo son los días del invierno?   12. ¿ Los días del verano?   13. ¿ Hace mucho frío en la primavera?   14. ¿ Qué hay en el invierno?   15. ¿ Es invierno en la Argentina ahora?   16. ¿ Le gusta a Vd. el invierno?   17. ¿ Por qué (no) le gusta a Vd. el invierno?

GRAMÁTICA

1. THE IRREGULAR VERB HACER

Present Indicative of **hacer,** *to do, make*	
SINGULAR	PLURAL
(yo) **hago**	(nosotros, –as) **hacemos**
(tú) **haces**	(vosotros, –as) **hacéis**
(él, ella) **hace**	(ellos, –as) **hacen**
Vd. **hace**	Vds. **hacen**

2. SHORTENED FORMS OF BUENO AND MALO

Es un buen muchacho.   *He is a good boy.*
Es un mal invierno.   *It is a bad winter.*
Son buenos sombreros.   *They are good hats.*

Contrary to the rule that descriptive adjectives follow the noun, **bueno** and **malo** regularly precede the nouns they modify. When they precede *masculine* singular nouns they become **buen** and **mal.** In all other instances they have their regular forms.

3. EXPRESSIONS WITH HACER

¿ **Qué tiempo hace?**   *What kind of weather is it? What is the weather like?*

Hace buen (mal) tiempo.   *It is fine (bad) weather.*
Hace frío (fresco).   *It is cold (cool).*
No hace (mucho) calor.   *It is not (very) warm.*
Hace (mucho) viento.   *It is (very) windy.*

Hacer is used with certain *nouns* in Spanish to describe the temperature and weather. Note that **frío** and **fresco** are *nouns* when used with **hacer;** therefore, they must be modified by the adjective **mucho,** not the adverb **muy.** Compare the use of **tener** with **frío** and **calor,** page 141.

Hay (sometimes **Hace**) **sol.**   *The sun is shining (It is sunny).*

To describe visible weather conditions **hay** is normally used.

El café está caliente.	*The coffee is hot.*
La nieve es fría.	*The snow is cold.*

Recall that **estar** is used with adjectives to express a temporary condition, and that **ser** is used to express a characteristic quality.

4. THE SEASONS

la **primavera**	*spring*	el **otoño**	*fall, autumn*
el **verano**	*summer*	el **invierno**	*winter*

No me gusta el verano.	*I don't like summer.*
Es verano ahora.	*It is summer now.*

The definite article is regularly used with the seasons, except after **ser**.

EJERCICIOS

a. Complete with the correct form of **hacer** and translate:

1. Ella —— un sombrero. 2. Yo —— mucho té. 3. Ellos —— buen helado. 4. Nosotros —— chocolate caliente todas las mañanas. 5. Vds. —— muchas cosas. 6. Tenemos que —— los ejercicios en esta página. 7. ¿Qué —— tú? 8. ¿ —— Vd. limonada o café? 9. Ella me —— este favor. 10. El hombre le —— un abrigo.

b. Give the English meaning when each sentence is read by the teacher:

1. Hace frío. 2. Tenemos frío. 3. El hombre tiene hambre. 4. No hace calor. 5. ¿Tiene Vd. calor? 6. Tengo sed. 7. Hace mucho sol. 8. ¿Qué tiempo hace en la primavera? 9. Hace fresco. 10. ¿Tienes sueño, Carlos? 11. Sí, Enrique, porque hace mal tiempo y tengo que estar en casa. 12. No hace mucho viento hoy. 13. Hace buen tiempo en el otoño. 14. Hay sol y no hace mucho frío. 15. Me gusta este tiempo porque no hace calor.

c. Use the correct word for *is* or *it is* in each sentence:

1. ¿Qué tiempo ——? 2. No —— calor. 3. Luis —— mucha sed. 4. El agua —— caliente. 5. Juan —— un mal muchacho. 6. Hoy —— martes. 7. —— un buen día. 8. Él no —— en la escuela. 9. Isabel —— cansada. 10. Ella —— hambre y sueño. 11. Ella —— la hermana de

Juan. 12. —— muy bonita. 13. Ella —— en el jardín. 14. Ella ——
debajo de los árboles porque —— calor. 15. El jardín no —— muy grande.

d. Write in Spanish:

1. I know his brother. 2. They are leaving the house now. 3. Barbara
and I enter this class at nine o'clock. 4. Who knows the lesson? 5. They
want these magazines. 6. I am giving her this pen. 7. They are telling
us the truth. 8. The water is very cold. 9. She is twenty-two years old.
10. Do you see Helen now? 11. What is she doing? 12. Does he have a
date with her? 13. They are going to a dance. 14. She does not want to
go. 15. It is very warm.

COMPOSICIÓN

1. Mr. Molina, do you teach Spanish in the summer? 2. No, Philip,
it is hot here and I leave for[1] Mexico. 3. My parents also go to
Mexico where it is generally cool. 4. It is warm there only when the sun
is shining. 5. Is it cold and windy in winter? 6. It is not very cold and
there is no snow in the city. 7. Which of the seasons do you like? 8. I
like spring, with the flowers and the green trees. It is a pleasant season.
9. I do not wear an overcoat except when it is windy. 10. I like summer
because the days are long and the nights are short. 11. My friends and I
spend many hours together. 12. Each day we go to the park in the afternoon, and in the evening we go to the home of a friend, to a café, or to a
dance.

PARA PRACTICAR

a. Escriban Vds. al dictado:

En la primavera hace buen tiempo. No hace mucho frío. Hace fresco
y los días son hermosos. No hay nieve y hay mucho sol. Me gusta la
primavera porque es una estación agradable. Los sábados voy al campo
donde hay muchos árboles grandes. También hay muchas flores bonitas
allí.

b. Traduzcan Vds. al inglés (*Translate into English*):

1. No vaya Vd. al baile esta noche.   5. Dé Vd. este dinero al mozo.
2. Vayan Vds. conmigo, por favor.   6. No pase Vd. el invierno aquí.
3. Escuchen Vds. las frases que leo.   7. Vaya Vd. a México con ellos.
4. Pregunte Vd. a María si tiene sed.   8. Compre Vd. algo en el centro.

---

[1] Use **para**.

c. Plática.

— ¿ Le gusta a Vd. este tiempo ?
— No, no me gusta. Hace demasiado calor.
— Vamos al cine. Hace fresco allí.
— No puedo. Mi mamá me espera en casa.
— ¿ Van Vds. a California (a la Florida, al Canadá) este verano ?
— No sé, pero espero que sí.
— Dicen que hace buen tiempo allí.

el Canadá *Canada*   demasiado, –a *too (much)*
el cine *movie*   la Florida *Florida*

espero que sí (no) *I hope so (not)*
(no) me gusta *I (don't) like it*
vamos *let's go*

Guatemala is predominantly an Indian country. Most of the people live in small isolated communities in the highlands, much as in pre-Spanish days. The scenic landscape, the mountains and volcanoes, the deep blue lakes, the colorful costumes of the Indians, and the picturesque villages and markets attract many visitors.

Handicrafts, such as weaving, basket making, pottery, leather work, and silverwork, are a vital part of everyday life here. Guatemala is especially noted for its textiles. Each village or region has its characteristic designs for the costumes of both men and women. On the

169

primitive backstrap loom, used since Mayan times, the women produce an amazing variety of *huipiles* (blouses), head-ribbons, belts, and other articles. The colorful skirts are usually woven by the men on large looms with wooden frames. The great variety of colors were once made from vegetable dyes, but commercial dyes have largely replaced them.

Closely related to textile weaving is the weaving of fibers into rope, bags, baskets, and large mats, which serve as table and bed in many thatch-roofed Indian homes. Baskets are almost a part of the Indian woman's costume. Along the roads, in the market place, in the city, wherever she goes, she carries her produce in a basket balanced on her head.

LECCIÓN

DIEZ Y OCHO

¿QUIERE USTED HACER UN VIAJE?

— Buenas tardes, Ramón. Pase Vd.

— Muy buenas, Rafael. ¿Qué piensa Vd. hacer esta tarde?

— Siempre voy a casa de Felipe a esta hora para hablar español con él.

— ¿A qué hora vuelve Vd. generalmente? 5

— Vuelvo a las cinco.

— ¿Qué piensa Vd. hacer durante las vacaciones?

— Mi padre quiere hacer un viaje a México y me dice que puedo ir con él.

— Mi hermano y yo queremos hacer el viaje si tenemos bastante 10 dinero. ¿Van Vds. en coche o en avión?

— En avión. Mi padre tiene solamente dos semanas de vacaciones. ¿Qué piensa Vd. de la idea?

— Me gusta mucho, pero cuesta mucho ir en avión, ¿no es verdad?

— Ahora no cuesta mucho. 15

— Pues, a mi hermano no le gusta viajar en avión. Nosotros vamos en coche. Pregunte Vd. a su padre si puede ir con él y volver con nosotros.

— Es una buena idea. Esta noche voy a ver si es posible. Adiós.

— Hasta la vista. 20

VOCABULARIO

Nombres	Verbos
el avión *airplane, plane*	costar (ue) *to cost*
la idea *idea*	pensar (ie) *to think;* (+ *inf.*) *intend,*
Rafael *Raphael*	*plan*
Ramón *Raymond*	poder *to be able, can*
las vacaciones *vacation*	viajar *to travel*
el viaje *trip*	volver (ue) *to return*
la vista *sight, view*	

Otras Palabras

bastante *enough, sufficient*
durante *during*

Expresiones

en avión *by airplane* (*plane*)
en coche *by car*
hacer un viaje *to take a trip*
hasta la vista *until I see you, I'll be seeing you*
piensa ir *he intends* (*plans*) *to go*

PREGUNTAS

a. Answer in Spanish the following questions based on the dialogue :

1. ¿ Qué piensa hacer Rafael ?   2. ¿ A qué hora vuelve ?   3. ¿ Qué piensa hacer durante las vacaciones ?   4. ¿ Qué quieren hacer Ramón y su hermano ?   5. ¿ Van en coche o en avión Rafael y su padre ?   6. ¿ Cuántas semanas de vacaciones tiene el padre de Rafael ?   7. ¿ Cuesta mucho viajar en avión ?   8. ¿ Con quiénes puede volver Rafael ?   9. ¿ Sabe si puede volver con ellos ?   10. ¿ Qué va a preguntar a su padre ?

b. Personal:

1. ¿ Qué piensa Vd. hacer esta tarde ?   2. ¿ Dónde piensa Vd. pasar las vacaciones ?   3. ¿ Quiere Vd. hacer un viaje a México ?   4. ¿ Tiene Vd. bastante dinero para hacer un viaje ?   5. ¿ Desea Vd. ir en coche o en avión ?   6. ¿ Le gusta a Vd. viajar en avión ?   7. ¿ Hace Vd. muchos viajes con sus padres ?   8. ¿ Tiene Vd. un buen coche ?   9. ¿ Le gustan a Vd. los coches nuevos ?   10. ¿ Cuestan mucho los coches nuevos ?   11. ¿ A qué hora vuelve Vd. a casa generalmente ?   12. ¿ Va Vd. al centro esta tarde ?   13. ¿ Piensa Vd. estudiar esta noche ?   14. ¿ Qué va Vd. a estudiar esta noche ?   15. ¿ Le gusta a Vd. estudiar el español ?

GRAMÁTICA

1. STEM–CHANGING VERBS, CLASS 1

Present Indicative of **pensar,** *to think,* and **volver,** *to return*			
SINGULAR	PLURAL	SINGULAR	PLURAL
pienso	pensamos	vuelvo	volvemos
piensas	pensáis	vuelves	volvéis
piensa	piensan	vuelve	vuelven

Certain verbs in Spanish have regular endings, but the stem vowel **e** becomes **ie** and **o** becomes **ue** when stressed; that is, in the three singular forms and in the third person plural. If the verb forms are numbered in order, these vowel changes occur in forms 1, 2, 3, 6. All stem-changing verbs, Class I, end in –ar and –er. Verbs of this type will be indicated thus: **pensar (ie), volver (ue).**

The irregular verb **poder** is conjugated like **volver** in the present indicative:

puedo	podemos
puedes	podéis
puede	pueden

Poder, like **querer** and **desear,** is followed directly by the infinitive: **Puedo viajar,** *I can (am able to) travel.*

2. COMMAND FORMS OF STEM–CHANGING VERBS

INFINITIVE	SINGULAR	PLURAL	
pensar	**piense Vd.**	**piensen Vds.**	*think*
volver	**vuelva Vd.**	**vuelvan Vds.**	*return*

Remember from the sections **Expresiones para la clase** that command forms of –ar verbs end in –e and –en, and that command forms of –er verbs end in –a and –an. Some Spanish verbs, such as **poder,** do not have command forms.

PRÁCTICA. Traduzcan Vds. al inglés:

1. Vayan Vds. en coche.
2. Vuelvan Vds. en avión.
3. Pregunte Vd. a su padre si lo sabe.
4. Pase Vd. en este momento.
5. No vaya Vd. a casa de Felipe.
6. No vuelva Vd. hasta las cinco.

3. USE OF GUSTAR, TO BE PLEASING, LIKE

Me gusta el coche.	*I like the car. (The car is pleasing to me.)*
Me gusta mucho.	*I like it a great deal.*
Le gustan estas flores.	*He likes these flowers.*
Le gustan.	*He likes them.*
¿ Le gusta a Vd. leer?	*Do you like to read?*

Spanish has no verb meaning *to like* and uses, instead, the verb **gustar** meaning *to be pleasing*. Therefore, every English sentence using the verb *to like* must be changed into one using *to be pleasing* before it can be turned into Spanish. Instead of *I like the car*, say *The car is pleasing to me* (**Me gusta el coche**).

Only two forms of the verb **gustar** are regularly used in the present tense: **gusta** if one thing or an action is pleasing, **gustan** if more than one. English *it* and *them* are not expressed and the subject usually follows the form of **gustar**.

Le gusta a Ramón esta casa. ⎫	*Raymond likes this house.*
A Ramón le gusta esta casa. ⎬	
A mí me gusta viajar. ⎭	*I like to travel.*

When a noun is the indirect object of **gustar** the indirect object pronoun (**le** in the example above) is also used but not translated. For greater emphasis the noun indirect object or a prepositional form (last two examples) may precede the verb.

PRÁCTICA. Give the English for:

1. Me gusta este cuadro.
2. Me gustan estos cuadros.
3. Le gusta este coche.
4. Le gustan estos coches.
5. No nos gusta la revista.
6. No nos gustan las revistas.
7. Les gusta viajar.
8. ¿ Le gusta a Vd. nuestra casa ?
9. Me gusta mucho.
10. A Juan le gustan estas flores.
11. A mí me gusta hablar español.
12. A él le gusta también.

4. USE OF ¿ NO ES VERDAD ?

Piensa volver, ¿ no es verdad ?	*He intends to return, doesn't he?*
Hace un viaje, ¿ verdad ?	*He is taking a trip, isn't he?*

The expression **¿ no es verdad ?** (literally, 'is it not true ?') is the Spanish equivalent of English *isn't he? doesn't he? don't I?* etc. It serves to repeat in question form the idea of the main verb in the sentence. The Spanish expression does not change in form, except that it may be shortened to **¿ verdad ?** or even to **¿ no ?**

EJERCICIOS

a. Write the following verb forms:

1. it costs. 2. they return. 3. I am able. 4. she travels. 5. you (*fam. sing.*) think. 6. he thinks. 7. they cost. 8. you return. 9. they can. 10. we travel. 11. you (*formal pl.*) think. 12. she makes. 13. we can. 14. I think. 15. you (*fam. sing.*) return. 16. we return. 17. they make. 18. do you intend?

b. Using the following subjects, give the correct forms of **viajar, pensar, poder,** and **volver,** with their English meanings:

1. yo —— 2. él —— 3. nosotros —— 4. Vds. —— 5. tú ——

c. Complete:

1. *I like* este avión. 2. *I like* estos coches. 3. *We like* la primavera. 4. *We like* sus sombreros. 5. *He likes* leer. 6. *He likes* estos libros buenos. 7. *She likes* el verano. 8. *She likes* aquellas ciudades. 9. *¿ Do you like* comer? 10. *¿ Do you like* estas rosas rojas? 11. *We like* aquel parque. 12. *We like* las fiestas españolas. 13. *They like* esta casa. 14. *They like* esos sombreros. 15. *¿ Do you (pl.) like* esta iglesia? 16. *¿ Do you (pl.) like* esas tiendas? 17. *Mary likes* viajar. 18. *Mary does not like* estas fiestas. 19. *My parents like* este periódico. 20. *My parents like* estas revistas.

d. Review direct object pronouns, page 116, indirect object pronouns, pages 131–132, and prepositional pronouns, pages 156–157, then give the Spanish for:

1. I teach him the lesson. 2. They are waiting for me. 3. She needs it (*f.*). 4. You (*fam. sing.*) want them (*m.*). 5. He calls you (*f.*). 6. The airplane is for them. 7. I listen to her. 8. Do you believe it? 9. We open them (*f.*). 10. You are not telling her the truth. 11. He does not answer us. 12. They write to them (*m.*). 13. Will you return with me? 14. I cannot return with you (*fam. sing.*) now. 15. It is easy to make the trip, isn't it?

COMPOSICIÓN

1. If it is good weather on Monday, my parents intend to take a trip to Washington by plane. 2. My mother does not like the idea. 3. She wants to go by car because she likes to pass through the various cities.

4. My father believes that it costs less if he travels by plane. 5. He knows several men there and he plans to talk with them. 6. I do not know at what hour they are going to leave but I want to see their plane if I can. 7. They plan to return on Sunday at 4:30 P.M. 8. During the week of their trip my brothers, Raphael and Raymond, and I are going to the country. 9. My mother intends to see a friend who lives in Washington. 10. If there is enough time, they can go also to the home of George Washington. 11. It is a large house and the view from [1] it is very pretty. 12. Do you know how much it costs to spend a week in Washington?

PARA PRACTICAR

a. Conversaciones rápidas.

Be prepared to use any of the following questions and answers in chain conversation:

1. 1ST STUDENT. — ¿ A qué hora sale Vd. de la casa?

2ND STUDENT. — Salgo de la casa a (las ocho menos cuarto). (*To 3rd Student*) ¿ A qué hora sale Vd. de la casa?

2. 1ST STUDENT. — ¿ Con quién(es) toma Vd. el almuerzo?

2ND STUDENT. — Tomo el almuerzo con (mi hermano, mis amigos, mi amiga, etc.). (*To 3rd Student*) ¿ Con quién(es) toma Vd. el almuerzo?

3. 1ST STUDENT. — ¿ A qué hora vuelve Vd. a casa?

2ND STUDENT. — Vuelvo a casa a (las tres y media). (*To 3rd Student*) ¿ A qué hora vuelve Vd. a casa?

b. Buenas intenciones (*Good intentions*)

1ST STUDENT. — Pienso estudiar todos los días. (*To 2nd Student*) ¿ Qué piensa Vd. hacer?

2ND STUDENT. — Pienso trabajar en casa. (*To 3rd Student*) ¿ Qué piensa Vd. hacer?

3RD STUDENT. — Pienso hacer un viaje. (*To 4th Student*) ¿ Qué piensa Vd. hacer? Etc.

In this conversation each student has the opportunity of telling what he plans to do and to ask his neighbor what his plans are. The game can also include students and their families or friends:

¿ Qué piensan Vds. hacer? Pensamos ir a la Argentina este verano.

¿ Qué piensan Vds. hacer? Pensamos comprar esta casa.

---

[1] Use **desde**.

One of the most democratic countries in Spanish America is Costa Rica, which boasts of more school teachers than soldiers. Primarily of white ancestry, the Costa Ricans have an excellent educational system at all levels. This country is one of the few in Spanish America where most of the land is in small farms, instead of large ranches.

Costa Rica was the first country in Central America to produce coffee. The plant was introduced there at the end of the eighteenth century, and since 1825 coffee has been the chief export crop.

The oxcart is used so widely in agricultural work and as a means of transportation that the country is often called the "Land of the Painted Oxcart." Each region has developed its own geometrical designs of triangles and circles, which are painted in every possible color on the four sides and on the two large wheels of the cart. Each cart has a distinctive rattle or squeak, and the owner can be identified by his neighbors from a distance.

CIELITO LINDO

Moderato con modo

De la Sie - rra Mo - re - na, cie - li - to lin - do, vie - nen ba - jan - do un par de o - ji - tos ne - gros, cie - li - to lin - do, de con - tra - ban - do.

Estribillo

¡Ay, ay, ay, ay! Can - ta y no llo - res, por - que can - tan - do se a - le - gran, cie - li - to lin - do, los co - ra - zo - nes.

1.

2.

LECCIÓN

DIEZ Y NUEVE

DURANTE EL DÍA

El profesor se sienta detrás de la mesa y pregunta a un alumno:

— ¿ Cómo se llama Vd. ?

— Me llamo Pablo Smith.

— ¿ A qué hora se levanta Vd. ?

— Me levanto a las siete de la mañana.   5

— ¿ Qué hace Vd. entonces ?

— Me lavo la cara y las manos, luego bajo al comedor para tomar el desayuno.

— ¿ Ya está sentada su familia cuando Vd. llega al comedor ?

— Casi siempre pero yo me siento en seguida.   10

— ¿ Qué toma Vd. para el desayuno ?

— Tomo solamente tostadas, pan o panecillos y chocolate caliente
— ¿ No bebe Vd. leche ?
— No me gusta mucho.
— ¿ A qué hora sale Vd. de la casa ?
5   — No salgo hasta las ocho menos diez.
— ¿ Cuáles son las otras comidas ?
— Son el almuerzo y la comida o la cena.
— ¿ A qué hora come Vd. ?
— Como o ceno a las seis.
10   — ¿ A qué hora se acuestan Vd. y su hermano ?
— Nos acostamos a las diez y media o a las once.
— ¿ Tiene Vd. un reloj en la mano ?
— No, señor, no tengo reloj.
— Está bien.   Ahora escuche Vd. porque tengo que hablar con los
15 otros alumnos.

VOCABULARIO

Nombres

la cara *face*
la cena *supper*
el comedor *dining room*
la comida *meal, dinner*
la mano (*note gender*) *hand*
Pablo *Paul*
el pan *bread*
el panecillo *roll*
las tostadas *toast*

Verbos

acostarse (ue) *to go to bed*

bajar *to descend, get off* (*out*), go
   down (stairs)
beber *to drink*
cenar *to eat supper*
lavar *to wash*
lavarse *to wash* (*oneself*)
levantar *to raise*
levantarse *to get up, rise*
llamarse *to be called, be named*
llegar (a) *to arrive* (*at*), *reach*
sentarse (ie) *to sit down*

Expresiones

¿ cómo se llama Vd. ? *what is your name?*
en seguida *at once*
me llamo (Pablo) *my name is* (*Paul*)

PRÁCTICA.   In the dialogue find the Spanish for:

1. The teacher sits down.   2. What is your name ?   3. My name is
Paul.   4. At what time do you get up ?   5. I get up at seven A.M.   6. I

wash my face and hands.   7. Is your family already seated?   8. I sit down at once.   9. What do you take for breakfast?   10. Don't you drink milk?   11. I don't like it much.   12. At what time do you leave the house?   13. I don't leave until 7:50.   14. At what time do you and your brother go to bed?   15. We go to bed.   16. Do you have a watch in your hand?   17. I have no watch (I don't have a watch).   18. I have to talk.

PREGUNTAS

Answer in Spanish the following personal questions:

1. ¿Cómo se llama Vd.?   2. ¿A qué hora se levanta Vd.?   3. ¿Se levanta Vd. a esa hora todos los días?   4. ¿Qué hace Vd. cuando se levanta?   5. ¿A qué hora toma Vd. el desayuno?   6. ¿Dónde lo toma Vd.?   7. ¿Con quién(es) lo toma Vd.?   8. ¿Qué tomamos para el desayuno?   9. ¿Cuáles son las otras comidas?   10. ¿A qué hora toma Vd. el almuerzo?   11. ¿A qué hora cena Vd.?   12. ¿Bebe Vd. leche?   13. ¿Le gusta a Vd. tomar café?   14. ¿A qué hora se acuesta Vd.?   15. ¿Tiene Vd. reloj?   16. ¿Qué hora es?   17. ¿A qué hora termina la clase?   18. ¿A qué hora vuelve Vd. a casa todos los días?   19. ¿Tiene Vd. que estudiar esta noche?   20. ¿Le gusta a Vd. hablar español?

GRAMÁTICA

1. REFLEXIVE PRONOUNS

me	(to) *myself*	nos	(to) *ourselves*
te	(to) *yourself* (fam.)	os	(to) *yourselves* (fam.)
se	(to) *himself, herself, yourself* (formal); *itself, oneself*	se	(to) *themselves; yourselves* (formal)

The reflexive pronouns are used as direct and indirect objects.   In the first and second persons singular and plural they are identical with the direct and indirect object pronouns.

2. THE REFLEXIVE VERB LEVANTARSE

Present Indicative of **levantarse,** *to get up*	
SINGULAR	PLURAL
me **levanto**	nos **levantamos**
te **levantas**	os **levantáis**
se **levanta**	se **levantan**

A verb is called *reflexive* when its subject is affected by the action of the verb. The object pronoun and the subject refer to the same person, thus **me levanto,** *I get up,* means literally *I raise myself,* and **nos levantamos,** *we get up,* means *we raise ourselves.* Reflexive pronouns are in the same person as the subject of the verb. **Se** attached to an infinitive indicates a reflexive verb: **levantarse.**

3. THE DEFINITE ARTICLE FOR THE POSSESSIVE

Levanta la mano.	*He raises his hand.*
Se lavan la cara.	*They wash their faces.*
Tiene el sombrero en la mano.	*He has his hat in his hand.*
Su abrigo está en la silla.	*His overcoat is on the chair.*

With a noun representing a part of the body or an article of clothing the definite article is used instead of the possessive adjective when the rest of the sentence makes clear who is the possessor. Compare the first three examples with the fourth, where **su abrigo** begins the sentence and you do not yet know the possessor. Observe in the second example that Spanish uses the singular **la cara** to show that each person has one face.

The definite article also replaces the possessive with other nouns closely associated with a person:

Abran Vds. los libros.	*Open your books.*
Tengo el reloj en la mano.	*I have my watch in my hand.*

EJERCICIOS

a. Translate the English forms, using for each verb the subject indicated:

1. Mi hermano *gets up, washes himself, goes down to the dining room, sits down at the table.*

2. Nosotros *take breakfast, leave the house, return home, eat supper, go to bed.*

3. Él *is named John, lives on this street, intends to study Spanish.*

4. Tú *enter the dining room, sit down on a chair, eat toast, drink a glass of milk.*

5. Ellos *buy a car, take a trip, return to San Antonio, see their friends.*

b. Translate the words in italics as you read the sentence:

1. Yo *am* cansado. 2. ¿*Are* tú hambre? 3. ¿Dónde *is* el comedor? 4. Estos panecillos *are* buenos. 5. *It is* calor aquí. 6. Yo *am* sed. 7. Nos-

otros no *are* sueño. 8. Esa silla *is* de Pablo. 9. Él no *is* sentado allí. 10. *It is not* una mesa grande. 11. *It is* las doce. 12. *It is* fresco en el jardín. 13. Roberto *is* debajo del árbol. 14. *He is* muy cansado. 15. *He is* calor también.

c. Substitute the correct pronoun for the noun object italicized and place it in its proper position in the sentence:

1. Ella compra *una pluma*. 2. Damos el sombrero *a Tomás*. 3. Toman *chocolate*. 4. Ellos ven *a María*. 5. Escribimos cartas *a nuestros abuelos*. 6. No sabemos *las lecciones*. 7. Él levanta *la mano*. 8. Comemos *panecillos*. 9. Las rosas son para *Elena*. 10. Él está debajo de *los árboles*. 11. Veo *a mi hermano*. 12. Los dos dólares son para *Ramón y Rafael*. 13. Busco *a sus padres*. 14. Entran en *el comedor*.

d. Give the Spanish for:

1. Do you have your hat? 2. She is washing her hands. 3. I raise my hand. 4. They are wearing their overcoats. 5. We wash our faces. 6. His hat is old. 7. Here is the bread. 8. How much is it? 9. I'll take it. 10. Is today a holiday? 11. I don't know. 12. I believe so.

COMPOSICIÓN

1. Caroline calls her mother in order to say that she is going to the park with Betty. 2. When she answers, Caroline says to her: "Betty and I want to take a walk in the park." [1] 3. We intend to return to her house in order to eat supper with her family. 4. If I go with her, I can't buy the rolls for breakfast. 5. Do you need them? Isn't there bread for toast? 6. Yes, I am going to the library but Paul plans to wait and I am going to return home with him. 7. I always go to bed at half past nine because I have to be at school at eight o'clock in the morning. 8. Yes, Mary and I wash our hands and faces. Then we go down to the dining room. 9. I always say "thank you" to Mary's parents when we get up to leave the dining room. 10. I drink milk when I eat supper there. 11. They have a telephone. Her father is named George Padilla. 12. Until later. I have to leave at once.

PARA PRACTICAR

Conversaciones rápidas.

1. 1ST STUDENT. — ¿ Cómo se llama Vd.?

2ND STUDENT. — Me llamo ——. (*To next Student*) ¿ Cómo se llama Vd.?

---

[1] Spanish quotation marks are regularly put on the line: « **Isabel y yo . . .** ».

2.   1st Student.   — ¿ Cómo se llaman sus padres?

2nd Student.   — Mis padres se llaman (Juan y María).   (*To next Student*) ¿ Cómo se llaman sus padres?

3.   1st Student.   — ¿ A qué hora se levanta Vd.?

2nd Student.   — Me levanto a las (siete) de la mañana.   (*To next Student*) ¿ A qué hora se levanta Vd.?

4.   1st Student.   — ¿ A qué hora se acuesta Vd.?

2nd Student.   — Me acuesto a las (diez) de la noche.   (*To next Student*) ¿ A qué hora se acuesta Vd.?

Panama was a part of Colombia until 1903, when it became an independent republic. Most of its history has centered around its strategic position as a narrow connecting link between North and South America. After Lima became the center of Spanish power in South America in the sixteenth century, gold, silver, and other products were shipped to Panama, then carried overland to be reshipped to Spain. Great fairs were held there when convoys of ships returned with Spanish goods.

Our main interest in Panama today is in the canal, which shortened the distance by sea between New York and our west coast by nearly 8,000 miles. Its construction — an amazing feat of engineering — was completed by the United States in 1914. It requires an average of eight hours for a ship to travel the fifty-mile course from deep water in the Atlantic, near Cristóbal and Colón, to deep water in the Pacific, near Balboa. At Gatún Locks ships must be lifted eighty-five feet to Gatún Lake. There are two sets of locks, Pedro Miguel and Miraflores, on the Pacific side. Strange as it may seem, the Pacific entrance to the canal is twenty-seven miles farther east than the Atlantic entrance.

LECCIÓN

VEINTE

EL FÚTBOL

— ¿ Qué va Vd. a hacer el viernes que viene ?

— Tenemos un partido de fútbol y voy a verlo.

— ¿ Juega Vd. al fútbol ?

— No juego al fútbol pero soy muy aficionado a este deporte.

5   — Yo también.   Me gustan el béisbol y el básquetbol, pero me gusta más el fútbol.

— Yo voy a todos los partidos.   Este año nuestro equipo es muy bueno.   Dos amigos de Nueva York vienen a verme y quiero llevarlos al partido.

10   — Pues, yo quiero verlo también si puedo comprar un billete.

— ¿ No quiere Vd. acompañarnos ?

— Sí, con mucho gusto.   No conozco a muchas personas todavía.

— Pues, haga Vd. el favor de pasar por nuestra casa a la una.   Creo que mi papá va a llevarnos en el coche.

15   — El equipo de la escuela de Vd. va a ganar el viernes, ¿ verdad ?

— No lo sé, pero creo que vamos a ganar el campeonato este año. Todos nuestros jugadores son muy buenos.

— Adiós.

— Hasta el viernes.

186

VOCABULARIO

Nombres

el básquetbol *basketball*
el béisbol *baseball*
el billete *ticket*
el campeonato *championship*
el deporte *sport*
el equipo *team*
el fútbol *football*
el jugador *player*
el partido *game, match*
la persona *person*; (*pl.*) *people*

Verbos

acompañar *to accompany, go with*
ganar *to gain, win, earn*
jugar (ue) (a + *obj.*) *to play* (a game)
llevar *to take, carry*
venir *to come*

Otras Palabras

más *more, most*
Nueva York *New York*
todavía *still, yet*

Adjetivo

aficionado, –a *fond*

Expresiones

el (viernes) que viene *next* (*Friday*)
el partido de fútbol *football game*
gusta más *to like better, prefer*
haga(n) Vd(s). el favor de (ir) *please* (*go*)
jugar al fútbol (básquetbol, etc.) *to play football* (*basketball*, etc.)
me gusta el (béisbol) *I like* (*baseball*)
¿no quiere Vd. (acompañarnos)? *won't you* (*go with us*)?
pasar por *to pass* (*come*) *by*
ser aficionado a *to be fond of*
yo también *so am I*

PRÁCTICA. In the dialogue find the Spanish for:

1. next Friday. 2. We have a football game. 3. I am going to see it.
4. Do you play football? 5. I am very fond of this sport. 6. I like baseball and basketball. 7. I prefer football (like football better). 8. I want
to take them to the game. 9. Won't you accompany (go with) us?
10. gladly. 11. I don't know many people yet. 12. please come by our
house. 13. my father is going to take us. 14. Your school's team.

PREGUNTAS

Answer in Spanish the following personal questions:

1. ¿Tenemos un equipo de fútbol? 2. ¿Le gusta a Vd. el fútbol?
3. ¿Juega Vd. al fútbol? 4. ¿Tenemos un partido de fútbol el viernes?

5. ¿ Cuántos muchachos hay en un equipo de fútbol? 6. ¿ Cuáles son otros deportes? 7. ¿ Cuál le gusta a Vd. más? 8. ¿ Tenemos un buen equipo de básquetbol? 9. ¿ Le gusta a Vd. el básquetbol? 10. ¿ Tenemos un partido de básquetbol esta noche? 11. ¿ Cuántos muchachos hay en un equipo de básquetbol? 12. ¿ Juega Vd. al básquetbol? 13. ¿ Vamos a ganar el campeonato? 14. ¿ Va Vd. a ver los partidos? 15. ¿ En qué estación jugamos al béisbol? 16. ¿ Juega Vd. al béisbol? 17. ¿ Le gusta a Vd. ver los partidos de béisbol? 18. ¿ Tenemos un equipo en esta escuela?

GRAMÁTICA

1. THE IRREGULAR VERBS VENIR AND JUGAR

Present Indicative of **venir**, *to come*, and **jugar**, *to play* (a game)			
SINGULAR	PLURAL	SINGULAR	PLURAL
vengo	venimos	juego	jugamos
vienes	venís	juegas	jugáis
viene	vienen	juega	juegan

Compare the present indicative of **venir** with that of **tener**. **Venir** is a verb of motion and it requires **a** if an infinitive follows. The command forms of **venir** are: **venga Vd.** and **vengan Vds.**

Jugar is the only verb in Spanish which has the stem change of **u** to **ue** in the singular forms and in the third person plural form of the present indicative tense. Its command forms will be given later.

2. USE OF JUGAR

Juegan al béisbol.   *They are playing baseball.*
No lo jugamos bien.   *We do not play it well.*

Jugar requires **a** when a noun object follows; otherwise **a** is omitted. Compare with **entrar** (**en**) and **salir** (**de**). Notice that the definite article is regularly used with the names of sports after **jugar a**.

3. POSITION OF OBJECT PRONOUNS USED AS OBJECTS OF AN INFINITIVE

Vienen a verlo.   *They are coming to see it.*
Van a llevarme.   *They are going to take me.*
Quiere acompañarnos.   *He wants to accompany us.*

Recall that object pronouns are regularly placed immediately before the verb. However, when they are used as objects of an *infinitive* they are placed *after* the verb and are *attached* to it.

Voy a sentarme.	*I am going to sit down.*
No podemos levantarnos.	*We cannot get up.*

Reflexive pronouns must be in the same person as the subject of the verb.

4. TRANSLATION OF TO TAKE

Los lleva al partido.	*He takes them to the game.*
Va a llevarnos en el coche.	*He is going to take us in the car.*

When *to take* means *to carry* or *to take along* (to a place), use **llevar.**

Toma café para el desayuno.	*He takes coffee for breakfast.*
No puedo tomar el coche.	*I cannot take the car.*
Lo toma en la mano y lo lleva a casa.	*He takes it in his hand and takes (carries) it home.*

Tomar means *to take (up)*, *to take a car (bus,* etc.*)*, or *to take something to eat (drink)*.

5. TRANSLATION OF PLEASE

Abra Vd. el libro, por favor.	*Open your book, please.*
Haga Vd. el favor de volver.	*Please return.*
Hagan Vds. el favor de escuchar.	*Please listen.*

You have already had **por favor** used at the end of a sentence to express *please*.

Another way to say *please* is to use the command forms of **hacer,** *to do:* **haga Vd.** and **hagan Vds.** These forms are followed by **el favor de** plus an infinitive. The second example is translated literally *Do the favor of returning.*

EJERCICIOS

a. Give the English for:

juego	ganamos	vienen	acompañan	lleve Vd.
jugamos	llevamos	¿ juega Vd. ?	vengo	vengan Vds.
piensan	puede	vuelve	viajo	ganen Vds.
viajamos	juegan	¿ viene Vd. ?	acompaño	baje Vd.
ganan	lleva	¿ vienes ?	llevo	vuelva Vd.
juegas	me levanto	nos sentamos	se sientan	piensen Vds.

b. In the following pairs of sentences, translate the pronoun object and place it correctly in both sentences:

1. (*me*) Ellos acompañan. Quieren acompañar. 2. (*it*) Nuestro equipo gana. Ellos van a ganar. 3. (*them*) Yo espero. Yo quiero esperar. 4. (*him*) Ella ve. Ella viene a ver. 5. (*us*) Él conoce. Él quiere conocer. 6. (*her*) Nosotros miramos. Podemos mirar. 7. (*you*) Yo doy el libro. Yo quiero dar el libro. 8. (*you, fam. sing.*) Ellos llaman. Ellos van a llamar. 9. (*them, f.*) Ella compra. Ella quiere comprar. 10. (*it, f.*) Escuchamos. Vamos a escuchar. 11. (*it, m.*) Hago ahora. Puedo hacer ahora. 12. (*us*) Buscan. Desean buscar.

c. Supply the correct form of *take*:

1. Yo —— las flores de la mesa. 2. Yo las —— a mi tía. 3. Eduardo me —— a un baile. 4. Cuando entramos, un hombre —— los billetes. 5. ¿Qué —— ellos en el café? 6. Creo que tú —— mi libro. 7. Quiero —— a Juanita al partido. 8. Mi papá dice que puedo —— el coche. 9. Voy a —— a Juan. 10. Pensamos ir a un café a —— algo. 11. A Juan no le gusta —— café. 12. Él piensa —— a Dorotea.

d. Complete the following sentences:

1. Felipe y Pablo *play baseball.* 2. En un equipo de béisbol hay *nine players.* 3. El padre de Felipe *is going to take them* a Nueva York. 4. Pablo también *is very fond* al básquetbol. 5. Un equipo de Nueva York *is going to win the championship.* 6. *They still have to buy* sus billetes. 7. No hace frío y *they do not wear* abrigo. 8. *They like* mucho este deporte. 9. Van a volver *next Friday.* 10. En el otoño quieren *to play football.* 11. Carlos y yo *do not play* al fútbol. 12. *We prefer* el básquetbol. 13. Felipe es *a good player.* 14. ¿ *Do you like* nuestros deportes?

COMPOSICIÓN [1]

1. Charles, are you fond of the sports that we have here in our school? 2. Yes, Paul, I like to play football and basketball and I generally go to all the games. 3. Why do you like these two sports? 4. My brothers and I always accompany the players when the team takes a trip to another city. 5. Is it difficult to buy tickets for the games? 6. I believe not. Sometimes my mother takes three or four boys in our car. 7. The parents of the boys who play on the team can buy tickets almost always. 8. We have a good team this year, don't we? 9. Yes, we still have to play three games but

[1] Use familiar forms.

we can win the championship if we play well.   10. Do you want to play baseball in the spring?   11. No, it is hot then and I intend to go to New York during my vacation.   12. My father and I already have tickets for a game there.

PARA PRACTICAR

a. Juego de frases (*Sentence game*)

Match each sentence with the correct English equivalent:

1. Vaya Vd. a comprarlas.	*1. Will you accompany me?*
2. No puede verme.	*2. Do you want to get up?*
3. Quieren ganarlo.	*3. We like to listen to them.*
4. Vengan Vds. a hablarnos.	*4. He cannot see me.*
5. Me gusta escribirle.	*5. Do you intend to wait for me?*
6. Haga Vd. el favor de sentarse.	*6. I want to invite them now.*
7. ¿ Quiere Vd. levantarse?	*7. They want to win it.*
8. Pensamos hacerlo.	*8. Are they going to answer him?*
9. A él le gusta usarlo.	*9. Come to talk to us.*
10. ¿ Van a contestarle?	*10. Go (to) buy them.*
11. Nos gusta escucharlos.	*11. He likes to use it.*
12. ¿ Quiere Vd. acompañarme?	*12. I like to write to him.*
13. No puedo darte el dinero.	*13. We intend to do it.*
14. ¿ Piensan Vds. esperarme?	*14. I cannot give you the money.*
15. Deseo invitarlas ahora.	*15. Please sit down.*

b. Los deportes

el boleo *bowling*	la lucha *wrestling*
la equitación *horseback riding*	la natación *swimming*
el esquiar *skiing*	el patinar *skating*
el golf *golf*	el tenis *tennis*

You may want to add these words to your names of sports before you try some conversations on them.   You may use these models:

1. 1ST STUDENT. — ¿ Qué deporte le gusta a Vd. más?

   2ND STUDENT. — Me gusta más el básquetbol. (*To 3rd Student*) ¿ Qué deporte le gusta a Vd. más?   Etc.

2. 1ST STUDENT. — ¿ Juega Vd. al fútbol?

   2ND STUDENT. — No, señor, no juego al fútbol; juego al tenis. (*To 3rd Student*) ¿ Juega Vd. al béisbol?   Etc.

The Caribbean Sea is one of the most important trade routes in the world. All the Atlantic routes to the Panama Canal pass through its waters. Besides the large island republics of Cuba, the Dominican Republic and Haiti, there are many smaller islands which belong to the United States, England, France, the Netherlands, and Venezuela. All of these islands make up the West Indies group. The ocean currents and the trade winds give them an almost ideal climate.

Cuba, often called the "Pearl of the Antilles" because of its beauty, remained a Spanish colony until after the Spanish-American War (1898). Since that time trade relations between Cuba and the United States have been close. We buy most of her sugar and she depends on us for manufactured goods.   Cuba's second crop, tobacco, was grown there before the arrival of Columbus.   The beautiful capital, Havana, does a thriving tourist business.

To the east of Cuba is the island which the Spaniards first called La Española, then Santo Domingo.   French-speaking Haiti occupies the western third of this island, while the Dominican Republic occupies the eastern part.   The latter's capital, Ciudad Trujillo, is on the site of the first permanent European settlement in the Americas.

In Latin America they follow our baseball games closely. In Spain some of the sport clubs have been going for so long that they have celebrated their golden anniversary.

Grandes Ligas

LIGA NACIONAL
RESULTADOS DEL JUEVES:
Brooklyn 7, Chicago 4.
San Luis 7, Filadelfia 1.

Equipo	G	P	%	JV
Brooklyn	49	16	.754	—
Milwaukee	35	30	.538	14
Chicago	36	31	.537	14
Nueva York	32	33	.492	17
Cincinnati	28	33	.459	19
Filadelfia	29	35	.453	19½
San Luis	27	35	.435	20½
Pittsburgh	21	44	.323	28

No incluye juegos de ayer:
Pittsburgh en Chicago (diurno); Nueva York en San Luis; Brooklyn en Milwaukee y Filadelfia (2) en Cincinnati, (nocturnos).

LIGA AMERICANA
Nueva York 4, Kansas City 0;
Boston 7, Detroit 0;
Chicago 7, Wáshington 0;
Cleveland 9, Baltimore 2.

Equipo	G	P	%	JV
Nueva York	45	23	.662	—
Chicago	40	22	.645	2
Cleveland	40	26	.606	4
Detroit	32	30	.516	10
Boston	34	32	.515	10
Kansas City	24	40	.375	19
Wáshington	23	40	.365	19½
Baltimore	20	45	.308	23½

No incluye juegos de anoche:
Detroit en Wáshington; Kansas City en Baltimore; Cleveland en Nueva York y Chicago en Boston.

Key:
G   ganados (won)
P   perdidos (lost)
JV juegos por vencer (games behind)

REPASO IV

A. There are no new words in this section. Try to think in Spanish as you read the passage aloud. Also be able to give in English the content when it is read by the teacher.

— Buenas tardes, señor Molina.
— Buenas tardes, Luis. Espere Vd. un momento. ¿ Qué hay de nuevo ?
— Nada de particular.
— ¿ A dónde va Vd. ?
5 — Vuelvo a casa.
— ¿ A qué hora come Vd. ?
— A las seis o a las seis y cuarto.
— Pues, tenemos tiempo para hablar un momento. ¿ Qué va a hacer su familia durante las vacaciones ?
10 — Mi padre dice que quiere llevarnos a México. Tiene cuatro semanas de vacaciones y vamos a pasarlas allí.
— ¿ Por qué quiere Vd. ir a México ?
— En la escuela estudio el español y me gusta mucho. Quiero ver muchas de las ciudades de México para conocer bien el país.
15 — ¿ Ya sabe Vd. mucho de México ? Soy de aquel país.
— No sé mucho todavía, pero todos los días leo algo de la historia del país. También mi profesor es muy amable y a veces cuando no está ocupado habla conmigo en español de sus viajes por México. ¿ Le conoce Vd. ?
— No le conozco todavía, pero quiero conocerle. ¿ Cómo van Vds. a
20 hacer el viaje ? ¿ En coche o en avión ?
— Vamos en coche. Primero queremos pasar dos o tres días en Monterrey, luego vamos a San Luis Potosí, a Guadalajara, a Uruapan y a Morelia. Desde allí vamos a la ciudad de México a pasar una semana. También si tenemos tiempo queremos ir a Acapulco y a Puebla. ¿ Hace
25 mucho calor allí en el verano ?
— Hace calor en Monterrey y en Acapulco, pero hace fresco cerca de la ciudad de México.
— Sé bien que va a ser un placer viajar por aquel país. ¿ No puede Vd. venir a hablar con mi padre ?
30 — Sí, con mucho gusto. Puedo decirle muchas cosas interesantes. ¿ Van Vds. a estar en casa el domingo ?
— Creo que sí. Si no, voy a llamarle por teléfono esta noche. Pues, tengo que volver a casa en seguida. Adiós.
— Hasta la vista.

B. Complete with appropriate words:

1. Me llamo ——. 2. Me levanto a —— de la mañana. 3. Me acuesto a —— de la noche. 4. Las comidas son ——, —— y ——. 5. Para el desayuno tomo ——. 6. Tomamos el almuerzo a ——. 7. Comemos en el ——. 8. Hace —— tiempo hoy. 9. No hace —— viento. 10. En el verano hace ——. 11. Las cuatro estaciones son ——, ——, —— y ——. 12. De todas las estaciones me gusta más ——. 13. Los días del invierno son ——. 14. En el invierno hay ——. 15. En el invierno siempre —— frío. 16. Cuando tenemos hambre nosotros ——. 17. Cuando tengo sed bebo ——. 18. Juan —— sueño ahora. 19. Él y yo —— al básquetbol. 20. Nuestra escuela tiene un buen —— de básquetbol. 21. Los otros deportes que tenemos son —— y ——.

C. Summary of object pronouns and possessive adjectives:

Personal Pronouns					Possessive Adjectives
SINGULAR					
Subject	*With a Prep.*	*Dir. Obj.*	*Indir. Obj.*	*Reflex. Obj.*	
1. yo	mí	me	me	me	mi, mis
2. tú	ti	te	te	te	tu, tus
3. él / ella / usted	él (*him, it, m.*) / ella (*her, it, f.*) / usted (*you*)	le (*him*) / lo (*it, m.*) / la (*her, it, f.*) / le (*you, m.*) / la (*you, f.*)	le (*to*) him, her, you, it	se	su, sus
PLURAL					
1. nosotros, –as	nosotros, –as	nos	nos	nos	nuestro, –a, –os, –as
2. vosotros, –as	vosotros, –as	os	os	os	vuestro, –a, –os, –as
3. ellos / ellas / ustedes	ellos (*them, m.*) / ellas (*them, f.*) / ustedes (*you*)	los (*them, m.*) / las (*them, f.*) / los (*you, m.*) / las (*you, f.*)	les (*to*) them, you	se	su, sus

Study the table of pronouns, then complete each of the following:

1. Tomo un panecillo y *I eat it.* 2. Ella necesita una pluma y *buys it.*
3. Toman chocolate pero *they do not like it.* 4. Tengo dos manos; *I raise them.* 5. Él nos ve y *gives us* el pan. 6. Vds. quieren sus libros; ¿ por qué *don't you look for them?* 7. Conoce a Carmen y *tells her* la verdad. 8. No esperan a Ricardo; *they are writing him* una carta corta. 9. No es mi lápiz; es *for you.* 10. Bebemos té caliente; *we like it.*

D. Give the English for the following:

1. nos levantamos. 2. ella se sienta. 3. Vd. no piensa. 4. te acuestas.
5. vuelvo. 6. cuestan. 7. él se llama. 8. no se lavan. 9. puedo. 10. nos acostamos. 11. Vds. vuelven. 12. te sientas. 13. cenamos. 14. ganan.
15. jugamos. 16. vuelva Vd. 17. bajen Vds. 18. venga Vd. 19. contesten Vds. 20. no llamen Vds.

E. Give the opposite to each of the following words:

negro	entrar	mal	feliz	el hijo
allí	bueno	volver	joven	el día
pobre	corto	frío	dar	el otoño
nuevo	fácil	mucho	ir	el invierno
grande	acostarse	trabajar	llamar	el campo

F. Complete the following sentences:

1. Mis amigos *intend to go* a México *next Friday.* 2. Tienen *a new car* pero quieren viajar *by plane.* 3. Tienen solamente *three weeks of vacation* y quieren salir *at once.* 4. Si *they go by car they can spend* dos semanas allí.
5. Desde aquí hasta allí es un viaje de *twelve or fourteen hours* en avión.
6. *It costs less* hacer el viaje en coche pero *it is interesting* viajar en avión.
7. ¿ *Do you like* los aviones modernos? 8. Sí, *a great deal,* y *I do not like* viajar en coche cuando *it is hot.* 9. *It is cool* en México. 10. Si *there is time,* quieren ver dos o tres partidos de béisbol allí. 11. *They are fond of* todos los deportes. 12. Sus hijos *play football and basketball.*

G. Explain the differences in meaning or usage of:

1. campo, país. 2. en casa, a casa. 3. si, sí. 4. llevar, tomar. 5. entrar, entrar en. 6. salir, salir de. 7. ese, aquel. 8. esta, está. 9. porque, ¿ por qué? 10. buen, bueno. 11. un poco, pequeño. 12. vez, tiempo.

H. Write in Spanish, using the familiar forms for *you:*

1. Where is the telephone? 2. I have to call her. 3. How goes it, Dorothy? 4. Fine. What are you doing? 5. At what time are you going

downtown with her?   6. At half past one, you say?   7. It is already eleven.
8. Will you go with me to take coffee now?   9. All right.   I am going to
wait for you near the door of the café.   10. Is Richard at home?   11. I
want to talk with him if it is possible.   12. Thanks.   Until later.

I. Write in Spanish:

1. Do you know that man?   2. He is entering our house.   3. I know
that my father is not at home.   4. Do you see my mother in the garden?
5. I am going to call her.   6. She is answering me now.   7. She and my
brother are leaving the garden.   8. She likes to work there.   9. It is good
weather this week.   10. You can see my brother at this moment, can't
you?   11. Is he coming tonight?   12. He wants to play with us.   13. The
other players are not here.   14. My brother is wearing his hat.   15. It is
very hot today.   16. A boy is giving them cool water.   17. I do not like
this water.   18. They are at John's.   19. They intend to return home next
Saturday.   20. I prefer spring.   21. What is his name?   22. He sits down
under the trees.

J. *México*

Draw an outline map of Mexico and locate as many cities as possible.
The student making the best and most complete map in ten minutes
wins.

LECTURAS

UNA SOLUCIÓN PRÁCTICA

Un estudiante [1] vuelve a su casa a pasar las vacaciones.   Durante
el almuerzo quiere demostrar [2] a sus padres que sabe mucho.   En la
mesa hay dos huevos pasados por agua.[3]   Toma uno y lo esconde.[4]
Luego pregunta:

— Papá, ¿ cuántos huevos hay en la mesa?   5
— Uno — contesta su papá.
El estudiante pone [5] en la mesa el otro huevo y pregunta:
— ¿ Y ahora cuántos hay?
— Dos.
— Entonces — dice el estudiante — los dos que tenemos ahora y   10
el otro son tres.

---

[1] estudiante, *student*.   [2] demostrar, *to show, demonstrate.*   [3] huevos pasados por
agua, *soft-boiled eggs.*   [4] esconde, *he hides.*   [5] pone, (*he*) *places.*

El padre piensa un momento pero no comprende el problema. Ve solamente dos huevos, pero el hijo dice que hay tres.

En este momento la madre da una solución práctica cuando ella dice a su hijo:

5 — Este huevo es para tu papá; el otro es para mí, y tú puedes comer el tercero.

PREGUNTAS

1. ¿Quién vuelve a su casa? 2. ¿Qué quiere demostrar a sus padres? 3. ¿Qué hay en la mesa? 4. ¿Qué hace el estudiante? 5. ¿Cuántos huevos ve su papá? 6. ¿Qué dice el hijo? 7. ¿Quién da una solución práctica al problema? 8. ¿Qué dice ella?

La llama

— Ahora vamos a hablar de la llama. Este animal vive en los Andes, especialmente en Bolivia, en el Perú y en el Ecuador.

— Es de la misma familia que [1] el camello, ¿no es verdad?

10 — Sí, y la alpaca, la vicuña y el guanaco son de la misma familia. También viven en los países de los Andes. Estos cuatro animales tienen el cuello largo y la cabeza erguida.[2]

— Yo sé que valen [3] mucho por su carne y su lana.[4] Las alpacas y las vicuñas dan lana y pieles [5] a todo el mundo. Mi hermana tiene 15 un abrigo de piel de vicuña y es muy elegante.

— Y yo sé que es muy costoso también. La llama es muy útil porque es la bestia de carga [6] de los indios de aquella región. Puede llevar cargas por las montañas altas donde los caballos,[7] los burros y otros animales no pueden vivir.

20 — Mi tío dice que la llama es inteligente y muy independiente. Lleva una carga de cien [8] libras, no más, y si está cansada se echa en el suelo [9] y no se levanta.

— ¿Qué come la llama?

— Come solamente maíz o un poco de la hierba [10] que hay al lado 25 del camino.[11] Anda [12] solamente diez o doce millas al día.

— ¿De qué color es?

— Es de color blanco, castaño,[13] o negro, o de una mezcla [14] de estos colores. Es uno de los animales más elegantes del mundo.

---

[1] que, *as.* [2] la cabeza erguida, *an erect head.* [3] valen, *they are worth.* [4] lana, *wool.* [5] pieles, *skins.* [6] bestia de carga, *beast of burden.* [7] caballos, *horses.* [8] cien, *a hundred.* [9] se echa en el suelo, *it lies down on the ground.* [10] hierba, *grass.* [11] al lado del camino, *beside the road.* [12] Anda, *It walks.* [13] castaño, *chestnut.* [14] mezcla, *mixture.*

PREGUNTAS

1. ¿ De qué van a hablar estas dos personas ?   2. ¿ Dónde vive la llama ?
3. ¿ Qué otros animales son de la misma familia ?   4. ¿ Qué dan las alpacas
y las vicuñas ?   5. ¿ Por qué es útil la llama ?   6. ¿ Cuántas libras puede
llevar ?   7. ¿ Qué hace la llama si está cansada ?   8. ¿ Qué come ?
9. ¿ Cuántas millas viaja al día ?   10. ¿ De qué color es ?

LOS DOS FRAILES [1]

*This is an old tale concerning friars of two religious orders, the Fran-
ciscans and the Dominicans. To understand this story, keep in mind that
the Franciscans often went barefooted and that they did not carry money.*

Un fraile de la orden de Santo Domingo [2] anda por el camino con
un amigo de la orden de San Francisco. Por fin [3] llegan a un río
ancho [4] que no tiene puente.[5] Aunque es verano y no hay mucha agua
en el río, no es fácil cruzarlo.[6] Miran el río varios minutos, y por fin
el dominicano dice a su compañero: [7]   5
— Tenemos que cruzar el río y no hay puente. Tú que vas descalzo [8] según la regla [9] de tu orden, puedes llevarme en las espaldas.[10]
Esperan un momento más, luego el franciscano toma a su compañero
y empieza a [11] andar despacio por el agua. Como el dominicano es
grande, cuando llegan a la mitad [12] del río el franciscano está cansado 10
y no puede andar más. Entonces pregunta a su compañero:
— Hermano, ¿ llevas dinero contigo ?
— Sí, llevo un poco — contesta el dominicano.
— ¡ Qué lástima ! [13] — dice el franciscano. — Como sabes, en
nuestra orden no podemos llevar dinero.   15
Y en este momento deja caer [14] a su compañero en el río.

PREGUNTAS

1. ¿ Quiénes andan por el camino ?   2. ¿ A dónde llegan por fin ?   3. ¿ Hay
mucha agua en el río ?   4. ¿ Es fácil cruzar el río ?   5. ¿ Qué dice el dominicano a su compañero ?   6. ¿ Cómo empieza a andar ?   7. ¿ Cómo es el
dominicano ?   8. ¿ Qué pregunta el franciscano cuando llegan a la mitad
del río ?   9. ¿ Qué contesta el dominicano ?   10. ¿ Qué no pueden llevar
los franciscanos ?   11. ¿ Qué hace el franciscano entonces ?

[1] frailes, *friars*.   [2] orden de Santo Domingo, *order of Saint Dominic, Dominican
order*. (**Santo** is used before names of masculine saints which begin with **Do–** and
To–; **San** is used before all others.)   [3] Por fin, *Finally*.   [4] río ancho, *wide river*.
[5] puente, *bridge*.   [6] cruzar, *to cross*.   [7] compañero, *companion*.   [8] descalzo, *barefooted*.   [9] según la regla, *according to the rule*.   [10] en las espaldas, *on your back*.
[11] empieza a, *begins to*.   [12] mitad, *middle*.   [13] ¡ Qué lástima ! *What a pity!*   [14] deja
caer. *he drops* (literally, *he lets fall*).

LECCIÓN

VEINTE Y UNA

EN CASA DE EDUARDO

— Buenos días, Jorge.

— Buenos días, Luis. ¿Qué pasó anoche? Te llamé por teléfono dos veces y no contestaste.

— Ayer por la tarde Eduardo y yo tomamos el tranvía para ir al 5 centro a comprar billetes para el teatro para el sábado que viene. Le acompañé a su casa donde charlamos un rato. Luego me invitó a pasar la noche allí.

— ¿Estudiaste con Eduardo?

— No estudiamos. Cenamos temprano y hablamos español un rato. 10 También escuchamos un programa mexicano en la radio. Nos sentamos a jugar a los naipes, pero varios amigos de Eduardo y de su hermana llegaron a pasar un rato. Bailamos hasta muy tarde.

— ¿Qué bailaste?

— Bailé la rumba y el tango. Me gusta bailar el tango, especial-15 mente con la hermana de Eduardo. Puesto que no nos acostamos hasta la medianoche, nos levantamos tarde esta mañana. Tomé el desayuno con Eduardo y ahora tengo que ir a la escuela.

VOCABULARIO

Nombres

la medianoche *midnight*
el naipe *card* (playing)
el rato *while, short time*
la rumba *rumba*
el tango *tango*
el teatro *theater*
el tranvía *streetcar*

Verbos

bailar *to dance*

charlar *to chat, talk*
pasar *to happen*

Otras Palabras

anoche *last night*
ayer *yesterday*
especialmente *especially*
puesto que *since*
tarde *late*
temprano *early*

Expresiones

ayer por la tarde *yesterday afternoon*
billete para el teatro *theater ticket*
dos veces *twice*
jugar a los naipes *to play cards*

PRÁCTICA. In the dialogue find the Spanish for:

1. What happened? 2. I called you. 3. you didn't answer. 4. Edward and I took. 5. I accompanied him. 6. we chatted. 7. he invited me. 8. Did you study? 9. We did not study. 10. We ate supper. 11. we talked. 12. we listened. 13. We sat down. 14. several friends of Edward and his sister arrived. 15. We danced. 16. What did you dance? 17. I danced. 18. we did not go to bed. 19. we got up late. 20. I took breakfast.

PREGUNTAS

a. Answer in Spanish the following questions based on the dialogue:

1. ¿ Cuántas veces llamó Jorge por teléfono? 2. ¿ Qué tomaron Eduardo y su amigo? 3. ¿ Por qué lo tomaron? 4. ¿ A dónde acompañó Luis a Eduardo? 5. ¿ Qué le invitó a hacer? 6. ¿ Estudiaron juntos? 7. ¿ Cenaron tarde o temprano? 8. ¿ Hablaron en inglés? 9. ¿ Qué escucharon en la radio? 10. ¿ Quiénes llegaron a la casa de Eduardo? 11. ¿ Qué bailó Luis? 12. ¿ Se acostaron temprano?

b. Personal:

1. ¿A qué hora se levantó Vd. esta mañana? 2. ¿A qué hora tomó Vd. el desayuno? 3. ¿Con quién tomó Vd. el desayuno? 4. ¿Tomó Vd. café para el desayuno? 5. ¿A qué hora entró Vd. en la escuela? 6. ¿A qué hora terminó la clase ayer? 7. ¿Llegó Vd. a casa temprano? 8. ¿Pasó Vd. la noche en casa? 9. ¿Miró Vd. la televisión? 10. ¿A qué hora se acostó Vd. anoche?

GRAMÁTICA

1. PRETERITE TENSE OF REGULAR VERBS IN –AR

Preterite of **hablar**	
SINGULAR	
hablé	*I spoke, did speak*
hablaste	*you* (fam.) *spoke, did speak*
habló	*he, she, you* (formal) *spoke, did speak*
PLURAL	
hablamos	*we spoke, did speak*
hablasteis	*you* (fam.) *spoke, did speak*
hablaron	*they, you* (formal) *spoke, did speak*

The preterite tense of the first conjugation is formed by adding the endings **–é, –aste, –ó, –amos, –asteis, –aron** to the infinitive stem. The first and third person singular forms have a written accent.

Note that the first person plural is the same as in the present indicative. What is the difference in meaning between **hablo** and **habló**?

Stem-changing verbs which end in –ar are regular in the preterite, for example, **sentarse: me senté, te sentaste, se sentó**, etc.

2. USES OF THE PRETERITE

Hablé con él ayer.	*I talked with him yesterday.*
¿Estudió Vd. anoche?	*Did you study last night?*
Charlaron dos horas.	*They chatted two hours.*
Me acosté a las diez.	*I went to bed at ten o'clock.*

The preterite tense in Spanish corresponds closely to the English past tense. It expresses single past actions or actions completed within a definite period of time. Observe carefully the uses of the preterite because later you will learn another past tense.

EJERCICIOS

a. Write in Spanish:

1. they danced. 2. he arrived. 3. it cost. 4. we chatted. 5. I finished.
6. she knocked. 7. we bought. 8. he got up. 9. she did not answer.
10. you (*fam. sing.*) sat down. 11. you (*formal pl.*) entered. 12. did he
prepare ? 13. what happened ? 14. who did not wait ? 15. they played.
16. they did not win. 17. we wore. 18. I sat down. 19. he went to bed.
20. they washed themselves. 21. did you (*formal sing.*) travel? 22. we
intended. 23. I answered. 24. they wore. 25. she entered.

b. Translate the following pairs of verbs:

1. pregunto, pregunté. 2. usan, usaron. 3. toma, tomó. 4. me gusta,
me gustó. 5. ella piensa, ella pensó. 6. te lavas, te lavaste. 7. necesitan,
necesitaron. 8. Vd. lleva, Vd. llevó. 9. nos acostamos (*pres.*), nos acostamos (*pret.*). 10. gano, ganó. 11. nos gustan, nos gustaron. 12. bailas,
bailaste. 13. juega, jugó. 14. cuestan, costaron. 15. pensáis, pensasteis.
16. cenamos (*pres.*), cenamos (*pret.*). 17. me siento, me senté. 18. se
levanta, se levantó. 19. Vd. llega, Vd. llegó. 20. entro, entró.

c. Complete the following sentences:

1. Juan llegó *by plane*. 2. Le acompañé al partido de fútbol *yesterday
afternoon*. 3. *Tonight* pensamos ir *to Robert's house*. 4. Juan dice que
Roberto invitó *several girls* también. 5. *They are fond of the* tango.
6. María *danced it perfectly*. 7. *I prefer* la rumba. 8. *Next Saturday*
queremos *to take a trip* a Chicago. 9. ¿ Quiere Vd. *to play cards* ahora ?
10. No puedo hacerlo porque tengo *a theater ticket*. 11. ¿ *Do you like*
bailar? 12. Sí, señor, *I like* bailar. 13. ¿ Va Vd. *to Philip's* esta noche ?
14. *I believe so.* María y yo *intend to go*. 15. *I am going shopping* hoy.

d. Read in Spanish, then repeat, changing verbs to the preterite:

1. Hablo español con ellos. 2. Estudia por la tarde. 3. Se levantan a
las siete. 4. Tomamos café para el desayuno. 5. Me levanto tarde. 6. Se
sienta allí. 7. Te acuestas tarde. 8. Bailo el tango. 9. Charlan con ella.
10. Me acompañan. 11. Las estudian. 12. Vd. lo pronuncia. 13. Ella
las prepara. 14. Trabajan mucho. 15. Vd. mira el mapa.

e. Read in Spanish, supplying the proper Spanish verb form:

1. Nuestro equipo *won* el partido de básquetbol anoche. 2. Primero
Felipe y yo *took* a Bárbara y a Carolina a su casa. 3. Luego *we spent* una hora
en un café con nuestros amigos. 4. *We did not like* el café allí. 5. *I invited*

a Felipe a pasar la noche conmigo. 6. *He called* a su madre por teléfono.
7. *She answered* en seguida. 8. *We arrived* a casa a las diez y media. 9. Mi
madre nos *prepared* chocolate. 10. *We went to bed* a las once y cuarto.

COMPOSICIÓN

1. Dad, how many theater tickets did you buy? 2. I invited Richard
to go with us. 3. He is not fond of our sports but he likes the theater.
4. I talked with him this afternoon. 5. We entered a store where we
bought several books. 6. We also looked for notebooks and pencils.
7. He and I took the streetcar at five o'clock. 8. We spent twenty minutes
together on the streetcar. 9. When I got off he invited me to play cards
with him and his sisters tonight. 10. Since it is Friday, I do not have to
study. 11. Do you know that our basketball team won the championship
of the city? 12. The team played well and we are going to have a holiday.

PARA PRACTICAR

a. Lean Vds. en voz alta. También escriban Vds. al dictado o traduzcan
al inglés si su profesor(a) quiere:

Pablo llegó a casa a las seis. Entró en seguida en el comedor donde cenó
con su familia. Luego él y su hermana María lavaron los platos (*dishes*).
Sus padres se sentaron en la sala (*living room*), donde charlaron y hablaron
de varias cosas. Desde las siete hasta las nueve Pablo y María estudiaron
y prepararon sus lecciones. Una amiga de María la llamó por teléfono y
las dos muchachas hablaron un rato de sus sombreros nuevos y de un baile.
Pablo esperó mucho tiempo para usar el teléfono. Buscó una revista, escuchó la radio y miró la televisión. No usó el teléfono, y a las diez se acostó.

b. Plática.

— ¿ Le gusta a Vd. jugar a los naipes?
— Sí, a veces. Me gusta jugar al bridge (a la canasta).
— ¿ Quiere Vd. jugar esta noche?
— Esta noche, no. No puedo. Tengo que estudiar.
— ¿ Estudia Vd. el español este año?
— Sí, lo estudio.
— ¿ Cómo lo estudia? ¿ Qué hace para aprenderlo?
— Pues, preparo mis lecciones, leo un periódico mexicano (español),
escucho la radio, miro la televisión y hablo con mis amigos.

Spanish uses the English word *bridge*, pronouncing it (**brich**); **la canasta**, *basket*, is also the name of a South American card game.

Florida fared better than most Spanish colonies in the New World, for Spain brought gold to it, rather than taking it away. This was the gold that came from the orange and lemon trees which the Spaniards planted in and around St. Augustine, the gold that comes from its mighty citrus fruit industry.

Ponce de León visited Florida twice, thinking that he had discovered an island, and died without knowing that he had reached the mainland of North America. Numerous other Spanish explorers, including Pánfilo de Narváez, Cabeza de Vaca, and Hernando de Soto, came after

Ponce de León, but it was not until 1565 that Pedro Menéndez de Avilés founded St. Augustine, the first permanent settlement.   As a result of these early explorations, Spain claimed as a part of Florida all of the land north to Chesapeake Bay and west to the Mississippi River.

When you go to St. Augustine, be sure to visit the old fortress of San Marcos which still stands in excellent condition.   Like many ancient castles, it was built with high walls and surrounded by a moat.   The fortress, along with the plaza, the cathedral, the Fountain of Youth Park, the narrow streets, and old houses, give to St. Augustine an old world atmosphere in a modern age.

LECCIÓN VEINTE Y DOS

EN EL CINE

— ¿ Qué haces, Teresa ?

— No hago nada en este momento, Rosa.   Escribí una carta larga y ahora estoy cansada.   Anoche José me llevó al teatro y no volvimos a casa hasta la una.   ¿ Te quedaste en casa el sábado por la noche ?

— Nunca me quedo en casa los sábados por la noche.   Carlos me 5 invitó a ir al cine.

— ¿ Dónde está tu amigo Tomás ?

— Partió para Nueva York ayer por la mañana y no puede volver hasta el mes que viene.

— ¿ Viste a María y a Roberto ?   10

— No vi a nadie porque llegamos tarde.

— ¿ Qué película presentaron ?

— Una película mexicana.   En ella hay una orquesta que toca canciones mexicanas y también hay varios bailes magníficos.

— Yo la vi el otoño pasado.   Es muy bonita, especialmente el 15 *jarabe tapatío*, el baile nacional de México.

— Un momento.   Alguien me llama.   (*Rosa salió del cuarto y volvió cinco minutos después.*)

207

VOCABULARIO

Nombres	Verbos

la canción (*pl.* canciones) *song*
el cine *movie(s)*
el cuarto *room*
el mes *month*
la orquesta *orchestra*
la película *film*
Teresa *Teresa*

Adjetivos

magnífico, –a *magnificent, fine, wonderful*
nacional *national*
pasado, –a *past, last*

partir (de + *obj.*) *to leave, depart*
presentar *to present, introduce*
quedarse *to remain, stay*
tocar *to play* (music)

Otras palabras

después *afterwards, later*
nada *nothing, (not) . . . anything*
nadie *no one, nobody, (not) . . . anybody*
nunca *never, ever, (not) . . . ever*

Expresiones

ayer por la mañana *yesterday morning*
el sábado por la noche *Saturday night*

PRÁCTICA.   In the dialogue find the Spanish for:

1. What are you doing? 2. I'm not doing anything. 3. I wrote a long letter. 4. Joseph took me to the theater. 5. we didn't return home until one o'clock. 6. Did you stay at home? 7. I never stay at home on Saturday nights. 8. yesterday morning. 9. he cannot return until next month. 10. Did you see Mary and Robert? 11. I didn't see anyone. 12. I saw it last fall. 13. Someone is calling me. 14. Rose left the room. 15. she returned five minutes later.

PREGUNTAS

a. Answer in Spanish the following questions based on the dialogue:

1. ¿Qué hace Teresa? 2. ¿Qué escribió ella? 3. ¿A dónde la llevó José? 4. ¿A qué hora volvieron? 5. ¿Se quedó en casa su amiga Rosa? 6. ¿A dónde la invitó a ir Carlos? 7. ¿Dónde está su amigo Tomás? 8. ¿Cuándo puede volver? 9. ¿Vió ella a María y a Roberto? 10. ¿Qué película presentaron? 11. ¿Qué hay en ella? 12. ¿Cuál es el baile nacional de México? 13. ¿Quién salió del cuarto? 14. ¿Cuándo volvió ella?

MÉXICO

Flower vendor in the Floating Gardens of Xochimilco, a network of narrow canals and tiny islands near Mexico City. (Photo — A. Miller)

The Stone of the Sun, better
known as the Aztec Calendar.
(Photo — Cushing)

Mayan ruins at Chichén Itzá in
northeastern Yucatán. (Photo —
A. Miller)

Since pre-Spanish days Mexico has
been famous for its handicrafts.
(Courtesy of American Airlines, Inc.)

Taxco's Santa Prisca Church, a fine
example of Baroque architecture.
(Photo — Arthur Griffin)

Dancing on the terrace of the Hotel de las Américas, in Acapulco, to the music of a native marimba orchestra.   This tropical paradise is one of Mexico's most popular resort cities. (Courtesy of Pan American World Airways)

The lacquer work of Mexico is only one of many folk arts. The process used in Uruapan in making beautiful trays was taught to the natives by an early Spanish missionary, Bishop Quiroga.   (Courtesy of American Airlines, Inc.)

Lake Atitlán, in Guatemala, one of the world's most beautiful lakes. (Photo — Cushing)

Natives buy dyes for their textiles in Saquisili market, Ecuador. (Courtesy of Professor Turk)

GUATEMALA
ECUADOR

Native women from Santiago de Atitlán, one of twelve villages on Lake Atitlán, stand near the Tzanjuyú Hotel. (Photo — A. Miller)

Every Thursday is market day at Saquisili, in the Ecuadorian highlands near Quito. Hundreds of natives come from long distances bringing a great variety of vegetables and other products to the market, held in two large squares.

(Courtesy of Professor Turk)

b. Personal:

1. ¿ Le gusta a Vd. bailar? 2. ¿ Con quién le gusta a Vd. bailar? 3. ¿ Le gusta a Vd. ir al cine? 4. ¿ Le gustan a Vd. las películas extranjeras? 5. ¿ Le gustan a Vd. más las películas norteamericanas? 6. ¿ Sabe Vd. bailar el *jarabe tapatío?* 7. ¿ Es un baile español? 8. ¿ Va Vd. mucho al teatro?

GRAMÁTICA

1. PRETERITE TENSE OF REGULAR VERBS IN –ER AND –IR

Preterite of **aprender** and **escribir**			
SINGULAR	PLURAL	SINGULAR	PLURAL
aprendí	aprendimos	escribí	escribimos
aprendiste	aprendisteis	escribiste	escribisteis
aprendió	aprendieron	escribió	escribieron

The preterite tense of –er and –ir regular verbs is formed by adding the endings –í, –iste, –ió, –imos, –isteis, –ieron to the infinitive stem. Both conjugations have the same endings and the first and third persons singular have a written accent. Recall that the preterite is translated: **aprendí,** *I learned, did learn.*

The verbs **ver** and **salir** are regular in the preterite, except that the first person singular **vi (ver)** is often not accented. Also stem-changing verbs which end in –er are regular, for example, **volver: volví, volviste, volvió,** etc.

2. NEGATIVE EXPRESSIONS

Tienen algo.	*They have something.*
No tengo nada.	*I have nothing.* (*I haven't anything.*)
Nunca hace nada.	*He never does anything.*
No vi a nadie.	*I did not see anybody.*

The negatives **nada, nadie,** and **nunca** may either precede or follow a verb. When they follow the verb, **no** or some other negative precedes the verb. If these negatives come before the verb or stand alone, **no** is not required:

¿ **Qué haces? — Nada.**   *What are you doing? — Nothing.*

Since **alguien** and **nadie** refer to persons, the personal **a** must be used when either one is the direct object of the verb:

¿ Ve Vd. a alguien?   *Do you see anyone?*
No busco a nadie.   *I'm not looking for anyone.*

3. THE DEFINITE ARTICLE WITH EXPRESSIONS OF TIME

la semana pasada   *last week*
el mes que viene   *next month*

When an expression of time, such as **semana, mes, año,** is modified by an adjective, the definite article must also be used.

EJERCICIOS

a. Give the English for:

1. aprendo, aprendí.   2. comprenden, comprendieron.   3. Vd. escribe, Vd. escribió.   4. ella se queda, ella se quedó.   5. abre, abrió.   6. conozco, conocí.   7. vuelven, volvieron.   8. presentan, presentaron.   9. vives, viviste.   10. partimos (*pres.*), partimos (*pret.*).   11. come, comió.   12. salgo, salí.   13. Vd. ve, Vd. vió.   14. bebemos, bebimos.   15. juegan, jugaron.   16. vemos, vimos.   17. me acuesto, me acosté.   18. se sienta, se sentó.

b. Read in Spanish and translate:

1. Él no va nunca al cine.   2. Dice que nunca tiene bastante dinero.   3. Nadie vive cerca de él.   4. No hace nada el domingo por la noche.   5. Nada le gusta.   6. No quiere conocer a nadie.   7. Alguien va a hablar con él.   8. ¿ Sabe Vd. si conocen a alguien?   9. No leí nada el mes pasado.   10. ¿ Piensa Vd. hacer algo esta tarde?   11. No quiero hacer nada porque estoy cansado.   12. ¿ Hablan Vds. de alguien?   13. No, señor, no hablamos de nadie.   14. ¿ Escribe ella una carta a alguien?   15. Ella no escribe nada a nadie.

c. Complete each of these sentences and translate into English:

1. Yo *returned* de Cuba el mes pasado.   2. Mi abuela *did not see me* cuando yo *spoke to her*.   3. *We lived* aquí solamente dos o tres meses.   4. Ayer mi primo Roberto y yo *entered* en una clase grande.   5. A las nueve la profesora *looked at* su reloj.   6. *We opened* los libros de español.   7. Primero Roberto y Pablo *learned* las palabras nuevas.   8. Roberto *understood* bien la gramática.   9. *I understood it* también pero *I did not write* todas las frases.   10. La profesora *did not see us* cuando *we left* de la escuela.   11. Roberto y yo *had dinner (dined)* en casa de Ricardo ayer.   12. *We met* a sus padres y a sus abuelos también.   13. Roberto *drank* dos vasos de leche.   14. *We returned* a casa a las diez.

d. Give orally in Spanish:

1. I spent the past month there. 2. We saw several old films. 3. The orchestra did not play much. 4. One night a Mexican girl danced with a boy whom I met there. 5. In one part of the *jarabe tapatío* she danced on a large hat. 6. Afterwards I introduced her to my parents. 7. We liked the tango and the rumba too. 8. Did the orchestra play any Mexican songs? 9. Yes, but it did not play them well. 10. Yesterday we did not see anyone because we left by car at nine o'clock.

COMPOSICIÓN

1. Mother, I want to go to the movie tonight. 2. George says that the film is very good. 3. He saw it last night with his aunt. 4. She departed today for San Francisco. 5. She stayed here only a week. 6. Louis, how much money did you earn this week? 7. Only a little, but I have all the money that I earned last week. 8. Did you accompany George to the movie Saturday night? 9. No, Mother, I washed the car and then I went to bed. 10. You never go to bed until eleven o'clock and this morning you got up at eight-fifteen. 11. But Mother, tomorrow is a national holiday and no one has to study tonight. 12. John introduced me to his sister this morning and I invited her to go to the movie with me.

PARA PRACTICAR

a. Plática.

— ¿ Está Vd. ocupado (ocupada) esta noche?

— Sí, mucho. Voy a la reunión del club español (al teatro, a casa de ——, a trabajar, etc.).

— Entonces, Vd. no puede ir al cine conmigo.

— Esta noche, no, pero mañana por la noche, sí. Dan una película muy buena.

— No sé qué van a dar.

— Pero, ¿ qué pasa? ¿ Por qué no va Vd. a practicar con la orquesta esta noche?

— El señor Brown no está en la ciudad y no podemos tocar.

— Pues, ¿ puede Vd. llamarme por teléfono mañana?

— Sí, con mucho gusto. Hasta mañana.

— Adiós. Hasta la vista.

dar (una película) *to give* or *present* (*a film*)
esta noche, no *not tonight; tonight, no*
mucho *very* (when used alone)
¿ qué pasa ? *what's the matter?*

b. Write on a piece of paper a question in which you use the preterite tense, such as:

¿ A qué hora se levantó Vd. hoy ?
¿ Habló Vd. por teléfono ayer ?
¿ Se quedó Vd. en casa anoche ?
¿ Con quién(es) cenó Vd. anoche ?
¿ A qué hora se acostó Vd. ?

The questions should be general enough that there will be no difficulty in answering them correctly. The questions will be collected, then each student will answer the question he draws, using a regular verb in the preterite tense:

Me levanté a las siete de la mañana.
Ayer hablé por teléfono con (Carlos).

Mexico's national folk dance, the *jarabe tapatío*, is often called the "Hat Dance." In it you see the *china poblana* costume, which is the traditional fiesta attire for a girl of central Mexico. The costume consists of a full red flannel skirt banded in green at the top and elaborately decorated with sequins in the design of the national emblem, a heavily embroidered white blouse, and a folded *rebozo* (shawl) draped over the shoulders and crossed in front.

There are several legends about the origin of this costume. A common one tells the story of a beautiful Chinese princess who was captured by pirates and brought to Acapulco, where she was sold to a Puebla merchant. Her beauty and tragic situation so impressed the merchant that he liberated her, provided her with beautiful clothing and a Christian education, and treated her with the respect due a person of royal birth.

The princess was fine and generous and spent her life doing good deeds. She was beloved by the entire city of Puebla and was affectionately known as *la china poblana* (the Chinese girl from Puebla). Her colorful style of dress was so admired that it was copied for holiday wear, first by those whom she had helped in Puebla, and later by other Mexican women.

ALLÁ EN EL RANCHO GRANDE[1]

[1] Copyright Edward B. Marks Music Corporation. Used by permission.

LECCIÓN

VEINTE Y TRES

EN EL MUSEO

— ¿ A dónde fué Vd. ayer por la tarde, Marta ?

— Fuí de compras.

— ¿ Fué en tranvía ?

— No, fuí en ómnibus [1] y volví en un taxi.[1] Es muy difícil subir a un tranvía en estos días. Compré muchas cosas y no fué fácil llevarlas. 5 ¿ Y cómo pasó Vd. la tarde, Teresa ?

— Primero Anita y yo dimos un paseo. Después de pasar un rato en el parque fuimos al museo a ver una exposición de pinturas españolas. También vimos una colección de pinturas latinoamericanas. Me gusta especialmente el arte de México. Al volver a casa 10 me lavé la cabeza. ¿ Salió Vd. anoche ?

— No, no salí. Me quedé en casa. Al terminar una composición que escribí para hoy, contesté una carta que recibí de mi prima María la semana pasada.

— ¿ Cuánto tiempo va a pasar María en Santa Bárbara ? 15

— Casi tres meses. Su padre le dió permiso a ella para pasar toda la primavera allí.

— ¿ Fué en tren o en avión ?

— En avión, porque no le gusta viajar en tren.

[1] In Mexico the usual word for *bus* is **el camión** and for *taxi* is **el libre.**

VOCABULARIO

Nombres

el arte *art*
la cabeza *head*
la colección *collection*
la exposición *exhibition, exposition*
Marta *Martha*
el museo *museum*
el ómnibus *bus*
el permiso *permission*
la pintura *painting*
el taxi *taxi*
el tren *train*

Adjetivo

latinoamericano, –a *Latin Ameri-can*

Verbos

recibir *to receive*
subir (a + *obj.*) *to get into, climb, go up*

Preposición (Preposition)

después de *after*

Expresiones

al (volver) *upon* or *on* (*returning*)
¿cuánto tiempo? *how long?*
en estos días *nowadays*
en ómnibus (tranvía, tren) *by bus (streetcar, train)*
lavarse la cabeza *to wash one's hair*

PRÁCTICA. In the dialogue find the Spanish for:

1. Where did you go? 2. I went shopping. 3. Did you go by streetcar? 4. I went by bus. 5. it was not easy. 6. Ann and I took a walk. 7. After spending a while. 8. we went to the museum. 9. Upon returning home. 10. I washed my hair. 11. Did you go out? 12. I stayed at home. 13. Upon finishing. 14. How long is Mary going to spend? 15. Her father gave her permission to spend. 16. she doesn't like to travel.

PREGUNTAS

a. Answer in Spanish the following questions based on the dialogue:

1. ¿A dónde fué Marta? 2. ¿Fué ella en tranvía? 3. ¿En qué volvió a casa? 4. ¿Por qué no volvió ella en tranvía? 5. ¿A dónde fueron Anita y su amiga Teresa? 6. ¿Qué vieron en el museo? 7. Al terminar la composición, ¿qué escribió Marta a su prima? 8. ¿Cuánto tiempo va a pasar su prima en Santa Bárbara? 9. ¿Para qué le dió permiso a ella su padre? 10. ¿Le gusta a María viajar en tren?

b. Personal:

1. ¿ Le gusta a Vd. tomar un taxi ?   2. ¿ Le gusta a Vd. tomar un ómnibus ?   3. ¿ Cuál le gusta a Vd. más ?   4. ¿ Fué Vd. al centro la semana pasada ?   5. ¿ Compró Vd. muchas cosas ?   6. ¿ Qué compró Vd. ?   7. ¿ Cuánto tiempo pasó Vd. en el centro ?   8. ¿ A qué hora volvió Vd. a casa ?   9. ¿ Cenó Vd. con su familia ?   10. ¿ A qué hora cenaron Vds. anoche ?

GRAMÁTICA

1. PRETERITE OF SOME IRREGULAR VERBS

dar		ir, ser	
SINGULAR	PLURAL	SINGULAR	PLURAL
dí	dimos	fuí	fuimos
diste	disteis	fuiste	fuisteis
dió	dieron	fué	fueron

Dar takes regular second conjugation endings. **Dí** is translated: *I gave, did give.*

Ir and **ser** have the same forms in the preterite, but there are two sets of meanings. Thus **fuí** means *I went, did go,* when it is a preterite form of **ir** and *I was* when it is a form of **ser.**

2. THE INFINITIVE AFTER A PREPOSITION

después de recibirlo	*after receiving it*
cansado de leer	*tired of reading*
al llegar a casa	*upon (on) arriving home*
al levantarme	*on getting up (when I got up)*

The infinitive is used after a preposition in Spanish; English regularly uses the present participle (a verb form ending in *–ing: receiving, arriving*).

Al plus an infinitive is the equivalent of English *upon (on)* plus the present participle, or occasionally of a clause beginning with *when* (last example).

EJERCICIOS

a. Write in Spanish, using the subject indicated for each verb:

1. Yo *got up, washed my face and hands, went down to the dining room, talked with my parents, gave the newspaper to my father.*

2. Mi hermano y yo *took breakfast, left the house, went to school, entered our classes.*

3. Nuestra profesora *gave us paper, wrote a test on the blackboard, went to the door, opened it.*

4. Los alumnos *thought a little, wrote a great deal, left at once, went to the museum.*

b. Translate into correct English:

1. al entrar.   2. después de hablarle.   3. para hacer un viaje.   4. al subir al coche.   5. después de ganar el campeonato.   6. al bajar del ómnibus.   7. cansado de trabajar.   8. para jugar con ellos.   9. cómodo para vivir.   10. después de recibirlos.   11. permiso para quedarse aquí.   12. al mirarlas.   13. después de bailar.   14. al partir.   15. al lavarme la cabeza.

c. Complete the following sentences:

1. Recibí *his letter yesterday.*   2. Me invitó *to come to* Nueva York. 3. Él y su hermano fueron *to see a collection of Latin American paintings.* 4. Las vieron en *a large museum.*   5. No fué posible *to get on a streetcar.* 6. Tomaron un taxi *with their parents' permission.*   7. Su padre *gave them* el dinero.   8. Fuí a Nueva York *last year.*   9. Vi una exposición de *Mexican paintings in that same museum.*   10. *The art of those countries* es muy interesante.

COMPOSICIÓN

1. Mother, did you meet Mary Gómez last night?   2. She entered the room late and sat down behind Betty and Helen.   3. Mary says that in Washington there is a museum that has a good collection of paintings. 4. I believe that it is called the National Museum and that it was the idea of a rich man from Philadelphia (**Filadelfia**).   5. Mary invited me to spend my vacation with her.   6. Her father wants to take us to New York. 7. He never goes to the theater but he intends to buy tickets for us. 8. Mary and I intend to go shopping because it is always cool in the large stores.   9. If it is not hot we want to take the bus that goes to the university. 10. Even though I am always tired after spending a day in New York I like the city.   11. Mary and I want to go to several cafés and theaters too. 12. We like the dances and the music of other countries and there are several Latin American orchestras in New York.

PARA PRACTICAR

a. Plática.

— ¿ Fué Vd. al museo ayer ?

— No, fuí a un concierto con mi mamá.

— ¿ Cuál le gusta a Vd. más, la música popular o la música clásica ?

— Me gustan las dos, pero me gusta más la música popular.

— Pues, yo tengo una buena colección de discos populares.

— Yo quiero escucharlos si puedo.

— ¡ Cómo no ! Pase Vd. por mi casa esta tarde (esta noche, mañana por la tarde, mañana por la noche).

clásico, –a *classical*	el disco *record* (phonograph)
el concierto *concert*	los (las) dos *both, the two*

b. Give the English for these pairs of words:

1. miro, busco. 2. llevar, llegar. 3. levantarse, lavarse. 4. tiene frío, hace frío. 5. ¿ cuánto ? cuando. 6. cuatro, cuarto. 7. el hambre, el hombre. 8. esta, está. 9. nada, nadie. 10. tocar, tomar. 11. si, sí. 12. como, ¿ cómo ? 13. siempre, también. 14. hermano, hermoso. 15. muy, mucho. 16. el país, el campo. 17. primo, primero. 18. mañana, la mañana. 19. la radio, el radio. 20. el tiempo, la vez. 21. llevar, tomar. 22. hoy, hay. 23. entonces, luego. 24. decir, hablar. 25. tarde, la tarde. 26. él viaja, el viaje. 27. mucho, muchacho. 28. jugar, tocar. 29. saber, conocer. 30. pensar, creer.

The contemporary painters of Mexico are among the best known in Latin America. Such painters as Diego Rivera and Orozco became famous for their frescoes, which are water-color paintings made on freshly plastered walls. In their frescoes they have shown the customs and daily life of the down-trodden Indians, as well as much of the history of Mexico. The figures they painted represent millions of unfortunate Indians who have lacked educational opportunities, who have not had land of their own, and whose standard of living has been very low. Rivera, Orozco, and other artists, have used their frescoes, which cover the walls of many public buildings, as propaganda to stir up the people to do something for the improvement of the masses. The efforts of the artists, as well as many writers who have also protested against injustice, have not been in vain. There is now less abuse of the common people by landowners, politicians, and industrialists than formerly. On the stairway of Mexico's National Palace is Rivera's great mural, one of the largest in the world, which depicts the entire history of the nation.

The influence of the Mexican painters has been felt in other countries. Sabogal has distinguished himself as a portrayer of Indian life in Peru, just as Portinari has pictured the Negro in Brazil.

220

LECCIÓN

VEINTE Y CUATRO

¿A CUÁNTOS ESTAMOS?

— ¿ A cuántos estamos hoy, Inés ?

— Estamos a primero de enero de mil novecientos cincuenta y seis.

— ¿ Cuál fué la fecha de ayer ?

— Fué el treinta y uno de diciembre.

— ¿ Cuántos años tiene su padre ? 5

— Tiene cuarenta y un años. Nació el doce de octubre del año mil novecientos quince.

— ¿ Sabe Vd. lo que ocurrió el doce de octubre ?

— ¡ Cómo no ! El doce de octubre es el día en que Colón descubrió el Nuevo Mundo, en el año de mil cuatrocientos noventa y dos. Colón 10 partió de España el tres de agosto y tardó setenta días en llegar a tierra americana.

— Y hoy día podemos hacer el viaje en unas trece o catorce horas, ¿ verdad ?

— El mes pasado mi padre volvió de Europa en doce horas y 15 media.

— ¿ Cuál es la población de Madrid ?

— La capital tiene un millón y medio de habitantes más o menos. La ciudad de México tiene casi tres millones de habitantes y Buenos Aires tiene unos tres millones quinientos mil. 20

VOCABULARIO

Nombres	Adjetivos

la capital *capital*
Colón *Columbus*
Europa *Europe*
la fecha *date*
el habitante *inhabitant*
Inés *Agnes, Inez*
la población *population*
la tierra *land, soil*

americano, –a *American*
unos, –as *some, about* (quantity)

Verbos

descubrir *to discover*
nacer *to be born*
ocurrir *to occur, happen*
tardar *to delay, be late, be long in*

Expresiones

¿a cuántos estamos? *what is the date?*
estamos a (primero de enero) *it is the (first of January)*
hoy día *nowadays*
lo que *what, that which*
más o menos *more or less, approximately, about*
tardó (setenta días) en *it took him (seventy days) to*
(un millón) y medio *(a million) and a half*

PREGUNTAS

Answer in Spanish the following questions:

1. ¿A cuántos estamos hoy? 2. ¿Cuál fué la fecha de ayer? 3. ¿Qué día del mes vamos a tener mañana? 4. ¿Cuántos años tiene Vd.? 5. ¿Cuántos años tiene su padre? 6. ¿En qué año nació Vd.? 7. ¿Qué ocurrió el doce de octubre? 8. ¿En qué fecha partió Colón de España? 9. ¿Cuántos días tardó en descubrir tierra? 10. ¿Cuánto tiempo necesitamos hoy día para hacer el viaje? 11. ¿Cuál es la capital de España? 12. ¿Cuál es la población de Madrid? 13. ¿Cuál es la población de la ciudad de México? 14. ¿Cuál es la población de esta ciudad? 15. ¿Cuántos alumnos hay en esta escuela?

GRAMÁTICA

1. CARDINAL NUMERALS

30	treinta	50	cincuenta
31	treinta y uno	60	sesenta
40	cuarenta	70	setenta

80	ochenta	600	seiscientos, –as
90	noventa	700	setecientos, –as
100	cien(to)	800	ochocientos, –as
102	ciento dos	900	novecientos, –as
200	doscientos, –as	1000	mil
300	trescientos, –as	2000	dos mil
400	cuatrocientos, –as	100,000	cien mil
500	quinientos, –as	1,000,000	un millón (de)

cien (mil) casas	*one hundred (one thousand) houses*
ciento cincuenta y un días	*a hundred fifty-one days*
quinientas veinte y una ciudades	*five hundred twenty-one cities*
un millón de habitantes	*a (one) million inhabitants*
dos (cien) millones de hombres	*two (a hundred) million men*
mil quinientos treinta y cuatro	*one thousand five hundred thirty-four*

Ciento is shortened to **cien** before all nouns and before the numerals **mil** and **millones**.

Un is omitted before **cien** and **mil,** but is used before **millón.** If a noun follows **millón** (**millones**), the preposition **de** must come before the noun. Recall that **uno** and numerals ending in **uno** drop –o before masculine nouns and that **una** is used before feminine nouns.

Numerals in the hundreds, such as **doscientos. trescientos,** end in –as before feminine nouns.

In Spanish, **y,** *and,* is used only between the tens and the units: **treinta y cuatro.**

2. THE MONTHS

enero	*January*	mayo	*May*	septiembre	*September*
febrero	*February*	junio	*June*	octubre	*October*
marzo	*March*	julio	*July*	noviembre	*November*
abril	*April*	agosto	*August*	diciembre	*December*

The months are not capitalized except at the beginning of a sentence. The names of the months are masculine in gender but they do not require the definite article.

3. DATES

¿ Cuál es la fecha (de hoy) ?	
¿ A cuántos estamos (hoy) ?	*What is the date (today)?*
Es el dos de febrero.	
Estamos a dos de febrero.	*It is the second of February.*
el primero de enero	*(on) the first of January (January 1st)*
el treinta y uno de mayo	*(on) the thirty-first of May (May 31)*

The cardinal numerals are used to express the day of the month, except in the case of **primero,** *first.* The definite article **el** translates *the* or *on the* with the day of the month.

In counting and in reading dates, use the following order: thousand(s), hundreds, tens, units:

el diez de abril de mil novecientos cincuenta y siete   *April 10, 1957*

EJERCICIOS

a. Read in Spanish:

1. 1000 aviones.   2. 750 hombres.   3. 48 ciudades.   4. 72 pinturas.
5. 67 universidades.   6. 139 ómnibuses.   7. 23 tranvías.   8. 92 alumnas.
9. 100 libros.   10. 365 iglesias.   11. 600 páginas.   12. 981 muchachos.
13. 1,000,000 de dólares.   14. 4,000,000 de teléfonos.   15. 500,000 habitantes.   16. 312 días.   17. 114 canciones.   18. 666 películas.   19. 888 teatros.   20. 999 personas.

b. Read the following figures and dates in Spanish:

87	32	115	1066	1620
63	56	547	1215	1776
49	78	711	1492	1830
25	94	971	1501	1957

c. Give the English for the following verbs:

1. recibo, recibí.   2. toco, tocó.   3. juegan, jugaron.   4. salgo, salió.
5. veo, vió.   6. descubren, descubrieron.   7. me siento, me senté.   8. llevo, llevó.   9. comemos, comimos.   10. conozco, conoció.   11. Vd. tarda, Vd. tardó.   12. nacen, nacieron.   13. sube, subió.   14. se quedan, se quedaron.   15. presento, presenté.   16. bailas, bailaste.   17. se levanta, se levantó.   18. charla, charló.   19. ¿pasa Vd.?   ¿pasó Vd.?   20. vemos, vimos.

d. Complete each sentence:

1. Mis hermanos partieron *the first of March.*   2. Llegaron a San Antonio *the sixth of the same month.*   3. Nuestras clases terminaron *the twenty-seventh of May.*   4. *On the second of June* yo fuí a San Antonio en avión.   5. Pasamos *the fourth of July* con nuestros amigos.   6. Volví a casa *the seventh of August.*   7. Volvimos a nuestras clases *the ninth of September.*   8. Hoy es *the twenty-eighth of November.*   9. Mi padre nació *on the nineteenth of January.*   10. ¿Qué pasó *on the twenty-second of February?*

COMPOSICIÓN

1. Miss Padilla, from where did they depart for South America? 2. From New Orleans (**Nueva Orleáns**), Charles, on the twentieth of April. 3. It was the day on which my cousins returned from Spain. 4. Do they intend to see all the capitals? 5. I believe not, Jane. You know that it is difficult to travel in (**por**) South America. 6. How much did the trip cost? 7. The tickets cost (*pret.*) about eighteen hundred (one thousand eight hundred) dollars and each person took a thousand dollars for other things. 8. It is never cheap to travel in a foreign country. 9. Did your cousins go to Spain last fall, Charles? 10. I believe that it was in August of last year. 11. After spending a short time with their parents, they took a plane for Madrid. 12. Upon arriving last night, they went to my aunt's house.

PARA PRACTICAR

a. Plática.

— Dispense Vd., Juan. ¿ Ve Vd. a aquel hombre?
— Sí, le veo, pero no le conozco.
— Creo que es un buen amigo de mi padre y quiero saludarle.
— Bueno, le espero a Vd. No tengo prisa.
— Muchas gracias. No tardo mucho. Con su permiso.
— Vd. lo tiene.

dispense Vd. *excuse me*	saludar *to greet, speak to*
no tardo mucho *I'll not be long*	tener prisa *to be in a hurry*

Dispense Vd. means *excuse me, pardon me,* when one is interrupting a person or asking for information; **con su permiso** means the same when one asks permission to do something or when one says good-bye to a person.

b. Here you can practice the multiplication tables from the 2's on:

1st STUDENT. — Seis por uno son seis. (*To 2nd Student*) ¿ Cuántos son seis por dos?

2ND STUDENT. — Seis por dos son doce. (*To 3rd Student*) ¿ Cuántos son seis por tres? Etc.

c. You probably know the English version of this jingle:

> Treinta días tiene noviembre
> con abril, junio y septiembre;
> veinte y ocho tiene uno
> y los demás (*the rest*) treinta y uno.

The priests and missionaries who accompanied Spanish expeditions to the New World were charged with the educational and religious welfare of the colonies. Evidence of their work is found in California, where the Franciscan Order, under the leadership of Father Junípero Serra, started a chain of twenty-one missions, the first at San Diego in 1769, the last in the north at Sonoma in 1823. These missions, built at intervals of a day's travel on horseback, a distance of about thirty miles, were linked together by *El Camino Real*, "The King's Highway." Their architecture was marked by thick adobe walls, long cloisters, high-beamed ceilings, tiled roofs, and towers with arched openings for the mission bells. The Franciscan fathers taught the Indians religion, Spanish, new arts and crafts, and new methods of cultivating plants and vegetables. The mission pueblos also had herds of livestock and from their lands came the first of California's olives, grapes, and wines.

Most of the missions are still standing, but in varying states of ruin and repair. Santa Barbara is the best preserved, and San Juan Capistrano, where the swallows return each year on March 19, is one of the most picturesque. All are monuments to the labors of the Franciscans in helping Spain to colonize the Americas for the "Glory of God and the King."

LECCIÓN

VEINTE Y CINCO

POR LA AMÉRICA DEL SUR

— Buenos días, señor Blanco.

— Buenos días, Guillermo. ¿Qué hizo Vd. ayer por la tarde? ¿Por qué no vino a mi casa para hablar un rato?

— Porque los señores Espinosa vinieron a pasar la tarde con nosotros y no quise salir de casa. El señor Espinosa y su esposa hicieron un 5 viaje largo por la América del Sur durante el invierno y nos dijeron muchas cosas interesantes acerca de la vida y las costumbres de aquellos países.

— ¿Fué su primer viaje?

— Creo que fué el segundo viaje de la señora Espinosa; en cambio, 10 fué el tercer viaje de su esposo. La última vez que viajaron por la América del Sur fué en el año de mil novecientos cuarenta y ocho. Nos hablaron de todos los cambios en la vida de los sudamericanos, especialmente en varios países como el Brasil,[1] la Argentina, el Uruguay, Chile, Colombia, Venezuela y el Perú. Visitaron todos los países 15 excepto Bolivia, el Paraguay y el Ecuador. Partieron el veinte de noviembre y volvieron el jueves pasado.

[1] Note the South American countries which require the definite article.

Nombres

el cambio *change*
la costumbre *custom*
la esposa *wife*
el esposo *husband*
  Guillermo *William, Bill*
la vida *life*

Adjetivos

sudamericano, –a *South American*
último, –a *last* (in a series), *latest*

Preposición

acerca de *about, concerning*

Verbo

visitar *to visit*

Expresiones

en cambio *on the other hand*
los señores (Espinosa) *Mr. and Mrs. (Espinosa)*
salir de casa *to leave home*

PRÁCTICA.   In the dialogue find the Spanish for:

1. What did you do?   2. Why didn't you come?   3. Mr. and Mrs. Espinosa came.   4. I didn't want to leave home.   5. (they) made a long trip.   6. they told us.   7. Was it their first trip?   8. they travelled in (through) South America.

PREGUNTAS

a. Answer in Spanish the following questions based on the dialogue:

1. ¿ Con quién habla Guillermo?   2. ¿ Qué preguntó el señor Blanco? 3. ¿ Quiénes vinieron a casa de Guillermo?   4. ¿ Por dónde hicieron un viaje?   5. ¿ Cuándo hicieron el viaje?   6. ¿ Fué su primer viaje? 7. ¿ Fué un viaje largo o corto?   8. ¿ En qué año hicieron el último viaje? 9. ¿ De qué hablaron?   10. ¿ Cuáles son los países de la América del Sur? 11. ¿ Visitaron todos los países?   12. ¿ Cuándo partieron?

b. General:

1. ¿ Cuál es la fecha de hoy?   2. ¿ Qué lección estudiamos hoy? 3. ¿ Cuál es el primer mes del año?   4. ¿ Cuál es el último mes del año? 5. ¿ Cuál es el segundo mes del año?   6. ¿ El sexto?   7. ¿ El octavo? 8. ¿ El décimo?   9. ¿ Cuál es la primera estación del año?   10. ¿ Cuál es la segunda estación?   11. ¿ Cuáles son los meses del verano?   12. ¿ Cuáles son los meses del otoño?   13. ¿ Cuál es el primer día de la semana? 14. ¿ Cuál es el tercer día de la semana?   15. ¿ Cuál es el último día?

GRAMÁTICA

1. IRREGULAR VERBS HAVING I-STEM PRETERITES

Preterite of **decir, hacer, querer, venir**			
SINGULAR			
dije	hice	quise	vine
dijiste	hiciste	quisiste	viniste
dijo	hizo	quiso	vino
PLURAL			
dijimos	hicimos	quisimos	vinimos
dijisteis	hicisteis	quisisteis	vinisteis
dijeron	hicieron	quisieron	vinieron

Observe that these four irregular verbs have **i-**stem preterites. In the first and third persons singular the accent falls on the stem, instead of the ending; therefore, **e** and **o** are not accented. Watch your spelling as you memorize these forms.

Dije is translated *I told, did tell, I said, did say;* **hice,** *I made, did make, I did;* **quise,** *I wanted, did want, I wished, did wish;* **vine,** *I came, did come.*

2. ORDINAL NUMERALS

1st	primero, –a	4th	cuarto, –a	8th	octavo, –a
2nd	segundo, –a	5th	quinto, –a	9th	noveno, –a
3rd	tercero, –a	6th	sexto, –a	10th	décimo, –a
		7th	séptimo, –a		

la **cuarta** frase	*the fourth sentence*
las **primeras** canciones	*the first songs*
el **primer** (**tercer**) viaje	*the first (third) trip*

The ordinal numerals agree in gender and number with the nouns they modify. Ordinals usually precede nouns. **Primero** and **tercero** drop **–o** and become **primer** and **tercer** before masculine singular nouns.

Ordinal numerals are regularly used only through *tenth;* beyond *tenth* cardinal numerals replace the ordinals and follow the noun:

Alfonso Trece   *Alfonso XIII (the Thirteenth)*

3. THE DEFINITE ARTICLE WITH TITLES

Buenos días, señor Espinosa.	*Good morning, Mr. Espinosa.*
La señora Espinosa lo hizo.	*Mrs. Espinosa made it.*
Los señores Alcalá vinieron.	*Mr. and Mrs. Alcalá came.*

The definite article is used with titles, except when speaking directly to a person.

EJERCICIOS

a. Complete in Spanish and translate:

1. Ella *came* ayer. 2. Nosotros *did not want* hacerlo. 3. Ellos *went* esta mañana. 4. Vd. me *told* la verdad. 5. ¿Quién lo *did?* 6. Tú la *saw*. 7. Ellas *made* los sombreros. 8. ¿*Did you* (*pl.*) *go* a México? 9. Ellos *said* que ella *left*. 10. Yo *did* el ejercicio. 11. *It was not* posible. 12. Ellos *came* hoy. 13. Vd. *saw* la casa. 14. Nosotros *went* a Cuba. 15. ¿A quién los *did give* Vd.? 16. Yo los *gave* a Carlos. 17. ¿Qué *did you do* después? 18. *I left* de la casa. 19. *We returned* a casa. 20. Mis abuelos *came* esta mañana.

b. Read in Spanish, supplying the Spanish for the English words:

1. Enero es el *first* mes del año. 2. Hoy no es el *third* día de la semana. 3. Alfonso *the Thirteenth* de España ya no vive. 4. Tengo la *fourth* carta que recibí. 5. Hacen su *fifth* viaje a Europa. 6. Diciembre es el *last* mes del año. 7. ¿Cuáles son el *sixth* día y el *seventh* día de la semana? 8. Es el *tenth* año de su vida. 9. Juan es su *second* hijo. 10. La *first* película es buena. 11. Volvimos a nuestras clases en septiembre, el *ninth* mes del año. 12. Me gusta la *third* canción. 13. Partí el *thirtieth* de noviembre. 14. Vd. no estudió bien la *eighth* lección. 15. El *sixteenth* de septiembre es el día de fiesta nacional de México.

c. When the teacher reads each sentence, repeat in Spanish and translate:

1. No dije nada. 2. Al salir, lo hizo. 3. Después de visitarme, nunca me escribieron. 4. ¿Qué tiempo hizo ayer? 5. Hizo buen tiempo. 6. Nadie me dijo que ella vino ayer. 7. ¿Qué quisieron hacer? 8. ¿A quién vió Vd.? 9. ¿A quién le dió ella el dinero? 10. ¿Por qué fué difícil? 11. ¿En qué año fué él a la Argentina? 12. No vi a nadie y nadie me habló.

d. Give orally in Spanish:

1. Good morning, Bill. How goes it? 2. Fine, Louis. What's new?
3. My dad and mother departed by plane for San Francisco this morning.
4. What do you plan to do? 5. I have to work every day. 6. Will you
go to my uncle's house with me Saturday night? 7. Gladly. We finish at
(in) the store at five o'clock in the afternoon. 8. Can you leave at that
time? 9. Yes, and my dad gave me permission to use our car. 10. That's
fine. I never have our car.

COMPOSICIÓN

1. Mrs. Espinosa, I want to ask you something. 2. I want to know
how [1] (the) North Americans spend Sunday. 3. All right, Raymond. Last
Sunday we got up at a quarter past eight. 4. We took breakfast together
at nine o'clock. 5. My husband looked for the newspaper then and took
it to our room. 6. I prepared some things for our supper. 7. Barbara and
Robert left at ten o'clock for (the) church. 8. My husband and I did not
depart until twenty minutes of eleven. 9. We dined in the home of my
brother and his wife, Mr. and Mrs. White. 10. After eating, my husband
and I took a drive with them in their new car. 11. We gave the children
permission to go to the park with their cousin Caroline. 12. At half past
five my brother's family came to our house with us for supper (to eat
supper). 13. They left at ten o'clock and we went to bed at once.
14. Thank you, Mrs. Espinosa.

PARA PRACTICAR

a. Plática.

— ¿ Qué hizo Vd. anoche? ¿ Por qué no vino acá?

— Mis abuelos vinieron a visitarnos y no fué posible.

— ¿ A qué hora llegaron?

— A eso de las cuatro menos cuarto.

— Le llamé por teléfono a las cuatro y media, pero nadie contestó.

— Pues, mi abuelo tiene un automóvil nuevo y a las cuatro y cuarto
salimos a dar un paseo.

— ¿ Volvieron Vds. a casa para cenar?

— Sí, volvimos después de media hora, y nos quedamos en casa toda
la noche porque llovió mucho, como Vd. sabe.

[1] Use cómo.

— Sí, lo sé muy bien.   ¿ Cómo pasaron Vds. la noche?

— Jugamos a los naipes hasta muy tarde.

acá *here* (often used after verbs   el automóvil *automobile, car*
    of motion)   llover (ue) *to rain*

a eso de *at about* (time)
media hora *a half hour*
toda la noche *all evening*

b. Conversación rápida.

EL PRIMER ALUMNO. — ¿ Cuándo nació Vd. ?

EL SEGUNDO ALUMNO.   — Nací el (dos de abril) de mil novecientos (cuarenta y uno).   (*Al tercer alumno*) ¿ Cuándo nació Vd. ?

c. ¿ Dónde estoy ?

A student chooses a Spanish-speaking city, and in order to guess the choice, other students ask such questions as: **¿ Está Vd. en Europa?   ¿ Está Vd. en un país grande (pequeño)?   ¿ Es la capital?   ¿ Está en las montañas?** The student who guesses the city makes the next choice.

The Alamo, the "Shrine of Texas Liberty," stands on the Alamo Plaza in San Antonio, Texas. It was once the chapel of the Mission San Antonio de Valera and is now the only remaining building of that mission. Its name came from the cottonwood trees, *los álamos*, in that region.

When in 1793 the thick-walled mission ceased to be used for religious purposes, it was made into a fortress. In their war to gain independence from Mexico (1836), some one hundred eighty-eight Texans barricaded themselves inside the fortress and held out for thirteen days against the Mexican general Santa Anna's force of three thousand soldiers. No survivor was left. This massacre aroused the Texans, and, with "Remember the Alamo" as their battle cry, they rallied other forces under General Sam Houston to defeat Santa Anna and end the war.

In 1883 the state of Texas purchased the Alamo chapel which remains unchanged, except for such necessary repairs as a new roof and floor. It is built in the form of a cross, with small rooms as the sides of the center section. The area around it has been converted into a park. Each year the Alamo is visited by thousands of people who like to remember the courage of the men who defended it.

Ferrocarril del Norte (Plaza Cataluña)

		De MANRESA a BARCELONA		De BARCELONA a SABADELL			
Clase	Origen	Salida origen	Salida Sabadell	Salida Barcelona	Salida Sabadell	Destino	Clase
	Tarr.	6'00	6'13	2 1'45	1 2 2'32	Man.	
	Tarr.	6'30	6'43	1 6'00	6'29	La Pobla	SD
	Man.	6'05	1 7'06	6'25	7'12	Man.	
E	Zaragoza	s 23'15	1 s 7'31	7'15	8'02	Tarr.	
	Tarr.	7'30	7'43	8'00	8'47	Man.	
	Man.	7'10	1 8'11	1 4 9'00	4 9'25	Irún-Bilb.	TF
	Man.	1 8'05	1 8'46	1 9'10	9'42	Madrid	C
	Man.	8'30	9'33	10'15	11'02	Man.	
SD	Lérida	6'00	1 10'39	4 12'15	12'47	Man.	
	Man.	10'15	11'18	12'30	13'17	Tarr.	
	Tarr.	12'15	12'28	13'10	13'57	Man.	
	Man.	12'15	1 13'15	1 14'05	1 14'35	Man.	
	Man.	13'15	14'18	1 14'15	14'52	Man.	
	Man.	1 14'00	1 14'41	14'35	15'22	Tarr.	
	Man.	14'15	15'23	16'15	17'02	Tarr.	
	Tarr.	16'00	16'13	1 17'00	17'32	Lérida	O
	Man.	16'15	17'18	1 18'15	18'49	Man.	
	Tarr.	18'30	18'43	18'30	19'17	Tarr.	
	Man.	18'10	1 19'11	1 19'15	19'48	Man.	
C	Madrid	22'00	1 19'32	19'30	20'17	Tarr.	
	Tarr.	19'35	19'48	1 20'15	1 20'45	Man.	
	Man.	19'05	1 20'06	20'30	21'17	Tarr.	
SD	La Pobla	14'00	1 21'02	21'15	22'02	Man.	
TF	Bilb.-Irún	3 9'40	1 3 21'22	1 s 22'00	s 22'39	Madrid	E
	Man.	20'50	21'53				

1. Directo. • 2. Domingos y lunes • 3. Martes, jueves
y sábados, • 4. Lunes, miércoles y viernes.
E, SD, C, TF y O, tienen la salida o llegada en la estación
Barcelona-Vilanova • 5. No sale los domingos.

REPASO V

A. Read in Spanish and translate. In this section and in the *Repasos* which follow there are some words which you have not had; if you cannot guess their meaning, you will find them listed in the general vocabulary. A few unusual words are translated in footnotes:

Miren Vds. el mapa de España y pueden ver que es un país pequeño. España y Portugal forman la Península Ibérica.[1] Los habitantes de España hablan español y los habitantes de Portugal hablan portugués.

Madrid es la capital de España y está en el centro del país. Barcelona, el centro industrial, y Valencia, la tercera ciudad del país, están en la costa 5 del Mar Mediterráneo. Otras ciudades importantes son Sevilla, Córdoba, Cádiz, Salamanca, Zaragoza y Burgos. Una de las antiguas regiones de España se llama Castilla. Castilla es la tierra de los castillos[2] y de la lengua castellana.[3]

Ahora vamos a mirar otros mapas. En la América del Sur hay nueve 10 repúblicas en que hablan español. Venezuela y Colombia están en el norte del continente, en el Mar Caribe. Colombia también está en el Océano Pacífico. Las otras repúblicas de la costa occidental[4] son el Ecuador, el Perú y Chile. Chile es un país muy largo. La Argentina es un país muy rico y Buenos Aires, su capital, es una ciudad moderna y muy hermosa. 15 Aunque el Uruguay es una república pequeña, su tierra es muy fértil y su capital, Montevideo, es también muy moderna. Bolivia y el Paraguay están en el interior del continente y no tienen costa.

Hablan portugués en el Brasil, un país muy grande. Aunque hablan español en todos los otros países de la América del Sur, hay muchas diferen- 20 cias entre ellos. Para comprender sus problemas es necesario estudiar la geografía y la historia del continente. Es difícil viajar de un país a otro, especialmente si uno quiere cruzar los Andes.

México está al sur de los Estados Unidos. El Río Grande pasa entre el estado de Texas y México. La Carretera[5] Panamericana, que va de Nuevo 25 Laredo a la capital, que también se llama México, pasa por Monterrey, una ciudad industrial de mucha importancia. Uno tiene que cruzar unas montañas altas para llegar a la capital que tiene una elevación de casi siete mil quinientos pies. Por eso[6] nunca hace mucho calor allí, aún en el verano. 30

Si vamos en avión de México a Panamá, pasamos por cinco países: Guatemala, El Salvador, Honduras, Nicaragua y Costa Rica. Cuba es una

---

[1] Ibérica, *Iberian.*   [2] castillos, *castles.*   [3] castellana, *Castilian.*   [4] occidental, *western.*   [5] Carretera, *Highway.*   [6] Por eso, *Because of that, Therefore.*

235

isla [1] en el Mar Caribe, muy cerca de nuestro país. De allí vienen bailes y canciones que son populares en los Estados Unidos. Por último,[2] también hablan español en la República Dominicana, que es una parte de la isla de Santo Domingo. En esta isla hay otra república, Haití, donde hablan 5 francés. La isla de Puerto Rico pertenece [3] a los Estados Unidos, pero por su lengua y su cultura forma parte del mundo latinoamericano.

B. Preguntas

1. ¿Qué países forman la Península Ibérica? 2. ¿Cuál es la capital de España? 3. ¿Qué ciudad es el centro industrial del país? 4. ¿Dónde está Valencia? 5. ¿Qué es Castilla? 6. ¿Cuántas repúblicas hay en la América del Sur? 7. ¿En cuántas hablan español? 8. ¿En qué parte de la América del Sur están Venezuela y Colombia? 9. ¿Dónde están el Ecuador, el Perú y Chile? 10. ¿Cuál de estos países es muy largo? 11. ¿En qué país está Buenos Aires? 12. ¿Qué país es muy pequeño? 13. ¿Qué países no tienen costa? 14. ¿Qué lengua hablan en el Brasil? 15. ¿Es fácil cruzar los Andes? 16. ¿Por dónde pasa la Carretera Panamericana? 17. ¿Cuáles son nueve de las repúblicas latinoamericanas? 18. ¿Qué es Puerto Rico?

C. Give the Spanish for:

1. I saw. 2. we chatted. 3. he carried. 4. she sat down. 5. they returned. 6. you left. 7. I got up. 8. he departed. 9. they received. 10. we danced. 11. she ate. 12. they wrote. 13. I remained. 14. he opened. 15. she visited. 16. you (*pl.*) ate supper. 17. you (*fam. sing.*) gave. 18. he made. 19. they said. 20. we won.

D. Four members of the class will read five sentences each in Spanish; other students will give the English with books closed.

1. Nunca me visitan. 2. Al verlo, lo compré en seguida. 3. Los señores Guzmán vinieron la semana pasada. 4. ¿Qué pasó ayer por la tarde? 5. Hicieron un viaje largo para vernos. 6. ¿Quién te llamó por teléfono? 7. ¿Fué Vd. a casa de su abuelo esta tarde? 8. Después de salir de casa, me acompañaron a un partido de fútbol. 9. El señor Martínez no dijo nada. 10. ¿Es Vd. aficionado a nuestros deportes? 11. Jugaron a los naipes. 12. ¿A cuántos estamos hoy? 13. Estamos a once de junio. 14. ¿Cuánto tiempo piensan pasar allí? 15. No tardé en llamarla. 16. No

---

[1] isla, *island.*   [2] Por último, *Finally, Lastly.*   [3] pertenece, *belongs.*

diga Vd. nada a nadie.   17. Hablen Vds. en voz alta.   18. Escriban Vds. al dictado.   19. No abra Vd. la puerta todavía.   20. Traduzcan Vds. al inglés.

E. Complete the following sentences:

1. *Someone* salió del cuarto.   2. *No one* llegó anoche.   3. No llamé a *anybody*.   4. Juan *never* hace *anything*.   5. ¿ Tiene Vd. *anything?*   6. *Nothing* hay en la mesa.   7. ¿ Qué sabes?   — *Nothing*.   8. ¿ Quién llama? — *No one*.   9. ¿ No les dijo Vd. *anything?*   10. No van *ever* al cine.

F. Complete in Spanish:

1. En una hora hay —— minutos.   2. Un día tiene —— horas.   3. Una semana tiene —— días. Son ——, ——, ——, ——, ——, —— y ——. 4. Un año tiene —— meses o —— semanas.   5. Los meses de la primavera son ——, —— y ——.   6. —— fresco en la primavera.   7. ——, —— y —— son los meses del verano.   8. —— calor entonces y —— mucho sol. 9. Los meses del otoño son ——, —— y ——.   10. El otoño es una —— agradable.   11. Hace —— en el invierno.   12. Los meses del invierno son ——, —— y ——.   13. Un año tiene —— días.   14. Yo nací el —— de — — del año —— —— —— y ——.

G. Read in Spanish:

643	4,982	711	September 16, 1810
555	1,215	1099	July 18, 1936
2,036	1,200,000	1547	May 5, 1862
3,261	134,000,000	1898	April 18, 1775
7,777	821,000	1808	December 7, 1941

H. Write in Spanish:

1. John, did you go to the dance last night?   2. I didn't see you.   3. I think that the orchestra played well.   4. Vincent and Helen dance the tango perfectly, don't they?   5. We went to the Café Cubano after the dance.   6. We didn't want to take black coffee at that hour.   7. I took ice cream with chocolate and Barbara took a lemonade.   8. We did not stay there long.   9. At one o'clock we took a taxi and went to Barbara's. 10. Then I returned home.   11. My father says that we did not go to bed until three o'clock in the morning.   12. I didn't eat anything for breakfast and I am hungry now.   13. Paul ate a roll and drank a glass of milk. 14. What did the other boys do last night?   15. Robert said that they went to the movie and that they didn't like the film.   16. Mary has to wash her hair this morning.

I. *Geografía*

1. On an outline map of Spain, which you have sketched or bought, locate as many cities as possible in five minutes.

2. On an outline map of South America locate each republic and its capital. Time limit ten minutes.

LECTURAS

Los productos de la América Española

— Estudiantes, escuchen Vds. Hoy vamos a hablar de varios productos importantes que vienen de la América Española. Vds. pueden hablar en español de las cosas que a veces les explico[1] en inglés. Carmen, ¿ por qué decimos: « Vale un Potosí »?[2]

5 — Usamos ese viejo refrán español para describir algo de mucho valor.[3] Desde los tiempos antiguos existe[4] una rica mina de plata en Potosí, una ciudad de Bolivia.

— ¿ Es todavía el mineral más[5] importante de Bolivia?

— No, señorita, el estaño[6] es más importante hoy día. Pero México
10 tiene mucha plata.

— ¿ Para qué usamos el estaño, Tomás?

— Con el estaño hacemos las latas[7] en que conservamos nuestras frutas y legumbres.[8]

— Carolina, ¿ de dónde viene el cobre?[9]

15 — Chile tiene grandes cantidades de cobre, y también tiene mucho nitrato.

— Es verdad. Anita, ¿ qué sabe Vd. del platino?[10]

— Colombia tiene una gran[11] cantidad de este mineral. Lo usamos para hacer anillos,[12] broches, pulseras[13] y otras joyas[14] costosas.

20 — ¿ Qué otra cosa produce Colombia?

— Las minas de esmeraldas[15] más grandes del mundo están cerca de Bogotá, capital de Colombia.

— José, ¿ cuáles son otros productos de la América Española?

— Varios productos son el oro, el plomo,[16] el petróleo, y el asfalto.
25 En las regiones tropicales hay muchas maderas[17] preciosas. En efecto, la América Española tiene un poco de todo.

— Ricardo, ¿ qué es la balsa?

---

[1] explico, *I explain.* [2] Vale un Potosí, *It is worth a Potosí.* (Note how quotation marks are indicated in Spanish.) [3] valor, *value.* [4] existe, *there has existed.* [5] más, *more, most.* [6] estaño, *tin.* [7] latas, *tin cans.* [8] legumbres, *vegetables.* [9] cobre, *copper.* [10] platino, *platinum.* [11] gran, *great.* [12] anillos, *rings.* [13] pulseras, *bracelets.* [14] joyas, *jewels.* [15] esmeraldas, *emeralds.* [16] plomo, *lead.* [17] maderas, *woods.*

— Es la madera más ligera [1] del mundo. La usamos en muchas industrias, especialmente en la aviación.

— Jorge, ¿ qué es el mate ?

— Es un té, llamado [2] a veces el té paraguayo. Lo toman principalmente en el Paraguay, en el Uruguay y en la Argentina. Lo preparan con agua caliente y lo toman por una bombilla,[3] un pequeño tubo de metal o de madera. La planta, semejante al naranjo,[4] se llama la yerba mate. Florece [5] en el mes de octubre, que corresponde al mes de abril o de mayo en Norteamérica.

— Perfectamente. Otro día vamos a hablar de otros productos de la América Española.

PREGUNTAS

1. ¿ De qué vamos a hablar ? 2. ¿ Por qué decimos: « Vale un Potosí » ? 3. ¿ Qué hay en Potosí ? 4. ¿ Cuál es el mineral más importante de Bolivia ? 5. ¿ Qué productos tiene Chile ? 6. ¿ Para qué usamos el platino ? 7. ¿ De dónde vienen las esmeraldas ? 8. ¿ Cuáles son otros productos de la América Española ? 9. ¿ Qué es la balsa ? 10. ¿ Qué es el mate ? 11. ¿ Dónde lo toman ? 12. ¿ Cómo lo toman ?

UNA LEYENDA PERUANA [6]

En la historia y en la literatura de España y de la América Española hay muchas leyendas y tradiciones interesantes. Ricardo Palma, famoso peruano, escribió una leyenda acerca de una de las plantas de los Andes.

En el siglo diez y siete el nuevo virrey [7] don [8] Luis Fernández de Cabrera, Conde [9] de Chinchón, llega al Perú. Su esposa, la Condesa [10] de Chinchón, es muy hermosa. Después de unos meses ella se enferma [11] con una fiebre [12] muy alta que hoy día los médicos llaman malaria. Nadie puede curarla y todos están muy tristes; dicen que solamente un milagro [13] puede salvarla. Un día un indio viejo viene a ver al virrey y le da un polvo [14] que los incas usan para curar esa misma fiebre. La condesa toma el polvo y pronto se pone buena,[15] y desde entonces el mundo tiene [16] una medicina importante. Los españoles dan el nombre [17] de « chinchona » a esta medicina que viene de la cáscara [18] de un árbol peruano. Hoy día la llamamos quinina.[19]

---

[1] más ligera, *lightest.*   [2] llamado, *called.*   [3] bombilla, *small tube.*   [4] semejante al naranjo, *similar to the orange tree.*   [5] Florece, *It flourishes, blooms.*   [6] Una leyenda peruana, *A Peruvian legend.*   [7] virrey, *viceroy.*   [8] **don**, a title not translated into English.   [9] Conde, *Count.*   [10] Condesa, *Countess.*   [11] se enferma, *becomes ill.*   [12] fiebre, *fever.*   [13] milagro, *miracle.*   [14] polvo, *powder.*   [15] se pone buena, *she gets well.*   [16] tiene, has had.   [17] nombre, *name.*   [18] cáscara, *bark.*   [19] quinina, *quinine.*

PREGUNTAS

1. ¿ Qué hay en la historia y en la literatura de España y de la América Española ? 2. ¿ Quién fué Ricardo Palma ? 3. ¿ Qué escribió ? 4. ¿ Quién llega al Perú en el siglo diez y siete ? 5. ¿ Cómo es su esposa ? 6. ¿ Qué le pasa después de unos meses ? 7. ¿ Cómo están todos ? 8. ¿ Quién viene a ver al virrey un día ? 9. ¿ Qué da al virrey ? 10. ¿ Cómo se pone la condesa ? 11. ¿ Qué nombre dan los españoles a esta medicina ? 12. ¿ Cómo llamamos esta medicina hoy día ?

LECCIÓN

VEINTE Y SEIS

EN EL PARQUE

(*Francisco llamó a la puerta. José la abrió y su amigo entró en su cuarto.*)

— ¿ Qué escribías cuando yo entré, José ?

— Yo escribía un párrafo para mi clase de español.

— ¿ Quieres leerlo, por favor ? 5

— Muy bien. Después de leer la primera parte podemos explicar el uso de cada verbo.

« Cuando vivíamos en California, todos los veranos mi familia pasaba dos semanas en uno de los parques nacionales. Como las montañas no estaban lejos mi padre nos llevaba todos los domingos a 10 un sitio hermoso donde pasábamos el día. Podíamos llegar allá en hora y media. Mi hermana y yo dábamos paseos por los bosques mientras que nuestros padres descansaban a la sombra de los árboles. A veces montábamos a caballo. También nos gustaba subir a las montañas. » 15

— El párrafo está bien escrito, José.

— Gracias, Francisco.

VOCABULARIO

Nombres

el bosque *woods, forest*
el caballo *horse*
la montaña *mountain*
el párrafo *paragraph*
el sitio *site, place*
la sombra *shade, shadow*
el uso *use*
el verbo *verb*

Adjetivo

escrito, –a *written*

Verbos

descansar *to rest*
explicar *to explain*
montar *to mount, ride*

Otras Palabras

allá *there* (often used after verbs of motion)
como *since*
lejos *far, distant*
mientras (que) *while, as long as*

Expresiones

a la sombra *in the shade*
en hora y media *in an hour and a half*
montar a caballo *to ride (on) horseback*
todos los (veranos) *every (summer)*

PREGUNTAS

a. Answer in Spanish the following questions based on the dialogue:

1. ¿ Quién llamó a la puerta ? 2. ¿ Quién la abrió ? 3. ¿ Qué escribía José ? 4. ¿ Qué van a explicar ? 5. ¿ Dónde vivía la familia de José ? 6. ¿ Dónde pasaban dos semanas todos los veranos ? 7. ¿ A dónde los llevaba su padre ? 8. ¿ Estaban lejos las montañas ? 9. ¿ Qué hacían José y su hermana ? 10. ¿ Dónde descansaban sus padres ?

b. General:

1. ¿ Monta Vd. a caballo ? 2. ¿ Le gusta a Vd. montar a caballo ? 3. ¿ Tiene Vd. caballo ? 4. ¿ Quiere Vd. comprar uno ? 5. ¿ Va Vd. a veces a las montañas ? 6. ¿ Le gusta a Vd. subir a las montañas ? 7. ¿ Le gustan a Vd. todos nuestros deportes ? 8. ¿ Cuál de los deportes le gusta a Vd. más ? 9. ¿ Hace Vd. muchos viajes ? 10. ¿ Los hace Vd. en avión, en tren o en coche ?

GRAMÁTICA

1. IMPERFECT TENSE OF REGULAR VERBS

Imperfect Indicative of **hablar, aprender, escribir**		
SINGULAR		
hablaba	aprendía	escribía
hablabas	aprendías	escribías
hablaba	aprendía	escribía
PLURAL		
hablábamos	aprendíamos	escribíamos
hablabais	aprendíais	escribíais
hablaban	aprendían	escribían

The imperfect tense is translated as follows: **hablaba,** *I was speak-ing, used to speak, spoke* (habitually).

Note that the second and third conjugations have the same endings in the imperfect tense. All forms of these two conjugations bear an accent mark, while only the first person plural of the first conjugation is accented. Since the first and third persons singular are identical in all verbs in the imperfect, the subject pronoun must be used more often than with the other tenses.

Only three verbs (**ir, ser,** and **ver,** whose forms will be given in the next lesson) have irregular forms in the imperfect tense.

2. USES OF THE IMPERFECT

The imperfect indicative is used to describe past actions or conditions which were not completed at the time to which the speaker refers. There is no reference to the beginning or end of the action or state. The preterite, however, indicates that an action was completed or that an existing condition had ended.

Study carefully the following examples. The imperfect is used:

a. For description in past time:

Hacía mucho frío.	*It was very cold.*
El agua estaba caliente.	*The water was hot.*

b. To indicate repeated or habitual past action, equivalent to English *used to:*

Nos llevaba todos los días.   *He took us every day.*
Montaban a caballo.   *They used to ride horseback.*

c. To indicate that an action was in progress, or to describe what was going on when something happened (the preterite tells what happened):

Charlaban cuando entró.   *They were chatting when he entered.*
Yo leía cuando volvió.   *I was reading when he returned.*

d. To describe mental activity or state in the past; thus verbs meaning *believe, know, wish, be able,* etc., are usually translated by the imperfect:

Sabían que yo estaba aquí.   *They knew that I was here.*
Quería ir conmigo.   *He wanted to go with me.*

EJERCICIOS

a. Translate, using the same subject for each of the three verbs grouped together:

1. Yo escribo, escribía, escribí.
2. Ellos compran, compraban, compraron.
3. Él no piensa, no pensaba, no pensó.
4. Vds. vuelven, volvían, volvieron.
5. Nosotros venimos, veníamos, vinimos.
6. Yo salgo, salía, salí.
7. Vd. hace, hacía, hizo.
8. Yo digo, decía, dije.
9. Nosotros queremos, queríamos, quisimos.
10. Tú das, dabas, diste.
11. Ella descansa, descansaba, descansó.
12. Ellos explican, explicaban, explicaron.

b. Complete the following sentences:

1. Cuando yo *was living* en España, *I used to spend* mucho tiempo en las montañas cerca de Madrid.   2. Mis amigos españoles me *used to take* allá.   3. Las montañas *were not* lejos.   4. Nosotros *used to leave* de la capital a las ocho de la mañana.   5. Siempre *we arrived* a las nueve y cuarto.   6. *I liked* el bosque cerca de la casa pequeña en las montañas.   7. Yo *used to rest* allí.   8. Mientras que yo *rested*, mis amigos *rode horseback*.   9. A veces *I read* un buen libro.   10. Otras veces *I was sleepy*.   11. Por las

tardes *we played* a los naipes.   12. Generalmente *we returned* a Madrid a las cinco de la tarde.

c. Write in Spanish, being careful to choose correctly between the imperfect and preterite tenses:

1. Richard used to work hard.   2. One day he bought an old car.   3. He called me twice that night.   4. When he was not in school, he was using the car.   5. He washed it every week.   6. After a while he explained to me that he needed more money.   7. The car was costing him a great deal. 8. He was planning to go to New York but he did not go after all.   9. His father wanted to buy the car.   10. He knew that Richard was not earning enough money to have one.

COMPOSICIÓN

1. What was the orchestra playing when you and Jane entered?   2. I don't know.   We were talking and I was not listening to the music.   3. A pleasant man who was about thirty-five years old took our tickets and looked at them.   4. What did he say to you?   5. Nothing special.   He asked if I had our programs.   6. With whom were you dancing when I saw you?   7. With Barbara Molina.   She came with my cousin John and they stayed only an hour.   8. At what time did you leave?   9. At midnight, while they were playing a rumba.   10. Jane wanted to eat something and I was hungry too.   11. Did you go to her house?   12. Yes, and when we arrived her mother was preparing toast and hot chocolate for us.

PARA PRACTICAR

a. Plática.

— ¿ Es Vd. alumno (alumna) del cuarto año?

— No, soy alumno del segundo año.

— Y yo también.   ¿ Y sus hermanos?

— Mi hermana es alumna del primer año y mi hermano es alumno del tercer año.

— ¿ Cómo van las clases de Vd. ?   ¿ Cuáles son sus asignaturas?

— Van muy bien.   Estudio el inglés, el álgebra, el español y la historia.

— ¿ Cuál de las clases le gusta a Vd. más?

— Me gusta más la clase de español.

— ¿ Por qué?

— En esta clase hablamos español y aprendemos algo de España y de los países de la América Española.

el álgebra (f.) *algebra*   la asignatura *course*
alumno (alumna) del primer año *freshman*
alumno del segundo año *sophomore*
alumno del tercer año *junior*
alumno del cuarto año *senior*

b. Escriban Vds. al dictado:

José tenía en la mano una carta de un amigo cubano. La leía a su hermana María, que descansaba a la sombra de un árbol grande. Ella dijo que estaba muy cansada. La madre de ellos no estaba en casa. Ella visitaba a otra hija que vivía en Nueva York. El padre de ellos trabajaba en su oficina, que estaba en el centro.

c. Tell which word does not belong in each of the following groups:

1. invierno, viernes, verano, otoño, primavera
2. párrafo, frase, palabra, composición, comer
3. descubrió, salió, estudio, comió, partió
4. llevo, llovió, llego, llamo, lavo
5. comía, decía, tranvía, hacía, quería
6. montaba, montaña, miraba, hallaba, hablaba
7. luces, martes, miércoles, jueves, sábado
8. de, con, fin, en, para, a
9. estudio, pronuncio, viajo, deseo, radio
10. doy, soy, voy, hoy, estoy
11. día, año, mesa, hora, semana
12. pienso, vuelvo, tiempo, cuesto, puedo

Have you ever thought about how much influence Latin America has on our daily life? The coffee we drink comes from Brazil, Colombia, or Central America. The chocolate we drink or eat in candies once was cacao beans in Ecuador, Brazil, or other Latin American lands. Cuba provides most of our sugar, and Central America produces the bananas we eat.

247

The waxes, oils, soaps, and polishes which we use in our homes contain Latin American ingredients, and most of our medicine chests contain quinine, castor oil, iodine, or other medicines which originated in the countries to the south.   The rope and heavy cordage used around the house are often made from Mexican *henequén,* hemp or sisal.   No doubt some of our furniture is made from the mahogany and other woods of the Central American tropics.

Emeralds, like those in our rings, are mined in Colombia.   The gold, silver, platinum, as well as many precious stones used in our jewelry, often come from our southern neighbors.   Chile furnishes much of the copper we use in our kitchen utensils and other articles.   The leather of our shoes was possibly tanned by the fluid extracted from the hard wood of the *quebracho* tree of Argentina and Paraguay, a tree whose name means "axe breaker."

LECCIÓN

VEINTE Y SIETE

UN DÍA EN EL CENTRO

—Buenas noches, José.

—Buenas noches, Francisco.

—Si tienes un momento quiero leerte un párrafo que yo empecé a escribir anoche.

—Está bien.

—« Eran las tres de la tarde cuando salí de casa para ir al centro de la ciudad. Aunque hacía frío, era un día hermoso. Como quería comprar un traje, tomé un ómnibus que pasaba por una tienda nueva donde todos los días yo veía muchos trajes en el escaparate. Cuando entré, todos los dependientes estaban ocupados. Al fin un dependiente se acercó y me preguntó si yo deseaba algo. Le contesté que sí, y me mostró tres o cuatro trajes, pero no me gustaron. Además eran demasiado caros. Luego me mostró unos sombreros que me probé. Al fin compré uno que era barato. Busqué un traje en otra tienda sin hallar nada. Cuando estaba enfrente de una tienda pequeña me acerqué al escaparate donde vi un traje bonito. Entré y lo compré en seguida. Ya era tarde, pero llegué a casa antes de la hora de cenar. »

VOCABULARIO

Nombres	Preposiciones

Nombres

el dependiente *clerk*
el escaparate *show window*
el fin *end*
el traje *suit*

Adjetivo

caro, –a *expensive, dear, high*

Adverbios (Adverbs)

además *furthermore, moreover, besides*
demasiado *too, too much*

Preposiciones

antes de *before* (time)
enfrente de *in front of*
sin *without*

Verbos

acercarse (a + *obj.*) *to approach*
empezar (ie) (a + *inf.*) *to begin (to)*
hallar *to find*
mostrar (ue) *to show*
probarse (ue) *to try on*

Expresiones

al fin *finally, at last*
buenas noches *good evening (night)*
contestar que sí (no) *to answer yes (no)*
la hora de cenar *supper time*
sin hallar nada *without finding anything*

PRÁCTICA. In the dialogue find the Spanish for:

1. I began to write. 2. It was three o'clock. 3. it was cold. 4. it was a beautiful day. 5. Since I wanted to buy. 6. a bus which passed by a new store. 7. every day I saw. 8. all the clerks were busy. 9. he asked me if I wanted something. 10. I answered yes. 11. they were too expensive. 12. which I tried on. 13. one which was cheap. 14. I looked for a suit. 15. When I was in front of. 16. I approached the show window. 17. It was already late. 18. I arrived (at) home.

PREGUNTAS

a. Answer in Spanish the following questions based on the dialogue:

1. ¿ Qué hora era cuando Francisco salió de casa ? 2. ¿ Qué tiempo hacía ? 3. ¿ Qué quería comprar ? 4. ¿ Qué tomó él ? 5. ¿ Por dónde pasaba el ómnibus ? 6. ¿ Qué veía en el escaparate todos los días ? 7. ¿ Qué le mostró el dependiente ? 8. ¿ Le gustaron ? 9. ¿ Qué se probó entonces ? 10. ¿ Qué halló en una tienda pequeña ? 11. ¿ Llegó a casa temprano ?

b. General:

1. ¿A qué hora llegó Vd. a casa ayer? 2. ¿A qué hora empezó Vd. a estudiar anoche? 3. ¿Buscó Vd. su libro? 4. ¿Lo halló Vd.? 5. ¿Qué hora era cuando Vd. se acostó anoche? 6. ¿Qué hora era cuando Vd. se levantó esta mañana? 7. ¿A qué hora llegó Vd. a la escuela? 8. ¿A qué hora empiezan las clases? 9. ¿A qué hora empieza esta clase? 10. ¿A qué hora termina esta clase?

GRAMÁTICA

1. VERBS HAVING IRREGULAR FORMS IN THE IMPERFECT TENSE

Imperfect Indicative of **ir, ser, ver**		
SINGULAR		
iba	era	veía
ibas	eras	veías
iba	era	veía
PLURAL		
íbamos	éramos	veíamos
ibais	erais	veíais
iban	eran	veían

Ir, ser, and **ver** are the only verbs in Spanish which have irregular forms in the imperfect tense. The meanings are as follows: **iba,** *I was going, used to go, went;* **era,** *I was, used to be;* **veía,** *I used to see, was seeing, saw.*

2. TIME OF DAY IN THE PAST

¿Qué hora era?   *What time was it?*

Eran las dos cuando llegó.   *It was two o'clock when he arrived.*

The imperfect tense is used to express time of day in the past.

3. VERBS WITH CHANGES IN SPELLING IN THE PRETERITE

buscar: **busqué,** buscaste, buscó, etc.
llegar: **llegué,** llegaste, llegó, etc.
empezar: **empecé,** empezaste, empezó, etc.

Review the sounds of the consonants **c, g,** and **z,** then note that these letters change in the stems of verbs ending in **–car, –gar,** and **–zar: c** to **qu, g** to **gu, z** to **c.** This change occurs in the first person singular of the preterite and is made so that the pronunciation of forms ending in –e will correspond to that of forms whose endings contain the vowels –a or –o.

The verb **empezar** is also a stem-changing verb; therefore, the present indicative is:

empiezo	empezamos
empiezas	empezáis
empieza	empiezan

EJERCICIOS

a. Read in Spanish and explain why the imperfect or preterite tense is used in each of the following sentences:

1. Ella tenía quince años. 2. Su padre le dió a ella un reloj. 3. Vinieron ayer por la mañana. 4. Comíamos cuando entraron. 5. Me llamaba todas las noches. 6. Yo sabía que vivían aquí. 7. Ella estaba enferma. 8. Escribías cuando abrí la puerta. 9. Empecé a estudiar en seguida. 10. Llegué a las diez. 11. Antes de probarse el traje, preguntó el precio. 12. ¿Qué buscabas debajo del árbol? 13. Le veíamos todos los días. 14. No sabíamos a dónde iban. 15. Cuando hacía buen tiempo, nuestra abuela venía a nuestra casa. 16. Cuando hacía mal tiempo, nosotros la visitábamos. 17. Siempre era tarde cuando llegábamos a casa. 18. Nos lavábamos las manos antes de cenar. 19. Mi padre leía el periódico o miraba la televisión mientras mi madre preparaba la comida.

b. Translate *was* (*it was*) correctly in each sentence:

1. —— las dos de la tarde. 2. —— mucho calor. 3. Yo —— mucha sed. 4. No —— posible ir a un café a esa hora. 5. Mi madre —— en el centro. 6. —— fresco en las tiendas. 7. El traje no —— barato. 8. Ella —— cansada. 9. Quería saber qué hora ——. 10. Su reloj —— en casa. 11. Ella —— hambre. 12. Nuestra casa —— cerca del parque. 13. —— un día de junio. 14. Cuando salió a la calle, —— sol. 15. Mi hermano —— calor.

c. Give orally in Spanish:

1. I used to see him. 2. The suit was expensive. 3. They were going shopping. 4. He was showing us the hat. 5. The show windows were pretty. 6. She wanted to buy a pen. 7. The orchestra was beginning to play. 8. He was trying on an overcoat. 9. You (*fam. sing.*) used to go downtown. 10. The clerk was pleasant. 11. The car was in front of the house. 12. What were they doing? 13. They were talking of various

things. 14. Joseph was showing them his new watch. 15. It was four o'clock and he wanted to use the car. 16. He said that he was going to Bill's house.

COMPOSICIÓN

1. Mother, did you go downtown today? 2. Yes, Dorothy. Did anyone come to see me? 3. No one came. What did you buy? 4. I bought nothing. I never find anything. 5. Your father saw a suit that he liked. 6. Finally he said that it was too expensive. 7. Edward was trying on several overcoats when we left the store. 8. The car was in front of another store. 9. There a clerk showed me a hat that was very pretty. 10. It cost eighteen dollars and moreover it was too large. 11. We returned home before three o'clock without finding anything. 12. When we were approaching the house we could see you seated near the window. 13. Mother, didn't you find anything for me? 14. I have a date for the dance next Saturday and I need something new.

PARA PRACTICAR

a. Plática.

— ¿ Cuándo llegó Vd.?
— Llegué el jueves.
— ¿ Le gusta a Vd. este tiempo?
— No, no me gusta porque no tengo paraguas.
— Yo busqué mi impermeable esta mañana, pero no lo hallé y me mojé mucho.
— Yo me mojé mucho también. Y si llueve esta noche, no pienso salir.
— Ni yo tampoco. Anoche empecé a leer un buen libro y puedo terminarlo.
— Pues, yo voy a escribir una carta a Carlos Ortega, el muchacho cubano que pasó parte del verano pasado aquí.
— Yo le conozco también. Déle Vd. saludos de mi parte, por favor.
— Con mucho gusto.

> el impermeable *raincoat*   el paraguas *umbrella*
> de mi parte *on my part, for me*
> mojarse (mucho) *to get (very) wet*
> ni yo tampoco *nor I either.*

b. Using the preterite tense, tell what you did yesterday from the time you got up until you went to bed:

Me levanté a las siete de la mañana. Me lavé, bajé al comedor, etc.

The Irish potato originated in the Andean highlands of South America, not in Ireland. Many varieties of potatoes were known for hundreds of years before the arrival of the Spaniards. Taken to Spain, the potato eventually became a staple food in Europe, particularly in Ireland. The English introduced it in North America by way of Bermuda in the early seventeenth century.

Pineapples were first known in the tropical regions of Spanish America, not in Hawaii. In the same regions originated sweet potatoes, peppers, squashes, avocados, and many less known vegetables and fruits. Vanilla was used for flavoring long before the discovery of the new world. Beans — string, navy, kidney, lima, and other varieties — were grown extensively by the native Indians of the hemisphere. Other major foods of American origin are corn, or maize, popcorn, tomatoes, and peanuts.

A chocolate drink made from cacao beans was used by both the Mayas and the Aztecs, and the latter also used these beans as money, instead of coins. Since archaeologists have found beans, corn, and other plants in the graves of the ancient Indians and have found pictures of them on their pottery, we know that these basic foods were also used for ceremonial purposes.

LECCIÓN

VEINTE Y OCHO

PONGA USTED LA MESA

—Dígame Vd., Marta, ¿ dónde estuvo Vd. ayer por la tarde?
Llamé por teléfono y nadie contestó.

—¿ Qué hora era cuando me llamó, Anita?

—Eran las dos y media.

—Después del almuerzo tuve que ir a la tienda con mi madre. 5
Anoche unos amigos vinieron a nuestra casa a cenar y tuvimos que
buscar varias cosas para la cena. Al volver a casa puse la mesa y
ayudé a mi madre a preparar la cena. La criada estaba enferma y no
pudo venir.

—¿ Qué puso Vd. en la mesa? 10

—Primero puse un mantel limpio y las servilletas, luego los vasos,
los cuchillos, los tenedores y las cucharitas.

—¿ No pone Vd. nada más en la mesa?

—¡ Cómo no! También hay que poner la sal y la pimienta, y
después yo siempre pongo el pan, el azúcar y la mantequilla. 15

— ¿ No usan Vds. platos ?

— ¡ Ya lo creo ! Pero nuestra mesa es pequeña y mi madre los prepara en la cocina. Tenemos una mesa de cocina bastante grande.

— ¿ Cuántas personas había ?

5   — Había diez y después de cenar mi hermana y yo tuvimos que lavar todos los platos.

— Pues yo sé que Vd. estaba cansada.

— Es verdad.

VOCABULARIO

Nombres	
el azúcar *sugar*	la servilleta *napkin*
la cocina *kitchen*	el tenedor *fork*
la criada *maid*	**Adjetivo**
la cucharita *teaspoon*	limpio, –a *clean*
el cuchillo *knife*	**Adverbio**
el mantel *tablecloth*	bastante *quite, fairly*
la mantequilla *butter*	**Verbos**
la pimienta *pepper*	ayudar (a + *inf.*) *to help, aid*
el plato *plate, dish*	había *there was, there were*
la sal *salt*	poner *to put, place; set*

Expresiones

hay que (+ *inf.*) *it is necessary to, one must*
mesa de cocina *kitchen table*
(no) . . . nada más (*not*) . . . *anything else* (*more*)
poner la mesa *to set the table*
¡ ya lo creo ! *of course! certainly!*

PRÁCTICA. In the dialogue find the Spanish for:

1. Tell me, Martha, where were you ?   2. What time was it ?   3. It was half past two.   4. I had to go.   5. we had to look for.   6. I set the table. 7. What did you put ?   8. Don't you put anything else ?   9. it is necessary to (one must) put.   10. How many persons were there ?

PREGUNTAS

a. Answer in Spanish the following questions based on the dialogue:

1. ¿ Quién llamó a Marta por teléfono ?   2. ¿ Qué hora era cuando Anita llamó ?   3. ¿ Quién contestó ?   4. ¿ A dónde tuvo que ir Marta ?   5. ¿ Por

qué fueron a la tienda? 6. ¿ Quiénes vinieron a su casa? 7. ¿ Tenían criada? 8. ¿ Qué puso Marta en la mesa? 9. ¿ Dónde prepara su madre los platos? 10. ¿ Cuántas personas había allí? 11. ¿ Quiénes lavaron los platos? 12. ¿ Cómo estaba Marta?

GRAMÁTICA

1. THE IRREGULAR VERB PONER

Present Indicative of **poner**, *to put, place*	
SINGULAR	PLURAL
pongo	ponemos
pones	ponéis
pone	ponen
COMMANDS	
ponga Vd.	pongan Vds.

2. IRREGULAR VERBS HAVING U–STEM PRETERITES

Preterite of **estar, poder, poner, tener**			
SINGULAR			
estuve	pude	puse	tuve
estuviste	pudiste	pusiste	tuviste
estuvo	pudo	puso	tuvo
PLURAL			
estuvimos	pudimos	pusimos	tuvimos
estuvisteis	pudisteis	pusisteis	tuvisteis
estuvieron	pudieron	pusieron	tuvieron

Note that these four verbs have u-stem preterites, while the endings are the same as those of the four verbs on page 229. They are translated as follows: **estuve,** *I was;* **pude,** *I could, was able;* **puse,** *I put, did put;* **tuve,** *I had, did have.*

3. USES OF HAY AND HABÍA

a. **Hay cuatro vasos en la mesa.**   *There are four glasses on the table.*
   Había diez personas aquí.   *There were ten persons here.*

Just as **hay** means *there is, there are,* **había** means *there was, there were.* These forms do not have a definite person for a subject. Notice, however, that if you are emphasizing location you use the verb **estar: Los cuatro vasos están en la mesa,** *The four glasses are on the table.*

b. Hay que lavarlos.	*It is necessary to (One must) wash them.*
Había que leerlo.	*It was necessary to read it.*

When the subject is general or indefinite (such as *one, you, we,* without referring to particular persons), **hay** (**había**) **que** plus an infinitive is used.

Recall that when the subject is a definite person, **tener que** plus the infinitive is used:

  Tenemos que lavarlos. *We have to wash them.*

EJERCICIOS

 a. Translate each form:

  1. pongo, ponía, puse.

  2. estamos, estábamos, estuvimos.

  3. ella puede, podía, pudo.

  4. tienen, tenían, tuvieron.

  5. quieres, querías, quisiste.

  6. Vd. ayuda, ayudaba, ayudó.

  7. busco, buscaba, busqué.

  8. somos, éramos, fuimos.

  9. Vd. pone, ponía, puso; ponga Vd.

  10. llego, llegaba, llegué.

  11. me acerco, me acercaba, me acerqué.

  12. empiezo, empezaba, empecé.

 b. Complete in Spanish and translate:

  1. Al fin mi hermano Jorge *arrived* con sus dos amigos. 2. *He introduced them* a mis padres y a mis hermanas. 3. Luego *we sat down* a la mesa. 4. Mientras que los muchachos *were talking* de su viaje, María *entered* con un plato. 5. Ella *placed it* enfrente de mi madre. 6. *She returned* en seguida a la cocina. 7. Allí *there were* otros platos para nosotros. 8. Ella *carried them* al comedor. 9. *It was* difícil porque *they were* calientes. 10. Entonces ella *passed* los panecillos. 11. Mi madre *made them* ayer por la tarde. 12. Todas las cosas *were* muy buenas. 13. *We ate* mucho. 14. La

criada *took* los platos a la cocina.   15. Después *she returned* con el helado y, al fin, con el café solo.   16. Cuando *we rose,* María *called* a mi madre. 17. Ella *told her* que *she had to go* a ver a su abuela que *was* enferma.   18. Yo *washed* todos los platos.   19. *I put (pret.) them* en la mesa de cocina. 20. *Put* Vd. aquí el mantel y la servilleta.

c. Give orally in Spanish:

1. I looked for the tablecloth.   2. I did not find it.   3. It was in the kitchen.   4. The maid put it on the table.   5. I helped her to set the table. 6. She and I set it for six persons.   7. It was necessary to have a glass, a plate, a knife, a fork, and two teaspoons for each person.   8. There were also six napkins.   9. I placed them near the forks.   10. The glasses were near the knives.   11. Then the maid, who is named Mary, put the salt, the pepper, the sugar, and the butter on the table.

COMPOSICIÓN

1. Caroline, will you help me a little?   2. Gladly, Mother. What do you want?   3. Your grandmother called me at three o'clock to tell me that your uncle and aunt arrived last night.   4. I invited them for dinner (to eat) at seven o'clock.   5. Mother, I can set the table if you wish.   6. Do you want to use the white tablecloth and the large napkins?   7. Yes, it is necessary to set the table for eight persons.   8. Didn't Robert come with his parents?   9. I believe not. The things that you need, the knives, the forks, and the teaspoons, are on the small table that is in the dining room. 10. I put the blue glasses, the salt, the pepper, the sugar, and all the plates on the kitchen table.   11. Do you want to use these blue flowers in the center of the table?   12. Yes, they are very pretty and I like to use the flowers from our garden.

PARA PRACTICAR

In order to be able to set your own table, you will need a few more words. Four new ones are indicated below. (See the drawing on the next page.)

1. el plato	6. el mantel	11. el vaso
2. el cuchillo	7. la sal	12. el platillo (*saucer*)
3. el tenedor	8. la pimienta	13. la taza (*cup*)
4. la cucharita	9. el azúcar	14. la cuchara (*tablespoon*)
5. la servilleta	10. la crema (*cream*)	15. la mantequilla

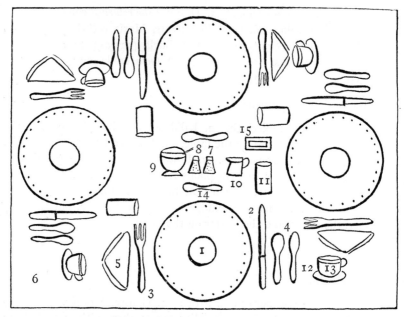

a. Lean Vds. este párrafo en español dos o tres veces para poder escribirlo al dictado si su profesor(a) lo lee en voz alta. Tres expresiones nuevas son:

> el cubierto *place setting, cover*
> a la derecha *to (on) the right*
> a la izquierda *to (on) the left*

Cuando María, la criada, empieza a poner la mesa, primero pone un mantel grande. Luego pone cubiertos para todas las personas de la familia. En un cubierto hay un plato, un vaso, una taza y un platillo. A la derecha de cada plato hay un cuchillo y dos cucharitas; a la izquierda hay un tenedor. María pone las servilletas a la izquierda de los tenedores y en el centro de la mesa pone la sal, la pimienta, la crema, el azúcar, la mantequilla y dos cucharas.

b. Preguntas para la conversación:

1. ¿Le gusta a Vd. poner la mesa? 2. ¿La pone Vd. todos los días? 3. ¿Qué pone Vd. primero? 4. ¿Qué pone Vd. a la derecha del plato? 5. ¿A la izquierda del plato? 6. ¿De qué son los cuchillos? 7. ¿Los tenedores? 8. ¿Para qué son los vasos? 9. ¿Las tazas? 10. ¿Cuál le gusta a Vd. más, el té, el café o el chocolate? 11. ¿Para qué son la crema y el azúcar? 12. ¿Toma Vd. café con crema y azúcar o café solo? 13. ¿Toma Vd. leche? 14. ¿Toma Vd. panecillos para el desayuno?

In order to understand the way of life, customs, and history of Spanish America we need to know something of the racial composition of the people. Many of the first Spanish settlements were in areas where large numbers of Indians lived. Because the upper class Spaniards disliked manual labor, they used the Indians to work their lands and mines. Many Negro slaves were also imported from Africa to supple-

261

ment the labor supply, particularly in the West Indies. Since few women came with the first colonists, Spanish men married Indian women, and there came into existence a new mixed class, the *mestizo*.

Today there are three principal races — the Indian, the white European, and the Negro — and the percentage of each varies greatly from country to country. The Indian element is very strong in Peru, Bolivia, Ecuador, Paraguay, Guatemala, and Mexico. Argentina, Uruguay, Chile, and Costa Rica are predominantly white countries. The *mestizo* makes up the largest percentage of people in the other countries. Most of the Negroes live in the tropics in and near the Caribbean.

In general, there have been two social classes in Spanish America. A relatively small upper class has controlled the land, wealth, and government, and a huge working class has furnished the labor for agriculture, mining, and industry. It is only in recent years that a middle class has been developing in the larger cities, bringing about marked changes in the way of living.

LECCIÓN

VEINTE Y NUEVE

¿BUSCA USTED UNA CASA?

— ¿ Halló Vd. una casa la semana pasada, señora Blanco?

— Mi esposo y yo miramos tres casas particulares y un piso en una casa de apartamientos.

— ¿ De qué eran las casas?

— Una era de piedra y dos eran de madera. La casa de piedra era 5 muy bonita pero mi esposo creyó que era demasiado grande para nuestra familia.

— ¿ Tiene dos pisos?

— Sí, abajo están la sala, el comedor, la cocina, una alcoba,[1] un cuarto de baño, una sala de recreo y un despacho. Arriba hay tres 10 alcobas grandes y otro cuarto de baño.

— A mí me gustan más las casas de un solo piso.

— A mi esposo le gustan las casas de apartamientos, pero a mí me gustan las flores y una persona no puede tener jardín si vive en una casa de apartamientos. 15

— Es verdad. ¿ Cómo son las casas de madera?

— La blanca es muy bonita pero tiene solamente dos alcobas. La amarilla tiene tres alcobas pequeñas, pero es casi nueva y podemos ocuparla inmediatamente si decidimos tomarla. Mi esposo va a volver pasado mañana y tenemos que decidir entonces. 20

[1] In Mexico la **recámara** is used for *bedroom*.

263

VOCABULARIO

Nombres	Adjetivo
la alcoba *bedroom*	particular *private*
el apartamiento *apartment*	
el baño *bath*	**Adverbios**
el cuarto de baño *bathroom*	abajo *downstairs, below*
el despacho *study, den*	arriba *upstairs, above*
la madera *wood*	inmediatamente *immediately*
la piedra *stone*	
el piso *floor, story, apartment*	**Verbos**
la sala *living room*	decidir *to decide*
	ocupar *to occupy*

Expresiones

casa de apartamientos *apartment house*
pasado mañana *day after tomorrow*
sala de recreo *recreation room*
una casa de piedra (madera) *a stone (wooden) house*

PREGUNTAS

a. Answer in Spanish the following questions based on the dialogue:

1. ¿Qué buscaba la señora Blanco? 2. ¿Cuántas casas miraron su esposo y ella? 3. ¿De qué eran las tres casas? 4. ¿Cómo era la casa de piedra? 5. ¿Qué cuartos tenía abajo? 6. ¿Qué cuartos tenía arriba? 7. ¿Cuántas alcobas tiene la casa blanca? 8. ¿Cuántas tiene la amarilla? 9. ¿Es nueva o vieja? 10. ¿Cuándo pueden ocuparla?

b. General:

1. ¿Es grande o pequeña la casa de Vd.? 2. ¿Cuántos pisos tiene? 3. ¿Cuántos cuartos tiene? 4. ¿Cuáles son los cuartos que están abajo? 5. ¿Cuáles están arriba? 6. ¿Son grandes los cuartos? 7. ¿Dónde está el cuarto de baño? 8. ¿En qué cuarto estudia Vd.? 9. ¿En qué cuarto mira Vd. la televisión? 10. ¿Dónde prepara su madre las comidas? 11. ¿En qué cuarto come Vd.? 12. ¿Tiene su casa una sala de recreo?

GRAMÁTICA

1. USE OF THE DEFINITE ARTICLE IN A GENERAL SENSE

Me gustan los libros.	*I like books* (i.e., all books).
Las flores son bonitas.	*Flowers are pretty.*

| El pan es bueno. | *Bread is good.* |
| La vida allí es agradable. | *Life there is pleasant.* |

If a noun in Spanish denotes a general class, that is, if it applies to all books, all flowers, etc., the definite article must be used with it. Many English sentences which begin with a noun are of this type. However, contrast this use with that where *some* or *any* is involved: **Compra flores,** *He buys flowers.*

The definite article is also used with abstract nouns. An abstract noun does not represent a visible object, but indicates a condition or quality, such as life, liberty, justice, or happiness.

The definite article used with nouns in a general sense or with abstract nouns is usually not translated into English.

2. ADJECTIVE PHRASES

una mesa de madera	*a wooden table*
una casa de piedra	*a stone house*
un reloj de oro	*a gold watch*

In Spanish, nouns of material rarely modify another noun; instead one uses a phrase beginning with the preposition **de.** In English we say *a stone house;* in Spanish one says **una casa de piedra,** *a house of stone.*

Also note such expressions as:

| la casa de apartamientos | *apartment house* |
| la sala de recreo | *recreation room* |

3. ADJECTIVES USED AS NOUNS

La pobre lo hizo.	*The poor girl (thing) did it.*
Un joven lo compró.	*A young man bought it.*
Dos españoles lo descubrieron.	*Two Spaniards discovered it.*
Veo otro pequeño.	*I see another small one.*

Many adjectives may be used as nouns. In forming such nouns, it is necessary to use either (1) the definite article, (2) the indefinite article, (3) a numeral, or (4) a limiting adjective before the adjective. The English translation of these nouns often includes such words as *thing* or *one.* See also section 3, page 49, for uses of adjectives of nationality as nouns.

4. THE IRREGULAR VERB CREER

Preterite of **creer**, *to believe*	
SINGULAR	PLURAL
creí	creímos
creíste	creísteis
creyó	creyeron

Note the use of the written accent in four forms to avoid diphthongs. Unaccented **i** (in the third persons singular and plural) is written **y**. **Leer** is conjugated like **creer** in the preterite.

EJERCICIOS

a. Complete the following sentences as indicated:

1. *Sports* son populares. 2. Soy muy aficionado *of football.* 3. Me gusta *coffee.* 4. *Spanish music* es muy bonita. 5. Mi tío conoce *Spanish art.* 6. *Telephones* son modernos. 7. *Butter* es buena. 8. *History* es un poco difícil para mí. 9. *Sleep* es siempre agradable. 10. *Museums* tienen colecciones de pinturas. 11. *Time* pasa. 12. *Changes* son siempre posibles. 13. Me gusta *hot chocolate.* 14. A veces *apartments* son muy pequeños. 15. Nos gustan *Mexican films.* 16. *Spanish dances* son difíciles. 17. *Breakfast* es la primera comida del día. 18. *Foreign languages* son fáciles. 19. ¿ Le gustan a Vd. *flowers?* 20. *Spring* es una estación agradable.

b. Give the Spanish for:

1. a silver knife. 2. this chocolate ice cream. 3. two stone churches. 4. twelve paper napkins. 5. two gold pencils. 6. three wooden tables. 7. eight silver forks. 8. several paper roses. 9. a football team. 10. a baseball game. 11. a recreation room. 12. a wooden horse. 13. three basketball games. 14. my silver pen. 15. a paper tablecloth.

c. Complete the following sentences:

1. La quinta frase era *the difficult one.* 2. *The poor things* no tenían mucho dinero. 3. Juan era *the sick one.* 4. ¿ Cuál de las sillas era *the comfortable one?* 5. *Three Cubans* vinieron a visitarle. 6. Esos panecillos eran *the fresh ones.* 7. *Another young man* llegó la semana pasada. 8. *Many Mexicans* viven en San Antonio. 9. Esta carta es *the last one* que recibí. 10. Mi sombrero estaba cerca de *the white ones.*

d. Give orally in Spanish:

1. They found an apartment yesterday. 2. They believed that it was large enough for three persons. 3. It had a living room, a dining room, a kitchen, two small bedrooms, and a bathroom. 4. They delayed in taking it. 5. My father thought (believed) that they were going to buy a house. 6. He saw a pretty house on our street. 7. The rooms downstairs were large. 8. They decided to buy it immediately. 9. It cost them eighteen thousand dollars. 10. They are going to occupy it day after tomorrow.

COMPOSICIÓN

1. Whose was the private house that we saw this morning? 2. Are you speaking of the white one that had a beautiful garden? 3. Yes, I believe that it was white. It was a stone house that had two floors. 4. Mr. and Mrs. Pardo lived there last year. 5. How many rooms are there in the house? 6. I don't know, but I believe that there are only eight. 7. The living room is very beautiful. It has green walls and six large windows. 8. In the dining room there is a large table. 9. I don't know anything about the kitchen. 10. Upstairs there are bedrooms for Mr. and Mrs. Pardo, for their son, who almost never visits them, and for the maid. 11. Are they at home now? 12. No, they are in one of our national parks where they are going to spend the summer.

PARA PRACTICAR

Palabras nuevas

la acera *sidewalk*

el corredor *corridor*

   dar a *to face, open on*

la despensa *pantry*

la galería *gallery, corridor*

el patio *patio, courtyard*

el plano *plan, drawing*

el portal *vestibule, entrance hall*

la reja *iron grating*

el zaguán *vestibule, entrance hall*

En la página 268 hay el plano de una antigua casa española. Todos los cuartos dan al patio, que está en el centro de la casa. En el patio generalmente hay flores, y a veces hay una fuente (*fountain*) y árboles pequeños.

Ahora Vd. puede hacer el plano de la casa de Vd. Si tiene dos pisos, haga el plano de cada piso.

Y aquí tiene Vd. unas preguntas acerca de la casa de Vd.:

1. ¿ Es de piedra la casa de Vd.? 2. ¿ Es de madera? 3. ¿ Es grande o pequeña? 4. ¿ Cuántos cuartos tiene? 5. ¿ Tiene dos pisos? 6. ¿ Qué cuartos hay en su casa? 7. ¿ Es grande la sala? 8. ¿ Cuántas alcobas tiene

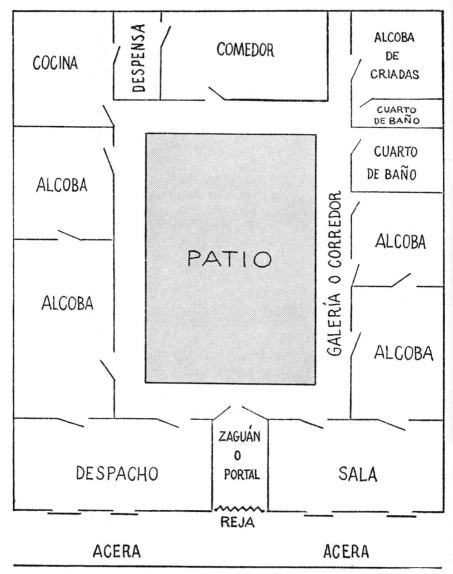

PLANO DE UNA CASA ESPAÑOLA

su casa? 9. ¿Es de Vd. una de las alcobas? 10. ¿Toma Vd. el desayuno en el comedor o en la cocina? 11. ¿Hay un patio en el centro de su casa? 12. ¿Qué hay en un patio? 13. ¿Hay en su casa una sala de recreo? 14. ¿Está arriba o abajo la sala de recreo?

The old Spanish custom of centering much of the social life around the village or city square still prevails in many areas, not only in Spain, but in Spanish America. The *paseo*, which means walk, promenade, stroll, or drive, still continues in the central *plaza* (square) or park, especially in the afternoon or evening of Sundays and holidays. Often the local band plays in the evening while many friends visit on the park benches and others stroll around and around the square. The men and boys commonly walk in one direction, and the women and girls in the opposite one. The girls are disappointed if they do not overhear complimentary remarks about their appearance which the young men make to one another.

Whether a young man meets a young woman in the *paseo*, or elsewhere, he may soon be seen walking back and forth in front of her home, *haciendo el oso* (playing the bear). After a time the girl's parents may admit the boy into their home, but the idea that women must always be chaperoned continues to prevail among the old conservative families. However, in the larger cities today foreign influences are slowly breaking down this ancient custom. Young people of working-class families have always enjoyed greater freedom than those in the upper-income groups. Girls of the middle class, even of the upper class, may now work as clerks and secretaries in stores, banks, and offices, and many of them are entering professions formerly open only to men.

JOVEN PARA DEPARTAMENTO DE TRANSPORTACIÓN

Edad, 24 años aproximadamente, bilingüe, para hacerse cargo de Departamento de Transportación. Con o sin experiencia. Envíe resumen completo de su preparación académica y experiencia en comercio, si la tiene, así como su fotografía, recomendaciones y salario que interesa a Transportación, Apartado 1072, San Juan.

Are you looking for a job in Latin America? Here's a want ad.

LECCIÓN TREINTA

¿QUIERE USTED IR DE COMPRAS?

— ¿ A dónde va Vd. ?

— Voy a la tienda del señor Smith a comprar varias cosas.   ¿ No quiere Vd. venir conmigo ?

— Sí, yo puedo ir con Vd.   ¿ Está abierta todavía ?

— ¡ Ya lo creo !   No se cierran las tiendas hasta las cinco.   5

Al entrar, un dependiente pronto se acercó a los jóvenes y les preguntó: — ¿ En qué puedo servirles,[1] señores ?

— ¿ Se venden corbatas aquí ? — preguntó Juan.

— Sí, señor.   Pasen Vds. por aquí.   ¿ Le gustan a Vd. éstas ?

— No me gustan mucho.   No me enseñe Vd. más como éstas.   10
Enséñeme aquéllas, por favor.

[1] Forms of **servir**, *to serve*, will be given later.

— Aquí las tiene Vd.

— Me gustan más la roja y la verde. Tomo éstas. También quiero ver unos pañuelos.

— ¿ Blancos o de color ?

5　— Blancos, por favor.

— Éstos son muy buenos.

— ¿ Cuánto cuestan ?

— Cincuenta centavos cada uno.

— Está bien. Déme Vd. estos cuatro. (*Juan dió al dependiente un*
10 *billete de diez dólares.*)

— Aquí tiene Vd. la vuelta y el paquete. ¿ Quieren otra cosa, señores ?

— Sí, yo quiero ver un abrigo.

— Tenemos un buen surtido en el segundo piso. Tomen Vds.
15 aquel ascensor, por favor.

VOCABULARIO

Nombres	Adjetivo
el ascensor *elevator*	abierto, –a *open*
el billete *bill, bank note*	
el centavo *cent*	**Adverbio**
la corbata *necktie*	pronto *soon, quickly*
el pañuelo *handkerchief*	
el paquete *package*	**Verbos**
el surtido *supply*	cerrar (ie) *to close*
la vuelta *change* (money)	vender *to sell*

Expresiones

cada uno (una) *each (one)*
de color *colored*
¿ en qué puedo servirle(s) ? *what can I do for you?*
otra cosa *anything (something) else*
pasar por aquí *to pass (come) this way*
un billete de diez dólares *a ten-dollar bill*

PRÁCTICA.　In the dialogue find the Spanish for:

1. Won't you come with me ? 2. The stores are not closed until five o'clock. 3. Are neckties sold here ? 4. Come this way. 5. Don't show me more like these. 6. Show me those. 7. Here they are. 8. I prefer the red one and the green one. 9. I'll take these. 10. Give me these four. 11. Do you want anything else ? 12. Take that elevator.

PERÚ

A Quechua Indian woman wearing the traditional colorful costume of hand-woven materials. Her *lliclla* (shawl) is fastened by a *topo* (pin). Natives of the high Andes must wear warm clothing. (Courtesy of Pan American World Airways)

None of the ruins of Peru can match the magnificence of the ancient Inca city of Machu Picchu, discovered in 1911. (Courtesy of Pan American World Airways)

Dressed in typical handmade clothing and accompanied by the indispensable llama, this Quechua couple pauses on an Andean road, near Cuzco. (Courtesy of Professor Turk)

dmade balsa
s still sail on
Titicaca, the world's highest large
of fresh water. The lake is be-
n Peru and Bolivia. (Photo — Cushing)

On these Andean
terraces, overlooking
the Urubamba River near Pisac, natives
have grown crops for centuries. (Courtesy
of Professor Turk)

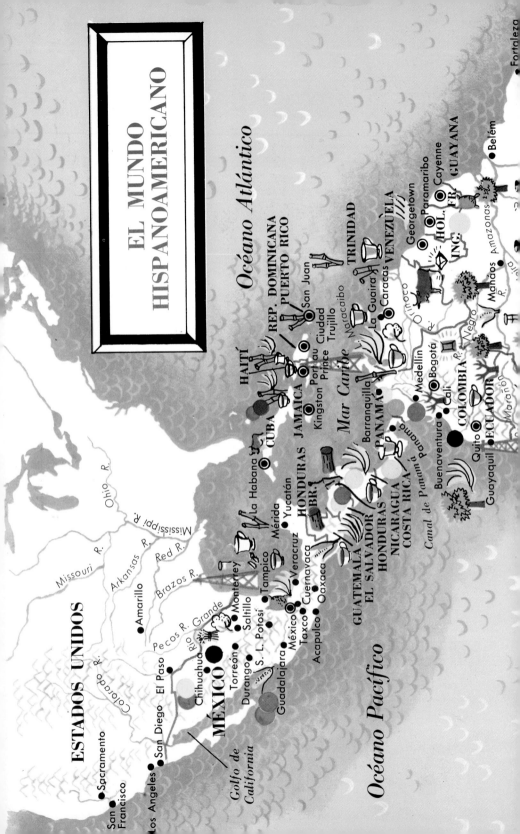

EL MUNDO
HISPANOAMERICANO

Océano Atlántico

ESTADOS UNIDOS

Ohio R.

Mississippi R.

Missouri

Arkansas R.

Red R.

Brazos R.

Pecos R.

Río Grande

Colorado R.

Canadian R.

San
Francisco

Sacramento

Los Angeles

San Diego

El Paso

Amarillo

Chihuahua

Torreón

Durango

Saltillo

S. L. Potosí

Guadalajara

MÉXICO

Golfo de
California

Océano Pacífico

Monterrey

Tampico

Mérida

Yucatán

Veracruz

Cuernavaca

Taxco

Acapulco

Oaxaca

México

GUATEMALA
EL SALVADOR
HONDURAS
NICARAGUA
COSTA RICA
PANAMÁ

HONDURAS
BR.

CUBA

La Habana

Port au
Prince

HAITÍ

JAMAICA

Kingston

Mar Caribe

Ciudad
Trujillo

San Juan

REP. DOMINICANA
PUERTO RICO

TRINIDAD

Barranquilla

Maracaibo

La Guaira

Caracas

VENEZUELA

COLOMBIA

Medellín

Bogotá

Cali

Buenaventura

Quito

Guayaquil

ECUADOR

Marañón

Orinoco

Negro R.

Amazonas R.

Manáos

Amazonas

Georgetown

Paramaribo

Cayenne

HOL.

ING.

FR. GUAYANA

Belém

Fortaleza

Canal de Panamá

Panamá

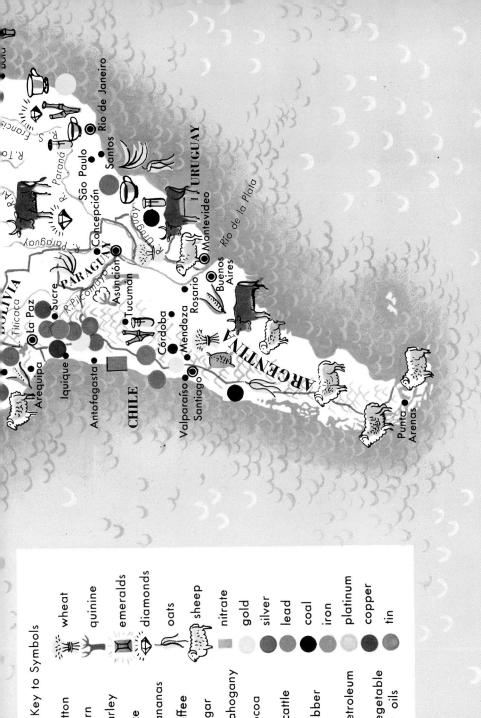

Río de Janeiro

Santos

São Paulo

Concepción

URUGUAY

Montevideo

Río de la Plata

Buenos Aires

PARAGUAY

Asunción

Rosario

BOLIVIA

L. Titicaca

La Paz

Sucre

R. Pilcomayo

Tucumán

Córdoba

Mendoza

ARGENTINA

Arequipa

Iquique

Antofagasta

CHILE

Valparaíso

Santiago

Punta Arenas

R. Paraguay

R. Paraná

R. Uruguay

Key to Symbols

wheat		cotton	
quinine		corn	
emeralds		barley	
diamonds		rice	
oats		bananas	
sheep		coffee	
nitrate		sugar	
gold		mahogany	
silver		cocoa	
lead		cattle	
coal		rubber	
iron		petroleum	
platinum		vegetable oils	
copper			
tin			

This colorful outdoor mural, by the late French artist Fernand Léger, is one of many used to brighten the new 270-acre campus of University City in Caracas. The bronze figure in the background is by the late French sculptor Henri Laurens. (Courtesy of Time Magazine)

In La Paz, Bolivia, Aymará Indian dancers dress in various costumes. Some even imitate bulls, with the stuffed head and horns carried on a frame supported on the hips. (Photo — Carl S. Bell from Sawders)

Balloon vendor in Caracas.

(Photo — A. Miller)

The capital's Polychrome Hospital is the largest in the nation, with 1,115 beds. Many clinics and hospitals are being built as a part of Venezuela's public health program. (Courtesy of Time Magazine)

PREGUNTAS

Answer in Spanish the following questions based on the dialogue:

1. ¿A dónde va el joven? 2. ¿Le acompaña su amigo? 3. ¿Están abiertas las tiendas? 4. ¿A qué hora se cierran? 5. ¿Quién se acercó a los jóvenes? 6. ¿Qué les preguntó? 7. ¿Qué preguntó el joven? 8. ¿Cuáles de las corbatas le gustan? 9. ¿Qué otra cosa quiere ver? 10. ¿Cuánto cuestan los pañuelos? 11. ¿Qué dió al dependiente? 12. ¿Qué tienen en el segundo piso? 13. ¿Qué toman para ir allá?

GRAMÁTICA

1. REFLEXIVE SUBSTITUTE FOR THE PASSIVE

Se cierran las puertas a las cinco.	*The doors are closed at five.*
Se venden corbatas aquí.	*Neckties are sold here.*
Aquí se habla español.	*Spanish is spoken here.*
Se abrió la tienda ayer.	*The store was opened yesterday.*

When the subject acts upon an object, the verb is said to be active, or in the active voice:

Ella cierra la puerta a las cinco. *She closes the door at five o'clock.*

When the subject is acted upon by the verb, the verb is passive, or in the passive voice:

Se cierra la puerta a las cinco. *The door is closed at five o'clock.*

In Spanish the passive is often expressed by **se** used before the third person of the verb. The subject regularly follows the verb in this construction. The verb is third person singular if the subject is singular, and third person plural if the subject is plural.

2. POSITION OF PRONOUN OBJECTS WITH COMMANDS

Invítela Vd. ahora.	*Invite her now.*
Escríbanlos Vds.	*Write them.*
Lávese Vd. las manos.	*Wash your hands.*
No la venda Vd.	*Do not (Don't) sell it.*
No los ponga Vd. aquí.	*Don't put them here.*
No se levante Vd. todavía.	*Don't get up yet.*

Pronoun objects follow and are attached to affirmative commands. When object pronouns are attached to command forms, an accent must be written over the syllable of the verb which is stressed when the form stands alone.

Pronoun objects come immediately before the verb in negative commands.

3. DEMONSTRATIVE PRONOUNS

éste, ésta, éstos, éstas	*this (one), these*
ése, ésa, ésos, ésas	*that (one), those*
aquél, aquélla, aquéllos, aquéllas	*that (one), those*
este pañuelo y ése	*this handkerchief and that one*
aquella corbata y éstas	*that necktie and these*
estos jóvenes y aquéllos	*these young men and those*

The demonstrative pronouns are the same in form as the demonstrative adjectives, except for the written accent (see page 95). The adjectives are used before nouns; the accented pronouns replace nouns. Their meanings correspond to those of the adjectives.

EJERCICIOS

a. Translate into English:

1. Se toma café para el desayuno. 2. También se comen panecillos. 3. Se abren las tiendas a las diez menos cuarto. 4. En aquélla no se venden sombreros. 5. En las calles se ven muchos coches. 6. Generalmente se llevan los paquetes en la mano. 7. Se cierran las puertas a las cinco y cuarto. 8. Se pone la mesa para la comida antes de las seis. 9. Se preparan muchas cosas para la familia. 10. Después se lavan los platos.

b. Complete the following expressions with demonstrative adjectives and pronouns:

1. *that* carta y *this one.* 2. *these* ciudades y *those.* 3. *those* usos del verbo y *these.* 4. *this* ascensor y *that one.* 5. *these* dependientes y *those.* 6. *that* fecha y *this one.* 7. *this* alcoba y *that one.* 8. *that* pañuelo y *this one.* 9. *those* árboles y *these.* 10. *these* casas y *those.*

c. Give the English for:

1. No lo haga Vd. hoy. 2. Hágalo Vd. mañana. 3. Tome Vd. el panecillo y cómalo.[1] 4. No lo dé a su hermano. 5. Lleve las cucharas a la cocina y lávelas. 6. Luego póngalas Vd. en la mesa de cocina. 7. No las

---

[1] When command forms are used in a series, it is not necessary to repeat **Vd(s).** with each one.

ponga aquí. 8. Si los platos están allí, llévelos Vd. al comedor. 9. Llame
Vd. a la criada. 10. Dígale que mis abuelos están a la puerta. 11. No le
diga a ella que van a cenar aquí. 12. Ayúdela Vd. a poner la mesa. 13. Si
la puerta está abierta, ciérrela Vd. en seguida. 14. Aquí tiene Vd. los
vasos; póngalos en la mesa. 15. Levántese Vd. en seguida; no se quede
allí.

d. Supply the Spanish for the words that are in English and translate
the completed sentences:

1. *It is necessary* buscar otro mantel. 2. *This one* no está limpio. 3. *I
have to buy* servilletas también. 4. *We never have* un buen surtido. 5. La
criada partió *without washing* los platos. 6. *On returning* vamos a hacerlo.
7. ¿Quiere Vd. comprar *colored handkerchiefs?* 8. Creo que no. *On the
other hand* es difícil hallar *the white ones.* 9. ¿Qué le dijo a Vd. *that clerk?*
10. Él me dijo: *"What can I do for you?"* 11. ¿Le gusta a Vd. *this black
overcoat?* 12. *Yes indeed! I did not like* los otros que vimos. 13. ¿*What
is the price* de éste? 14. Cincuenta dólares, *more or less.* 15. No quiero
volver a casa *without finding anything.* 16. Vine *downtown* dos veces la
semana pasada. 17. ¿*How long* se quedó Vd. cada vez? 18. Dos o tres
horas y *I bought nothing.*

COMPOSICIÓN

1. What were they wearing when they left? 2. Mary was wearing a
white suit and that blue hat which she bought in Chicago. 3. They
didn't tell anyone where they were going. 4. Mary wanted to go to a
large city because she likes elevators and streetcars. 5. John wanted to
go to the mountains because he likes to ride horseback. 6. He knows a
place that is not far from New York where there are good horses and good
meals. 7. Did they take all those packages that they had yesterday?
8. No, in them there was a supply of tablecloths and napkins for the other
house. 9. Is that house open now? 10. No, the house was closed the first
of June and they are not going to occupy it until the twentieth of July.
11. The wife of a man who lives near there is going to open it. 12. I have
to take her a five-dollar bill.

PARA PRACTICAR

Pláticas.

1. — ¿A qué hora se abren las tiendas?
— Se abren a las nueve y se cierran a las cinco y media.

— Quiero ir de compras, pero no puedo hasta mañana por la mañana.

— ¿ Qué quiere Vd. comprar ?

— Quiero buscar un jersey nuevo.   Éste es muy viejo.

— Pues, si Vd. tiene tiempo ahora, vamos a aquella joyería pequeña que está en la esquina.

— Bueno, vamos.   ¿ Qué va Vd. a buscar allí ?

— Gemelos de plata para mi padre, y una pulsera para mi madre.

— Tienen cosas muy buenas allí y creo que cuestan menos que en otras joyerías.   Yo voy a buscar un anillo o un collar si son baratos.

el anillo *ring*	el jersey *sweater, jersey*
el collar *necklace*	la joyería *jewelry store*
el gemelo *cuff link*	la pulsera *bracelet*

2. At the end of this **plática** are listed the new words and some additional ones which can be substituted in both of these conversations.

— Buenos días.   ¿ En qué puedo servirle a Vd. ?

— ¿ Tiene Vd. jerseyes aquí ?

— Sí, señorita.   ¿ De casimir o de orlón ?

— De casimir gris o de color de rosa, por favor.

— ¿ De qué estilo y de qué número, señorita ?

— De estilo de chaqueta, con mangas largas, y número diez y seis.

— Aquí los tiene Vd., señorita.   Son muy bonitos.

— Me gusta éste.   Lo tomo.

el arete *earring*	el estilo *style*
la bolsa *purse, bag*	gris *gray*
la cartera *wallet, billfold*	la hebilla (*belt*) *buckle*
el casimir *cashmere*	la manga *sleeve*
el cinturón *belt*	el número *number, size*
el cuero *leather*	el orlón *orlon*
la chaqueta *jacket*	la platería *silver shop*
de color de rosa *pink*	
(jersey) de estilo de chaqueta *jacket style (sweater)*	

Have you ever thought how different your life would be if you had been born in a South American village high in the Andes, where schools are far apart if they exist at all and where there is no bus, streetcar, nor family automobile to take you to the school door? Boys and girls who obtain an education there endure real hardships; there are some who, in spite of compulsory education laws, never do learn to read and write.

Most Spanish American cities have good schools. Pupils spend six years in the elementary grades in most countries; if they continue, they attend a secondary school which may be called a *colegio*, a *liceo*, or an *instituto*. Boys and girls often go to separate schools and in some cases are required to wear uniforms. Many schools are under the supervision of the Church.

Courses taken are much the same as the ones you take, but they require more time. There are generally no electives, and such subjects as foreign languages, mathematics, history, and science are studied all through the six years. When the required work in Spanish, philosophy, art, music, and physical education is added, the schedule includes eight or nine courses.

If you are thinking that such a course of study does not leave much time for television, club meetings, sports, and movies, you are right. Students in Spanish-speaking countries do not have the many outside social activities enjoyed by students in the United States.

REPASO VI

A. Read in Spanish and translate:

La exploración y la civilización de América, excepto en el caso del Brasil y una parte de los Estados Unidos, fué la obra [1] de España. Es verdad que antes del siglo [2] xv ya existía [3] una alta civilización en el Perú, en la América Central y en México, donde vivían los incas, los mayas, los aztecas y otras tribus de indios, pero España trajo [4] a América su lengua, su religión, sus 5 costumbres, sus leyes,[5] su sangre [6] y sus tradiciones. Colón dió el nombre de « indios » a las personas que vió en América porque creyó que estaba en la India.

Los españoles no llegaron al Nuevo Mundo solamente con el deseo de buscar oro y plata. Construyeron [7] ciudades, palacios, catedrales, hospitales, 10 caminos y otras obras públicas. Con los primeros conquistadores vinieron los padres católicos para enseñar a los indios y para convertirlos a la fe [8] cristiana. Fundaron muchas escuelas y ayudaron mucho a extender la cultura española por las Américas. En California y en otros estados de nuestro país podemos ver las antiguas misiones, muchas de ellas en ruinas 15 hoy día. En el año de 1551 Carlos V, rey de España, fundó las dos primeras universidades del hemisferio: la Universidad de México y la Universidad de San Marcos en Lima.

Los españoles trajeron a América el trigo,[9] el arroz,[10] la vid,[11] el olivo, la caña de azúcar, árboles frutales, como el naranjo, el limonero, la hi- 20 guera [12] y otras plantas. También trajeron animales domésticos como el caballo, la vaca,[13] el toro,[14] la oveja [15] y el cerdo.[16] Algunos productos que los españoles hallaron en el Nuevo Mundo fueron el chocolate, el maíz y la papa.[17]

Hoy día tenemos muchos nombres españoles en los Estados Unidos. La 25 Florida es la tierra de las flores; Nevada, la tierra de la nieve; Colorado, la tierra roja; y Montana, la montaña. California tiene el nombre de una isla mencionada [18] en un libro español de aquella época. Muchas ciudades tienen nombres españoles, como El Paso, Santa Fe, San Antonio, Las Vegas, Santa Cruz, Los Ángeles. También muchos ríos, valles y montañas 30 tienen nombres españoles.

En las páginas 26 y 130 Vds. pronunciaron varias palabras españolas que

---

[1] obra, *work.*   [2] siglo, *century.*   [3] ya existía, *there already existed.*   [4] trajo, *brought.*   (See page 385 for the preterite forms of **traer**.)   [5] leyes, *laws.*   [6] sangre, *blood.*   [7] Construyeron, *They constructed.*   [8] fe, *faith.*   [9] trigo, *wheat.*   [10] arroz, *rice.*   [11] vid, *grapevine.*   [12] higuera, *fig tree.*   [13] vaca, *cow.*   [14] toro, *bull.*   [15] oveja, *sheep.*   [16] cerdo, *pig.*   [17] papa, *potato.*   [18] mencionada, *mentioned.*

usamos todos los días en nuestro país. Otras son: *amigo, caballero, bolero, corral, rancho, hacienda, rodeo, bronco, pueblo, paseo, alameda, arroyo, cordillera, alfalfa, tortilla, chocolate, tapioca, banana, pronto, mañana, adiós, vaquero.*

B. Give the form indicated for each verb in the group, then translate:

1. First person singular, present tense of: tener, salir, venir, poner, dar, ir, ser, estar, conocer, saber, hacer, decir.

2. First person singular, preterite tense of: buscar, llegar, acercarse, empezar, explicar, jugar, creer.

3. First person plural, imperfect tense of: ayudar, comer, escribir, ser, ir, ver.

4. Third person plural, preterite tense of: decir, hacer, creer, venir, ver, salir, querer, estar, tener, poder, poner, dar, ir, leer.

5. Second person singular, present tense of: mostrar, volver, decidir, levantarse, acostarse, empezar.

6. Singular commands of: poner, hacer, volver, pensar, cerrar, leer, salir, ir, dar, decir, venir, levantarse.

C. Translate the following verb forms, noting the similarities in their forms and the differences in meaning:

1. puedo, pudo, puso. 2. tuvimos, estuvimos. 3. viene, vine. 4. ayudo, ayudó. 5. vendía, venía, veía. 6. dió, dijo. 7. vieron, vinieron, vendieron. 8. hablábamos, hallábamos. 9. lavo, levanto, llego, llevo. 10. cierro, quiero. 11. ella viaja, es vieja. 12. como, compro, conozco. 13. creo, creyó. 14. leemos, leímos. 15. Vd. habla, hable Vd. 16. Vds. comen, coman Vds. 17. crea Vd., cierre Vd. 18. vea Vd., venda Vd.

D. For a review of the uses of the definite article, refer to section 5, pages 25–26; 4, pages 141–142; 3, pages 182 and 210; 2, 3, pages 223–224; 3, page 230; 1, 3, pages 264–265. Then complete the following:

1. *Life* aquí es muy interesante. 2. Mis amigos estudian *Portuguese*. 3. Ya hablan *Spanish*. 4. Tengo que comprar *rolls*. 5. *Thursday* es un día de la semana. 6. Siempre vamos allá *on Tuesdays*. 7. *Mr. and Mrs.* Guzmán vendieron su coche. 8. Me gustan *colored dishes*. 9. *February* tiene solamente veinte y ocho días. 10. Pienso ir *to church next Sunday*. 11. No tengo *any pencils*. 12. *Modern music* no es siempre hermosa. 13. *Last week* fué a un museo. 14. ¿Quieres ir *home*? 15. Se lavan *their*

hands. 16. Se levantaban temprano *every day.* 17. Alfonso *the Thirteenth* ya no vive. 18. *John's friends* charlaban con él. 19. *The young man* es de Bolivia. 20. Vendieron la casa amarilla y *the white one.* 21. Póngase Vd. *your hat.* 22. *Spanish* es muy interesante. 23. Buenas tardes, *Miss* Ortega. 24. Me gustan *horses* hermosos.

E. Complete the following sentences:

1. Habla *slowly.* 2. Bailaron *perfectly.* 3. *Since* él está aquí, puede hacerlo. 4. Lo cerré *while* escribías. 5. El libro no es *especially* interesante. 6. *Although* es rico, vive en una casa pequeña. 7. ¿ Lo tiene Vd. *still?* 8. Hallo *only* cuatro cucharitas. 9. *Generally* ocupa esta silla. 10. Viven *here.* 11. Quieren ir *there.* 12. El piso grande está *downstairs.* 13. Ella vive *upstairs.* 14. Van a Nueva York *soon.* 15. ¿ *How much* es ? 16. Creo que es *too* caro. 17. Todos *except* Isabel van. 18. *Moreover* piensan pasar la noche allí.

F. Translate into English:

1. Se usan limones, agua y azúcar para preparar la limonada. 2. En Madrid se toca bien la música española. 3. En aquella tienda se vendía buen café. 4. Se leían los periódicos todos los días. 5. Primero se escribió la carta. 6. Luego se abrieron los paquetes.

G. Give the Spanish for:

1. The orchestra played twice. 2. He was playing football. 3. He took her to the movie. 4. He took the package and carried it. 5. He was wearing an old hat. 6. They ride horseback. 7. They take many rides in their new car. 8. She worked hard yesterday. 9. Her lessons were hard. 10. I know him. 11. I do not know the date. 12. Do you have a date for tonight ? 13. Open the door; open it. 14. Do not give him the money until tomorrow.

H. Write in Spanish:

1. It was half past three. 2. I had to go home. 3. It was necessary to help my mother. 4. I was trying on a suit. 5. I said to the clerk, "I'll take it." 6. I entered the house ten minutes later. 7. My mother was preparing dinner. 8. I wanted to set the table. 9. I could not find a white tablecloth. 10. I found the blue one. 11. That one was very small. 12. My mother asked me, "Why don't you use this one ?" 13. The silver knives were not clean. 14. I washed them. 15. I wanted to use paper napkins. 16. My mother did not like that idea. 17. I looked for the red glasses. 18. My uncle from San Antonio arrived at that moment.

LECTURAS

EL MAÍZ

En la región de la América Central o en el sur de México tuvo su origen la planta que hoy día conocemos como el maíz. En los tiempos antiguos había una hierba silvestre [1] que se llamaba *teocentli*. Entre los mayas, los indios que vivían entonces en aquel territorio, *teo*
5 significaba [2] divino y *centli*, maíz; así es que la planta era para ellos una cosa divina, el maíz de los dioses.[3] Los mayas y otras tribus aprendieron a cultivarla y al fin se transformó en maíz. Todavía es uno de los productos más importantes del mundo.

El cultivo del *teocentli* y el desarrollo [4] del maíz como alimento [5]
10 marcan el principio de la agricultura tal como la conocemos en los tiempos modernos. El maíz tuvo una gran influencia en la vida de los indios, porque con la producción de este grano y de otros no les era posible vagar [6] por todas partes.[7] Tuvieron que quedarse cerca de sus campos para cultivarlos y para cosechar [8] los granos. En los
15 pueblos era necesario tener leyes y una organización social, así se formaron pueblos permanentes y una civilización indígena.[9] En efecto, el maíz es la base de la civilización india de este hemisferio.

Otras plantas indígenas de las Américas son la papa, la calabaza,[10] el camote,[11] el tomate, el chile y el chicle.[12]

PREGUNTAS

1. ¿Dónde tuvo su origen el maíz? 2. ¿Qué hierba había en los tiempos antiguos? 3. ¿Qué era la planta para los mayas? 4. ¿Qué marca el cultivo de la planta? 5. ¿Qué tuvieron que hacer los indios? 6. ¿Qué se formaron? 7. ¿Por qué es tan importante el maíz? 8. ¿Cuáles son otras plantas indígenas?

EL CHOCOLATE

20 Aquí en los Estados Unidos conocemos bien el chocolate. Lo tomamos caliente para el desayuno y lo comemos en las tortas [13] y en los bombones. Pero, ¿qué sabemos de su origen? ¿De dónde viene?

El cacao, que nos da *chocolate* y *cocoa*, es un árbol de mucha importancia en la América Latina. En los bosques de las regiones

---

[1] silvestre, *wild.*   [2] significaba, *meant.*   [3] dioses, *gods.*   [4] desarrollo, *development.*
[5] alimento, *food.*   [6] vagar, *to wander.*   [7] por todas partes, *everywhere.*   [8] cosechar, *to harvest.*   [9] indígena, *native.*   [10] calabaza, *squash.*   [11] camote, *sweet potato.*   [12] chicle, chicle (used for making chewing gum).   [13] tortas, *cakes.*

tropicales puede alcanzar una altura [1] de unos cuarenta pies pero en las haciendas solamente llega a una altura de veinte pies. Así es más fácil cosechar las semillas.[2]

La semilla crece dentro de [3] una cápsula del tamaño del puño.[4] Estas cápsulas crecen pegadas del [5] tronco del árbol y cada una con-   5 tiene treinta o cuarenta semillas.

Hay dos cosechas al año.[6] Cuando cortan [7] las cápsulas, sacan [8] las semillas y las secan [9] al sol o en un horno.[10] A veces se secan en las calles de los pueblos.

Además de *chocolate* y *cocoa*, hay otra cosa útil que viene del cacao. 10 Es la grasa [11] de la semilla y se llama manteca de cacao.[12] Es una parte esencial de muchos cosméticos, jabones [13] y medicinas.

Los indios de México usaban el chocolate muchos años antes del descubrimiento [14] de América. Los aztecas pagaban sus tributos a su emperador [15] Moctezuma con las semillas de cacao y las usaban 15 como moneda [16] en sus negocios.[17] Hay leyendas que dicen que Moctezuma bebía solamente chocolate y que tomaba cincuenta jícaras [18] o más todos los días. Cortés, conquistador de México, y sus soldados [19] bebían chocolate también y los españoles lo llevaron a Europa. Así es que hoy día el chocolate es uno de los alimentos pre- 20 dilectos [20] de todo el mundo.

PREGUNTAS

1. ¿Dónde crece el cacao? 2. ¿Qué altura alcanza el árbol en los bosques? 3. ¿En las haciendas? 4. ¿Cuántas semillas tiene una cápsula? 5. ¿Cuántas cosechas hay al año? 6. ¿Dónde se secan las semillas? 7. ¿Qué productos se hacen de la grasa? 8. ¿Quiénes usaban el chocolate en los tiempos antiguos? 9. ¿Quién era el emperador de los aztecas? 10. ¿Cuánto chocolate tomaba Moctezuma todos los días?

LA LEYENDA DE LA VIRGEN DE GUADALUPE

Juan Diego, un indio muy pobre, salió de su casa la mañana del nueve de diciembre de 1531 para oír misa [21] en un pueblo que estaba

---

[1] alcanzar una altura, *reach a height*.   [2] semillas, *seeds*.   [3] crece dentro de, *grows inside of*.   [4] del tamaño del puño, *the size of one's fist*.   [5] pegadas del, *attached to*.   [6] al año, *yearly*.   [7] cortan, *they cut*.   [8] sacan, *they take out*.   [9] secan, *they dry*.   [10] horno, *oven*.   [11] grasa, *grease, oil*.   [12] manteca de cacao, *cocoa butter*.   [13] jabones, *soaps*.   [14] descubrimiento, *discovery*.   [15] emperador, *emperor*.   [16] moneda, *money*.   [17] negocios, *business dealings*.   [18] jícaras, *cups*.   [19] soldados, *soldiers*.   [20] predilectos, *favorite*.   [21] oír misa, *to hear mass*.

cerca de la capital de México. Pasaba por la colina [1] de Tepeyac, sitio árido donde nada crecía, cuando oyó [2] música que parecía venir del cielo.[3] Al mismo tiempo [4] vió un arco iris [5] y en el centro una luz brillante. Una señora muy hermosa se acercó al indio y le saludó con 5 una voz muy dulce.[6] Ella le dijo que era la Virgen María y le mandó [7] ir al obispo [8] de México a decirle que debía [9] construir una iglesia en aquel mismo sitio.

El indio fué a hablar con el obispo, pero éste [10] no le creyó y le pidió [11] una prueba [12] de lo que decía. Por eso Juan Diego tuvo que ir a 10 Tepeyac para hablar otra vez [13] con la Virgen. Ella le mandó volver al día siguiente [14] para recibir las pruebas. Pero Juan Diego no volvió a ver a la Virgen aquel día porque su tío, que estaba enfermo, se puso peor.[15] Sin embargo,[16] el día doce el indio fué a llamar a un cura.[17] Para evitar [18] a la Virgen iba por otro camino, pero ella apareció otra 15 vez y le preguntó por qué iba por allí. El indio explicó que su tío estaba muy enfermo y que iba por un cura. En ese momento la Virgen le dijo que su tío ya estaba bueno y que podía visitar al obispo otra vez. Luego Juan Diego le pidió a ella una prueba del milagro.

20 Entonces la Virgen le mandó subir la colina para recoger [19] allí algunas flores, lo que sorprendió mucho al indio [20] porque sabía que nada crecía en aquella tierra árida. Sin embargo, encontró un jardín de rosas muy hermosas. Recogió algunas de las rosas y las llevó en su manta [21] al obispo. Cuando las dejó caer al suelo [22] a los pies del obispo, 25 todos vieron que la imagen [23] de la Virgen india estaba estampada [24] en la manta en colores brillantes. Todos gritaron « ¡ milagro ! »

Inmediatamente construyeron una iglesia en el sitio del milagro y dieron el nombre de Guadalupe al pueblo que estaba al pie de la colina. En 1532 llevaron la manta de Juan Diego con la imagen de la 30 Virgen al altar en una procesión muy solemne. El doce de diciembre es la fiesta de la Virgen de Guadalupe y personas de toda la república vienen a venerar [25] a su santa patrona,[26] cuya imagen todavía está en la catedral.

---

[1] colina, *hill*. [2] oyó, *he heard*. [3] cielo, *sky, heaven*. [4] Al mismo tiempo, *At the same time*. [5] arco iris, *rainbow*. [6] dulce, *sweet*. [7] mandó, *she ordered*. [8] obispo, *bishop*. [9] debía, *he should*. [10] éste, *the latter*. [11] le pidió, *he asked him for*. [12] prueba, *proof*. [13] otra vez, *again*. [14] al día siguiente, *on the following day*. [15] se puso peor, *became worse*. [16] Sin embargo, *Nevertheless*. [17] cura, *priest*. [18] evitar, *avoid*. [19] recoger, *gather*. [20] lo que sorprendió mucho al indio, *which surprised the Indian very much*. [21] manta, *blanket*. [22] las dejó caer al suelo, *he let them fall to the floor*. [23] imagen, *image*. [24] estampada, *stamped*. [25] venerar, *to venerate, worship*. [26] santa patrona, *patron saint*.

PREGUNTAS

1. ¿ Quién era Juan Diego? 2. ¿ Cuándo salió de su casa? 3. ¿ A dónde iba? 4. ¿ Por dónde pasaba? 5. ¿ Qué crecía allí? 6. ¿ Qué oyó él? 7. ¿ Qué vió al mismo tiempo? 8. ¿ Quién se acercó al indio? 9. ¿ Quién era la señora? 10. ¿ Qué le mandó ella? 11. ¿ Le creyó el obispo? 12. ¿ A dónde tuvo que ir Juan Diego? 13. ¿ Por qué no volvió al día siguiente? 14. ¿ A dónde fué el día doce? 15. ¿ Qué le preguntó la Virgen cuando apareció? 16. ¿ Qué le dijo la Virgen entonces? 17. ¿ Qué encontró Juan Diego en la colina? 18. ¿ En qué llevó las flores al obispo? 19. ¿ Qué vieron cuando las dejó caer al suelo? 20. ¿ Qué gritaron todos? 21. ¿ Qué construyeron en el sitio del milagro? 22. ¿ Qué nombre dieron al pueblo? 23. ¿ Cuándo es la fiesta de la Virgen de Guadalupe? 24. ¿ Dónde está su imagen?

$\mathcal{F}eliz\ \mathcal{N}avidad$

LECCIÓN

TREINTA Y UNA

EN LA PLAYA

— Buenas noches, Ricardo. ¿ Dónde ha estado Vd. esta tarde ?

— He estado en la playa. Cuando tengo mucho calor, me gusta bañarme en el mar.

— ¿ Había mucha gente en la playa ?

5 — ¡ Ya lo creo ! Parecía que todo el mundo se bañaba allí. Nunca he visto tanta gente en la playa.

— ¿ Nunca ha nadado Vd. en un lago o en un río ?

— Jamás he nadado ni en un río ni en un lago.

— Ni yo tampoco. Pero me gusta ir a una piscina. El mes pasado 10 compré un traje de baño y no pude usarlo hasta el martes. Pero hacía fresco y el agua estaba un poco fría. Me puse el traje de baño y me senté en la arena un rato a tomar el sol.

— ¿ Qué ha hecho Vd. esta tarde ?

— Yo he trabajado en la oficina de mi padre toda la tarde. Durante 15 las últimas dos semanas he tenido que ayudarle de vez en cuando.

— ¿ Está abierta la oficina los sábados ?

— Está cerrada toda la tarde. ¿ Quiere Vd. ir conmigo a la playa mañana por la tarde ?

— Sí, con mucho gusto.

VOCABULARIO

Nombres	Verbos
la arena *sand*	bañarse *to bathe, take a bath*
la gente *people* (requires sing. verb)	haber *to have* (auxiliary)
el lago *lake*	nadar *to swim*
el mar *sea*	parecer *to seem, appear*
la oficina *office*	ponerse *to put on*
la piscina *swimming pool*	usar *to wear*
la playa *beach*	
el río *river*	**Otras palabras**
	jamás *never, (not) . . . ever, ever* (in a question)
Adjetivo	ni *neither, nor*
tanto, –a *so much (many)*	tampoco *neither, (not) . . . either*

Expresiones

de vez en cuando *from time to time*
ni . . . ni *neither . . . nor*
ni (yo) tampoco *nor (I) either*
toda la tarde *all afternoon*
tomar el sol *to take a sun bath*
traje de baño *bathing suit*

PRÁCTICA. In the dialogue find the Spanish for:

1. Where have you been? 2. I have been. 3. Of course! 4. everybody was bathing. 5. I have never seen so many people. 6. Haven't you ever swum? 7. Nor I either. 8. I put on. 9. What have you done?
10. During the last two weeks. 11. I have had to help him. 12. Is the office open? 13. It is closed all afternoon. 14. tomorrow afternoon.

PREGUNTAS

Answer in Spanish the following questions based on the dialogue:

1. ¿ Dónde ha estado Ricardo? 2. ¿ Había mucha gente en la playa?
3. ¿ Qué hacía todo el mundo? 4. ¿ Dónde podemos nadar? 5. ¿ Qué compró el amigo de Ricardo el mes pasado? 6. ¿ Lo usó el martes?
7. ¿ Qué tiempo hacía el martes? 8. ¿ Cómo estaba el agua? 9. ¿ Dónde se sentó un rato? 10. ¿ Por qué se sentó allí? 11. ¿ Dónde ha trabajado durante la tarde? 12. ¿ Está abierta la oficina los sábados?

GRAMÁTICA

1. THE AUXILIARY VERB HABER

Present Indicative of **haber**, *to have*			
SINGULAR		PLURAL	
he	*I have*	**hemos**	*we have*
has	*you have*	**habéis**	*you have*
ha	*he, she has*	**han**	*they have*
Vd. **ha**	*you have*	Vds. **han**	*you have*

An auxiliary verb is a helping verb. In English we use forms of the verb *to have* in forming the compound tenses: *I have spoken.* In Spanish we use forms of the verb **haber** in the same way.

Do not confuse **haber** with **tener,** which is used to show ownership or possession: **Tengo dos caballos,** *I have two horses.*

The impersonal form **hay,** *there is, there are,* comes from the verb **haber.** With this meaning it replaces the form **ha.**

2. PAST PARTICIPLES

hablar:	**hablado**	*spoken*
aprender:	**aprendido**	*learned*
vivir:	**vivido**	*lived*

The past participle is the form of the verb used with the helping verb to complete the compound tense forms. In the cases of *I have spoken* and *he has lived, spoken* and *lived* are past participles. In Spanish the past participles of regular verbs are formed by adding –**ado** to the stem of –**ar** verbs and –**ido** to the stem of –**er** and –**ir** verbs.

If the stem of the verb ends in a strong vowel, the regular ending –**ido** requires a written accent: **creer, creído; leer, leído.**

The following verbs which you have already learned have irregular past participles:

abrir:	**abierto**	*opened*	ir:	**ido**	*gone*
decir:	**dicho**	*said, told*	poner:	**puesto**	*put, placed*
descubrir:	**descubierto**	*discovered*	ver:	**visto**	*seen*
escribir:	**escrito**	*written*	volver:	**vuelto**	*returned*
hacer:	**hecho**	*done, made*			

3. FORMATION OF THE PRESENT PERFECT TENSE

Present Perfect Indicative of **hablar**, *to speak*	
SINGULAR	
he hablado	*I have spoken*
has hablado	*you* (fam.) *have spoken*
ha hablado	*he (she) has spoken, you* (formal) *have spoken*
PLURAL	
hemos hablado	*we have spoken*
habéis hablado	*you* (fam.) *have spoken*
han hablado	*they, you* (formal) *have spoken*

No han llegado todavía.	*They have not arrived yet.*
Vd. nunca le ha escrito.	*You have never written to him.*
¿ No se ha sentado ella ?	*Hasn't she sat down ?*

The present perfect tense is formed with the present tense of the auxiliary verb **haber** plus the past participle. It corresponds to the present perfect tense in English. Note the following points:

(1) Following forms of **haber** the past participle always ends in –o.

(2) The form of **haber** and the past participle are not separated by other words.

(3) Negative words precede the form of **haber**.

(4) Pronoun objects, direct, indirect, and reflexive, precede the form of **haber** or come between the negative and the form of **haber**.

EJERCICIOS

a. Translate the following verb forms:

1. cierro, cerraba, cerré, he cerrado.
2. es, era, fué, ha sido.
3. ven, veían, vieron, han visto.
4. te bañas, te bañabas, te bañaste, te has bañado.
5. partimos (*pres.*), partíamos, partimos (*pret.*), hemos partido.
6. cree, creía, creyó, ha creído.
7. Vd. vende, vendía, vendió, ha vendido; venda Vd.
8. Vd. cierra, cerraba, cerró, ha cerrado; cierre Vd.
9. Vds. nadan, nadaban, nadaron, han nadado.
10. pónganse Vds., no se pongan; báñense Vds., no se bañen.

b. Tell what infinitive each of these past participles comes from and translate each one into English:

1. lavado. 2. llevado. 3. levantado. 4. visitado. 5. visto. 6. venido. 7. vendido. 8. estado. 9. estudiado. 10. querido. 11. sabido. 12. leído. 13. cerrado. 14. cenado. 15. acercado. 16. dicho. 17. comprado. 18. comprendido. 19. mostrado. 20. tocado.

c. Give orally in Spanish:

1. I have received. 2. he has bathed. 3. we have sold. 4. I have said. 5. you (*fam.*) have discovered. 6. they have written. 7. you have done. 8. they have returned. 9. she has placed. 10. they have seen. 11. you (*fam.*) have gone. 12. we have not made. 13. he has seemed. 14. they have not swum. 15. I have not decided. 16. I have put on.

d. Write in Spanish:

1. I have bought a bathing suit. 2. I have not worn it yet. 3. There are many people on the beach. 4. They have come from the city. 5. That pretty girl has put on a large hat. 6. She has occupied that place all afternoon. 7. Two or three girls have been with her. 8. Only one of them has bathed in the sea. 9. The others have taken a sun bath. 10. Our swimming pool is not clean and we have not been able to use it.

e. Rewrite each command, substituting the pronoun object for the noun and modifiers, then rewrite, making a negative command. Example: **Escriba Vd. la carta; escríbala Vd.; no la escriba Vd.**

1. Diga Vd. la verdad. 2. Abran Vds. los libros. 3. Tome Vd. un tranvía. 4. Compren Vds. la casa. 5. Ponga Vd. la mesa. 6. Ayuden Vds. a su padre. 7. Llame Vd. a la criada. 8. Miren Vds. el mapa. 9. Cierren Vds. los libros. 10. Lleve Vd. las flores.

COMPOSICIÓN

1. Good morning, Mr. Móntez. Have you decided to go with us to swim in the river? 2. I believe not, Paul. The water of the river is never very clean nor very warm. 3. Have you been able to buy a new bathing suit this summer? 4. No, the clerks have said that they have not received many bathing suits. 5. I have tried on several but they have been too large or too small. 6. I haven't gone to the beach nor to the lake since the fourth of July. 7. Nor I either. I don't like the beach. 8. It seems to me that there are always so many people there. 9. Yes, and besides there

are many stones and there is very little clean sand. 10. Paul, has your sister returned from New York? 11. Yes, she came yesterday, but I haven't seen her yet. 12. Was this the first trip that she has made by plane?

PARA PRACTICAR

a. Pláticas.

1. — ¿ Ha ido Vd. a la playa?
— No, no he estado allí todavía.
— Pues, Vd. no ha visto las cabañas nuevas.
— No, no las he visto, pero pienso ir esta tarde.
— Vale la pena. Son maravillosas. Juan no ha estado allí tampoco.
— Vamos a llamar a Juan por teléfono para ver si va a estar ocupado.
— Está bien. ¿ A las cuatro?
— No, vamos a las dos porque tengo que trabajar desde las cuatro hasta las seis.
— Para saber. Voy a llamar a Juan en este momento. Espere Vd., por favor.

> la cabaña *beach house*   maravilloso, –a *marvelous*
> para saber *to find out, that I may know*
> vale la pena *it's worth while*

2. — Vamos a nadar esta tarde.
— No puedo hoy. Tengo que ayudar a mi madre. ¿ Está abierta la piscina nueva?
— Sí, se abrió el lunes. Se dice que es estupenda.
— ¿ Ha comprado Vd. calzón de baño?
— Todavía no, pero no voy a tardar en hacerlo.
— ¿ Le gustan a Vd. los estilos nuevos?
— Sí, mucho. Son muy bonitos.

> el calzón de baño *bathing trunks*   estupendo, –a *stupendous*
> todavía no *not yet*
> vamos a nadar *let's go swimming*

b. Write a one-day diary, telling what you have done today. Use only the present perfect tense. For example:

Me he levantado, me he lavado, he bajado al comedor, etc.

The Spanish shawl, always associated with Spain, originated in China. In the early days of the Spanish Empire, traders from Manila in the Philippine Islands bought the beautiful shawls from the Chinese. They shipped them to Mexico and from there they were taken to Spain, where they became an important part of festival costumes, particularly

in Andalusia.   Although the Spanish shawl is not so common today, it
is still worn in many festivals, along with the high comb and the lace
mantilla.   A smaller black shawl, called a *velo* (veil), is worn by women
of all classes as a head covering, especially when they go to church.
It may also be worn around the shoulders, or conveniently folded and
carried in one's purse.

Today men and women who live in the cities dress much as we do.
On festival days in the provincial towns, however, the older people
appear in the elaborate costumes which have come down from the
past.   The beautiful embroidered blouses and skirts of the women and
the brightly decorated jackets and sashes of the men present a colorful scene.   Costumes in the central plains of Castile and in the north
of Spain are usually dark, while those of Valencia and Andalusia are
light and brighter in color, as would be expected in warm, sunny regions.

ME GUSTAN TODAS

Me gus-tan   to-das, me gus-tan   to-das, me gus-tan

to-das en ge-ne-ral. Pe-ro e-sa   ru-bia, pe-ro e-sa

ru-bia, pe-ro e-sa   ru-bia me gus-ta   más.

LECCIÓN

TREINTA

Y DOS

EN LAS TIENDAS

— Buenos días, Dorotea. ¿Se había acostado Vd. cuando la llamé por teléfono anoche?

— No, señorita Valles, yo estaba sentada en la sala con mis padres. Yo había pasado toda la tarde en el centro y les describía las cosas que
5 había comprado.

— ¿Qué compró Vd.?

— Un vestido azul que había visto el sábado, un par de zapatos, una blusa blanca y un sombrero de fieltro.

— ¿Es de algodón la blusa?

10 — Es de rayón y me sienta muy bien.

— ¿ Había medias en las tiendas?

— Sí, muchas, y eran de buena calidad. Un dependiente me dijo que esta semana habían recibido diez mil pares de medias de nilón de todos los tamaños.

— ¿ Compró Vd. la falda de lana negra que miramos el otro día?   5

— No, ya se había vendido y no tuve tiempo de probarme otras.

— ¿ Quién fué con Vd.?

— Mi hermana Isabel me acompañó. Ella quería un impermeable y unos calcetines para nuestro hermano.

— ¿ Los compró ella?   10

— Los calcetines, sí, pero los dependientes que vendían impermeables estaban ocupados y decidimos volver a casa sin esperar más.

— ¿ A qué hora volvieron Vds.?

— A las seis y cuarto. Nos sentamos a la mesa en seguida porque la cena estaba preparada.   15

VOCABULARIO

Nombres

el algodón *cotton*
la blusa *blouse*
el calcetín (*pl.* calcetines) *sock*
la calidad *quality*
la falda *skirt*
el fieltro *felt*
el impermeable *raincoat*
la lana *wool*
la media *stocking, hose*
el nilón *nylon*

el par *pair*
el rayón *rayon*
el tamaño *size*
el vestido *dress*
el zapato *shoe*

Adjetivo

preparado, –a *prepared, ready*

Verbos

describir *describe*
sentar (ie) *to fit*

Expresiones

tener tiempo de (para) *to have time to*
me (le) sienta bien *it fits me (him) well*
sin esperar más *without waiting longer*

PRÁCTICA. In the dialogue find the Spanish for:

1. Had you gone to bed? 2. I had spent all afternoon. 3. which I had bought. 4. which I had seen. 5. it fits me very well. 6. they had received. 7. of all sizes. 8. it had already been sold. 9. I didn't have time to try on. 10. She wanted a raincoat. 11. without waiting longer. 12. At what time did you return? 13. We sat down at the table. 14. supper was ready.

PREGUNTAS

Answer in Spanish the following questions based on the dialogue:

1. ¿ Con quién habla Dorotea ?   2. ¿ Se había acostado Dorotea cuando la señorita Valles llamó ?   3. ¿ Dónde estaba Dorotea ?   4. ¿ Dónde había pasado ella la tarde ?   5. ¿ Qué compró ?   6. ¿ De qué color era su vestido nuevo ?   7. ¿ De qué color era la blusa ?   8. ¿ De qué era el sombrero ? 9. ¿ De qué era la blusa ?   10. ¿ Compró ella la falda de lana negra ? 11. ¿ Quién acompañó a Dorotea ?   12. ¿ Qué quería Isabel ?   13. ¿ Los compró ?   14. ¿ Por qué no pudo comprar el impermeable ?   15. ¿ A qué hora volvieron a casa ?   16. ¿ Estaba preparada la cena ?

GRAMÁTICA

1. IMPERFECT OF THE AUXILIARY VERB HABER

Imperfect Indicative of **haber**	
SINGULAR	PLURAL
había	habíamos
habías	habíais
había	habían

The imperfect tense of **haber** is regular in all its forms.   Yo había is translated *I had*.   You have already had the third person impersonal form **había,** *there was, there were.*

2. FORMATION OF THE PLUPERFECT TENSE

Pluperfect Indicative of **vivir,** *to live*	
SINGULAR	
había vivido	*I had lived*
habías vivido	*you* (fam.) *had lived*
había vivido	*he, she, you* (formal) *had lived*
PLURAL	
habíamos vivido	*we had lived*
habíais vivido	*you* (fam.) *had lived*
habían vivido	*they, you* (formal) *had lived*

Just as the present perfect indicative is formed by the present tense of **haber** plus the past participle, the pluperfect indicative is formed by the imperfect tense of **haber** plus the past participle. The pluperfect corresponds to the past perfect in English. The same rules for the placing of negative words and object pronouns with the present perfect tense apply to the pluperfect. See page 289.

3. PAST PARTICIPLES USED AS ADJECTIVES

La puerta está cerrada.   *The door is closed.*
Las cartas están escritas.   *The letters are written.*

Past participles may be used as adjectives. In this usage the participle agrees in gender and number with the noun or pronoun it modifies. See section 2, pages 41 and 107–108.

EJERCICIOS

a. Translate into English:

1. Ellos habían entrado, se habían sentado, habían descansado, se habían levantado, habían partido.
2. Él se había acercado, me había hablado, me había explicado varias cosas, me había dicho la verdad.
3. Nosotros habíamos ido allá, habíamos pasado tres meses allí, habíamos visitado a todos nuestros amigos, habíamos pensado volver.
4. Yo había visto la carta, la había abierto, la había leído, y había vuelto a Nueva York en seguida.
5. Tú habías nadado en el lago, habías vuelto a casa, habías comido allí, habías ido al cine.

b. Give the correct form of these verbs in the tense and person indicated:

Present	1. Yo ir, saber, conocer, salir.
	2. Ella levantarse, ponerse, mostrar, acostarse.
Imperfect	3. Nosotros ser, ir, ver, probarse.
	4. Usted decir, estar, volver, sentarse.
Preterite	5. Yo llegar, buscar, empezar, dar.
	6. Ellos ser, tener, hacer, decir.
Present perfect	7. Tú ver, abrir, escribir, volver.
	8. Ustedes ponerse, ir, hacer, creer.
Pluperfect	9. Él abrir, decir, nadar, lavarse.
	10. Ellas decidir, venir, ver, vender.

c. Translate, noting the use of the past participle in each sentence:

1. La puerta estaba abierta.   2. Habíamos montado a caballo.   3. El desayuno está preparado.   4. ¿Dónde estaba Vd. sentado?   5. Mis padres están muy ocupados.   6. Nuestros amigos cubanos vinieron el verano pasado.   7. Habían pasado el invierno en Wáshington.   8. Las tiendas estaban cerradas cuando llegué.

d. Put into Spanish:

1. Mary showed me a pair of nylon hose.   2. She had bought them last week.   3. The clerk had told her that they were very good.   4. She said that they did not fit her well.   5. She has not had time to buy others. 6. She was wearing a yellow blouse that I liked [very] much.   7. She saw my dad downtown.   8. He told her that he had tried on a black overcoat. 9. It fitted him well and he bought it.   10. The same clerk had sold him a suit in December.   11. My dad also told her that my mother had bought a red wool dress (dress of red wool).   12. I have not seen them yet.

COMPOSICIÓN

1. If we go to Florida (**la Florida**) this winter, we have to go shopping soon.   2. We are going to need cotton dresses and two or three bathing suits.   3. My aunt spends every morning on the beach.   4. It is very sunny and she says that many large hats are seen there.   5. She wrote that my uncle had sold his old car and that he had bought another.   6. My parents have decided to make the trip by train.   7. My sister Barbara told me that she had seen a good raincoat.   8. After buying a pair of shoes and three pairs of hose, she did not have enough money to buy it. 9. My mother is going to wear her blue suit and a felt hat on the train. 10. I have a green skirt that I like a great deal.   11. It seems to be of good quality and it is well made.   12. I accompanied my parents when they went to Florida in 1955.

PARA PRACTICAR

a. Plática.

— ¿ Ha hablado Vd. con Pablo?   ¿ Sabe que él ha perdido su perro (perrito)?

— Sí, y me dijo esta mañana que no lo había hallado todavía.

— ¡ Qué lástima !

— Dijo también que iba a poner un anuncio en el periódico.

— Es una buena idea.   ¿ Y qué tal el gato (gatito)?

— Está sano y salvo. Lo hallaron en el callejón, no lejos de su casa.
Además, ha perdido el pájaro.

— Pues, Pablo ha tenido mala suerte.

— Es verdad, pero como se dice en español: « No hay mal que cien
años dure ».

el anuncio *advertisement*	el pájaro *bird*
el callejón *alley*	perder (ie) *to lose*
el gatito *kitten*	el perrito *puppy*
el gato *cat*	el perro *dog*

no hay mal que cien años dure *bad luck doesn't last forever* (literally, *there
is no trouble that lasts a hundred years*)

¡ qué lástima ! *what a pity!*

¿ qué tal ? *how (what) about?*

sano y salvo *safe and sound* (Spanish says '*sound and safe*')

tener suerte *to be lucky, have luck*

b. La ropa (*Clothing*)

In this lesson and in Lesson 30 you have had a number of articles of
clothing. With this additional list you will be able to describe your appearance even though you change clothes often.

LA ROPA	LOS GÉNEROS (*materials*)
los calzones cortos (para depor-tes) *shorts, trunks*	el encaje *lace*
la camisa *shirt*	la franela *flannel*
el cuello *collar*	la gabardina *gabardine*
la gorra *cap*	el lino *linen*
el guante *glove*	la pana *corduroy*
los pantalones *trousers*	el raso *satin*
la ropa interior *underclothing*	la seda *silk*
el smoking *tuxedo*	el tafetán *taffeta*
el traje de noche *evening dress*	el terciopelo *velvet*

a cuadritos *checked*

a cuadros *plaid*

de moda *stylish*

de tacón alto (bajo) *high- (low-)heeled*

rayado, –a *striped*

A boy might describe himself as follows: **Llevo (Uso) camisa de algodón
azul, pantalones de pana gris y zapatos de cuero de color chocolate** (*brown*).

A girl might be described as follows: **Ella lleva (usa) blusa blanca, falda de lana verde, medias de nilón y zapatos de cuero blanco y negro.**

Practice putting articles of clothing and materials together in phrases, such as:

un traje de lana gris
una camisa de lana azul
un abrigo de gabardina de color chocolate

An old Spanish proverb says: "En cada tierra su uso," (Every country has a way of its own). One of the ways in which Spain differs from many other countries is her leisurely way of life. When you visit Spain you must prepare yourself for a different daily routine. You will begin the day with breakfast in your hotel room at whatever hour you wish, but do not expect more than a hard roll, marmalade, and

301

coffee or hot chocolate.   Shops and offices open there about the same time as ours, but they close from one o'clock until four.   After lunch at two, you may want to follow the old Spanish custom of taking a *siesta*, nap.   In much of Spain you will want to stay out of the mid-afternoon sun.   You can shop from four until six or seven, before joining your Spanish friends for a stroll through the streets or for a cup of coffee at one of the many cafés.   There will be plenty of time before dinner, which is normally not served before half past nine.

In case you want to see a Spanish movie, or an American movie with Spanish subtitles, you have your choice of the matinee at six or the evening performance at eleven.   Theaters and concerts also begin at eleven.

Hours in Spanish America follow this general pattern also, although usually they are not quite so late as in Spain.   Nowadays some shops do not close at noon, particularly in Mexico, and the movies run continuously from early evening.

EL BURRO DE VILLARINO

Ya se mu - rió el bu - rro que a-ca - rrea - ba la vi -
na - gre,   ya le lle - vó Dios de es - ta
vi - da mi - se - ra - ble. Que tu ru ru ru
rú   que tu ru ru ru rú   Que rú

LECCIÓN TREINTA Y TRES

UNAS COSTUMBRES ESPAÑOLAS

(Varios compañeros de viaje están sentados en el coche comedor de un tren. El señor Salas entra, ve al señor Smith y se sienta a su mesa.)

— Me alegro mucho de verle a Vd., señor Smith. ¿ Cuándo volvió de España ?

— Volví hace tres días. 5

— Yo hice un viaje a España hace quince años y no he podido volver allá desde entonces. ¿ Ha notado Vd. muchos cambios en la vida española ?

— Fué mi primer viaje, pero se dice que las costumbres antiguas han cambiado muy poco. 10

— Todavía se come o se cena muy tarde, ¿ verdad ?

— Sí, no se come hasta las nueve o las diez de la noche y se almuerza a las dos de la tarde. Recuerdo una costumbre muy extraña. Cuando yo iba al café a menudo con amigos españoles, nunca pude pagar la cuenta. Si un español dice que su compañero es extranjero, 15 el mozo no toma su dinero.

— Sí que tenemos muchas costumbres en nuestro país que parecen extrañas. Trabajamos mucho pero al mismo tiempo sabemos gozar de la vida.

VOCABULARIO

Nombres

el coche comedor *dining car*
el compañero *companion*
la cuenta *bill, account*
el extranjero *foreigner*

Adjetivos

antiguo, –a *ancient, old*
extraño, –a *strange*

Interrogativo

¿ cuándo? *when?*

Verbos

alegrarse (de + *obj.*) *to be glad of*
almorzar (ue) *to take lunch*
cambiar *to change, exchange*
gozar (de + *obj.*) *to enjoy*
notar *to note, observe*
pagar *to pay, pay for*
recordar (ue) *to remember, recall*

Expresiones

a menudo *often, frequently*
al mismo tiempo *at the same time*
compañero de viaje *traveling companion*
hace (tres días) *(three days) ago*
me alegro (mucho) de verle *I am (very) glad to see you*
sí que *certainly, indeed*

PRÁCTICA. In the dialogue find the Spanish for the following:

1. Several traveling companions. 2. he sees Mr. Smith. 3. I am very glad to see you. 4. I returned three days ago. 5. fifteen years ago. 6. I haven't been able to go there since then. 7. people say (they say, it is said) that. 8. People still eat (One still eats) dinner or supper. 9. one doesn't eat (people don't eat) until nine. 10. they take (one takes) lunch. 11. I often went to the café. 12. I never could pay. 13. Indeed we have. 14. we know how to enjoy life.

PREGUNTAS

Answer in Spanish the following questions based on the dialogue:

1. ¿ Dónde están varios compañeros de viaje? 2. ¿ Quién entra? 3. ¿ A quién ve? 4. ¿ Dónde ha estado el señor Smith? 5. ¿ Cuándo volvió de España? 6. ¿ Cuándo hizo un viaje allá el señor Salas? 7. ¿ Ha vuelto allá desde entonces? 8. ¿ Han cambiado mucho las costumbres españolas? 9. ¿ A qué hora se cena en España? 10. ¿ A qué hora se almuerza?

11. ¿ A dónde iba el señor Smith a menudo ?   12. ¿ Qué pasa si un español dice que su amigo es extranjero ?

GRAMÁTICA

1. SE USED AS AN INDEFINITE SUBJECT

Se dice que es verdad.	*They say* *People say* } *that it is true.* *It is said*
Se come bien allí.	*One eats well there.*
¿ Cómo se puede hacerlo ?	*How can one do it ?*

Sometimes an action or state is expressed without indicating definitely who is doing what the verb implies. In such cases in English we use subjects like *one, people, they, you,* which refer to no one in particular, while in Spanish we use **se.** The verb is in the third person singular since **se** is considered the subject.

Uno (Una, *f.*) is also used, particularly with reflexive verbs:

Uno (Una) se levanta tarde los domingos.   *One gets up late on Sundays.*

Compare this use of **se** with that explained in section 1, page 273, in which case the verb may be either third person singular or plural. Both of these constructions are very common in Spanish and should be fixed firmly in mind.

2. HACER, MEANING AGO, SINCE

Volví hace tres días.	*I returned three days ago.*
Hace una hora que le vi.	*I saw him an hour ago. (It is an hour since I saw him.)*

When followed by an expression of time, such as **una hora, un día, un año,** and when the main verb in the sentence is in a past tense, **hace** regularly means *ago* or *since.* If the **hace**-clause precedes the verb the connecting word **que** is usually inserted.

EJERCICIOS

a. While five students read two sentences each, other students will give the English meaning, with books closed:

1. Se va en tren.   2. Se sube al coche.   3. Uno se sienta cerca de la ventana.   4. Se come en el coche comedor.   5. Se habla con los compañeros de viaje.   6. Se paga la cuenta con un billete.   7. Se recibe la vuelta.   8. Se entra en el otro coche.   9. Al llegar a Barcelona, uno se levanta y se pone el sombrero.   10. Aquí se baja del tren.

b. Give the Spanish for:

1. I arrived, ate lunch, enjoyed the lunch, paid the bill.
2. You (*fam.*) note, remember, are glad, explain.
3. She went to the beach, put on her bathing suit, took a sun bath, swam in the sea.
4. They had bought, had used, had decided, had sold.
5. We have opened, have seen, have discovered, have told.
6. He was rich, was living, used to go, used to see, used to play football.

c. Complete the following sentences and translate:

1. Venían *often*.   2. *Generally* hacían el viaje *by plane*.   3. *I used to be glad* de verlos.   4. *Certainly* era largo el viaje.   5. Él *never* habló con sus *traveling companions*.   6. Ellos jamás *had time to* ir al campo con nosotros.   7. En Nueva York viven en *an apartment house*.   8. *Twice* llegaron *by train*.   9. Habían pasado muchas horas *in the dining car*.   10. *It was cool* allí.   11. Un mozo *approached* la mesa.   12. Les preguntó: "*What can I do for you?*"   13. *One eats* bien en los trenes.   14. *One must* dar algo al mozo *on leaving*.

d. Give orally in Spanish:

1. I arrived two weeks ago.   2. My parents had already departed.   3. It seemed a little strange to me.   4. My brother returned ten days ago.   5. My grandmother has been very sick.   6. My father called us two hours ago.   7. He and my mother intend to return at once.   8. My aunt has decided to come from California.   9. John called me fifteen minutes ago.   10. Is he glad to be here?

COMPOSICIÓN

1. Good morning, Henry.   Did you swim in the lake yesterday?   2. No, my father and I took my cousin William to Chicago in our car.   3. My cousin took a plane for Mexico at half past four in the afternoon.   4. It certainly was warm yesterday.   Where did you take lunch?   5. I don't recall, but I believe that it was at (in) the Café Grande.   6. Did it seem strange to your cousin?   In Spain one never takes lunch in a café.   7. He didn't say anything.   He was very glad to know something of our customs.   8. When did he decide to make the trip to Mexico?   9. A week ago he received a letter from a boy who was a traveling companion from Spain.   10. This boy invited him to visit his uncle who lives in Monterrey.   11. William spent a month or two there five years ago and he enjoyed Mexican life.   12. Many persons who were foreigners got on the plane.

PARA PRACTICAR

Pláticas.

1. — ¡ Hola, señor Molina ! ¡ Cuánto me alegro de verle a Vd. !
— Y yo estoy encantado de verle a Vd., Felipe. ¿ Cómo le va ?
— Muy bien, gracias. ¿ Y usted ?
— Bastante bien, pero un poco cansado. Llegué hace media hora de
la Habana. ¿ Dónde hay un buen hotel ?
— Hay uno bueno, el Miramar, a seis manzanas de aquí.
— ¿ Por dónde se va para llegar allá ?
— Siga Vd. derecho. Está en esta misma calle.
— Muchas gracias.
— De nada.

la cuadra *city block* (Spanish America)   la manzana *city block* (Spain)

¿ cómo le va ? *how are things going with you? how are you?*
¡ cuánto me alegro de (+ *inf.*) *! how glad I am to* (+ verb) !
de nada *you are welcome, don't mention it*
estar encantado, –a de (+ *inf.*) *to be delighted (pleased) to* (+ verb)
¿ por dónde se va ? *how does one go ?*
siga Vd. derecho *go (continue) straight ahead*

Students may take turns greeting each other and asking directions to
various places. Remember that you have had **a la derecha (izquierda),**
to the right (left).

2. — Déme Vd. la cuenta, por favor.
— ¡ Qué dice Vd., hombre ! Le he invitado a Vd.
— Pues, muchas gracias. Aquí la tiene.
— Está bien. ¿ Pago al mozo o en la caja ?
— Hay que pagar en la caja, allí cerca de la puerta.
— ¿ Y cuánto se deja de propina aquí ?
— El quince por ciento, a lo menos. Un poco más que en otros sitios.

dejar *to leave* (something)   la propina *tip*

a lo menos *at least*
de propina *as a tip*
el quince por ciento *fifteen per cent*
en la caja *at the cashier's* (desk)

In no other country will you find more natural courtesy and friend-liness than in Spain. Visitors become conscious of this at once, for everything possible is done to make their stay pleasant. If a stranger loses his way or is unable to find a certain place, the Spaniard often takes him to his destination.

A Spanish man always takes time to greet a friend on the street, give him an *abrazo* (embrace), and ask about the health of each member of his family. When he introduces himself, he gives his name and says: "A sus órdenes," or "Para servir a usted," (At your service). Upon giving a friend his address, he adds: "Donde está su casa," (Where you are welcome). When a friend visits his home, the Spaniard greets him with a phrase such as "Está usted en su casa," (This is your house). If a personal possession is admired by a visitor, his response is "Es suyo (suya)," or "A su disposición," both of which mean "It is yours." It will be embarrassing if the visitor takes this literally.

308

On the train if Spaniards are eating something, they will courteously ask: "¿ Gusta usted ?" (Won't you try some ?) Instead of accepting, you will reply: "Muchas gracias, no." At the café it is sometimes difficult for a foreigner to repay his social obligations, because the waiter will not give him a check if his Spanish friend says: "Es extranjero," (He is a foreigner).

Courtesy and dignity are characteristic not only of the upper classes, but also of the country people of Spain. The usual greeting along the roadway is "Vaya usted con Dios," (Good-bye, literally, Go with God).

LECCIÓN
TREINTA Y CUATRO

CAFÉ ESPAÑOL

EN UN CAFÉ ESPAÑOL

— ¿ Qué está Vd. leyendo ?

— Estoy leyendo un libro que trata de las costumbres españolas. Leyendo tal libro, se aprende mucho.

— Un amigo español estaba diciéndome algo de su país hace varios
5 días. ¿ Qué ha leído Vd. ?

— Pues, parece que todo el mundo va al café todas las tardes para pasar varias horas hablando, fumando y bebiendo. En las tertulias hablan del arte, de **la** música, de **la** literatura, de la vida política y social, y aún de las mujeres. A veces todos tratan de hablar al mismo tiempo,
10 gritando en voz alta.

— ¿Comen todo el tiempo ?

— En el café se toma solamente café, chocolate o té con pasteles. Hay que ir al restaurante si se quiere una comida.

— Ya recuerdo.

15 — Los cafés se hallan en las plazas, en los parques y en las calles si las aceras son anchas. A menudo no se toma el café en tazas.

— Pues, ¿ en qué se toma ?

— En vasos. Primero el mozo echa café y cuando hay bastante, uno levanta un dedo. Entonces el mozo echa leche caliente.

VOCABULARIO

Nombres

la acera *sidewalk*
el dedo *finger*
la literatura *literature*
la mujer *woman*
el pastel *pastry*
la plaza *plaza, square*
el restaurante *restaurant*
la taza *cup*
la tertulia *social gathering, party*
la voz (*pl.* voces) *voice*

Adjetivos

alto, –a *high, tall*
ancho, –a *broad, wide*

político, –a *political*
social *social*
tal *such, such a* (used without the
   indefinite article)

Adverbio

aún *even, yet*

Verbos

echar *to pour*
fumar *to smoke*
gritar *to shout*
tratar *to try, treat*

Expresiones

en voz alta *in a loud voice, aloud*
tratar de *to deal with; try to*

PRÁCTICA.   In the dialogue find the Spanish for:

1. What are you reading?   2. I am reading a book which deals with.
3. By reading such a book.   4. A Spanish friend was telling me.   5. to
spend several hours talking, smoking, and drinking.   6. all try to talk.
7. shouting in a loud voice.   8. One must go.   9. if one wants a meal.
10. I remember now.   11. Cafés are found.   12. one raises a finger.

PREGUNTAS

Answer in Spanish the following questions based on the dialogue:

1. ¿Qué está leyendo el joven?   2. ¿De qué trata el libro?   3. ¿A
dónde va todo el mundo todas las tardes?   4. ¿Cómo pasan el tiempo?
5. ¿De qué hablan?   6. A veces, ¿qué tratan de hacer todos?   7. ¿Se
come en un café?   8. ¿A dónde van los españoles a comer?   9. ¿Dónde
se hallan los cafés?   10. ¿Se toma siempre el café en tazas?   11. ¿En
qué se toma?   12. ¿Qué hace el mozo?

GRAMÁTICA

1. THE PRESENT PARTICIPLE

a. Regular verbs:

hablar:	**hablando**	*speaking*
aprender:	**aprendiendo**	*learning*
escribir:	**escribiendo**	*writing*

The present participle, which in English ends in *–ing,* is in Spanish regularly formed by adding **–ando** to the stem of **–ar** verbs, and **–iendo** to the stem of **–er** and **–ir** verbs. The present participle never changes its form, always ending in **–o.**

b. Irregular verbs:

decir:	**diciendo**	*saying*	venir:	**viniendo**	*coming*
ir:	**yendo**	*going*	creer:	**creyendo**	*believing*
poder:	**pudiendo**	*being able*	leer:	**leyendo**	*reading*

All other verbs in the preceding lessons have regular present participles.

2. USES OF THE PRESENT PARTICIPLE

Ahora está hablando.	*He is talking now.*
Estaba gritando entonces.	*He was shouting then.*
Pasamos muchas horas fumando.	*We spend many hours smoking.*
Leyendo tal libro, se aprende mucho.	*(By) reading such a book, one learns a great deal.*

Estar is used with the present participle to form the progressive tenses, that is, to stress an act in progress. However, the progressive forms of such verbs as **ir, salir, venir,** are seldom used.

The present participle in Spanish is used alone to express English *by* plus the present participle (fourth example).

Remember that the infinitive and not the gerund is used after a preposition: **antes de partir,** *before departing;* and that *on* or *upon* with the present participle is expressed in Spanish by **al** plus the infinitive: **al llegar,** *upon arriving.* See page 217.

3. POSITION OF PRONOUN OBJECTS WITH THE PRESENT PARTICIPLE

Leyéndolo, lo aprendí.	*(By) reading it, I learned it.*
Está pagándola. ⎫	*He is paying it.*
La está pagando. ⎭	

Pronouns used as objects of the present participle are attached to the participle, except in the progressive tenses, in which case the pronouns may be placed before the form of **estar** or attached to the participle. An accent mark must be written when a pronoun is attached to the present participle. You will remember that pronouns are also attached to infinitives and to commands. See pages 188–189 and 273–274.

EJERCICIOS

a. Place the pronoun object indicated in the proper position in each sentence in the group:

1. (nos) Él escribe. Quiere escribir. Está escribiendo. 2. (los) Visito. Pienso visitar. Estoy visitando. 3. (te) Vendo el caballo. Deseo vender el caballo. Estoy vendiendo el caballo. 4. (con ellos) Jugamos. Podemos jugar. Estamos jugando. 5. (les) Dices la verdad. Quieres decir la verdad. Estás diciendo la verdad. 6. (lo) Han echado. Pueden echar ahora. Están echando. 7. (las) Ella lee. Ella piensa leer. Ha pensado leer. No está leyendo. 8. (lo) Ponga Vd. No lea Vd. Hagan Vds. No cierren Vds.

b. Give the Spanish for:

1. shouting. 2. without shouting. 3. swimming. 4. after swimming. 5. eating it. 6. upon eating it. 7. seeing us. 8. on seeing us. 9. saying it. 10. after saying it. 11. believing me. 12. without believing me. 13. reading them (*f.*). 14. tired of looking for it. 15. being able to buy them.

c. With books closed, give the English for each sentence after the teacher reads it in Spanish:

1. ¿ Dónde se halla ese café? 2. Está en la acera enfrente de un restaurante grande. 3. Para ir allá se va por la Calle Robles hasta llegar a la Calle Salas. 4. Entonces se pasa por esa calle y pronto se ven las mesas y las sillas del café. 5. ¿ Te gustan las tertulias que tienen en los cafés? 6. Sí, pero me gusta más el buen café que se toma allí. 7. ¿ De qué estaban hablando tus amigos anoche cuando me acerqué a la mesa? 8. De la literatura sudamericana y de una mujer que escribe mucho y bien. 9. ¿ Cómo se llama ella y de qué país es? 10. Se llama Gabriela Mistral y es de Chile. 11. Esos dos cubanos estaban fumando y gritando mientras que los otros estaban hablando. 12. Yo no traté de hablar con nadie.

d. Read each sentence in Spanish, then repeat, changing the verb form to the progressive. Watch the position of the object pronouns.

Examples: **Hablaban español, Estaban hablando español**; **Lo leía, Estaba leyéndolo.**

1. ¿ Ponía Vd. la mesa, María ? 2. Sí, mientras que la criada lavaba los platos. 3. ¿ Quién hablaba con su madre ? 4. Nadie. Ella trataba de hallar ocho servilletas limpias. 5. ¿ Qué hacía su hermano ? 6. Jugaba al béisbol con varios amigos. 7. La hermana de Vd. no trabajaba mucho. 8. Ella se ponía un vestido negro. 9. ¿ Quién lavaba los cuchillos y los tenedores ? 10. La criada no los lavaba.

COMPOSICIÓN

1. Mary, did you go downtown this afternoon ? 2. Yes, I was looking for twelve white cups for the party tonight. 3. Were you able to find them ? 4. Yes, and then I went to buy some chocolate pastries. 5. Who is going to make the coffee ? 6. I intend to make it, but Caroline says that she wants to pour it. 7. Did you see Dorothy while you were in the store ? 8. Yes, she was chatting with a woman whom I did not know.[1] 9. The woman was talking in a loud voice. 10. She was saying that she could not spend time talking of the political life of the country. 11. She even said that she did not have time for her friends. 12. It seems to me that such women never work hard.

PARA PRACTICAR

a. Plática.

— Buenas tardes, María. ¿ Está su mamá ?

— No, señora Gómez, no está. Esta tarde está en el centro con mi papá, buscando muebles.

— ¿ Van a comprar muchas cosas ?

— Sí, señora, están buscando unos sillones, dos mesitas, dos o tres lámparas, una estufa y un refrigerador. ¿ No sabía Vd. que compramos una casa nueva hace dos semanas ?

— No lo sabía y me alegro mucho. ¿ Cuándo piensan Vds. mudarse ?

— El jueves que viene si podemos hallar los muebles que necesitamos.

— Pero, ¿ es difícil hallarlos ahora ?

— Sí, mucho. Este mes todo está de venta a precios especiales y hay mucha gente en las tiendas.

— Es verdad. Y probablemente no hay buenos surtidos de estilos nuevos.

---

[1] Use the imperfect tense.

— Vd. tiene razón.

— Muchas gracias, María. Otro día puedo hablar con su mamá.

— Pues, nos mudamos a la Calle Quince, número 345, donde tiene Vd.
su casa.

— Muchas gracias. Saludos a su mamá.

— Gracias, señora. Adiós.

especial *special*	los muebles *furniture*
la estufa *stove*	probablemente *probably*
la lámpara *lamp*	el refrigerador *refrigerator*
la mesita *small (end) table*	el sillón (*pl.* sillones) *armchair*
mudarse *to move, change*	
one's residence	

donde tiene Vd. su casa *where you are welcome*
¿ está su mamá ? *is your mother at home?*
estar de venta *to be on sale*
tener razón *to be right*

b. El jardín

With the following questions and the word list below you can have group
or chain conversations about the garden:

1. ¿ Tiene Vd. jardín ?
2. ¿ Qué hay en un jardín ?
3. ¿ Cuáles de las flores le gustan a Vd. más ?
4. ¿ Qué flores tiene Vd. (su madre) en su jardín ?
5. ¿ De qué color es (el tulipán) ?

la amapola *poppy*	el lirio *lily*
el aster *aster*	la margarita *daisy*
el césped *grass, lawn*	el narciso *narcissus, daffodil*
el clavel *carnation*	la orquídea *orchid*
el crisantemo *chrysanthemum*	el pensamiento *pansy*
la gardenia *gardenia*	el tulipán *tulip*
la hierba *grass*	la violeta *violet*

Spain reached its height in literature and the arts in the latter half of the sixteenth and in the seventeenth centuries. This period is called the *Siglo de Oro,* the "Golden Age."

The first great painter of this era and one of the world's most original artists was El Greco, so called because he came from Greece. He expressed the spirit of Spain so thoroughly that it is said he became more

Spanish than the Spaniards.   We must go to a little church in Toledo to see his masterpiece, *The Burial of the Count of Orgaz*.   The most famous painter of the Golden Age was the great realist Diego Veláz-quez, most of whose masterpieces are found in the Prado Museum in Madrid.   Among his best paintings are *The Little Ladies-in-Waiting*, *The Spinners*, and *The Surrender of Breda*, sometimes called *The Lances*. The outstanding religious painter of the period was Murillo.

In the early nineteenth century the master Goya portrayed on his canvases and in his etchings all phases of Spanish life at that time. Nearly a century later Sorolla began to depict the life and customs of his gay, sunny province of Valencia.   Some of his best works are found in the museum of the Hispanic Society and in the Metropolitan Museum in New York.   These museums also have works of El Greco, Velázquez, and Goya.   One of El Greco's best works, *The Assumption of the Virgin*, is in the Art Institute in Chicago.

LECCIÓN

TREINTA Y CINCO

BUSCANDO UN REGALO

(*Marta se encuentra con Teresa en el centro de la ciudad.*)

— ¡ Hola, Teresa ! ¿ Qué tal ?

— Muy bien, gracias. ¿ Dónde has estado ?

— Fuí a buscar una camisa, un regalo de cumpleaños para mi
5 hermano. Al pasar por otra tienda, después de comprar la camisa,
encontré un par de guantes preciosos que están muy de moda. Me los
probé y decidí tomarlos, pero no tenía bastante dinero.

— Yo tengo un billete de cinco dólares. Mi papá me lo dió anoche.

— ¿ Puedes prestármelo ? Te lo devuelvo mañana.
10 — Aquí lo tienes.

— Eres muy amable. ¿ No quieres acompañarme a comprar los
guantes ?

— Sí, con gusto.   ¿ Son de seda?

— No, son de cuero y, como he dicho, son de la última moda.   La empleada me los enseñó y me sentaron perfectamente.   Me alegro mucho de poder comprarlos esta tarde.

(*Entraron en la tienda y se acercaron al mostrador donde vendían* 5 *guantes.*)

— Haga Vd. el favor de enseñarme los guantes que me probé hace un rato — dijo Marta a la empleada.

— Con mucho gusto.   Aquí los tiene Vd.   Pruébeselos otra vez, señorita.   10

(*Probándoselos por segunda vez, Marta los pagó y las dos muchachas salieron de la tienda.   Antes de tomar el ómnibus, fueron a un café a tomar pasteles y té.*)

VOCABULARIO

Nombres	Adjetivo
la camisa *shirt*	precioso, –a *precious, "darling"*
el cuero *leather*	**Interjección (*Interjection*)**
el cumpleaños *birthday*	¡ hola ! *hello!*
el guante *glove*	
la moda *style, fashion*	**Verbos**
el mostrador *counter*	devolver (ue) *to return, give back*
el regalo *gift*	encontrar (ue) *to find, meet*
la seda *silk*	prestar *to lend*

Expresiones

de moda *fashionable, stylish*
encontrarse con *to meet, run across*
otra vez *again*
por segunda vez *for the second time*
regalo de cumpleaños *birthday gift*
te lo devuelvo *I'll return it to you*

PRÁCTICA.   In the dialogue find the Spanish for:

1. Martha runs across Teresa.   2. How goes it?   3. a birthday gift for my brother.   4. I found a pair.   5. that are very stylish.   6. I tried them on.   7. a five-dollar bill.   8. My father gave it to me.   9. Can you lend it to me?   10. I'll return it to you.   11. Are they silk?   12. they are leather.   13. they are of the latest style.   14. The clerk showed them to me.   15. Please show me.   16. Try them on.   17. Trying them on. 18. Martha paid for them.

PREGUNTAS

Answer in Spanish the following questions based on the dialogue:

1. ¿Con quién se encuentra Marta? 2. ¿Dónde ha estado Marta? 3. ¿Qué compró ella? 4. ¿Por qué la compró? 5. Al pasar por otra tienda, ¿qué encontró? 6. ¿Cómo eran? 7. ¿Por qué no los compró? 8. ¿Qué hizo Teresa? 9. ¿De qué eran los guantes? 10. ¿A qué se acercaron cuando entraron en la tienda? 11. ¿Qué dijo Marta a la empleada? 12. ¿Qué contestó la empleada? 13. ¿Se los probó Marta por segunda vez? 14. ¿Los pagó? 15. ¿A dónde fueron las dos muchachas entonces?

GRAMÁTICA

1. COMBINATIONS OF TWO PERSONAL OBJECT PRONOUNS

Me lo da.	*He gives it to me.*
Nos los escribe.	*He writes them to us.*
Te la enseñaron.	*They showed it to you.*

	a él.		to him.
	a ella.		to her.
Se lo vende	a Vd.	He sells it	to you (sing.).
	a ellos.		to them (m.).
	a ellas.		to them (f.).
	a Vds.		to you (pl.).

Quiero leérselo a ella.	*I want to read it to her.*
Al dárselos a ellos.	*On giving them to them.*

The indirect object pronoun precedes the direct when two pronouns are used as objects of the same verb. When both pronoun objects are in the third person, **se** replaces the indirect **le** or **les**. Never use together two pronouns which begin with the letter **l**.

Since **se** may mean *to him, her, you, it,* or *them,* the prepositional forms will often be required in addition to **se** for clearness.

Se los pone.	*He puts them on.*
Voy a ponérmelo.	*I am going to put it on.*
Pruébeselos Vd.	*Try them on.*
Probándoselos, los pagó.	*Trying them on, she paid for them.*

A reflexive pronoun precedes any other object pronoun. When two pronoun objects are added to an infinitive, an accent mark must be written over the final syllable of the verb. An accent mark is written on the next to the last syllable of a present participle or affirmative command when either one or two pronouns are added.

2. USES OF ENCONTRAR AND HALLAR

Le encontré en la calle.	*I met (found) him in the street.*
Se encontró con ellos.	*He met (ran across) them.*
Después de una hora los hallé.	*After an hour I found them.*

Encontrar means *to find* or *meet by chance*, while **hallar** means *to find* after searching for something or someone. **Encontrarse con** means *to meet* or *run across*.

Recall that **conocer** is used when one meets or is introduced to a person for the first time: **Conocí a Juan ayer,** *I met John yesterday.*

EJERCICIOS

a. Dictation:

1. Le gustó la camisa y el dependiente se la vendió. 2. Al llegar a casa, se la probó. 3. Aunque estaba muy de moda, no le sentó bien y la devolvió a la tienda. 4. El dependiente le halló otra y se la dió a él. 5. Entonces se encontró con su madre y le dijo a ella que necesitaba más dinero. 6. Ella se lo dió, explicándole que solamente se lo prestaba. 7. Ella quería esperarle pero él deseaba buscar unos calcetines de lana. 8. Los halló en otro mostrador, decidió tomarlos y los pagó en seguida.

b. Rewrite each sentence, placing the Spanish forms of the pronoun objects in the proper position:

1. Lee la carta y da *it to me*. 2. Hablan español pero no están enseñando *it to us*. 3. Saben la verdad y quieren decir *it to them*. 4. Ella estudió los ejercicios y explicó *them to me*. 5. He visto el traje de lana y me he probado *it*. 6. Tengo sus guantes y deseo devolver *them to him*. 7. Mi hermano acompañó *me* y yo presenté *him to her*. 8. Ella tenía una falda nueva y mostró *it to you (fam.)*. 9. Han comprado otra casa pero no han vendido *it to us*. 10. Ella había recibido la carta y estaba leyendo *it to you (pl.)*. 11. Si Vd. tiene la carta, *read it to me* ahora. 12. Aquí tiene Vd. los guantes. *Do not give them to him* hasta mañana. 13. Nos gustaba el coche, pero él no quería *to sell it to us*. 14. Los zapatos eran bonitos pero no puedo *describe them to her*. 15. Compré el vestido y estaba *putting it on* cuando Vd. llamó.

c. Complete and translate:

1. Piensan *to return* a San Antonio.   2. Ellos *did not return* las cucharitas que les presté.   3. Me dijeron que no pudieron *find them.*   4. Yo las *bought* en Europa.   5. Son *silver* y las necesito *for the party.*   6. *I am glad to* tener otras.   7. Nosotros *do not have time to* ir de compras.   8. Siempre *we try to* hacer demasiado.   9. Juan Méndez ha venido de Nueva York *for the second time.*   10. Llegó *four days ago.*   11. No sé por qué está aquí *again.*   12. Él y Pablo *are very busy.*   13. *At the same time* pasan muchas horas en los cafés.   14. Ayer *they ran across* Luis Morena.   15. Juan quiere partir *day after tomorrow.*

d. Give orally in Spanish:

1. The poor thing needs a new dress.   2. I saw a darling dress yesterday. 3. It was of the latest style.   4. There was also an overcoat of the same wool.   5. Later I found a hat of the same color.   6. Did you see Mary last night?   7. She was wearing flowers that Richard had bought for her. 8. He gave them to her for her birthday.

COMPOSICIÓN

1. Hello, Betty! What has happened since yesterday?   2. Nothing special. Have you talked with Dorothy?   3. No, but Mary and I have tried to call her.   4. Her brother lent her his car.   5. At two o'clock she had not returned.   6. He said that he had given her money (in order) to buy gloves, shoes, and a hat.   7. Where did you run across him?   8. Passing by their house, I saw him in the garden.   9. He was working there and he asked me if I had seen his sister.   10. I told him that there were many persons in the stores.   11. I did not remember that yesterday was Dorothy's birthday.   12. I spent the afternoon helping my mother.

PARA PRACTICAR

Pláticas.

1. — ¿ Deseaba Vd. algo, señorita ?

— Sí, señor. Quiero comprar un regalo de cumpleaños para mi hermano.

— Tenemos carteras y llaveros de toda clase.

— Pues, enséñeme Vd. esa cartera de cuero negro, por favor.

— Es muy bonita, señorita, y es de buena calidad.

— ¿ Cuánto es ?

— Solamente cuatro dólares. Hay otras más baratas, pero no son de buena calidad.

— Me gusta ésta. La tomo, y aquí tiene Vd. la tarjeta de mi padre.
¿ Me hace el favor de cargarla en cuenta ?

— Con mucho gusto, señorita. ¿ Se la mando a casa, o quiere Vd.
llevarla ?

— Voy a llevarla, gracias.

el llavero *key ring*	la tarjeta *card*

cargar en cuenta *to charge*
¿ me hace el favor de (+ *inf.*) ? *will you please* (+ verb) ?
otras más baratas *other cheaper ones*
¿ se la mando a casa ? *shall I send it to your home?*

2. — Buenos días, señor. ¿ En qué puedo servirle a Vd. ?

— Esta marca de camisas se vende aquí, ¿ no es verdad ?

— Sí, señor, no se vende en otra tienda de la ciudad.

— Pues, quiero saber si puedo devolver ésta, o si puedo cambiarla
por otra.

— Por supuesto. ¿ No le sienta bien, señor ?

— No, me queda un poco estrecha y las mangas me quedan cortas.

— ¿ Qué número usa Vd. ?

— Número quince, por favor.

— Señor, lo siento mucho, pero no la tenemos en este color. ¿ Qué
le parece a Vd. ésta, de color azul claro ? O la tengo de color azul más
obscuro.

— Me gusta ésta. La tomo. Muchas gracias.

— De nada. Se la envuelvo en seguida.

claro, –a *clear, light* (color)	la marca *brand, make*
envolver (ue) *to wrap up*	obscuro, –a *dark*
estrecho, –a *narrow, tight*	

lo siento mucho *I am very sorry*
me queda (un poco) estrecho, –a *it is (a little) too tight for me*
me quedan cortas *they are too short for me*
por supuesto *of course, certainly*
¿ qué le parece a Vd. ésta ? *what do you think of (how do you like) this one?*
se la envuelvo *I'll wrap it up for you*

With these two model conversations you can build your own dialogues,
buying things as gifts and returning various articles to a store. Watch
carefully to see that the adjectives you use have the same gender and
number as the nouns which you use.

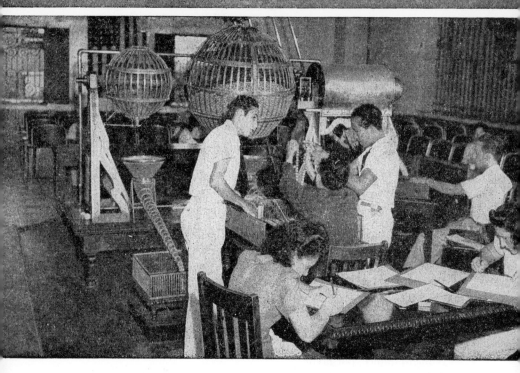

¡Mañana sale! "Tomorrow it is drawn!" *¡Para hoy!* "For today!" These are the familiar cries of the vendors who are trying to sell the rest of their lottery tickets just before the drawing for the big prizes. On the street, at the door of the hotel or theater, at the sidewalk café, wherever one goes, the vendors offer one an opportunity to win *el premio gordo*, (the first [fat] prize). There are also official lottery stands where tickets are sold and where all the winning tickets are redeemed.

In Spanish-speaking countries the lottery is conducted as a means of raising revenue for governmental expenses, and often for specific projects, such as hospitals, universities, and other national institutions. In some countries individual cities also have lotteries on a smaller scale. Lottery tickets are usually divided into ten parts, so that one can buy a whole ticket or any number of parts. People of all classes buy tickets regularly. For the poor, especially, there is always the hope of becoming rich from the winnings of a big prize. Since the top prizes amount to many thousands of dollars, there is much excitement at the time that the lucky numbers are drawn.

REPASO VII

A. Read in Spanish and translate:

En las tierras españolas hay una gran variedad de deportes y cada uno tiene muchos aficionados.[1] El fútbol, de estilo *soccer*, es muy popular. Entre otros deportes tienen el béisbol, el básquetbol, la pelota o el jai-alai, las carreras de caballos,[2] el polo, el tenis, el golf, el boxeo, la natación,[3] la caza,[4] la pesca,[5] en efecto, todos los deportes que se conocen en el resto del mundo. 5

No sólo los hombres, sino también [6] las mujeres toman parte en los deportes, especialmente en el golf, el tenis y la natación. Puesto que una gran parte de los juegos [7] son de origen inglés o norteamericano, se usan muchas palabras inglesas. En cambio, hay deportes de origen español, 10 tales como la pelota y las corridas de toros,[8] en que se usa un vocabulario especial.

Muchas personas creen que hay corridas de toros en todos los países de habla española,[9] pero la verdad es que se ven solamente en ciertos países, tales como España, México, Colombia, Venezuela y el Perú. 15

La pelota es el famoso juego de los vascos,[10] del norte de España. Se juega en un frontón,[11] que consiste en [12] tres paredes: una pared alta que está enfrente de los jugadores, otra a un lado y la tercera detrás de ellos. Los espectadores están sentados en el otro lado. Una pareja [13] de jugadores, los azules, se opone a [14] otra pareja, los blancos o los rojos. Usan una 20 cesta,[15] que tiene forma curva, para lanzar [16] la pelota. Este juego es muy rápido y uno tiene que ser muy ágil para jugarlo bien. Es popular no sólo en España, sino también en Cuba, México y otros países del Nuevo Mundo. También se juega en varias ciudades de los Estados Unidos.

El béisbol, el deporte nacional de los Estados Unidos, es también el de- 25 porte nacional de Cuba. Varios equipos de la región del Mar Caribe tienen una serie internacional.

Hoy día se ven muchos equipos de básquetbol en todos los países latinoamericanos, no sólo en las ciudades grandes, sino también en los pueblos pequeños. Durante la época de los mayas y los aztecas había un juego de 30 pelota semejante a este juego moderno. Era necesario pasar la pelota de hule [17] por un anillo en la pared, sin usar las manos ni la cabeza. Pero probablemente no tuvo influencia en el origen de nuestros juegos modernos.

[1] aficionados, *fans*. [2] carreras de caballos, *horse races*. [3] natación, *swimming*. [4] caza, *hunting*. [5] pesca, *fishing*. [6] No sólo . . . sino también, *Not only . . . but also*. [7] juegos, *games*. [8] corridas de toros, *bullfights*. [9] de habla española, *Spanish-speaking*. [10] vascos, *Basques*. [11] frontón, *court*. [12] en, *of*. [13] pareja, *couple*. [14] se opone a, *opposes*. [15] cesta, *racket*. [16] lanzar, *to throw*. [17] hule, *rubber*.

B. Write in Spanish:

1. a green wool shirt. 2. some cotton gloves. 3. five felt hats. 4. three silk blouses. 5. my black rayon dress. 6. eight wooden chairs. 7. four stone houses. 8. the silver knives and forks. 9. six pairs of nylon hose. 10. chocolate pastries. 11. our basketball team. 12. nine baseball players. 13. a football game. 14. a gold cup. 15. her cotton raincoat. 16. his black leather shoes. 17. a paper tablecloth. 18. their red wool overcoats. 19. a stylish suit. 20. a hat of the latest style.

C. Explain each use of **se** in the following sentences (see section 1, page 181; section 1, page 273; section 1, page 305; and section 1, pages 320–321):

1. Aquí se habla portugués. 2. Así se aprende el español. 3. Se baila el tango allí. 4. ¿Dónde se venden las camisas? 5. Se hallan en aquel mostrador. 6. ¿Cuándo se ocupó la casa? 7. Se abrió ayer. 8. ¿Le prestó a Vd. el libro o se lo dió? 9. No sé, pero pienso devolvérselo a él. 10. Se alegra de verte.

D. Refer to pages 297 and 312–313, then give orally, using a form of **estar** with a past or present participle in each sentence:

1. Our team is winning. 2. The championship is decided. 3. All the chairs were occupied. 4. The girls were seated with their parents. 5. The Mexicans were dancing the *jarabe*. 6. We were taking black coffee at a small table. 7. What was your father explaining to the waiter? 8. He was telling him something about our team.

E. Complete with the necessary preposition:

1. Salí —— la casa. 2. Subí —— mi coche. 3. Bajé —— él. 4. Fuí —— casa de Enrique. 5. Entré —— la sala. 6. Todos se alegraron —— verme. 7. Jugamos —— los naipes. 8. Enrique trató —— ganar. 9. Gozamos —— la tertulia. 10. Partí —— allí a las once y media. 11. Me acerqué —— mi casa. 12. Me encontré —— unos amigos que pasaban por la casa.

F. Translate the pronoun objects and place them correctly with each verb:

1. (*them to us*) Presentaron. Estaban presentando. Querían presentar. 2. (*it, f., to me*) Vendió. Estaba vendiendo. Trató de vender. 3. (*it, m.*) Ella se prueba. Estaba probándose. Se había probado. 4. (*them to them, f.*) Devuelven. Pueden devolver. Están devolviendo. 5. (*it to me*) Diga Vd.

Devuelva Vd.   No preste Vd.   6. (*them, m.*) Laven Vds.   Pónganse Vds. No nos den Vds.

G. Translate the English word correctly in each of the sentences in the group in which it appears:

1. (*took*) Ella —— el libro en la mano.   Lo —— a Carolina.   Entonces —— un paseo.   2. (*found*) Yo —— en la calle un billete de cinco dólares. Yo no —— las corbatas que buscaba.   3. (*was, it was*) El reloj que —— en el mostrador —— precioso.   —— calor en la tienda.   Yo —— sed. 4. (*have*) Yo no —— pagado la cuenta.   ¿ La —— Vd.?   5. (*know*) ¿ —— Vds. a mi tío?   No, pero nosotros —— donde vive.   6. (*plays*) La orquesta —— bien.   Juan no —— al béisbol.   7. (*returned*) Ellos —— anoche.   No me —— el dinero que les había prestado.   8. (*met*) Anoche yo —— a los argentinos que están visitando aquí.   Hoy me —— con ellos en la calle.

H. Give in Spanish:

1. to eat, eating, eaten, he eats, he used to eat, he ate, he has eaten, he had eaten.   2. to go, going, gone, we go, we were going, we went, we have gone, we had gone.   3. to return, returning, returned, they return, they were returning, they have returned, they had returned.   4. to write, writing, written, I write, I used to write, I wrote, I have written, I had written.

I. Write in Spanish:

1. Martha wanted a bathing suit for her birthday.   2. Her grandmother had decided to give it to her.   3. Then she saw a silk dress in a show window. 4. I called her by telephone an hour ago.   5. She told me that the dress was darling.   6. She had met my parents in the store.   7. They were buying me a pair of leather gloves.   8. They liked the black ones.   9. They knew that I wanted them.   10. They were glad to give them to me.   11. My mother had already tried to find me some blue ones.   12. Martha looked at the dress for the second time.   13. She tried it on.   14. It was very stylish, but it did not fit her well.   15. Noting that the skirt was short, she did not take it.   16. She looked for a red bathing suit.   17. Seeing a pretty bathing suit, she bought it.   18. Her grandmother thinks that it is too short.

LECTURAS

La Navidad [1]

¡ Feliz Navidad y próspero Año Nuevo !   En México las fiestas de Navidad empiezan la noche del diez y seis de diciembre y no terminan

[1] Navidad, *Christmas.*

hasta el veinte y cinco. Todas las noches desde el diez y seis del mes los mexicanos celebran las « posadas », que representan los nueve días que José y María pasaron en su viaje a Belén.[1]

Por la noche los amigos de una familia forman una procesión y van
5 por el patio de puerta en puerta[2] llevando las figuritas[3] de José, María, el niño Jesús, los pastores,[4] las mulas, las vacas y las ovejas. Una persona lleva la estrella[5] de Belén; los demás[6] van detrás de ella cantando.[7] Llaman a cada puerta, pero una voz siempre contesta que la posada[8] está llena.[9] Al fin se abre una puerta y el
10 dueño les da permiso para pasar la noche en el establo. En los pueblos la procesión va de casa en casa y al llegar a la novena puerta alguien la abre. Entran y preparan con las figuritas un altar que representa el nacimiento[10] de Jesucristo. Esta procesión se forma todas las noches hasta la Nochebuena.[11]

15 En cada una de las nueve « posadas », después de preparar el nacimiento, los niños juegan a la piñata. La piñata es una olla de barro[12] adornada de papeles de muchos colores y llena de frutas, dulces,[13] nueces[14] y juguetes[15] pequeños. Se cuelga[16] en el patio o en la casa y los niños forman un círculo debajo de ella. Un niño con
20 los ojos vendados[17] trata tres veces de romper[18] la piñata con un palo.[19] Si no la rompe, otro niño trata de hacerlo. Al fin cuando se rompe, los niños corren a recoger[20] todo lo que cae. A veces hay varias piñatas, y una de ellas puede estar llena de agua o de harina.[21]

En México no hay árboles de Navidad y las casas mexicanas no
25 tienen chimeneas, por eso los niños no pueden colgar las medias delante de la chimenea. Los niños creen que los tres Reyes Magos[22] les traen regalos si son buenos, pero tienen que esperar hasta el seis de enero, el día de los Reyes Magos, para recibirlos. Como creen que los Reyes Magos pasan por las calles en sus camellos durante la noche,
30 ponen sus zapatos en el balcón y a veces dejan un poco de paja[23] para los camellos. Es verdad que algunas familias han adoptado la costumbre norteamericana de poner árboles de Navidad.

En España tienen una costumbre muy extraña para celebrar la víspera del Año Nuevo.[24] Unos minutos antes de la medianoche todos
35 toman doce uvas[25] en la mano y esperan la hora de las doce. A cada

---

[1] Belén, *Bethlehem*.   [2] de puerta en puerta, *from door to door*.   [3] figuritas, *small figures*.   [4] pastores, *shepherds*.   [5] estrella, *star*.   [6] los demás, *the rest*.   [7] cantando, *singing*.   [8] posada, *inn*.   [9] llena, *full*.   [10] nacimiento, *birth, manger scene*. [11] Nochebuena, *Christmas Eve*.   [12] olla de barro, *clay jar*.   [13] dulces, *sweets*. [14] nueces, *nuts*.   [15] juguetes, *toys*.   [16] colgar (ue), *to hang*.   [17] vendados, *bandaged*. [18] romper, *to break*.   [19] palo, *stick*.   [20] corren a recoger, *run to pick up*.   [21] harina, *flour*.   [22] Reyes Magos, *Wise Men*.   [23] paja, *straw*.   [24] la víspera del Año Nuevo, *New Year's Eve*.   [25] uvas, *grapes*.

campanada del reloj[1] comen una uva y así están seguros[2] de tener buena suerte[3] durante todos los meses del año.   Al sonar la última campanada, todos dan grandes aplausos, gritando « ¡ Feliz Año Nuevo ! »

PREGUNTAS

1. ¿ Cuándo empiezan las fiestas de Navidad en México ?   2. ¿ Cuándo terminan ?   3. ¿ Qué representan las posadas ?   4. ¿ Qué llevan por la noche ?   5. ¿ Qué preparan con las figuritas ?   6. ¿ A qué juegan los niños ? 7. ¿ Qué es la piñata ?   8. ¿ Qué tratan de hacer los niños ?   9. ¿ De qué está llena la piñata ?   10. ¿ En qué día reciben los niños sus regalos ? 11. ¿ Quiénes los traen ?   12. ¿ Qué ponen los niños en los balcones ? 13. ¿ Qué costumbre norteamericana han adoptado algunas familias españolas ?   14. ¿ Qué hacen en España la víspera del Año Nuevo ?   15. ¿ Qué gritan todos ?

The two Christmas songs may be sung, the first to the tune of "Silent Night" and the second to that of "Come All Ye Faithful."

Noche de paz, noche de amor

Noche de paz, noche de amor;
Todo duerme en derredor
Entre los astros que esparcen su luz
Bella, anunciando al Niño Jesús,
Brilla la estrella de paz
Brilla la estrella de paz.

Noche de paz, noche de amor;
Oye humilde el fiel pastor
Coros celestes que anuncian salud
Gracias y glorias en gran plenitud,
Por nuestro buen Redentor
Por nuestro buen Redentor.

Noche de paz, noche de amor;
Ved que bello resplandor
Luce en el rostro del Niño Jesús
En el pesebre, del mundo la luz,
Astro de eterno fulgor
Astro de eterno fulgor.

Venid, fieles todos

Venid, fieles todos
A Belén marchemos
De gozo triunfantes
Henchidos de amor;
Al rey de los cielos
Todos adoremos;
Vengamos, adoremos,
Vengamos, adoremos,
Vengamos, adoremos
A nuestro Señor.

Cantad, todos ángeles,
Cantad en regocijo;
Cantad, moradores
Del cielo alto,
Cantad gloria al Dios,
Todos de vosotros;
Vengamos, adoremos,
Vengamos, adoremos,
Vengamos, adoremos
A nuestro Señor.

---

[1] campanada del reloj, *stroke of the clock*.   [2] seguros, *sure*.   [3] suerte, *luck*.

LOS REYES MAGOS

Jacinto Benavente, Spain's best known playwright of the twentieth century, has also written short stories. This adaptation of a Christmas story shows something of the universal character of Benavente's work.

Al amanecer [1] del día de los Reyes Magos, el niño se despertó [2] nervioso, saltó [3] de la cama y corrió al balcón para ver lo que le habían traído [4] los tres Reyes. Cuando la criada oyó el ruido del niño que trataba de abrir el balcón, corrió gritando:

5 — Niño, ¿ qué estás haciendo ? Vas a enfermarte; tienes que volver a la cama.

— ¡ Los Reyes ! ¡ Quiero ver lo que me han traído los Reyes !

— ¡ Qué tonto [5] eres ! — decía el hermano mayor desde su cama, después que la criada había puesto a su hermano pequeño en su cama

10 otra vez. —Yo tengo ya mi regalo. ¿ Ves este duro [6] nuevo ? Cuando papá me lo dió anoche, me dijo:

« ¿ Tú crees en eso de [7] los Reyes ? ¡ Tonto ! Los Reyes son papá y mamá . . . »

— ¡ Es mentira ! [8] — gritó el niño. — Los Reyes han venido y me

15 han traído muchas cosas, y a ti nada, porque me haces rabiar [9] . . .

— ¡ Tonto, tonto ! — decía otra vez el hermano mayor.

El niño empezó a llorar.[10] El padre, de mal humor,[11] llegó y preguntó:

— ¿ Qué ocurre ?

20 Cuando el niño explicó lo que había pasado, el padre dijo:

— Tu hermano tiene razón; no hay tales Reyes; los hombres no creen en tales cosas . . .

El niño quedó aterrado.[12] Estaba llorando mucho . . .

— ¿ Lo ves, lo ves ? — le decía el hermano mayor.

25 Y el niño lloraba . . . En ese momento la madre entró, diciendo:

— ¿ Qué tienes ? [13] ¿ Por qué lloras ?

— Porque papá dice que no hay Reyes Magos . . .

El padre iba a insistir, pero la madre le miró fijamente,[14] luego se dirigió al [15] niño:

---

[1] Al amanecer, *At dawn.* [2] se despertó, *woke up.* [3] saltó, *he jumped.* [4] traído, *brought.* [5] ¡ Qué tonto ! *What a fool ! How stupid !* [6] duro, *dollar* (Spain). [7] en eso de, *in that matter of.* [8] ¡ Es mentira ! *It's a lie !* [9] me haces rabiar, *you make me furious.* [10] llorar, *to cry.* [11] de mal humor, *in a bad humor.* [12] quedó aterrado, *was terrified.* [13] ¿ Qué tienes ? *What's the matter with you ?* [14] le miró fijamente, *stared at him (looked at him fixedly).* [15] se dirigió a, *she turned to.*

— ¿ Te han dicho eso ?   ¡ Sí que hay Reyes Magos, sí, vida mía ! [1]
Unos Reyes muy buenos que quieren mucho a los niños.[2]

Y secando a besos las lágrimas [3] del hijo, le contaba la eterna leyenda,
y el niño, al oírla, se abrazaba a su madre.   Por fin, entre risas y lágrimas,[4] miró primero a su madre, y luego a su hermano, diciendo: 5

— ¿ Ves lo que dice mamá ?   ¿ Ves como todo es verdad ?

PREGUNTAS

1. ¿ Cuándo se despertó el niño ?   2. ¿ A dónde corrió ?   3. ¿ Quién oyó
el ruido ?   4. ¿ Qué dijo la criada ?   5. ¿ Qué decía el hermano mayor ?
6. ¿ Qué le había dado su padre ?   7. ¿ Qué le había dicho su padre ?
8. ¿ Qué gritó el niño ?   9. ¿ Quién llegó entonces ?   10. ¿ Qué le dijo su
padre ?   11. ¿ Dijo la madre que había Reyes Magos ?   12. ¿ Quiénes son
los Reyes ?   13. Por fin, ¿ qué dijo el niño a su hermano mayor ?

[1] vida mía, *my dear (darling).*   [2] quieren mucho a los niños, *who love children
a great deal.*   [3] secando a besos las lágrimas, *drying the tears . . . with kisses.*   [4] entre
risas y lágrimas, *half laughing, half crying* (literally, *among laughter and tears*).

VILLANCICO DE NAVIDAD

La Vir - gen la - va —— pa - ña - les —— y los
tien - de en el ro - me - ro —— y los pa - ja - ri - tos
can - tan   y el a - gua pa - sa co - rrien - do, pas - to - res lle -
gad ——   es - ta   sí que es u - na no - che bue - na la no - che
bue - na de Na - vi - dad. ——

LECCIÓN

TREINTA Y SEIS

HABLANDO POR TELÉFONO

(*Suena el teléfono* [1] *y Carmen descuelga el receptor.*)

— ¡ Bueno !

— ¿ Está [2] el señor Luis Martínez ?

— No está en este momento.   ¿ Quién habla ?

5   — Habla Carlos White.   Conocí al señor Martínez en Chicago hace más de dos años.

— Pues, yo soy su hermana.   ¿ Quiere Vd. dejarle un recado ?

— Vd. puede decirle, por favor, que estoy en el Hotel Buena Vista, número 16–27–15.

10   — Un momento.   Ya entra Luis.   (*Carmen le dice que Carlos le llama.*)

— ¡ Hola, amigo !   ¿ Qué tal ?

— Perfectamente, gracias.

[1] Note that the subject often follows the verb in Spanish.   [2] **Está** = **Está en casa.**

— ¿ Cuándo llegó Vd. a la capital?

— Hace menos de tres horas.

— Es un gran placer tenerle en México. ¿ Vino en coche?

— Sí, y fué el viaje más agradable que jamás he hecho. Hicimos una gran parte del viaje por las montañas de noche, y creo que a la ⁵ luz de la luna las vistas eran aún más hermosas que de día. La Carretera Panamericana es uno de los caminos más interesantes del mundo.

— Todo parece ser más hermoso que nunca este verano. Deseo verle a Vd. muy pronto pero tengo que ir a una tertulia ahora mismo. 10 ¿ Puede Vd. llamarme mañana?

— Sí, con mucho gusto. Adiós.

— Hasta mañana.

VOCABULARIO

Nombres	Adjetivos
el camino *road, way*	gran *great*
la carretera *highway*	panamericano, –a *Pan American*
el hotel *hotel*	**Conjunción (Conjunction)**
la luna *moon*	que *than*
el número *number*	
el recado *message*	**Verbos**
el receptor *receiver*	dejar (*with object*) *to leave*
	descolgar (ue) *to take down (off)*
	sonar (ue) *to sound, ring*

Expresiones

a la luz de la luna *in the moonlight*
ahora mismo *right now (away)*
de día *by day*
de noche *at (by) night*

PRÁCTICA.   In the dialogue find the Spanish for:

1. The telephone rings. 2. Is Mr. Louis Martínez at home? 3. He isn't at home. 4. I met Mr. Martínez. 5. more than two years ago. 6. Louis is entering now. 7. How goes it? 8. Less than three hours ago. 9. It is a great pleasure. 10. Did you come by car? 11. the most pleasant trip. 12. a great part. 13. in the moonlight. 14. the views were even more beautiful. 15. one of the most interesting roads in the world. 16. more beautiful than ever.

PREGUNTAS

Answer in Spanish the following questions which are based on the dialogue:

1. ¿Qué suena? 2. ¿Qué hace Carmen? 3. ¿Qué dice ella? 4. ¿Qué pregunta Carlos? 5. ¿Qué contesta Carmen? 6. ¿Quién es Carmen? 7. ¿En qué hotel está Carlos? 8. ¿Cuándo llegó a la capital? 9. ¿Fué agradable el viaje? 10. ¿Pasaron por las montañas de día o de noche? 11. ¿Cómo eran las vistas? 12. ¿Cómo es la Carretera Panamericana? 13. ¿A dónde va Luis?

GRAMÁTICA

1. COMPARISON OF ADJECTIVES

a. rico	rich	(el) más rico	(the) richer, richest
difícil	difficult	(el) más difícil	(the) more difficult, most difficult
caro	expensive	(el) menos caro	(the) less expensive, least expensive

When we compare adjectives in English we say *rich, richer, richest; difficult, more (less) difficult, most (least) difficult.* In Spanish we use **más** to mean *more, most,* and **menos** for *less, least.* The definite article is used when *the* is a part of the meaning, and the adjective must agree with the noun in gender and number: **el más rico, la más rica, los más ricos, las más ricas,** *the richer, the richest.* Sometimes the possessive adjective (**mi, tu,** etc.) replaces the definite article. Other examples are:

Juan es más joven que yo.	*John is younger than I.*
Son menos altas que ella.	*They are less tall than she.*
Es la ciudad más grande.	*It is the larger (largest) city.*
Es la lección más difícil.	*It is the more (most) difficult lesson.*
Son mis guantes más nuevos.	*They are my newest gloves.*

Note the word order in the last three examples. You can tell from the context whether **más** means *more* or *most* and whether **menos** means *less* or *least.*

b. Tenía más dinero que Luis.	*He had more money than Louis.*
Tenía menos de cien dólares.	*He had less than a hundred dollars.*
Recibe más cartas que nadie.	*He receives more letters than anyone.*

Than is translated by **que** before a noun or pronoun, but before a numeral it is translated by **de.** After **que,** *than,* such negative words as **nada, nadie, nunca,** and **jamás** are used to complete comparisons and are translated *anything, anyone, ever.*

 c. **Es la casa más alta de la ciudad.** *It is the tallest house in the city.*
  Es el más grande del mundo. *It is the largest one in the world.*

After a superlative, *in* is translated by **de.**

2. USE OF GRAN FOR GRANDE

  Es un gran hombre. *He is a great man.*
  Ella es una gran mujer. *She is a great woman.*

When **grande** precedes a masculine or feminine singular noun it regularly becomes **gran** and usually means *great.* **Un hombre grande** means *a large (big) man.*

3. TRANSLATION OF TO LEAVE

  Dejé un recado. *I left a message.*
  Los dejó en la mesa. *He left them on the table.*
  Salió de la casa. *He left the house.*
  Partió de España. *He left Spain.*

Dejar, salir, and **partir** mean *to leave,* but **dejar** expresses the idea of leaving something behind, **salir** the idea of going out, and **partir** the idea of departing. **Salir** and **partir** require **de** when followed by the name of a place.

EJERCICIOS

 a. Write in Spanish:

 1. a modern house. 2. a house more modern than this one. 3. the most modern house of the three. 4. this magnificent view. 5. a view more magnificent than that one. 6. the most magnificent view of all. 7. a clean shirt. 8. a cleaner shirt than the other one. 9. the cleanest shirt of the four. 10. a very cheap hat. 11. a cheaper hat than this one. 12. the cheapest hat in the store. 13. a small hotel. 14. a smaller hotel than that one. 15. the smallest hotel in the city. 16. a wide road. 17. a wider road than this one. 18. the widest road in the state.

 b. Complete and translate:

 1. *He tried to* llamarte. 2. *He was trying on* un traje nuevo. 3. Quería *to show it to you (fam.).* 4. *He did not know* el número de tu teléfono. 5. *I took down* el receptor. 6. Yo lo *left* descolgado. 7. Estaba así *a great part*

de la mañana.   8. Nadie lo *remembered.*   9. Nunca *rang* el teléfono.
10. Anoche no *was received* su recado.   11. Yo estaba *listening to* la radio.
12. El tío de Jorge *was talking.*   13. Creo que es *a great man.*   14. Pasa
more time than anyone en Wáshington.   15. Vive en *the largest hotel in* la
ciudad.

c. Complete each sentence:

1. Nueva York tiene *more than* siete millones de habitantes.   2. Es
mucho *larger than* Chicago.   3. Ese libro era *more interesting than* éste.
4. Tenía *less than* quinientas páginas.   5. Este hotel tiene *more* cuartos
than aquél.   6. Pasé *more than* tres horas en el centro.   7. Carmen compró
a more beautiful dress.   8. Le presté *the largest of* todos mis sombreros.
9. Este año son más caros *than ever.*   10. Yo tengo más *than anyone.*
11. Quiere el coche más *than anything.*   12. Es la carretera *longest in the*
país.

d. Give the English for:

1. un país grande.   2. un gran país.   3. este mal camino.   4. un
muchacho malo.   5. por las noches.   6. de noche.   7. el mismo número.
8. ahora mismo.   9. a la sombra del árbol.   10. a la luz de la luna.   11. de
día.   12. hace cinco años.   13. otra cosa.   14. a menudo.   15. de vez en
cuando.   16. pasado mañana.   17. ya lo creo.   18. en cambio.   19. hoy
día.   20. mañana por la mañana.

COMPOSICIÓN

1. Hello, John! What's new?   2. Nothing special, Paul. I want to
know if the new highway from here to Chicago is open.   3. Yes, and it is
a good road. It is shorter than the old one.   4. How much time did you
spend on the road?   5. Less than four hours, even though we took the
smaller of our two cars.   6. One can make the trip in the newer car in
three hours and a half.[1]   7. Was it more difficult to find a room than last
year?   8. In the larger hotels, yes, but we found two rooms in one of the
less popular hotels.   9. Were the prices higher than in the past [2] months?
10. In the hotels, no, but I believe that meals cost more now.   11. I returned last night because it was easier to make the trip by night than by
day.   12. Moreover, the highway was prettier in the moonlight.

[1] Omit the indefinite article.   [2] Use **últimos.**

PARA PRACTICAR

a. Plática (por teléfono).

— ¡ Bueno !

— ¿ Es la casa del señor Martínez ?

— Sí, señor.

— ¿ Está Luis ?

— Sí, señor, está.

— ¿ Puedo hablar con él ?

— ¿ De parte de quién ?

— De parte de Carlos White.

— Un momento, señor White. Le llamo ahora mismo.

*   *   *

— ¡ Bueno !

— ¡ Hola, Luis ! Habla Carlos. Le he llamado para saber si dejé allí mi cartera.

— Sí, Carlos, la encontré y estoy guardándosela.

— Mil gracias, Luis. ¿ Quiere Vd. devolvérmela mañana en la escuela ?

— Con mucho gusto, Carlos. Le veo a las ocho.

— Adiós. Hasta mañana.

— Adiós.

de parte de Carlos *Charles is calling*
¿ de parte de quién ? *who's calling?* (literally, *on the part of whom?*)
estoy guardándosela *I am keeping it for you*
le veo mañana *I'll see you tomorrow*
mil gracias *many thanks*

b. Be able to describe a short trip by answering such questions as:

1. ¿ A dónde fué Vd. ?
2. ¿ Cuándo hizo Vd. el viaje ?
3. ¿ Cómo lo hizo Vd. ?
4. ¿ Con quién fué Vd. ?
5. ¿ Cuánto tiempo pasó Vd. allí ?
6. ¿ Cuándo volvió Vd. a casa ?

Much of the Mexican music you hear is played by *mariachi* orchestras. Originally these were folk orchestras which strolled through the towns and played for anyone who would pay them. Now these musicians, sometimes dressed in elaborate costumes, are hired to play for serenades, fiestas, or any other social function. These orchestras were first composed only of stringed instruments, such as guitars, violins, and mandolins, but trumpets have been added in recent years. During the reign of the French emperor Maximilian in Mexico (1864–1867) these

338

orchestras were employed to play at fiestas and weddings. Some people believe that the word *mariachi* is a corruption of the French word *mariage* (marriage).

Mexican songs are rich and varied. Whether it is the classical music of Carlos Chávez, the popular songs and dance rhythms, or the traditional folk tunes and ballads, music has an important place in the life and culture of the people.

Here is one of the many versions of the popular serenade *Las Mañanitas* which is often sung at dawn beneath the window of one's sweetheart on her saint's day or at any time as a birthday greeting to anyone. Any name may be substituted for *mi bien* (my love).

LAS MAÑANITAS

Es - tas son las ma - ña - ni - tas que can -
Si el se - re - no de la es - qui - na me qui -

ta - ba el Rey Da - vid, pe - ro no e - ran tan bo -
sie - ra ha - cer fa - vor, de a - pa - gar su lin - ter -

ni - tas, co - mo las can - tan a - quí.
ni - ta, mien - tras que pa - sa mi a - mor.

Des - pier - ta, mi bien, des - pier - ta, mi -

ra que ya a-ma - ne - ció, ya los pa - ja - ri - llos

can - tan, ya la lu - na se o - cul - tó.

LECCIÓN

TREINTA Y SIETE

UNA CASA MEXICANA

(*Luis Martínez habla por teléfono con Carlos White.*)

— ¿ Puede Vd. venir a verme ahora mismo? Mi madre tuvo que ir a buscar a mi hermana mayor hace unos minutos y no tengo coche. Mi hermano menor tiene el otro.

5   — ¿ Se puede tomar un ómnibus?

— Es mejor tomar un taxi. Viene más rápidamente y además, el ómnibus no pasa muy cerca de nuestra casa.

(*Cuando llega el taxi, Luis sale de la casa para saludar a su amigo.*)

— ¡ Cuánto me alegro de verle a Vd.!

340

— El gusto es mío. Es un gran placer estar en su país por fin.
Vds. tienen una casa muy bonita.

— Muchísimas gracias. La mayor parte de las casas aquí son más
grandes, pero no son tan cómodas como ésta.

— Pues, es la más bonita que he visto. Veo que es de estilo español 5
con balcones y rejas.

— ¿ No quiere Vd. ver el patio?

— Con mucho gusto. La fuente y las flores son hermosísimas. Mi
madre tiene muchas flores pero no son tan bonitas como éstas. Y
ella no tiene tantas como Vds.   10

— Nuestro clima es muy agradable. Creo que es el mejor del
mundo.

— Vd. tiene razón.

VOCABULARIO

Nombres	Adjetivos
el balcón (*pl.* balcones) *balcony*	mío, –a *mine*
el clima (*note gender*) *climate*	unos, –as *a few*
el estilo *style*	**Adverbio**
la fuente *fountain*	
el patio *patio, courtyard*	rápidamente *rapidly*
la razón *reason*	**Verbo**
la reja *grating* (of a window)	saludar *to greet, speak to*

Expresiones

¡ cuánto me alegro de verle! *how glad I am to see you!*
la mayor parte de *most (of), the majority (of)*
por fin *finally, at last*
tener razón *to be right*

PRÁCTICA.   In the dialogue find the Spanish for:

1. my older sister. 2. My younger brother. 3. Can one take a bus?
4. It is better. 5. more rapidly. 6. How glad I am to see you! 7. The
pleasure is mine. 8. a great pleasure. 9. a very pretty house. 10. Thank
you very much. 11. Most of the houses. 12. as comfortable as. 13. it
is the prettiest one. 14. (they) are very beautiful. 15. as pretty as these.
16. And she does not have so many as you. 17. the best in the world.
18. You are right.

PREGUNTAS

Answer in Spanish the following questions based on the dialogue:

1. ¿Con quién habla Luis Martínez? 2. ¿Qué pregunta a Carlos? 3. ¿Por qué no tiene coche? 4. ¿Es mejor tomar un ómnibus para ir a su casa? 5. ¿Por qué es mejor tomar un taxi? 6. ¿Qué hace Luis cuando llega Carlos? 7. ¿Qué dice Luis? 8. ¿Qué contesta Carlos? 9. ¿Cómo es la casa de Luis? 10. ¿Cómo son la mayor parte de las casas? 11. ¿De qué estilo es la casa de Luis? 12. ¿Qué hay en el patio? 13. ¿Cómo son las flores? 14. ¿Cómo es el clima de la capital?

GRAMÁTICA

1. IRREGULAR COMPARISON OF ADJECTIVES

bueno	good	(el) **mejor**	(*the*) *better, best*
malo	bad	(el) **peor**	(*the*) *worse, worst*
grande	large	{ (el) **más grande**	(*the*) *larger, largest*
		{ (el) **mayor**	(*the*) *greater, older, greatest, oldest*
pequeño	small	{ (el) **más pequeño**	(*the*) *smaller, smallest*
		{ (el) **menor**	(*the*) *smaller, younger, smallest, youngest*
mucho(s)	much (many)	**más**	more, most
poco(s)	little (few)	**menos**	less, fewer

All adjectives except those indicated above are compared regularly. **Grande** and **pequeño** have regular forms which refer to size, while the irregular forms **mayor** and **menor** usually refer to persons and mean *older* and *younger*, respectively. **Mejor** and **peor** usually precede the noun, since **bueno** and **malo** regularly precede it.

2. COMPARISON OF ADVERBS

pronto	*quickly*	**más pronto**	*more, most quickly*
rápidamente	*rapidly*	**más rápidamente**	*more, most rapidly*
bien	*well*	**mejor**	*better, best*
mal	*bad, badly*	**peor**	*worse, worst*
mucho	*much*	**más**	*more, most*
poco	*little*	**menos**	*less, least*

Adverbs are regularly compared in the same way as adjectives. The last four listed above are the only ones compared irregularly.

3. TRANSLATION OF VERY

Es muy hermosa (hermosísima).	*It is very beautiful.*
Tiene muchísimo dinero.	*He has very much money.*
Tenemos mucho frío.	*We are very cold.*
¿ Tiene Vd. hambre? — Sí, mucha.	*Are you hungry? — Yes, very.*

Before an adjective or adverb, the adverb *very* is usually expressed by **muy**. However, the ending –**ísimo** (–a, –os, –as) may be added to an adjective to stress *very* or *extremely*. When these endings are added, the adjective endings –o, –a, –e, –os, –as, –es, are dropped. **Muchísimo** means *very much*. **Muy** is never used before **mucho**.

The adjective **mucho** (–a), may mean *very* before certain nouns in Spanish (third example) and also when it stands alone (last example).

4. COMPARISON OF EQUALITY

Es tan cómodo como ése.	*It is as comfortable as that one.*
Tiene tantas flores como ella.	*He has as many flowers as she.*
No tengo tanto dinero como él.	*I do not have so much money as he.*
No trabajan tanto.	*They do not work so much.*

The comparison of adjectives that you have had up to this point has shown inequality, as indicated by the words *more, most, less, least*. In comparison of equality the persons, things, or groups compared are equal, as shown by the words **tan . . . como**, *as (so) . . . as*, and **tanto** (–a, –os, –as) **. . . como**, *as (so) much (many) . . . as*. In this comparison **tan** is followed by an adjective or adverb, while **tanto** (–a, –os, –as) is followed by a noun. **Tanto** is also used alone.

EJERCICIOS

a. Give the English for:

1. un buen clima, un mejor clima, el mejor clima.
2. mi hermana pequeña, mi hermana menor, la menor de mis hermanas.
3. una fuente grande, una fuente más grande, la más grande de las tres fuentes.
4. un mal partido, un peor partido, el peor partido de la estación.
5. una gran colección, una mayor colección, la mayor colección de pinturas del país.
6. mucho dinero, más dinero, poco dinero, menos dinero.
7. unos amigos, menos libros, muchos amigos, más amigos.
8. bailan mal, bailan peor, nunca bailan bien.

b. Write each of the following expressions two ways:

1. very wide. 2. very busy. 3. very tired. 4. very modern. 5. very large. 6. very interesting. 7. a good team. 8. a bad day. 9. The telephone is ringing. 10. They were writing. 11. He is smoking. 12. You (*fam.*) are reading.

c. Complete the sentences as indicated:

1. Esta casa tiene *as many* rejas *as* aquélla. 2. Nuestro patio no es *so* bonito *as* éste. 3. El estilo de la casa es *more* español *than* mexicano. 4. Nunca *are opened* las rejas de las ventanas. 5. A menudo vemos allí a *the younger daughter* del señor Salas. 6. La casa no tiene *so many* alcobas *as* ésta. 7. La sala es *longer than* el comedor pero no *so wide as* aquel cuarto. 8. El señor Salas gana *more* dinero *than* el señor Molina. 9. Vive en *a larger house* y tiene *a newer car*. 10. La casa de su padre es *very old*. 11. Este año es *more beautiful than ever*. 12. Tiene una colección de *more than four hundred* cuchillos viejos. 13. Se cree que su padre es *a very rich man*. 14. Su hijo nunca ha ganado *so much money as* él. 15. Nunca ha trabajado *very much*. 16. El hijo tiene *two very pretty daughters*. 17. *The older daughter* vive en Nueva York. 18. *The younger one* piensa pasar *more than* tres meses allí este año. 19. Ella dice que es uno de *the most interesting places in the* mundo. 20. A ella siempre le gusta visitar *the largest city in* los Estados Unidos. 21. Nueva York le parecerá a ella *larger than ever*. 22. Es más aficionada al teatro *than anyone*.

COMPOSICIÓN

1. Miss Martínez, please look at this painting of a Spanish house. 2. Many houses were larger than this one and each one had a patio and a fountain in the center. 3. Were there always balconies and gratings at the windows? 4. Nearly always, and often there was a pretty girl behind the grating. 5. Many times she enjoyed the music of a young man who was playing beneath her balcony. 6. Why didn't he talk to her in the living room or in the garden? 7. If the parents of the daughter knew that he was congenial, at times they invited him to visit them in their house. 8. A Spanish girl of a good family never receives permission to go to a theater, to a café, or to a party with a young man. 9. How does she go to those places? Does she go alone? 10. Even today Spanish girls never leave the house alone. 11. You are right. Now I remember that custom. 12. Robert told me that he had seen them in cafés, but always with their parents.

PARA PRACTICAR

Pláticas.

1. — Se dice que los padres de Carmen han vendido su casa.
  — ¿ Quién se lo dijo a Vd. ?
  — Isabel me lo dijo.
  — ¿ Es más bonita que ésta ?
  — Es más grande y costó más, pero no es tan bonita.
  — ¿ Han comprado otra ?
  — Todavía no, pero han visto una que les gusta mucho.
  — ¿ Dónde está ?
  — Está en la Calle Balboa y da al parque. Creo que es de ladrillos.

> dar a *to face*   el ladrillo *brick*
>
> ¿ quién se lo dijo a Vd.? *who told you?*
> (Isabel) me le dijo. (*Betty*) *told me* (*so*).

2. — Me dicen que los padres de Juan han comprado una casa nueva.
  — ¿ Quién te lo ha dicho ?
  — Ricardo me lo dijo ayer por la tarde.
  — ¿ En qué parte de la ciudad está ?
  — Está en el barrio nuevo al norte de aquí.
  — ¿ Da al lago pequeño ?
  — Creo que sí. Ricardo dice que tiene una vista magnífica.
  — ¿ Es de piedra, de madera o de ladrillos ?
  — Es de piedra y tiene solamente un piso. Tiene ocho cuartos y un garaje grande.

> el barrio *district* (of a city)   el garaje *garage*

The real spirit of the common people in Mexico has been kept alive in their native arts and crafts, which were practiced long before the arrival of the white man. Many of you are familiar with the beautiful hand-made baskets, pottery, lacquer trays, woven materials, leather goods, silverwork, and jewelry which come from there. Possibly you have worn *huaraches* (sandals), which both the men and women of rural Mexico now wear instead of going barefooted.

Mexican serapes, blouses, and other cloth articles are made in a variety of designs and colors. The serape, a shawl or blanket-like garment with a slit in the center, is regularly worn by men. It may serve as an overcoat, raincoat, or blanket. In some areas the rural people wear a raincoat made of palm leaves, draped around their shoulders like a cape.   A very useful part of the woman's costume is the *rebozo* (shawl).   She uses it not only as a shawl, but as a blanket, a carryall for small articles, or a sling in which to carry her baby.   It also serves as a head covering, particularly when she goes to church.

The Indian still makes earthenware dishes and kitchen utensils much as he did centuries ago.   However, in the highly glazed Talavera pottery and tiles which are a specialty of Puebla we see the influence of Spain.   This special type of glaze, characteristic of the fine pottery made in Talavera, Spain, was brought to Mexico by the Spanish missionaries.

Do you want to buy a home south of the border?

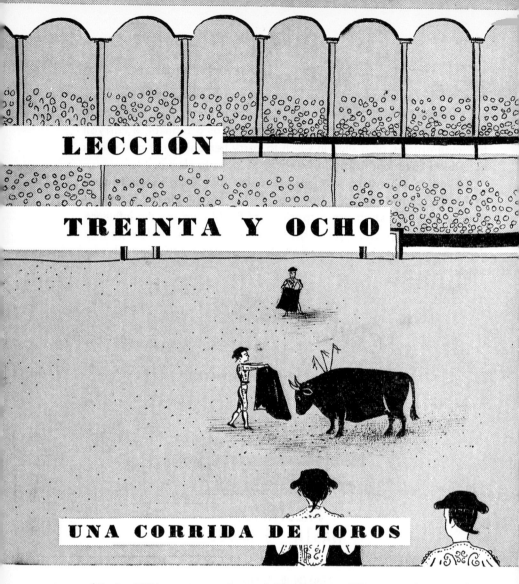

LECCIÓN

TREINTA Y OCHO

UNA CORRIDA DE TOROS

(*Carlos White está sentado en el Hotel Buena Vista cuando un amigo mexicano se acerca.*)

—¿ Qué está Vd. leyendo, señor White?

—Un artículo de esta revista que trata de los deportes. ¿ Sabe
5 Vd. si habrá una corrida de toros mañana?

—No estoy seguro pero compraré un periódico ahora. De esa
manera sabremos en seguida. (*Lo compra y vuelve pronto.*) Sí, habrá
una en la nueva plaza de toros. ¿ Piensa Vd. ir?

—Sí, con mi hermana que llegará esta noche. Ella tiene mucho
10 interés por el deporte y le dije que sacaría boletos.

— ¿ Los sacará para mañana ? ¿ No querrá ella descansar un poco ?
— Creo que no. ¿ Cuántos toros matarán ?
— Aquí dice que habrá seis.
— ¿ A qué hora empieza la corrida ?
— A las cuatro en punto.   5
— ¿ No quiere Vd. acompañarnos ?
— Tendría mucho gusto en hacerlo pero tendré que estar en el
centro a esa hora. Pero quiero invitarlos a Vd. y a su hermana a un
partido de pelota. Es un juego muy interesante y sé que les gustará
mucho. Se juega tres veces por semana y si quieren Vds., podremos ir 10
a ver un partido pasado mañana.
— Muchas gracias. Le acompañaremos con mucho gusto, señor.

VOCABULARIO

Nombres

el artículo *article*
el boleto *ticket* (Mex.)
la corrida (de toros) *bullfight*
el interés *interest*
el juego *game*
la manera *manner, way*
la pelota *pelota, handball, ball*

el punto *point*
el toro *bull*

Adjetivo

seguro, –a *sure, certain*

Verbos

matar *to kill*
sacar *to get, obtain, take out*

Expresiones

de esta (esa) manera *in this (that) way*
interés por *interest in*
(las cuatro) en punto *(four o'clock) sharp*
plaza de toros *bull ring*
tener (mucho) gusto en *to be (very) glad to*
(tres veces) por semana *(three times) a week*

PRÁCTICA.   In the dialogue find the Spanish for:

1. which deals with sports. 2. whether there will be a bullfight. 3. I
shall buy a newspaper. 4. In that way we shall know. 5. there will be
one. 6. I told her that I would get (buy) tickets. 7. Will you get
them ? 8. Won't she want to rest ? 9. How many bulls will they kill ?
10. It says here that there will be six. 11. Won't you go with us ? 12. I
should be very glad to do it (so). 13. I shall have to be downtown. 14. I
know that you will like it a great deal. 15. We shall be glad to go with
you (We shall go with you gladly.)

PREGUNTAS

Answer in Spanish the following questions based on the dialogue:

1. ¿Dónde está Carlos White? 2. ¿Quién se acerca a Carlos? 3. ¿Qué está leyendo Carlos? 4. ¿Qué quiere saber? 5. ¿Quién llegará pronto? 6. ¿A dónde querrá ir? 7. ¿Qué hará Carlos? 8. ¿Cuántos toros matarán? 9. ¿A qué hora empieza la corrida? 10. ¿Qué es la pelota? 11. ¿Se juega a menudo en México? 12. ¿Cuándo podrán ir al partido?

GRAMÁTICA

1. FORMATION OF THE FUTURE AND CONDITIONAL TENSES

Future and Conditional of **hablar**			
FUTURE		CONDITIONAL	
hablaré	hablaremos	hablaría	hablaríamos
hablarás	hablaréis	hablarías	hablaríais
hablará	hablarán	hablaría	hablarían

The future indicative is regularly formed by adding the endings –é, –ás, –á, –emos, –éis, –án, to the full infinitive form of the verb. All forms except the first person plural are accented.

The conditional tense is formed by adding the endings –ía, –ías, –ía, –íamos, –íais, –ían, to the full infinitive. All six endings are accented.

The endings for the future and for the conditional tenses are the same for all verbs. Thus we have:

hablaré	*I shall (will) speak*	**hablaría**	*I should (would) speak*
comeré	*I shall (will) eat*	**comería**	*I should (would) eat*
escribiré	*I shall (will) write*	**escribiría**	*I should (would) write*

2. VERBS IRREGULAR IN THE FUTURE AND CONDITIONAL

INFINITIVE	FUTURE	CONDITIONAL
a. haber:	**habré,** –ás, –á, etc.	**habría,** –ías, –ía, etc.
poder:	**podré,** –ás, –á, etc.	**podría,** –ías, –ía, etc.
querer:	**querré,** –ás, –á, etc.	**querría,** –ías, –ía, etc.
saber:	**sabré,** –ás, –á, etc.	**sabría,** –ías, –ía, etc.

INFINITIVE	FUTURE	CONDITIONAL
b. poner:	pondré, etc.	pondría, etc.
salir:	saldré, etc.	saldría, etc.
tener:	tendré, etc.	tendría, etc.
venir:	vendré, etc.	vendría, etc.
c. decir:	diré, etc.	diría, etc.
hacer:	haré, etc.	haría, etc.

The irregularity of these verbs in the future and conditional is in the stem; the endings are the same as for regular verbs.

3. USE OF THE FUTURE AND CONDITIONAL TENSES

Dice que vendrá.	*He says that he will come.*
Dijo que vendría.	*He said that he would come.*
Sabemos que lo harán.	*We know that they will do it.*
Sabíamos que lo harían.	*We knew that they would do it.*
Lo escribiré mañana.	*I shall write it tomorrow.*
Me gustaría ir con Vd.	*I should like to go with you.*

a. The future tense is translated by the words *shall* and *will* and expresses future actions or conditions.

Up to this point things happening in the future have been described by such expressions as: **si viene mañana,** *if he comes tomorrow;* **Voy a hacerlo,** *I am going to do it;* **Lo tomo,** *I'll take it.*

Remember that *will*, when it means *be willing (unwilling) to*, is translated by the present tense of **querer:**

¿ Quiere Vd. ir conmigo?	*Will you go with me?*
No quieren ir.	*They are unwilling to go.*
¿ No quieres venir?	*Won't you come?*

b. The conditional tense is translated by *should* and *would*.

c. The future and conditional tenses are used after **si** only when it means *whether:*

No sé si vendrán.	*I don't know whether they will come.*
No sabía si vendrían.	*I didn't know whether they would come.*

d. The impersonal form **habrá** means *there will be;* the conditional form **habría** means *there would be.*

EJERCICIOS

a. Change the infinitives in parentheses to the tense indicated, then translate:

1. *Future.* Yo (sacar) los boletos. Los (dar) a mi padre. Él me los (pagar). Él y mi madre (salir) de casa. Ellos (comer) en un restaurante. Entonces (ir) al teatro. Juan y yo (estar) en casa. Yo (leer) una revista. Él (preparar) sus lecciones. Nosotros no (hablar) por teléfono. Mis padres (saber) donde estamos. Ellos (volver) a las once.

2. *Conditional.* Juan me dijo que (venir). Yo pensaba que él (querer) quedarse en casa. Sabía que nosotros (tener) que estudiar. Decidí que nosotros (hacer) una limonada. Yo sabía que (haber) limones y azúcar en la cocina. Juan me explicó que no (poder) beberla. Me dijo que le (gustar) más un vaso de leche. Mi madre sabía que nosotros no (acostarnos) temprano. Juan me dijo: — Yo creía que tú (ir) al partido de pelota. Yo contesté que no (ser) posible sacar boletos.

b. Give in Spanish:

1. The telephone rings, was ringing, rang, will ring, would ring, has rung, had rung.
2. They greet us, were greeting us, greeted us, will greet us, would greet us, have greeted us, had greeted us.
3. I put on, was putting on, put on (*pret.*), shall put on, should put on, have put on, had put on my hat.
4. You (*formal pl.*) know, used to know, knew (found out), will know, would know, have known, had known.
5. He goes, used to go, went, will go, would go, has gone, had gone.
6. You (*fam. sing.*) come, used to come, came, will come, would come, have come, had come.

c. Translate:

1. Trataré de estudiar. 2. Hablarán en voz alta. 3. Volveremos a la luz de la luna. 4. ¿ Le gustaría a Vd. ir allá de día o de noche ? 5. ¡ Cuánto nos alegraremos de verlos ! 6. Me escribió que me vendería la mayor parte de sus libros. 7. Sería muy interesante hacer un viaje allá. 8. Ella tendrá razón si decide comprarla. 9. Mi padre y yo partiremos a la misma hora. 10. Sé que será difícil levantarse a las seis de la mañana.

d. Give orally in Spanish:

1. A bullfight is interesting. 2. It isn't so pleasant as a pelota game. 3. In Cuba baseball is the most popular of all (the) sports. 4. Have you ever seen a bullfight ? 5. Yes, I have seen three or four. 6. Bullfights begin at four o'clock sharp. 7. Many foreigners do not like them. 8. I shall have to take my sister next week. 9. I told her that I would get

tickets for next Sunday.   10. She asked me whether she could (would be able to) invite two friends.

COMPOSICIÓN

1. Mary, have you read this article that deals with the political life of the countries of South America? 2. No, but I shall read it, although I have more interest in sports. 3. I should like to see a bullfight or a pelota game. 4. My father said last night that he would give me permission (in order) to go to Mexico next summer. 5. I would go too but we shall be in New York then. 6. My brother will return from Spain the fifteenth of July. 7. He will not be able to come home because he will have to spend two months in the office. 8. Then he will go to visit his wife's family. 9. It would be a good idea to go there after the first of August. 10. In that way we should be together there and it would be possible to do many things.

PARA PRACTICAR

a. Plática.

— ¿ Está el doctor López? Le llamé hace media hora.

— ¿ Es Vd. el señor Fuentes?

— Sí, señorita.

— Pase Vd. por aquí. El doctor López le espera . . .

— Señor Fuentes, ¿ qué le pasa a Vd.?

— No sé, pero estoy un poco enfermo. Me duele la cabeza (Tengo dolor de cabeza).

— Voy a tomarle la temperatura y el pulso. ¿ Le duele la garganta también?

— Un poco, nada más. Pero creo que tengo fiebre.

— Sí, un grado y medio. Creo que no es más que un resfriado.

— ¿ Qué tengo que hacer?

— Vaya Vd. a casa y guarde cama uno o dos días. Tome esta medicina (estas píldoras) cada dos horas, beba mucha agua y se mejorará pronto.

— Muchas gracias, doctor. Adiós.

— Adiós, señor.

la cama *bed*	la medicina *medicine*
el doctor *doctor* (title)	mejorarse *to improve, get better*
doler (ue) *to ache, pain, hurt*	la píldora *pill*
el dolor *ache, pain*	el pulso *pulse*
la fiebre *fever*	el resfriado *cold*
la garganta *throat*	la temperatura *temperature*
el grado *degree*	

guardar cama *to stay in bed*
me (le) duele la cabeza *my (his) head aches* (literally, *the head aches to me, to him*)
no es más que *it is only*
¿ qué le pasa a Vd. ? *what's the matter with you?*
tener dolor de cabeza *to have a headache*
voy a tomarle la temperatura *I am going to take your temperature*

b. Conversaciones rápidas.

The following new expressions are used in these short dialogues:

estar ausente *to be absent*
faltar a la clase *to be absent from class*
no es nada grave *it is nothing (not at all) serious*
¿ qué tiene él (ella) ? *what's the matter with him (her) ?*

1. — María está ausente hoy. ¿ Qué tiene ella ?
— Está enferma y tiene que guardar cama. Creo que tiene un resfriado.
— Entonces no estará en la escuela mañana.
— No, pero creo que podrá venir pasado mañana.

2. — Roberto falta a la clase. ¿ Qué tiene él ?
— Tiene fiebre y le duele la cabeza.
— ¡ Qué lástima !
— Pero su hermana dice que no es nada grave.

3. — ¿ Está enfermo el hermano de Vd. ?
— Un poco, sí. Le duele mucho la garganta y el médico le ha dado unas píldoras.
— ¿ Tiene que guardar cama ?
— Un día más, yo creo. Pero ya se ha mejorado mucho.

Imagine that you are one of 50,000 spectators in the world's largest bull ring in Mexico City on a Sunday afternoon. At four o'clock sharp the band stops playing and a bugle announces the beginning of the bullfight. All the participants, dressed in their richly embroidered costumes, parade across the ring to salute the judge, then withdraw to await the second bugle blast. At that instant the bull rushes into the ring, ready to charge the first cape waved by one of the *capeadores*. After several *pases* (passes) with the cape, the *picador* enters, mounted on a worn-out horse which is blindfolded and well padded. When the bull charges the horse, the *picador* jabs his long pike into the bull's neck muscles. Further cape work precedes the second stage of the performance, in which the *banderilleros* set three pairs of barbed darts, called *banderillas,* in the nape of the bull's neck.

Another bugle blast announces the third stage. The *matador,* carrying his *espada* (sword) and *muleta* (small red cape folded over a stick), dedicates the bull to a friend. Then he proceeds to perform a series of passes during which he studies the movement of the bull. Fans anxiously await the "moment of truth," the moment when the *matador* kills the bull by driving his sword between the animal's shoulders. While a three-mule team drags the dead bull from the ring, the hysterical crowd cheers and calls the *matador* around the ring if he and the bull have performed well. If the *matador* shows courage, grace, and great skill in his performance, the judge may award him the bull's ear, or ears and tail.

LECCIÓN

TREINTA Y NUEVE

EN LA ACERA

— Buenas tardes, Anita. ¿ Qué hace Vd. aquí en la acera ?

— Estoy esperando a María Molina. Ella dijo que estaría aquí a las dos y ya son las dos y cuarto.

— ¿ Dónde ha estado ella ?

— Dijo que después de cobrar un cheque en el banco, iría a la 5 casa de correos a echar varias cartas. No tenía sellos para los sobres y quería mandar sus cartas por avión (correo aéreo).

(*En aquel momento María se acercó rápidamente.*)

— ¡ Hola, Anita ! Vd. es muy amable en esperarme. Yo habría llegado a tiempo pero me encontré con Juan y éste me invitó a tomar 10 una limonada.

— Un momento, María. Quiero presentarle a mi amiga, Carmen Pardo.

357

— Tengo mucho gusto en conocerla a Vd. (Tanto gusto.)

— El gusto es mío.

— ¿ Podría Vd. ir al teatro con nosotras, Carmen ?   La función ha de empezar muy pronto.

5   — No, gracias.   Me gustaría ver el programa, pero prometí a mi hermano que iría al museo con él.   Yo había de estar enfrente del edificio a las dos y cuarto, y estoy segura de que ya habrá llegado. Con (su) permiso.

— Vd. lo tiene, Carmen.

VOCABULARIO

Nombres	Adjetivo
el banco *bank*	aéreo, –a *air*
el correo *mail*	**Verbos**
el cheque *check*	cobrar *to cash, collect*
el edificio *building*	mandar *to send, order*
la función *performance*	prometer *to promise*
el sello *stamp* (postage)	
el sobre *envelope*	

Expresiones

casa de correos *post office*

con (su) permiso *with your permission, excuse me*

echar (al correo) *to mail*

estar seguro de que *to be sure that*

haber de (+ *inf.*) *to be (be supposed) to* (+ inf.)

(llegar) a tiempo (*to arrive*) *on time*

por avión *or* por correo aéreo *by air mail*

tanto gusto *it is a pleasure* (*nice*) *to know you, how do you do?*

(tengo) mucho gusto en conocerle (–la) *I am glad to know you*

Vd. lo tiene *surely, you have it* (*in reply to* con su permiso)

PRÁCTICA.   In the dialogue find the Spanish for:

1. She said that she would be here.   2. she would go to the post office. 3. She had no stamps.   4. You are very kind in waiting for me.   5. I would have arrived on time.   6. the latter invited me to take.   7. I am glad to know you.   8. Could you go?   9. The performance is to begin.   10. I should like to see.   11. I was to be in front of the building.   12. I am sure that he will have already arrived.

PREGUNTAS

Answer in Spanish the following questions based on the dialogue:

1. ¿ Dónde está Anita ?   2. ¿ A quién está esperando ?   3. ¿ A qué hora dijo María que estaría allí ?   4. ¿ Qué había de hacer ella en el banco ? 5. ¿ A dónde quería ir después ?   6. ¿ Qué compró en la casa de correos ? 7. ¿ Cómo quería mandar sus cartas ?   8. ¿ Por qué llegó tarde ?   9. ¿ A quién presentó Anita ?   10. ¿ Qué decimos cuando presentamos a una persona ?   11. ¿ Le gustaría a Carmen ir al teatro ?   12. ¿ Qué prometió ella a su hermano ?   13. ¿ A qué hora había de estar allí ?   14. ¿ De qué está segura ella ?

GRAMÁTICA

1. FORMATION OF THE FUTURE AND CONDITIONAL PERFECT TENSES

Future and Conditional Perfect of **hablar**	
FUTURE PERFECT	CONDITIONAL PERFECT
habré ⎱ habrás ⎬ hablado habrá ⎰	habría ⎱ habrías ⎬ hablado habría ⎰
habremos ⎱ habréis ⎬ hablado habrán ⎰	habríamos ⎱ habríais ⎬ hablado habrían ⎰

Just as the present perfect and pluperfect tenses in Spanish are formed with the present and imperfect tenses of **haber** plus any past participle (see pages 289 and 296–297), the future perfect and conditional perfect tenses are formed with the future and conditional of **haber** plus the past participle. These tenses are regularly used as in English and translated: **habré hablado,** *I shall (will) have spoken;* **habría hablado,** *I should (would) have spoken.*

2. THE EXPRESSION HABER DE

Ha de empezar pronto.	*It is (supposed) to begin soon.*
He de volver hoy.	*I am to (must) return today.*
Habían de cobrarlo.	*They were (supposed) to cash it.*

The English expressions *am (was) to, is (was) supposed to,* indicating obligation or mild necessity, are translated by **haber de** plus the infinitive.

Strong obligation is expressed by **tener que** plus the infinitive:

Tengo que ayudarla. *I have to help her.*

Impersonal obligation, with *it* as the subject of the verb, is expressed by **hay, había, habrá, habría que** plus the infinitive:

Había (Habrá) que hacerlo. *It was (It will be) necessary to do it.*

3. TRANSLATION OF THE LATTER

¿Vió Vd. a Carmen y a María? Ésta es mi prima.
Did you see Carmen and Mary? The latter is my cousin.

The pronoun **éste** (–a, –os, –as) translates *the latter* in Spanish.

EJERCICIOS

a. Do each of the following sentences four times, changing the infinitive first to the future, then to the conditional, the future perfect, and the conditional perfect. Translate:

1. Yo (cobrar) el cheque. 2. Ellos (prometer) hacerlo. 3. Tú (mandar) el paquete por correo aéreo. 4. Nosotros (echar) las cartas al correo. 5. Vd. (tener) mi permiso. 6. Ella (llegar) a tiempo. 7. Vds. nos (saludar). 8. Él (ir) al banco también.

b. Complete as indicated:

1. *I have to* dejar un recado para Pablo. 2. *He is to* estar aquí a las diez en punto. 3. *It was necessary* descolgar el receptor del teléfono. 4. *There were* demasiadas personas que le llamaban por teléfono. 5. *He had to* hablar con todo el mundo. 6. *He was supposed to* partir para la Florida esta noche. 7. *It was necessary* devolver el boleto. 8. *We shall have to* ir al banco mañana por la mañana. 9. *It will be necessary to* cobrar un cheque. 10. *We are supposed to* ver a su hermana. *The latter* trabaja allí.

c. Read in Spanish, translating the words in italics:

1. Este edificio es *very large.* 2. Es *taller than* aquél. 3. *Most of* mis amigos trabajan allí. 4. No es *so beautiful as* la casa de correos. 5. Está en *a very short street.* 6. Aquella plaza es *as wide as* ésta. 7. Lleva el nombre de *a great man.* 8. *His younger brother* era *more popular than* él. 9. Nunca estaba *so busy as the older man.* 10. Ni el uno ni el otro era *so rich as* su padre. 11. Tenían *smaller houses* que él. 12. Tenían *more inter-*

est in la vida política del país *than* por el dinero. 13. Tenían *more friends than anyone.* 14. Cuando eran viejos les gustaba *less than ever* la vida social.

d. Give orally in Spanish:

1. We shall eat here. 2. My friends have told me that we shall enjoy the meal. 3. I thought that you (*fam.*) would have arrived earlier. 4. I know that it will be cool. 5. It will soon be nine o'clock. 6. The waiter will find us a table. 7. Those men will have to wait a long time. 8. Do you know whether John and Henry will be here? 9. The latter decided that he would go to the movie. 10. He explained that he would try to come later.

COMPOSICIÓN

1. Caroline, I want to introduce to you my friend, Mary Rivas. 2. I am glad to know you. Carmen has talked of you a great deal. 3. The pleasure is mine. I am glad to be here. 4. Caroline, we are supposed to mail these letters right away. 5. Will you go downtown with us? 6. Gladly. I promised my father that I would cash this check today. 7. I would have done it yesterday but I did not have time. 8. Mary, will you send your letters by air mail? 9. Before mailing them, I shall have to buy stamps and envelopes. 10. With your permission, Carmen, I shall enter the bank now. 11. Surely! Then I shall wait in front of the post office. 12. Did Betty say that she would see us at (in) the café? 13. Yes, she will be there at one o'clock. 14. She would have come with us but she was supposed to get theater tickets for tonight's performance.

PARA PRACTICAR

a. Pláticas.

1. — Hola, Francisco. ¿ Qué tal ?

— Bien, gracias, Eduardo. Ana María, tengo el gusto de presentarle a mi buen amigo, Fernando Rivas.

— Tanto gusto, señorita.

— El gusto es mío, señor Rivas.

— Fernando, ¿ quiere Vd. acompañarnos al museo ?

— Muchas gracias, pero no puedo esta tarde. Tengo prisa porque un amigo me espera en el centro. He tenido mucho gusto en conocerla, señorita.

— El gusto ha sido mío. Adiós.

— Adiós.

2. — Mamá, quiero presentarte a María Estrada, mi amiga mexicana.

— Mucho gusto, María. Es un gran placer verla en nuestro país.

— Muchas gracias, señora. Me alegro mucho de estar aquí.

— ¿ Le gusta a Vd. nuestra ciudad ?

— Sí, señora, muchísimo. Estoy encantada de todo.

— Con su permiso. Suena el teléfono.

— Vd. lo tiene, señora.

b. El centro

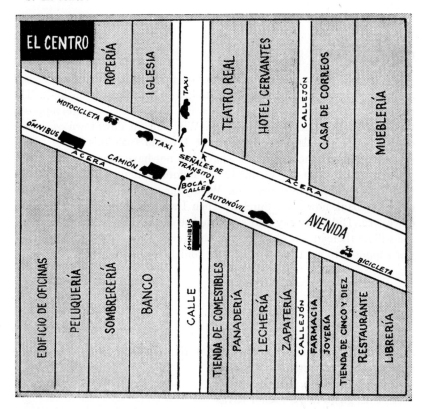

The names of buildings and other things shown in the illustration which have not been used before are listed on the next page. If you have not done all the **pláticas,** look in the end vocabulary for some of the words.

la avenida *avenue*
la bocacalle *street intersection*
el camión *truck*
la lechería *dairy*
la motocicleta *motorcycle*
la mueblería *furniture store*
la peluquería *barber shop*

real *royal*
la ropería *clothing store*
la señal de tránsito *traffic sign*
la sombrerería *hat shop (store)*
la tienda de comestibles *grocery*
la zapatería *shoe store (shop)*

The following questions are based on the illustration:

1. ¿Cuántas señales de tránsito hay en la bocacalle? 2. ¿Qué hay en un banco? 3. ¿Dónde se compran zapatos? 4. ¿A dónde van muchas personas los domingos? 5. ¿Qué venden en una sombrerería? 6. ¿En qué tienda venden abrigos? 7. ¿A dónde vamos para echar una carta al correo? 8. ¿Dónde dan películas? 9. ¿Dónde se compra leche? 10. ¿Dónde se puede pasar la noche? 11. ¿Es ancho un callejón? 12. ¿Dónde se compra pan? 13. ¿Dónde venden relojes? 14. ¿Qué compramos en una librería? 15. ¿Qué pasa por las avenidas y las calles?

This is an orchestra seat, line 11, number 3.

Argentina's colorful plainsman, the *gaucho*, has vanished from the great pampas (plains), just as the frontiersman has ceased to be a part of life in the United States, except in movies and television.

The Spaniards brought domestic animals to this hemisphere and in the course of time great herds of wild horses and cattle roamed the pampas. The first herdsmen were Spaniards, but they intermingled with Indians and there came into existence a *mestizo* plainsman known as the *gaucho*.   He was a skilled horseman, able to endure any hardship.   His saddle was his home, his horse, his best friend.   He rode the plains by day; by night he slept in the open or in a crude shack.   His poncho, a blanket with a center slit, was his coat as he rode and his cover when he slept.   Cattle furnished him with meat; their hides provided leather for his boots, his saddle, and his *boleadoras*.   The latter are composed of two or three leather covered *bolas* (balls) of stone or other heavy material which have been attached to one end of ropes or leather thongs that are fastened together at the other end.   When hurled the thongs wind around the legs of an animal and hold it firmly.

Music and dancing were the gaucho's entertainment and he spent long hours singing to the accompaniment of his guitar.   A wealth of Argentine poems portray the gaucho lover, singer, or outlaw as he roamed the plains, sat around the campfire, or visited the *pulpería* (general store).   As modern ranches and privately owned herds developed, Argentina's most romantic figure gradually disappeared from the pampas.

LECCIÓN

CUARENTA

UNA NOCHE EN CASA

— ¡ Hola, Isabel! ¿ Has hablado con Juanita hoy ?

— Acabo de llamar pero nadie contestó. También traté de llamarla dos veces anoche para explicarle que algunas amigas de mi familia acababan de llegar de Santa Bárbara.

5 — ¡ Qué noche más agradable pasamos en casa de Juanita! ¡ Y qué gran sorpresa tuvimos! ¿ Recuerdas a Marta Brown ?

— Sí que la recuerdo.

— Pues, acabábamos de sentarnos para jugar a los naipes cuando Marta y su esposo Roberto vinieron a la casa. Se casaron hace dos 10 meses, pasaron la luna de miel en México, y ahora están en camino de San Pablo. Cuando Roberto dijo que tenía algunas fotografías que había sacado en su viaje, quisimos verlas. ¡ Nunca he visto fotografías tan bonitas, todas en colores! Yo quiero ir a México algún día.

— ¿ Qué te parece Roberto ?

15 — ¡ Qué guapo es! Y ningún hombre puede ser más simpático.

— Me gustaría conocerle y ver a Marta otra vez.   ¿ Todavía están aquí ?

— No, tuvieron que partir muy temprano.

— ¡ Qué lástima !   ¿ Cantó Marta ?

— Sí, ella cantó tres canciones mexicanas.   Canta mejor que nunca.   5

VOCABULARIO

Nombres

la fotografía *photograph*
la lástima *pity*
la luna de miel *honeymoon*
la sorpresa *surprise*

Adjetivos

alguno (algún), –a *some, any, some-one; (pl.) some*
guapo, –a *handsome*

ninguno (ningún), –a *no, none, (not)*
. . . *any*
santo (san), –a *saint*

Exclamación (Exclamation)

¡ qué ! *what a! how!*

Verbos

acabar *to finish*
cantar *to sing*
casarse (con + *obj.*) *to marry, get (be) married (to)*

Expresiones

acabar de (+ *inf.*) *to have just* (+ past participle)
en camino de *on the way to*
¿ qué (te) parece . . . ? *what do (you) think of . . . ?*
sacar fotografías *to take (get) photographs*

PRÁCTICA.   In the dialogue find the Spanish for:

1. I have just called.   2. I tried to call her.   3. some friends of my family had just arrived.   4. What a pleasant evening !   5. what a great surprise !   6. I certainly do (Indeed I) remember her.   7. we had just sat down.   8. They were married two months ago.   9. they are on their way to.   10. that he had taken.   11. I have never seen such beautiful photographs !   12. some day.   13. What do you think of Robert ?   14. How handsome he is !   15. no man.   16. I should like to meet him.   17. What a pity !   18. better than ever.

PREGUNTAS

Answer in Spanish the following questions based on the dialogue:

1. ¿ Ha hablado Isabel con Juanita ?   2. ¿ Trató de llamarla ?   3. ¿ Quiénes acababan de llegar ?   4. ¿ Quiénes vinieron a casa de Juanita ?

5. ¿ Cuándo se casaron Marta y Roberto? 6. ¿ Dónde pasaron la luna de miel? 7. ¿ A dónde van? 8. ¿ Qué tenía Roberto? 9. ¿ Cómo eran las fotografías? 10. ¿ Qué le parece Roberto a la amiga de Isabel? 11. ¿ Están allí todavía Marta y Roberto? 12. ¿ Qué cantó Marta?

GRAMÁTICA

1. USE OF ACABAR DE

Acaban de volver.	*They have just returned.*
Acabábamos de verlos.	*We had just seen them.*

The present and imperfect tenses of **acabar,** followed by **de** plus an infinitive, correspond to English *have (has) just* and *had just,* followed by a past participle.

2. ¡ QUÉ! WHAT A! HOW!

¡ Qué fotografía más (tan) bonita!	*What a pretty photograph!*
¡ Qué lástima!	*What a pity!*
¡ Qué guapo es!	*How handsome he is!*

Before nouns ¡ **qué**! means *what a!* Before adjectives and adverbs it means *how!* When an adjective follows the noun, **tan** or **más** is regularly inserted before the adjective.

3. ADJECTIVES WITH SHORTENED FORMS

a.	**Algún** día lo hará.	*Some day he will do it.*
	Ningún hombre puede acabarlo.	*No man can finish it.*

As contrasted with the indefinite pronouns **alguien,** *someone,* and **nadie,** *no one,* which refer only to persons, **alguno** and **ninguno** refer to persons or things already thought of or mentioned.

Alguno and **ninguno** are shortened to **algún** and **ningún** when used before a masculine singular noun. Note the written accent. In other cases they have regular endings:

algunos amigos	*some friends*
algunas de las muchachas	*some of the girls*
ninguna fotografía	*no photograph*
Ninguno de los hombres llegó.	*None of the men arrived.*

Remember that the English pronoun *none* is singular in form and meaning (last example).

When forms of **ninguno** follow the verb, **no** or some other negative must precede the verb. See pages 209–210.

You have had five other words which drop final –o before masculine singular nouns: **uno, primero, tercero, bueno, malo.**

b. San Luis, San Pablo   *St. Louis, St. Paul*
   Santo Domingo, Santo Tomás   *St. Dominic, St. Thomas*
   Santa Bárbara, Santa Teresa   *St. Barbara, St. Teresa*

Santo is shortened to **San** before the names of all masculine saints except **Domingo** and **Tomás**. However, **Santa** is never shortened.

EJERCICIOS

a. A verb synopsis consists in giving the infinitive, the present participle, the past participle, and one personal form from each tense. Write the following synopses:

1. to finish, finishing, finished, *we* finish, were finishing, finished, shall finish, should finish, have finished, had finished, shall have finished, should have finished.

2. to promise, promising, promised, *he* promises, used to promise, promised, will promise, would promise, has promised, had promised, will have promised, would have promised.

3. to tell, telling, told, *I* tell, was telling, told, shall tell, should tell, have told, had told, shall have told, should have told.

4. to sing, singing, sung, *you* (Vd.) sing, used to sing, sang, will sing, would sing, have sung, had sung, will have sung, would have sung.

b. Give the Spanish for:

1. no man. 2. no party. 3. some day. 4. some books. 5. a great country. 6. a great surprise. 7. none of my friends. 8. none of those women. 9. some of these shirts. 10. the first building. 11. the first one and the third one. 12. a good photograph. 13. a bad road. 14. a good performance. 15. Saint Louis. 16. Saint Thomas. 17. Saint Mary. 18. some songs.

c. Complete, being careful to use all necessary prepositions:

1. Ellos *have just arrived*. 2. Pronto *they will get out of* su coche. 3. Luego *they will enter* el edificio. 4. *I had just left* la casa de correos. 5. Mi padre y yo *were approaching the* banco. 6. *We ran across* un amigo argentino. 7. Dijo que *he would accompany us* al banco. 8. *He was glad*

to vernos.   9. *He had just bought* un traje nuevo.   10. Al llegar allá, *we went up to* la puerta.   11. Mi padre dijo que *he would not be long in* cobrar su cheque.   12. En ese momento *I would have liked* una taza de café caliente.   13. Pronto *I shall have taken* varias fotografías.   14. *The latter* (f. pl.) son hermosísimas.   15. Mi padre *has just returned to me* los cinco dólares que le presté.   16. *I am supposed to* comprar boletos para el partido de béisbol el viernes por la tarde.   17. ¿ *What do you think of* nuestro equipo?   18. Es un buen equipo y *I am sure that* va a ganar el campeonato este año.   19. ¿ Tiene Vd. *much interest in* los otros deportes?   20. ¡ Ya lo creo! Soy *very fond of* todos los deportes.   21. *I play* tenis casi todos los días.   22. Y este verano *I should like to* jugar al golf.

d. Give orally in Spanish:

1. I have just bought a pair of shoes.   2. They do not fit me so well as the old ones.   3. What a pity! Will you be able to wear them?   4. I don't know. They certainly were expensive.   5. Will you wait for your father?   6. No, he said that he would not leave the office until half past five.   7. Won't you go home with me?   8. I should like to go.   9. Some day I shall be able to visit you.   10. I promised my mother that I would help her today.

COMPOSICIÓN

1. What a day! It is hotter than ever.   2. At what time shall we go to the church?   3. The music will begin at four o'clock.   4. Some person from the university will play.   5. Mary said that her cousin would sing.   6. Who will take the photographs?   7. The same man who took them for our party.   8. Why doesn't Mary get married at home?   9. The living room of their house is very small.   10. Her younger brother has just arrived by plane.   11. He is on the way to their house now.   12. What a pleasant surprise! No one knew that he would be able to come.   13. Where will they go for their honeymoon?   14. I believe that they will spend it in San Francisco.   15. What do you think of Robert?   16. He certainly is a handsome young man!

PARA PRACTICAR

On the following page is a reproduction of a Mexican wedding invitation. It is sent, as is customary in Spain and Spanish America, in the names of the parents of both the bride and the groom, who have probably arranged the marriage.

Luis Molina Linares

y

María Luisa Ortega Navarro

Participan a usted el enlace de su hija

María Luisa

con el señor

Eduardo López Rivera

Roberto López Ribares

y

Ana Rivera Valles

Participan a usted el enlace de su hijo

Eduardo

con la señorita

María Luisa Molina Ortega

Y tienen el gusto de invitar a usted y a su apre=
ciable familia a la Ceremonia Religiosa que se
celebrará el día 12 del presente a las 13 horas en
la Catedral de San Pablo.

(Avenida Hidalgo y Zarco)

México, D. F., Febrero de 1955

apreciable *esteemed*

la catedral *cathedral*

celebrarse *to be celebrated (held)*, *take place*

la ceremonia *ceremony*

el enlace (con) *marriage (to)*

participar *to inform*

religioso, -a *religious*

a las trece horas *at one P.M.*

del presente *of this month*

Notes

1. See page 417 for comments on family names in Spanish.

2. In Spanish-speaking countries hours are often counted from 1 A.M. to 12 (noon) to 24 (midnight) to avoid the possible confusion of A.M. and P.M. This is particularly true of railroad and plane timetables. So **a las 13 horas** means *at 1 P.M.*

3. In letters, invitations, and the like, **usted(es)** is sometimes treated as a noun. In such cases the direct object pronoun (**le, la, los, las**) is omitted.

Some additional words which you can use in describing a wedding are:

el anillo nupcial *wedding ring*

la boda *wedding*

el convidado *guest*

el cura *priest*

la invitación *invitation*

la novia *bride*

el novio *groom*

la madrina *bridesmaid, godmother*

el ministro *minister*

el padrino *best man, godfather*

el regalo de boda *wedding gift*

el traje de boda *wedding dress*

Now answer these questions which are based on the invitation:

1. ¿ Cómo se llama el padre del novio ? ¿ La madre ? ¿ El novio ?
2. ¿ Cómo se llama el padre de la novia ? ¿ La madre ? ¿ La novia ?
3. ¿ Dónde se celebró la ceremonia religiosa ? 4. ¿ A qué hora se celebró la ceremonia ? 5. ¿ Cuál fué la fecha de la boda ? 6. ¿ En qué ciudad se celebró ? 7. ¿ En qué calle está la catedral ?

Strumming guitars, clicking castanets, and lively dances turn our thoughts to Spain, where music and dancing have always expressed the spirit of the Spanish people. Each region has its own typical dance, but those of Andalusia are best known to the outside world. The *sevillana*, performed with castanets, is characterized by intricate footwork and graceful use of the head, arms, and hands. The *flamenco*

dance is usually associated with the gypsies, many of whom live in caves near Granada.   Active spectators clap their hands in time to the guitar music and give encouraging shouts of *¡ole!* as the dancer performs the lively steps.   Male dancers, especially, make much use of the *zapateado* (stamping and tapping of the feet).

The *jota* of Aragon and Navarre is a well-known folk dance whose steps are rapid, energetic, and graceful.   Partners dance opposite each other to the accompaniment of castanets.   The girl wears a large shawl and full peasant skirt, while the man is dressed in a white shirt, black breeches laced at the knee, white stockings, a waistcoat, a bright headdress, and a broad sash around his waist.   Both wear the rope-soled *alpargatas* (sandals) of the region.

Other typical Spanish dances are the *bolero*, best known in Andalusia; the *sardana,* the national dance of Catalonia, danced by men, women, and children; and a great variety of Basque dances, such as the national *arrescu* and the *ezpata-danza* (sword dance), both of which are regularly danced by men.

REPASO VIII

A. Read in Spanish and translate:

España es un país de muchos contrastes, con ruinas del período romano al lado de edificios modernos. Todavía se ven muchos burros, mulas y caballos, y al mismo tiempo muchos coches, camiones[1] y máquinas de todas clases. En ciudades como Madrid y Barcelona hay barrios[2] construidos hace varios siglos, con calles cortas y estrechas,[3] y muy cerca hay 5 barrios nuevos, con edificios altos y modernos situados en calles largas y anchas. Otras ciudades han cambiado muy poco durante los últimos cuatro o cinco siglos.

El clima es muy variado también. En las montañas y en la costa del norte es templado[4] durante todo el año. Llueve[5] mucho y todos los cam- 10 pos están generalmente verdes. También en la costa del Mar Mediterráneo es templado, aunque hace más calor allí. La gran meseta[6] central es árida y tiene extremos de temperatura. Hace mucho calor allí en el verano, y en el invierno hace mucho frío. Según un refrán bien conocido en España, Castilla tiene seis meses de invierno y seis meses de infierno.[7] El clima 15 del sur es muy agradable, casi tropical. Esta parte de España es conocida por los extranjeros como la España romántica, la España de las señoritas y de la guitarra, la España de la luz y de la alegría.[8]

Cuando la tierra recibe agua es fértil y produce mucho. Los productos más importantes son las uvas, las aceitunas,[9] el corcho,[10] y frutas y legumbres 20 de todas clases. Y de mucha importancia es la gran variedad de minerales. En efecto, se puede hallar allí un poco de todo.

Para comprender los problemas de la España de hoy hay que saber algo de su larga historia y de todas las razas que han vivido en la península y que han dejado allí restos de su cultura. Si vamos a Asturias en el norte 25 de España podemos visitar las Cuevas[11] de Altamira donde se ven pinturas de animales, hechas allí hace unos veinte o treinta mil años. Es verdad que los romanos y los moros tuvieron mucha influencia en la formación de la raza española, pero otros invasores[12] dejaron restos de su civilización. Hay que recordar que los romanos vivieron en la península 30 unos seis siglos, dejando su lengua, su religión y sus ideas de gobierno[13] y de leyes, en efecto, toda su cultura. Los moros se quedaron allí desde el año de 711 hasta el año de 1492.

---

[1] camiones, *trucks.* [2] barrios, *districts.* [3] estrechas, *narrow.* [4] templado, *temperate.* [5] Llueve, *It rains.* [6] meseta, *plateau.* [7] infierno, *hell.* [8] alegría, *joy.* [9] aceitunas, *olives.* [10] corcho, *cork.* [11] Cuevas, *Caves.* [12] invasores, *invaders.* [13] gobierno, *government.*

España conserva sus costumbres antiguas al mismo tiempo que acepta rápidamente las cosas nuevas, como la radio, el cine, los coches y todas las invenciones modernas. En ciertos barrios de las ciudades todavía tienen serenos.[1] De noche el sereno lleva las llaves[2] de todas las casas y
5 hay que llamarle para entrar en su propia casa. Cuando una persona da palmadas[3] el sereno viene con las llaves. Siempre hay que darle una propina[4] cuando abre la puerta. En los tiempos antiguos gritaba en voz alta la hora y el tiempo. Por ejemplo,[5] decía: « Ave María Purísima,[6] las dos y sereno. »[7]
10 En los pueblos se hallan muchos hombres que pasan por las calles con burros cargados de jarros[8] de agua. Gritan « ¡ Agua fresca ! » y las mujeres salen a comprarla. Otros burros llevan frutas, legumbres y otras cosas. Siempre es necesario regatear[9] antes de comprar lo que llevan los vendedores.
15 En cada pueblo o ciudad hay mercados[10] grandes donde se venden legumbres, carne, pescado,[11] frutas y cosas semejantes. También hay tiendas donde se vende pan, otras donde se vende leche, otras donde se vende paño[12] para hacer trajes y vestidos.

B. Change each infinitive to the correct form of the tense indicated:

1. *Present.* *Sonar* el teléfono. Yo *volver.* Ellos *pensar.* Nosotros *sentarse.*

2. *Imperfect.* Ellos me *ver.* ¿ A dónde *ir* Vd. ? Su padre *ser* médico. Tú *acostarse.*

3. *Preterite.* Yo *buscar* un hotel. Ellos *tener* una casa. Ella *venir* ayer. ¿ Qué *hacer* Vd. esta mañana ?

4. *Future.* Vds. *salir* mañana. Él no me *decir* la verdad. Yo *poner* el mapa aquí. ¿ Quién lo *hacer?*

5. *Conditional.* Me *gustar* ir. Sabíamos que ellos no *tener* el dinero. Dijeron que no *poder* dejarlo. Creían que la música *ser* buena.

C. Complete, using the correct translation of the English words which precede each group of sentences:

a. (*will be, it will be,* or *there will be*) 1. Mañana —— mi cumpleaños. 2. —— doce personas aquí. 3. Creo que —— calor. 4. Entonces nosotros —— mucha sed. 5. —— una limonada fría en el comedor. 6. Todos mis primos —— aquí. 7. Mi vestido —— de algodón.

---

[1] serenos, *night watchmen.*   [2] llaves, *keys.*   [3] da palmadas, *claps his hands.*
[4] propina, *tip.*   [5] Por ejemplo, *For example.*   [6] Ave María Purísima, *Hail Holy Mary.*   [7] sereno, *calm, clear weather.*   [8] cargados de jarros, *loaded with jars.*
[9] regatear, *to bargain.*   [10] mercados, *markets.*   [11] pescado, *fish.*   [12] paño, *cloth.*

b. (*would be, it would be,* or *there would be*) 8. Mi madre dijo que ——
difícil hacer el vestido.   9. Creía que yo —— demasiado sueño para pro-
bármelo.   10. Yo sabía que ella —— cansada.   11. Mis primos escribieron
que ellos —— aquí a las cuatro.   12. Yo estaba segura de que —— las
cinco.   13. Pablo creía que yo —— razón.   14. Sabíamos que —— más
de seis de ellos.

D. Complete the following:

1. *I have to* sacar un libro de la biblioteca.   2. *We are to* tenerlos en la
clase mañana.   3. *It will be necessary* ir ahora mismo.   4. *The doors are
closed* a las nueve de la noche.   5. *People say* que ellos estudian más que
nosotros.   6. *We shall have to* preguntar si tiene el libro.   7. El profesor
dijo que *it was to be* muy interesante.   8. *One can* ver una parte del juego
de pelota después de las nueve.   9. ¿ *Will you* ir conmigo ?   10. *I should
like* acompañarte pero Juan y yo *have to* escribir composiciones para
mañana.   11. *We are to* terminarlas esta noche.   12. *What will you do?*

E. Complete, translating the English words in italics:

1. España es uno de *the oldest countries in* Europa.   2. El país tiene
very many ciudades antiguas.   3. Madrid y Barcelona son *the two largest
cities in the* país.   4. ¿ Tiene Barcelona *as many* habitantes *as* Madrid ?
5. No sé pero creo que sería *more interesting* vivir en la capital *than* en la
otra ciudad.   6. Muchas de las calles son *very wide.*   7. *Most of* las casas
viejas tienen balcones y rejas.   8. Sería *better* ir al sur de España en el
invierno *than* en el verano.   9. El clima es *worse* allí durante los meses
calientes *than* en las otras partes del país.   10. Me parece que los españoles
hablan *more rapidly than* nosotros, pero no es verdad.   11. Conocen su
lengua *better than* los extranjeros.   12. Se ven *fewer cars than* en este país.
13. Las señoritas españolas son *very beautiful.*   14. Quiero *more than ever*
hacer un viaje a España.

F. Give the Spanish for:

1. a bad game.   2. some changes.   3. the third player.   4. no program.
5. a long river.   6. a great forest.   7. the first paragraph.   8. a good maid.
9. the first show window.   10. a good supply.   11. no stocking.   12. some
shirts.   13. a great orchestra.   14. his first home.   15. some man.

G. Write in Spanish:

1. He says that they will come.   2. He said that they would come.
3. I believe that they have just bought it.   4. He believed that they had

already bought it. 5. I am sure that he will have departed. 6. I was sure that he would have departed. 7. There is a bullfight today. 8. There were many pelota games in Cuba. 9. There will be a party on Friday. 10. I would have invited Jane and her sister, but the latter never arrives on time.

LECTURAS

Fiestas

En los países de habla española se celebran muchas fiestas. Algunas son fiestas nacionales, otras son fiestas de la iglesia católica, pero para los habitantes del mundo español todas son bien dignas de celebrarse.[1]

Así como [2] nosotros celebramos el aniversario de nuestra inde-
5 pendencia el cuatro de julio, los españoles celebran el dos de mayo, el aniversario de la defensa de Madrid contra las tropas de Napoleón que invadieron a [3] España en el año de 1808. El día no representa para ellos una victoria sino la unificación de los españoles contra las fuerzas del enemigo.

10 En México el día de la independencia cae el diez y seis de septiembre y honra a Miguel Hidalgo. Éste era un padre católico que en aquella fecha del año de 1810 pronunció las palabras que iniciaron el movi-miento revolucionario contra lo que muchos mexicanos consideraban el mal gobierno español en su país. Cada república hispanoamericana
15 celebra el aniversario de su independencia de la dominación española y honra a sus héroes nacionales.

En los Estados Unidos, cuando llega el treinta y uno de octubre, los muchachos norteamericanos se ponen máscaras y pasan por las calles dándole bromas a todo el mundo.[4] En los países españoles este
20 día es la víspera de un día de luto,[5] llamado el Día de Todos los Santos. Se adornan de flores frescas o artificiales las tumbas de los muertos [6] en los cementerios; se encienden velas [7] cerca de las tumbas o en las iglesias, y a veces se preparan varios platos para los espíritus de los muertos. Inútil [8] es decir que los vivos se los comen.[9] En las calles
25 se venden dulces y pasteles en forma de calaveras [10] y esqueletos.[11] En México celebran la memoria de los niños muertos el primero de noviembre y la [12] de los adultos el dos de noviembre. En nuestro país se honra a los muertos ilustres el treinta de mayo.

---

[1] bien dignas de celebrarse, *quite worthy of being celebrated.* [2] Así como, *Just as.* [3] The personal **a** is used before proper geographical names unmodified. [4] dándole ... mundo, *playing tricks on everybody.* [5] luto, *mourning.* [6] muertos, *dead.* [7] se encienden velas, *candles are lighted.* [8] Inútil, *Unnecessary.* [9] se los comen, *eat them up.* [10] calaveras, *skulls.* [11] esqueletos, *skeletons.* [12] la, *that.*

En el mundo católico cada día del año se dedica a uno o más santos. Cuando se bautiza [1] un niño, éste recibe el nombre de un santo y en los años siguientes celebra el día de su santo más bien que [2] el aniversario de su nacimiento. En esta fiesta hay tertulias, con regalos y refrescos,[3] como en los Estados Unidos y es un día de gran alegría.   5

Dos fiestas típicas de España son la verbena y la romería. Las dos tienen elementos religiosos y festivos. La verbena se celebra la víspera de un día de algún santo patrón y es una feria [4] semejante a los carnavales que tenemos en nuestro país. Hay espectáculos que se anuncian como estupendos, hay caballitos,[5] y hay puestos [6] donde se hacen y   10 se venden churros.[7] La verbena se celebra de noche y dura [8] largas horas. La romería honra al santo patrón de algún pueblo y consiste en una excursión a la capilla [9] del santo que está fuera del pueblo. Los jóvenes del pueblo van allá, generalmente a pie,[10] y después de las ceremonias religiosas en la capilla tienen una fiesta que se parece a [11]   15 un *picnic.* Todos comen mucho y entonces cantan y bailan hasta la hora de volver al pueblo.

El día de San Antón es interesante porque este santo es el patrón de los burros, las mulas y los caballos. Cae el diez y siete de enero y cada año se adornan los animales y se llevan a recibir de un padre la   20 bendición [12] de San Antón.

San Cristóbal [13] es el patrón de los viajeros y los protege contra accidentes. Se dice que si una persona mira un retrato [14] o una imagen del santo no le pasará ningún mal durante el resto del día. Muchas personas llevan medallas de San Cristóbal porque creen que éstas les   25 dan protección. La fiesta cae el diez de julio y así como se llevan los animales a recibir la bendición de San Antón, se llevan los coches a recibir la bendición de San Cristóbal.

Así como nosotros celebramos el primero de abril, los españoles celebran el veinte y ocho de diciembre. Ese día, llamado el Día de   30 los Inocentes, todo el mundo trata de encontrar manera de dar bromas a su amigo o a su vecino.

Otras fiestas importantes son el Carnaval y la Pascua Florida.[15] El Miércoles de Ceniza [16] marca el fin del Carnaval y el principio de los cuarenta días de la Cuaresma.[17] El Carnaval se parece a la fiesta de   35 *Mardi gras* que en este país se celebra en la ciudad de Nueva Orleáns.

---

[1] se bautiza, *is baptized.*   [2] más bien que, *rather than.*   [3] refrescos, *refreshments.*
[4] feria, *fair.*   [5] caballitos, *merry-go-rounds.*   [6] puestos, *stands.*   [7] churro, (sort of)
fritter.   [8] dura, *it lasts.*   [9] capilla, *chapel.*   [10] a pie,   *on foot.*   [11] se parece a,
resembles.   [12] bendición, *blessing.*   [13] Cristóbal, *Christopher.*   [14] retrato, *picture.*
[15] Pascua Florida, *Easter.*   [16] Miércoles de Ceniza, *Ash Wednesday.*   [17] Cuaresma,
Lent.

En los días de Carnaval casi todo el mundo se pone una máscara y un traje grotesco, sale a la calle y tira [1] confetti y serpentinas. Todas las noches hay bailes, y por todas partes reina [2] un ambiente [3] de alegría. Entonces llega la Cuaresma, con ayuno [4] y abstinencia [5] para todo el
5 mundo. No hay fiestas, excepto las procesiones religiosas de la Semana Santa. Ésta empieza el Domingo de Ramos [6] y termina el Domingo de Resurrección. [7]   En Sevilla, ciudad del sur de España, se observa esta semana de [8] una manera solemne y espléndida.   Allí muchas cofradías,[9] o sociedades religiosas, forman procesiones que
10 pasan por las calles llevando «pasos» [10] con imágenes que representan la vida de Cristo. Los hombres llevan túnica [11] y un capirote [12] alto que les cubre toda la cara [13] excepto los ojos. Las procesiones, que presentan un aspecto impresionante [14] y hermoso de la Pasión de Cristo, terminan el Viernes Santo, el día más triste de la Semana Santa.
15 Pero con el Sábado de Gloria [15] vuelve la alegría. A las diez de la mañana se tocan las campanas [16] de todas las iglesias. El Domingo de Resurrección se llama la Pascua Florida, porque en todas las iglesias los altares están cubiertos de [17] flores. Todo español, como todo norteamericano, se pone la ropa más elegante y va a la iglesia. Por
20 la tarde muchos españoles van a una corrida de toros.

CUENTO DEL ABAD HONRADO [18]

The following is an adaptation of a sixteenth-century story by Juan de Timoneda. The tale or short story makes up an important part of Spanish literature.

Un día el rey llamó a un abad muy honrado y le dijo:
— Reverendo Padre, me dicen que usted no es bastante sabio [19] para ser abad y para satisfacer mi conciencia [20] voy a hacerle a usted tres preguntas.[21]   Si usted me contesta bien, puede ser abad durante
25 toda su vida; pero si contesta mal, tiene que dejar el monasterio.
Al oír estas palabras, el abad dijo:
— ¿ Cuáles son las tres preguntas ?

---

[1] tira, *throws*.   [2] reina, *there reigns*.   [3] ambiente, *atmosphere*.   [4] ayuno, *fasting*.
[5] abstinencia, *abstinence, temperance*.   [6] Domingo de Ramos, *Palm Sunday*.
[7] Domingo de Resurrección, *Easter Sunday*.   [8] de, *in*.   [9] cofradías, *brotherhoods, trade unions*.   [10] pasos, *floats*.   [11] túnica, *robes*.   [12] capirote, *pointed cap*.   [13] les cubre toda la cara, *covers all their faces*.   [14] impresionante, *impressive*.   [15] Sábado de Gloria, *Holy Saturday*.   [16] campanas, *bells*.   [17] cubiertos de, *covered with*.
[18] Cuento del abad honrado, *Story of the Honorable Abbot*. (An abbot is the head of a monastery for men.)   [19] sabio, *wise*.   [20] satisfacer mi conciencia, *to satisfy my conscience*.   [21] hacer una pregunta, *to ask a question*.

El rey respondió:

— La primera es, « ¿ Cuánto valgo ? »[1] La segunda es, « ¿ Dónde está el centro del mundo ? » Y la tercera es, « ¿ Qué pienso yo ? » Le doy un mes para pensar en [2] estas preguntas. Haga usted el favor de volver acá en un mes y entonces si me contesta mal, voy a buscar 5 otro abad.

El abad volvió a su monasterio, buscó en todos sus libros para hallar las respuestas,[3] y no halló nada. Un día estaba hablando con su cocinero y éste le preguntó por qué estaba tan triste. Cuando el abad le explicó la causa de su tristeza,[4] el cocinero dijo: 10

— Présteme usted su ropa. Yo puedo entrar en el palacio y el rey va a creer que es usted quien [5] llega. Yo prometo salvarle a usted.

El abad, muy contento, prestó su ropa al cocinero y de noche éste entró en el palacio. Al aparecer ante el rey, el cocinero dijo:

— Vengo a contestar a las tres preguntas. 15

— Bueno, ¿ cuáles son las respuestas ? — preguntó el rey.

— Primero   usted   ha   preguntado — respondió   el   cocinero — « ¿ Cuánto valgo yo ? » Pues, usted vale veinte y nueve dineros [6] si Cristo vale treinta, porque nadie vale más que Cristo.[7] La segunda pregunta es, « ¿ Dónde está el centro del mundo ? » Como usted sabe, 20 el mundo es redondo como una bola,[8] y donde usted pone los pies ahí está el centro. La tercera pregunta es, « ¿ Qué pienso yo ? » Pues, usted piensa que habla con el abad, y está hablando con el cocinero del abad.

El rey, muy sorprendido, preguntó: 25

— ¿ Es verdad lo que ven mis ojos y lo que oyen mis oídos ? [9] ¿ Usted no es el abad ? ¿ Usted es el cocinero del abad ?

— Sí, señor, yo soy suficiente para tales preguntas.

El rey vió que el cocinero era muy sabio, y también el abad. Por eso, confirmó la abadía del abad para todos los días de su vida [10] y dió 30 al cocinero muchos regalos.

PREGUNTAS

1. ¿ A quién llamó el rey ? 2. ¿ Qué dicen algunas personas acerca del abad ? 3. ¿ Cuántas preguntas va a hacer el rey ? 4. ¿ Cuál es la primera ?

[1] ¿ Cuánto valgo? *How much am I worth?* [2] pensar en, *to think about.* [3] respuestas, *answers.* [4] tristeza, *sadness.* [5] es usted quien, *you are the one who.* [6] usted vale veinte y nueve dineros, *you are worth twenty-nine pieces of money.* [7] The reference is to the thirty pieces of silver which Judas received for betraying Christ. [8] redondo como una bola, *round as a ball.* [9] ¿ Es . . . oídos? *Is what I see and hear true?* (Literally, *Is what my eyes see and my ears hear true?*) [10] confirmó . . . vida, *confirmed the life appointment of the abbot.*

5. ¿La segunda? 6. ¿La tercera? 7. ¿Cuándo tiene que volver el abad? 8. Si contesta mal, ¿qué va a hacer el rey? 9. ¿Con quién estaba hablando un día el abad? 10. ¿Qué dijo el cocinero? 11. ¿Cuándo entró en el palacio? 12. ¿Cuánto vale el rey? 13. ¿Dónde está el centro del mundo? 14. ¿Qué piensa el rey? 15. ¿Qué vió el rey? 16. ¿Qué hizo el rey entonces?

ADELITA

LECCIÓN CUARENTA Y UNA

EN UN RESTAURANTE

(*Felipe invita al señor Molina a almorzar.*)

— Vamos a entrar en este restaurante.

— Está bien. Sé que se come bien aquí porque un amigo español me trajo a este restaurante hace una semana.

— En aquel rincón veo una mesa libre. Vamos a sentarnos allí.   5

(*Se sientan a la mesa pero el mozo tarda un rato en verlos. Al fin se acerca, trayendo la lista.*)

— Aquí tienen Vds. la lista.

— Gracias. Dénos un momento para examinarla, por favor.

(*Entretanto el mozo trae los cubiertos, pan, mantequilla y vasos de* 10 *agua.*)

— ¿ Qué les traigo, señores ?

— Primero, tráigame sopa, si está caliente. Después, pescado, puré de papas y maíz, y de postre, flan.

— ¿ No desea Vd. ensalada ?

5   — Sí, ensalada de lechuga y tomate. Y mi compañero desea sopa, biftec, patatas (papas) fritas, y de postre, frutas frescas y queso.

— ¿ Qué desean beber ?

— Café solo.

— ¿ Se lo traigo ahora ?

10   — No, tráiganoslo con el postre, por favor.

(*Al acabar, Felipe deja una propina para el mozo.*)

VOCABULARIO

Nombres

el biftec (*beef*)*steak*
el cubierto *table service, place setting*
la ensalada *salad*
el flan *custard*
las frutas *fruit(s)*
la lechuga *lettuce*
la lista *menu*
el maíz *corn*
la papa *potato* (Spanish America)
la patata *potato* (Spain)
el pescado *fish* (prepared)
el postre *dessert*
la propina *tip*
el puré de papas (patatas) *mashed potatoes*

el queso *cheese*
el rincón *corner*
el señor *gentleman*
la sopa *soup*
el tomate *tomato*

Adjetivo

frito, –a *fried*

Adverbio

entretanto *in the meantime*

Verbos

examinar *to examine*
traer *to bring*

Expresiones

de postre *for dessert*
¿ qué les traigo, señores ? *what shall I bring you, gentlemen?*
vamos a entrar (sentarnos) *let's enter (sit down)*

PRÁCTICA.   In the dialogue find the Spanish for:

1. Let's enter.   2. I know that one eats well here.   3. Let's sit down there.   4. the waiter delays a while in seeing them (it takes the waiter a while to see them).   5. Finally he approaches.   6. Give us a moment. 7. bring me soup.   8. lettuce and tomato salad.   9. Shall I bring it to you now ?   10. bring it to us with the dessert.

PREGUNTAS

Answer in Spanish the following questions based on the dialogue:

1. ¿A quién invita Felipe a almorzar? 2. ¿A dónde van a almorzar?
3. ¿Se come bien allí? 4. ¿Dónde ven una mesa libre? 5. ¿Viene el
mozo en seguida? 6. ¿Qué les trae al fin? 7. ¿Qué trae después?
8. ¿Qué desea Felipe primero? 9. ¿Qué toma después? 10. ¿Qué toma
el señor Molina? 11. ¿Qué toman de postre? 12. ¿Qué desean beber?
13. ¿Cuándo toman el café? 14. ¿Qué deja Felipe en la mesa?

GRAMÁTICA

1. THE IRREGULAR VERB TRAER

Forms of **traer,** *to bring*			
PRESENT PARTICIPLE		PAST PARTICIPLE	
trayendo		traído	
PRESENT INDICATIVE		PRETERITE INDICATIVE	
traigo	traemos	traje	trajimos
traes	traéis	trajiste	trajisteis
trae	traen	trajo	trajeron
COMMANDS			
traiga Vd.		traigan Vds.	

The imperfect, future, and conditional forms of **traer** are regular.

2. SUMMARY OF COMMANDS

a. Regular verbs

Hable Vd.	*Speak.*	No hable Vd.	*Do not speak.*
Escríbanlo Vds.	*Write it.*	No lo escriban Vds.	*Do not write it.*
Levántense Vds.	*Get up.*	No se levanten Vds.	*Do not get up.*
Láveselas Vd.	*Wash them.*	No se las lave Vd.	*Do not wash them.*
Tráigaselo Vd.	*Bring it to him.*	No se lo traiga Vd.	*Do not bring it to him.*

Command forms of regular –ar verbs end in –e, –en, and those of
–er and –ir verbs end in –a, –an.

Object pronouns are attached to affirmative commands, and they
come immediately before the verb in negative commands.

b. Irregular verbs

The command forms of most irregular verbs, and of stem-changing verbs in –**ar** and –**er,** have the same stem as the first singular present indicative tense:

INF.	IST SING. PRES. IND.	COMMAND FORMS	
decir	digo	diga Vd., digan Vds.	*say, tell*
hacer	hago	haga Vd., hagan Vds.	*do, make*
poner	pongo	ponga Vd., pongan Vds.	*put, place*
salir	salgo	salga Vd., salgan Vds.	*leave, go out*
tener	tengo	tenga Vd., tengan Vds.	*have*
traer	traigo	traiga Vd., traigan Vds.	*bring*
venir	vengo	venga Vd., vengan Vds.	*come*
ver	veo	vea Vd., vean Vds.	*see*
pensar	pienso	piense Vd., piensen Vds.	*think*
volver	vuelvo	vuelva Vd., vuelvan Vds.	*return*

You have had the following verbs like **pensar**: cerrar, *to close;* empezar, *to begin;* sentarse, *to sit down.*

Like **volver**: acostarse, *to go to bed;* almorzar, *to take lunch;* descolgar, *to take down;* devolver, *to give back;* mostrar, *to show;* probarse, *to try on;* recordar, *to recall;* sonar, *to ring.*

A few verbs do not follow the pattern above and you must learn the command forms:

dar	dé Vd., den Vds.	*give*	ir	vaya Vd., vayan Vds.	*go*
estar	esté Vd., estén Vds.	*be*	ser	sea Vd., sean Vds.	*be*

In Lesson 27 you learned that before the first person singular preterite ending –**e**, verbs ending in –**car** change **c** to **qu;** those ending in –**gar** change **g** to **gu;** and those ending in –**zar** change **z** to **c.** These changes must also be made in both command forms before the endings –**e, –en:**

buscar	**busque Vd., busquen Vds.**	*look for*
llegar	**llegue Vd., lleguen Vds.**	*arrive*
empezar	**empiece Vd., empiecen Vds.**	*begin*

Other verbs like **buscar** are: acercarse, *to approach;* explicar, *to explain;* sacar, *to get, take out;* tocar, *to play* (music).

Like **llegar**: descolgar (ue), *to take down;* pagar, *to pay;* jugar (ue), *to play* (a game).

Like **empezar**: almorzar (ue), *to take lunch;* gozar, *to enjoy.*

You must watch carefully the verbs which have both a stem change and a change in spelling in the final stem consonant. Examples: almuerce(n) Vd(s).; descuelgue(n) Vd(s).; empiece(n) Vd(s).; juegue(n) Vd(s).

PRÁCTICA

a. Give the singular and plural command forms of: 1. tomar. 2. escribir. 3. buscar. 4. volver. 5. pagar. 6. levantarse. 7. sentarse. 8. acostarse. 9. traer. 10. decir. 11. poner. 12. venir.

b. Make each of the singular commands of these verbs negative.

EJERCICIOS

a. Give the Spanish for the following verb forms:

1. I bring, say, place, make, have, leave, come.
2. She brought it, read it, said it, placed it, made it.
3. They will bring, will say, will place, will make, will have.
4. You (*fam. sing.*) would do, would come, would make, would leave.
5. You (*formal pl.*) used to see, used to go, used to tell, used to make.
6. He has brought, done, written, seen, opened.
7. I had discovered, told, placed, returned (home).
8. Bringing, believing, saying, being able, going.
9. (*Sing.*) Buy, sell, write, go, come, bring, leave.
10. (*Pl.*) Tell, arrive, look for, put on, begin, think.

b. Translate and tell why **ser** or **estar** is used in each of these sentences:

1. Somos de los Estados Unidos. 2. Ahora estamos en España. 3. Las comidas aquí son buenas. 4. Comeremos tarde esta noche. Serán las nueve y media o las diez. 5. Anoche estuvimos en un buen restaurante. 6. Estábamos charlando cuando el mozo se acercó. 7. Dijo que la sopa estaba caliente. 8. El pescado era del Mar Mediterráneo. 9. La ensalada era de lechuga y tomate. 10. El queso que tomamos de postre era amarillo. 11. Cuando salimos el mozo estaba en un rincón. 12. La propina que dejamos era para él. 13. Será interesante ir a un hotel. 14. Como estamos sentados cerca de la orquesta, gozaremos de la música mucho más. 15. Tenemos aquí algunos amigos que son franceses.

c. Review possessive adjectives, page 69, and demonstrative adjectives and pronouns, pages 95 and 274, then give in Spanish:

1. this lettuce.   2. our table.   3. those fruits.   4. his stamps.   5. that corner.   6. my checks.   7. these buildings.   8. that menu.   9. our waiter.   10. this envelope.   11. those banks.   12. her balcony.   13. their patio.   14. your (*fam.*) shirt.   15. those numbers and these.   16. this pastry and that one.   17. these shoes and those.   18. this highway and that one.   19. his pen and her books.   20. her brother and his sister.

d. Review the use of negatives, pages 209–210, 334–335, and 368–369, then write each sentence in Spanish:

1. No one has arrived yet.   2. Philip has never arrived.   3. We have eaten nothing.   4. No waiter saw him.   5. I did not see anyone.   6. He studies more than ever.   7. Neither Robert nor Richard brought any money.   8. What does he have? — Nothing.

COMPOSICIÓN

1. Good evening, gentlemen.   2. For how many persons do you desire a table?   3. For four, please. Can you find us one in a corner?   4. At this moment, no, gentlemen, but there is one near that window.   5. Thank you. That's fine. We shall sit down at once.   6. Here is the menu, gentlemen. I shall return after a moment or two.   7. Paul, will you tell him that I want a glass of water right now?   8. Gladly. Here he comes with the knives, the forks, and the other things for the place settings.   9. Now, gentlemen, what shall I bring you?   10. Beefsteak, fried potatoes, lettuce and tomato salad, hot rolls, and black coffee for all.   11. Don't you (*pl.*) wish soup?   12. Neither soup nor dessert. Shall we have to wait a long time?   13. Only twenty or thirty minutes. As you know, the beefsteak is not yet ready (prepared).   14. We have enough time. We shall wait.

PARA PRACTICAR

a. Plática.

— ¿ Qué hora es?   ¿ No es hora de comer?
— ¡ Ya lo creo! Son las dos. No había notado la hora.
— ¿ Qué le parece a Vd. este restaurante?
— ¿ El Molino? Se dice que se come muy bien aquí.
— Pues, vamos a sentarnos a aquella mesa libre . . .
— Siéntese Vd. en este lado, por favor.

— Gracias. Aquí tiene Vd. la lista.

— ¿ Quién se la dió a Vd. ?

— El mozo acaba de dármela. Está muy ocupado, pero volverá pronto.

— No le vi. ¿ Dónde está ?

— Ha ido por agua y los cubiertos.

— Bueno, vamos a ver lo que hay. Yo tengo mucha hambre.

— Y yo también.

el lado *side*   el molino *mill*

ser hora de *to be time to*

b. Using the foods which you have had, plan your lunch or dinner, including soup, meat, a vegetable, salad, dessert, and drink.

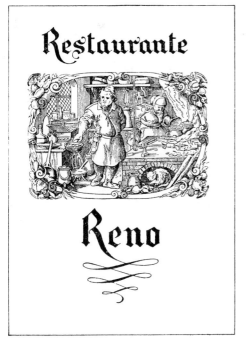

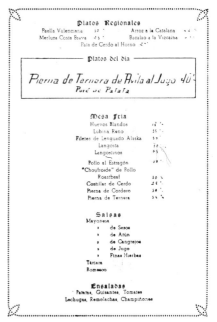

Here is a miniature menu from a Spanish restaurant. Frequently menus are very large and handsome.

If you are fond of one-dish meals, you are sure to enjoy *cocido*, the Spanish equivalent of our New England boiled dinner. *Garbanzos* (chickpeas) and *salchicha* (sausage) added to the usual meat and vegetables give this popular dish its special Spanish character.

Another typical tasty dish is the Valencian *paella*, made mainly of rice and several varieties of shellfish and meat. Its distinctive flavor comes from a blend of olive oil, garlic, onion, and saffron; the latter also gives the dish its yellow color.

Arroz con pollo (rice with chicken) is similar to *paella*, except that chicken and bits of ham replace the shellfish. Other ingredients are

peas, pimientos, sometimes mushrooms and olives.   The result is an
appetizing dish.

In Spain salads are simpler and less commonly served than in the
United States.   Desserts are usually selected from *flan* (a baked custard), a pastry (not pie), cheese, or fresh fruit.   Among the abundant
fruits are figs, oranges, strawberries, grapes, and melons.

LA GOLONDRINA

LECCIÓN

CUARENTA Y DOS

EN UN RESTAURANTE MEXICANO

— ¿ Qué desea Vd., señor ?

— Me gustaría una comida mexicana, señorita. Como yo no sé nada de los platos mexicanos, ¿ puede decirme algo de ellos ?

— Con mucho gusto. Tenemos muchas cosas que ofrecerle.
5 Primero Vd. debe tomar huevos rancheros. Son huevos fritos con salsa de chile. Muchas personas los comen con tortillas.

— ¿ Qué es una tortilla ?

— Es una torta delgada de maíz. Después, Vd. puede tomar tacos de pollo o mole de guajolote. Los tacos son tortillas tostadas con pollo o carne, frijoles y salsa de chile. El mole de guajolote es un plato que se hace de guajolote con salsa de chile, cacahuetes, chocolate y otras cosas. Es uno de los platos más famosos de México.

— Alguien me ha hablado del guacamole. ¿ Qué es ?

— Se hace con aguacate, cebolla y chile. Es una ensalada muy 5 buena y aquí siempre se prepara bien.

— Muchísimas gracias. Esta vez tráigame huevos rancheros con tortillas, tacos con pollo y guacamole. La próxima vez tomaré el mole de guajolote con otros platos mexicanos.

— ¿ Y desea el señor una cerveza ? 10

— No, gracias. Café solo, por favor.

VOCABULARIO

Nombres

el aguacate *avocado, alligator pear*
el cacahuete *peanut*
la carne *meat*
la cebolla *onion*
la cerveza *beer*
el chile *chili*
el frijol *kidney bean*
el guacamole *guacamole* (salad)
el guajolote *turkey* (Mex.)
el huevo *egg*
el mole *mole* (a sauce)
el pollo *chicken*

la salsa *sauce*
el taco *taco*
la torta *flat pancake*
la tortilla *small corn pancake*

Adjetivos

delgado, –a *thin*
famoso, –a *famous*
próximo, –a *next, following*
tostado, –a *toasted*

Verbos

deber *should, ought to, must*
ofrecer *to offer*

Expresiones

huevos rancheros *eggs ranchero style*
tener muchas cosas que ofrecer *to have many things to offer*

PREGUNTAS

Answer in Spanish the following questions based on the dialogue:

1. ¿ Qué desea tomar el joven ? 2. ¿ Sabe mucho de los platos mexicanos ? 3. ¿ Qué debe tomar primero ? 4. ¿ Qué son los huevos rancheros ? 5. ¿ Con qué los comen muchas personas ? 6. ¿ Qué es una tortilla ? 7. ¿ Qué son los tacos ? 8. ¿ De qué se hace el mole de guajolote ? 9. ¿ De qué se hace el guacamole ? 10. ¿ Qué es ? 11. ¿ Qué decide tomar al fin el joven ? 12. ¿ Qué tomará la próxima vez ? 13. ¿ Desea una cerveza ?

GRAMÁTICA

SUMMARY OF TRANSLATION OF <u>MUST</u> AND <u>SHOULD</u>

Tiene que partir hoy.	*He has to (must) depart today.*
Ha de cantar esta noche.	*He must (is to) sing tonight.*
Hay que hacerlo.	*It is necessary to (One must) do it.*
Debe visitar a su madre.	*He must (ought to) visit his mother.*
Debemos pagarle.	*We must (should) pay him.*

(1) **Tener que** plus an infinitive expresses strong obligation or necessity.

(2) **Haber de** plus an infinitive shows mild obligation.

(3) **Hay que** plus an infinitive expresses *one must, it is necessary to*.

(4) **Deber** plus an infinitive expresses moral obligation, personal duty, or a custom. The form of **deber** is translated *should, must,* or *ought to*.

EJERCICIOS

a. Give the Spanish for:

1. I examine, have examined. 2. he was bringing, brought. 3. we shall greet, should greet. 4. they killed, had killed. 5. you (*fam.*) send, will send. 6. she used to promise, had promised. 7. you have cashed, will have cashed. 8. they were married, would have been married. 9. we did not open, had not opened. 10. I shall have offered, should have offered. 11. bring (*sing.*), do not bring. 12. examine (*pl.*), do not examine.

b. Give the English for the following expressions:

1. Hace frío; hacía calor; ha hecho fresco; hará buen tiempo; haría mal tiempo.
2. Tengo hambre; tenía sed; tendré calor; tendría sueño.
3. Hay pan y carne; había agua y leche; habrá helado y flan; habría tortillas y frijoles.
4. Tienen que examinarlo; tenían que escribirle; tuvieron que comprarlas; tendrán que salir; tendrían que ir allá.
5. Han de cantar; habían de llegar ayer; habrán de llamarme.
6. Hay que venderlas; había que buscar otras; habrá que dárselas a él; habría que traérselas a ella.
7. Debemos visitarla; deben pagarme; debes ayudarla; ella debe decirle la verdad.
8. Hay sol; había sol; habrá sol esta tarde; ha habido sol esta semana.

c. Complete as indicated and translate:

1. ¿ Quién *is hungry?* 2. *There will be* pan, carne y leche en la cocina. 3. *It is* calor allí y ya *I am* demasiado calor. 4. Además, *we are* sed. 5. *It will be* más fresco en un café. 6. *It is* buen tiempo y *it will be* agradable allí. 7. Tú *are* razón, pero *one cannot eat* allí. 8. *There is* siempre helado de chocolate. 9. ¿ Dónde *is* Juan? 10. *He is* descansando en su alcoba. 11. Siempre *he is* sueño o *he is* cansado. 12. ¿ *Would there be* tiempo de ir a la casa de correos? 13. Mañana *will be* el cumpleaños de mi prima Isabel y *I must* mandarle un paquete. 14. ¿ Cuántos años *is she?* 15. Tiene diez y seis años y *she is to* visitarme este verano.

d. Give the Spanish for:

1. that lettuce and tomato salad. 2. this chili sauce. 3. mashed potatoes. 4. milk custard. 5. tomato soup. 6. for dessert. 7. yellow cheese and fresh fruit. 8. well-prepared beefsteak. 9. these silver teaspoons. 10. a blue cotton dress. 11. a pair of leather shoes. 12. a wool suit. 13. her felt hat. 14. wooden plates and forks. 15. a paper tablecloth. 16. chocolate sauce.

COMPOSICIÓN

1. Martha has just arrived. 2. I was glad to see her. 3. Most of the others will come late. 4. A few will come to the park. 5. They have told me that they will arrive on time. 6. We shall be able to eat at seven o'clock sharp. 7. I am sure that they will not have much interest in a baseball game. 8. The games are always played at night. 9. Caroline says that we are supposed to come to her house. 10. What do you (*fam.*) think of the idea? 11. I should like to go to the movie after (the) supper. 12. With your (*fam.*) permission, I shall call my mother by telephone. 13. Surely, Jane. 14. You ought to tell her that we have enough ice cream. 15. She will not have to bring us more this time.

PARA PRACTICAR

a. Plática.

— Tomás, ¿ por qué estás todavía en la cocina ?

— Es que tengo hambre, María.

— Pero acabas de comer un emparedado de pasta de cacahuetes y otro de queso, y sabes lo que dirá mamá.

— Lo sé, pero quiero algo más.

— Pues, en el refrigerador hay una botella de leche con chocolate.

— Tú sabes que no me gusta la leche con chocolate.

— Bueno, creo que hay allí dos o tres bananas. Puedes comer una de ellas. Si comes más, no tendrás apetito esta noche. Vamos a tener pollo frito y, de postre, hay helado.

— Está bien. Comeré solamente una banana.

el apetito *appetite*	el emparedado *sandwich*
la banana *banana*	la leche con chocolate *chocolate milk*
la botella *bottle*	la pasta de cacahuetes *peanut butter*

es que *the fact is* (or leave untranslated)
tener apetito *to have an appetite, be hungry*

For other foods which may be substituted in similar conversations, see the list on pages 402–403.

b. In order to write in Spanish the following grocery list, you will need these additional words:

la docena *dozen*	la libra *pound, lb.*
la lata (*tin*) *can*	media libra *half pound, ½ lb.*

2 lbs. of steak	5 lbs. of sugar	2 lbs. of onions
1 small chicken	1 lb. of coffee	1 lb. of peanut butter
1 lb. of butter	10 lbs. of potatoes	3 cans of kidney beans
2 bottles of milk	2 lbs. of tomatoes	2 lbs. of salt
1 dozen eggs	½ lb. of cheese	2 cans of corn
2 dozen rolls	2 cans of tomato soup	½ lb. of chocolate

Wherever you go in Mexico you will hear the familiar sound of skilful hands patting ground corn paste into thin cakes called *tortillas*. The cook usually grinds the corn with a stone "rolling pin" on a *metate*, a slab of rock slightly hollowed in the center. Mechanical mills are used in some areas now, but there is a general belief that *tortillas* taste better when the meal is ground by hand.

Eaten alone the *tortilla* takes the place of bread. When it is used in combination with various mixtures or sauces, an endless variety of typical dishes can be created. For example, *enchiladas* are *tortillas* covered with a sauce consisting of tomatoes, peppers, and chopped onion. *Tacos* are rolled *tortillas* stuffed with beans, cheese, meat, chili peppers, or other fillings. *Tamales* are made of the corn dough filled with a meat mixture, flavored with chili, and steamed in corn husks or banana leaves. In addition to corn, beans have been a basic Mexican

397

food since pre-Spanish days. *Frijoles refritos* (refried beans), as the name implies, are red beans which are cooked, then mashed and partially fried.

The sauces in which meats are cooked or served are called *moles*. The richest ones, which contain chili peppers, spices, ground nuts, and chocolate, are served with chicken or with *guajolote*, the Aztec word for turkey. The seasoning varies, but it is always hot and spicy. Contrasted with Mexico, Spain does not have highly seasoned, "hot" dishes.

Released by The Associated Newspapers.
Reproduced by special permission.

LECCIÓN

CUARENTA Y TRES

UN DÍA EN CASA

— ¡ Hola, Bárbara ! Me alegro de verte. Quiero invitarte a almorzar conmigo el sábado.

— Me gustaría ir contigo, Marta, pero tendré que ayudar a mi madre.

— ¿ Qué tendrás que hacer ? 5

— Primero haremos todas las camas, poniendo en ellas sábanas y fundas de almohada limpias y las mantas. Luego yo limpiaré el cuarto de baño y pondré allí jabón y toallas para todos. Entretanto mi madre limpiará las alfombras y quitará el polvo a los muebles.

— ¿ No podrás estar en el Restaurante Madrid a la una ? 10

— Es lástima, pero no será posible. Después de limpiar completamente toda la casa, tendremos que preparar una buena comida. Mi hermano y su esposa llegarán a las cinco.

— ¿ Es el hermano que se casó con Isabel Valdés?

— No, es mi hermano menor que se casó hace un mes.

— ¿ Qué habrá para la comida?

— Pollo frito, puré de papas, judías verdes, ensalada de frutas
5 frescas, panecillos calientes con mantequilla y jalea, y, de postre,
pastel de manzana con café solo.

— Será una comida típicamente norteamericana, ¿ verdad?

VOCABULARIO

Nombres

la alfombra *rug, carpet*
la almohada *pillow*
la cama *bed*
la funda de almohada *pillowcase*
el jabón *soap*
la jalea *jelly*
las judías verdes *green beans*
la manta *blanket*
la manzana *apple*
los muebles *furniture*

el pastel *pie*
el polvo *dust*
la sábana *sheet*
la toalla *towel*

Adverbios

completamente *completely*
típicamente *typically*

Verbos

limpiar *to clean*
quitar *to remove, take away*

Expresiones

hacer la cama *to make the bed*
pastel de manzana *apple pie*
quitar el polvo a *to dust* (*remove the dust from*)

PREGUNTAS

Answer in Spanish the following questions based on the dialogue:

1. ¿ Con quién se encontró Marta? 2. ¿ A qué la invitó? 3. ¿ Podrá
ir con Marta? 4. ¿ Por qué no será posible? 5. ¿ Qué harán Bárbara y
su madre primero? 6. ¿ Qué pondrán en las camas? 7. ¿ Qué hará Bárbara después? 8. ¿ Qué pondrá en el cuarto de baño? 9. ¿ Quién limpiará las alfombras? 10. ¿ Qué otra cosa hará su madre? 11. Después
de limpiar la casa, ¿ qué tendrán que preparar? 12. ¿ Para quiénes van a
preparar la comida? 13. ¿ A qué hora llegarán? 14. ¿ Con quién se
había casado uno de sus hermanos? 15. ¿ Cuándo se casó su hermano
menor? 16. ¿ Qué habrá para la comida? 17. ¿ Será una comida típicamente española?

PINTURAS

The View of Toledo, by El Greco, one of Spain's great painters of the Golden Age, illustrates his masterful handling of light and shade. (Courtesy of The Metropolitan Museum of Art)

Don Manuel Osorio Manrique de Zúñiga — Goya (1746–1828)
Francisco de Goya, the father of modern Spanish painting, was one of the greatest
portrait painters of all time. (Courtesy of The Metropolitan Museum of Art)

Detail of Velázquez's great historical painting, the Surrender of Breda. The victorious Spanish commander Spínola chivalrously accepts the keys of the Dutch city from Justin of Nassau. (Courtesy of Museo del Prado, Madrid)

The Golden Age of the Aztecs, painted by the late Mexican muralist Orozco for Baker Library, Dartmouth College. The three abstract figures represent manual labor, the arts, and creative thought, which were to replace Aztec gods of war, magic, and greed. (Courtesy of Dartmouth College)

ARGENTINA
CHILE

Argentine gauchos, in traditional dress, prepare to drink *mate*, a South American green tea which is now popular among all classes of people.
(Photo — A. Miller)

Argentina's white marble Congress Hall, modelled after our
own Capitol in Washington,
D.C., faces a beautiful monument and fountain in the Plaza
del Congreso in Buenos Aires.

Spanish American cities ha
large park areas where p
ple may amuse themselv

Viña del Mar, Chile's most famous beach, is a luxurious vacation spot the year round. (Courtesy of Pan American World Airways)

Araucanian Indian woman, representative of the race never conquered by the Spaniards. (Photo — Cushing)

Speed boating on Lake Villarrica, in southern Chile's magic lake region. (Photo — Three Lions, Inc.)

GRAMÁTICA

FORMATION OF ADVERBS

fácil	*easy*	fácilmente	*easily*
rápido	*rapid*	rápidamente	*rapidly*

Adverbs showing the manner in which something is done and which correspond to English adverbs ending in *–ly* are formed by adding **–mente** to the *feminine* singular form of the adjective.

EJERCICIOS

a. (1) Make adverbs from the following adjectives, and give the English meaning of each:

feliz	rico	popular	posible	agradable
triste	cómodo	particular	último	típico

(2) Give the masculine singular of the adjective from which the following adverbs are formed:

generalmente	rápidamente
solamente	seguramente
especialmente	fríamente
probablemente	perfectamente
inmediatamente	interesantemente

b. Read in Spanish, changing the infinitive to the correct form of the preterite tense and giving the proper reflexive pronoun:

1. Nosotros *acostarse* a las diez anoche. 2. Yo *levantarse* temprano. 3. Juan y yo *lavarse* en el cuarto de baño. 4. Él *alegrarse* de pasar la noche conmigo. 5. Yo *probarse* los zapatos que había comprado el viernes. 6. Nosotros *ponerse* calcetines de lana. 7. Juan *sentarse* al bajar al comedor. 8. Yo salí al patio y *quedarse* allí un momento. 9. Al volver al comedor yo *sentarse*. 10. Mi hermana y Carlos *casarse* hace dos meses.

c. Read in Spanish, placing the Spanish forms of the pronouns in their proper position, then continue with the same pronouns in the two sentences which follow in each group:

1. El mozo busca la lista y trae (*it to us*). Quiere traer. Está trayendo. 2. Leemos la lista y devolvemos (*it to him*). Vamos a devolver. Estamos devolviendo. 3. Deseo una ensalada de lechuga y él prepara (*it for me*).

Está preparando.   Desea preparar.   4. Mi hermano ha comprado algunas corbatas y enseña (*them to us*).   Acaba de enseñar.   Ha enseñado.   5. Mi hermana menor quiere algunos cacahuetes y yo compro (*them for her*). No tengo dinero para comprar.   Pasé diez minutos comprando.   6. Le gusta a él el libro y voy a dar (*it to him*).   No he dado.   Pronto habré dado.

d. Give orally in Spanish:

1. I like eggs ranchero style.   2. You ought to take them today. 3. People say that the guacamole is good here.   4. I know how to make it.   5. Alligator pears are used a great deal in Mexico.   6. They are also sold in this country.   7. Many cars are seen on this highway.   8. It is believed that they are the best cars in the world.   9. I have to dust the furniture.   10. Also I shall put clean sheets and pillowcases and the new blankets on the bed.   11. Have you put soap and towels in the bathroom? 12. We had fried chicken and apple pie for (the) supper.

COMPOSICIÓN

1. Martha, have you (*fam.*) cleaned your bedroom?   2. I am cleaning it now, mother.   3. I have just put clean sheets and pillowcases on my bed.   4. I shall be glad to make the other beds too.   5. (By) making them, you will help me a great deal.   6. If Caroline can dust the furniture and clean the rugs, I shall have time to prepare (the) lunch.   7. I have invited some Cuban friends of Mr. and Mrs. Salas.   8. They are to arrive at half past twelve.   9. I shall set the table too, mother.   10. Will you put place settings for eight persons?   11. The tablecloth and the napkins are on the table which is in the corner of the dining room.   12. I shall tell Mr. White that I need two chickens, potatoes, lettuce, tomatoes, and some good pastries.

SUPPLEMENTARY VOCABULARY

(This list of words, not used in the active vocabularies, may be used for further drill.   These words are not included in the general vocabulary.)

LEGUMBRES

el apio *celery*
el arroz *rice*
la batata *sweet potato*

la col *cabbage*
la coliflor *cauliflower*
los chícharos *green peas* (Mex.)

los ejotes *string beans* (Mex.)
el elote *ear of green corn* (Mex.)
los espárragos *asparagus*
la espinaca *spinach*
los guisantes *green peas*

las habas *lima beans*
el nabo *turnip*
el rábano *radish*
la remolacha *beet*
la zanahoria *carrot*

CARNE

la carne de vaca (de res) *beef*
el carnero *mutton*
el cerdo (asado) *(roast) pork*
el cordero *lamb*
la chuleta *chop, cutlet*
los fiambres *cold cuts*
el filete *tenderloin*

el jamón *ham*
el pato *duck*
el pavo *turkey* (Spain)
el puerco (asado) *(roast) pork*
la salchicha *sausage*
la ternera *veal*
el tocino *bacon*

FRUTAS

el albaricoque *apricot*
la banana *banana*
la cereza *cherry*
la ciruela *plum*
el chabacano *apricot* (Mex.)
el dátil *date*
la frambuesa *raspberry*
la fresa *strawberry*
el higo *fig*
el jugo (de naranja) *(orange) juice*
la lima *lime*

la mandarina *tangerine*
el mango *mango*
el melocotón *peach*
el melón *melon*
la naranja *orange*
la pera *pear*
la piña *pineapple*
el plátano *banana*
la sandía *watermelon*
la toronja *grapefruit*
la uva *grape*

MISCELLANEOUS

el aceite (de oliva) *(olive) oil*
el ajo *garlic*
asar *to roast*
bien cocido *well done*
el caldo *broth*
el cocinero *cook*
el consomé *consommé*
los encurtidos *relish, pickles*

la galleta *cracker*
los huevos pasados por agua *soft-boiled eggs*
los huevos revueltos *scrambled eggs*
la mermelada *marmalade*
el pan dulce *sweet bread, roll*
el vinagre *vinegar*
el vino *wine*

EJERCICIO

Make menus for breakfast, lunch, and dinner.

PARA PRACTICAR

a. Pláticas.

1. — María, ¿ qué tienes?
— Me duele un diente y voy a ver al dentista.
— ¡ Qué lástima! Lo siento mucho.
— Gracias. Pero, ¿ a dónde vas tú?
— Primero, voy a comprar un lápiz de labios, y luego tengo que lavarme la cabeza.
— Yo pensaba lavar varios pares de medias y unos pañuelos, pero ahora no sé si podré hacerlo, o no. Más tarde voy a ver.
— Pues, ¡ buena suerte!
— Gracias. Adiós.
— Hasta la vista.

el dentista *dentist*	el labio *lip*
el diente *tooth*	el lápiz de (para) labios *lipstick*

2. — Dígame Vd., Juan, ¿ cuáles son las partes principales del cuerpo?
— Son la cabeza, los brazos, el tronco, las piernas y los pies.
— ¿ Cuáles son las partes de la cabeza?
— Son la cara, la nariz, la boca, las mejillas, la barba, las orejas, los ojos y el pelo.
— Está bien. Ahora, ¿ qué hay en la boca?
— Hay dientes y la lengua.
— ¿ Cuántos dedos tiene Vd.?
— Tengo veinte.
— ¡ Veinte! ¿ Cómo es eso?
— Pues, tengo cinco dedos en cada mano y cinco dedos en cada pie.
— Vd. tiene razón. ¿ Con qué oímos?
— Oímos con las orejas.
— No, se equivoca Vd. Oímos con los oídos, no con las orejas. Pero, vamos a hablar de otra cosa ahora. Vd. habla muy bien.

la barba *chin*	el oído (*inner*) *ear*
la boca *mouth*	oímos *we hear*
el brazo *arm*	el ojo *eye*
el cuerpo *body*	la oreja (*outer*) *ear*
el dedo del pie *toe*	el pelo *hair*
equivocarse *to be mistaken*	la pierna *leg*
la lengua *tongue*	principal *principal, main*
la mejilla *cheek*	el tronco *trunk*
la nariz *nose*	

Answer the following questions based on these two **pláticas:**

1. ¿Cuáles son las partes principales del cuerpo? 2. ¿Cuáles son las partes de la cabeza? 3. ¿Qué hay en la boca? 4. ¿Qué se ponen las muchachas en los labios? 5. ¿Usa Vd. lápiz de labios todos los días? 6. ¿Cuántos dedos tiene Vd.? 7. ¿Cuántos dedos tiene Vd. en cada pie? 8. ¿Qué llevamos en los pies? 9. ¿Qué lleva uno en la cabeza? 10. ¿Qué se pone uno en las manos? 11. ¿Con qué vemos? 12. ¿Con qué oímos? 13. ¿Le duele a Vd. la cabeza? 14. ¿Le duele a Vd. un diente? 15. ¿A dónde va Vd. cuando le duele un diente? 16. ¿Cuántos brazos tiene Vd.?

b. In Spanish when we describe persons the verb **tener** is regularly used with the definite article, as in:

> Ella tiene el pelo negro.   *She has black hair (Her hair is black).*
> Tengo el cuello corto.   *I have a short neck (My neck is short).*
> Tienen las manos frías.   *Their hands are cold.*

Escriban Vds. al dictado, y luego traduzcan al inglés:

Juan es alto y tiene los brazos largos. Tiene el pelo rubio (*blond, light*), la nariz grande y la boca pequeña. También tiene las manos pequeñas, pero tiene los pies largos. Lleva jersey negro, camisa de algodón azul, pantalones de pana negra y zapatos de cuero negro. No lleva sombrero.

Now describe yourself, a girl friend, or a boy friend.

Among the many illustrious names in Spain's glorious past are El Cid, her national hero, and Miguel de Cervantes Saavedra, her greatest novelist. In the eleventh century Rodrigo Díaz de Vivar, known as El Cid (The Leader), fought valiantly against the Moors and aided greatly in establishing the old province of Castile. His deeds were sung in the famous epic poem *El cantar de Mío Cid,* The Song of the Cid, which was written about 1140. This hero became the symbol of all Christian Spain and of the democratic spirit of the nation.

In 1605 Cervantes published the first part of *Don Quijote,* considered the world's greatest novel. The story deals with a poor nobleman named Don Quijote, who became crazed from reading many tales of the knights of old. Imitating them, he decided to set out across the barren plains of La Mancha to perform deeds which would make him worthy of his lady love and to see that justice was done in the land. He was accompanied by a faithful squire named Sancho Panza, a typical simple, loyal, humorous, crafty peasant. The master saw everything glorified, while Sancho saw things as they really were in life, the two combining the eternal struggle between the real and the ideal. Cervantes knew and loved humanity, so it is natural that his great work should appeal to all countries, to all ages, and to all classes of people.

LECCIÓN

CUARENTA Y CUATRO

VIAJANDO POR MÉXICO

(*El señor Gómez se para en una estación de gasolina y un empleado se acerca.*)

— Buenos días, señor. ¿ En qué puedo servirle ?

— Necesito veinte o más litros de gasolina.

— ¿ Desea Vd. llenar el tanque ? 5

— ¡ Ya lo creo ! Siempre vale más tener bastante gasolina, ¿ verdad ?

— Vd. tiene razón, señor. ¿ Qué tal el aceite ?

— Necesito un poco. Déme un litro.

— ¿ Qué marca ? 10

— Es igual. También hay que ver si hay bastante agua en el radiador.

— Lo llenaré ahorita. ¿ Ponemos (*or* Echamos) aire en las llantas ?

— Sí, ponga (eche) Vd. veinte y dos libras en éstas y en la llanta de repuesto también, por favor. 15

— Ahora limpiaré el parabrisas y todo estará listo, si Vd. no desea lavar el coche hoy.

— No vale la pena y no tengo tiempo de esperar.   Estaría sucio pronto.   ¿ Cuánto valen la gasolina y el aceite ?

— Quince noventa (Quince pesos, noventa centavos).

— Aquí tiene un billete de cincuenta pesos.

5   — Y aquí tiene Vd. la vuelta, señor.

— Gracias.   ¿ Es ésta la carretera para Monterrey ?

— Sí, señor, y está en buen estado.

— ¿ Qué distancia hay de aquí a Monterrey ?

— Unos cien kilómetros.

10   — Hay buenos hoteles allí, ¿ verdad ?

— ¡ Cómo no !   Hay varios buenos en el centro de la ciudad.

— Muchas gracias.

— ¡ Buen viaje !

VOCABULARIO

Nombres

el aceite *oil*

el aire *air*

la distancia *distance*

el empleado *employee* (man), *attendant*

la estación *station*

el estado *condition*

la gasolina *gasoline*

el kilómetro *kilometer* ($\frac{5}{8}$ mile)

la libra *pound*

el litro *liter* (1.05 quarts)

la llanta *tire*

la marca *kind, brand, make*

el parabrisas *windshield*

la pena *trouble*

el peso *peso, dollar* (about 8 cents in Mexico)

el radiador *radiator*

el tanque *tank*

Adjetivos

igual *equal, same*

listo, –a *ready*

sucio, –a *dirty*

Adverbio

ahorita *right now*

Verbos

llenar *to fill*

pararse *to stop*

valer *to be worth*

Expresiones

¡ buen viaje ! (*have*) *a good trip !*

es igual *it's all the same, it makes no difference*

estación de gasolina *gasoline station, filling station*

llanta de repuesto *spare tire*

¿ ponemos (echamos) aire . . . ? *shall we put air . . . ?*

¿ qué distancia hay ? *how far is it ?*

¿ qué tal . . . ? *how about . . . ?*

vale más *it is better*

valer la pena (de) *to be worth while* (*to*)

PREGUNTAS

Answer in Spanish the following questions based on the dialogue:

1. ¿Dónde se paró el señor Gómez? 2. ¿Quién se acercó a su coche? 3. ¿Cuánta gasolina deseaba el señor? 4. ¿Necesitaba aceite? 5. ¿Cuántas libras de aire llevaban las llantas? 6. ¿Cómo se llama la quinta llanta de un coche? 7. ¿Estaba limpio el parabrisas? 8. ¿Valía la pena de lavar el coche? 9. ¿Cuánto valían la gasolina y el aceite? 10. ¿Cuánto dinero dió el señor al empleado? 11. ¿A dónde iba el señor Gómez? 12. ¿Está la carretera en buen o mal estado? 13. ¿Qué distancia hay de allí a Monterrey? 14. ¿Hay buenos hoteles allí? 15. ¿En qué parte de la ciudad están? 16. ¿Qué dice el empleado por fin?

GRAMÁTICA

1. THE IRREGULAR VERB VALER

Forms of **valer**, *to be worth*		
PRESENT	FUTURE	CONDITIONAL
valgo	valdré	valdría
vales	valdrás	valdrías
vale	valdrá	valdría
valemos	valdremos	valdríamos
valéis	valdréis	valdríais
valen	valdrán	valdrían

The present and past participles and the imperfect and preterite tenses of **valer** are regular.

2. USES OF VALER

El caballo vale cien dólares.	*The horse is worth a hundred dollars.*
¿Cuánto vale la casa?	*How much is the house worth?*
Los libros no valían mucho.	*The books were not worth much.*
No valdrá la pena de ir allá.	*It will not be worth while to go there.*
Valdría más venderlas ahora.	*It would be better to sell them now.*

In addition to being used regularly with noun and pronoun objects, the third person singular of all the tenses of **valer** is used impersonally with *it* as the subject.

EJERCICIOS

a. Give the English for the following verb forms:

1. traer, trayendo, traído, traigo, traía, traje, traeré, traería.
2. valer, valiendo, valido, vale, valía, valió, valdrá, valdría.
3. venir, viniendo, venido, viene, venía, vino, vendrá, vendría.
4. dar, dando, dado, damos, dábamos, dimos, daremos, daríamos.
5. acostarse, acostándose, te acuestas, te acostabas, te acostaste, te acostarás, te acostarías.

b. Explain the use of **saber** or **conocer** in each sentence:

1. El señor no conoce el camino. 2. No sabe tampoco si hay una buena estación de gasolina. 3. No conoce a nadie en la ciudad. 4. Sabe que no necesita aire. 5. Conoce bien su coche. 6. Sabe cambiar el aceite pero está cansado. 7. Yo sabía que llegarían tarde. 8. Yo le conozco pero no sé el número de su casa.

c. Review the uses of the preterite and imperfect tenses, pages 202 and 243–244, then complete the following sentences:

1. Vicente *left* de la biblioteca a las ocho. 2. Él *was taking* a María a casa. 3. Ellos *took* un tranvía. 4. *There were* mucha gente en el tranvía. 5. *It was* mucho calor también. 6. Ellos *were* hambre. 7. Al bajar, María descubrió que *she did not have* sus guantes. 8. Decidió que *she had to* buscarlos. 9. Ellos *took* un taxi y *returned* allá en seguida. 10. El edificio todavía *was* abierto. 11. Un empleado *returned them* a María. 12. Al bajar a la calle *they found* un libro pequeño en la acera. 13. *It was* un libro de inglés y *was* de Dorotea Molina. 14. María dijo que Dorotea *could not* hallarlo aquella tarde. 15. Antes de ir a casa *they went* a un restaurante donde *there was* una orquesta que *played* muy bien.

d. Give the Spanish for:

1. He stopped at the filling station. 2. Fill the tank, please. 3. He needed fifteen liters of gasoline. 4. How much is the gasoline worth? 5. He had enough oil. 6. Shall we put water in the radiator? 7. Yes, please fill it. 8. How about the tires? 9. The windshield is dirty; clean it. 10. It isn't worth while to wash the car; do not wash it. 11. The attendant says that the highway is in good condition. 12. How far is it from here to Mexico?

COMPOSICIÓN

1. Martha, have you seen Bill's car? 2. No, I haven't seen it yet. When did he buy it? 3. He bought it in Saint Louis yesterday. 4. He was in a filling station when I saw him. 5. An employee was cleaning the windshield, another was filling the tank with (de) gasoline, and the third was putting air in the tires. 6. What color is the new car? 7. It is red and it has black tires. 8. The old one that he sold used more gasoline than a bus. 9. It was better to sell it and to use the money to buy the new one. 10. The four tires were not worth anything either, and he did not have a spare tire.

PARA PRACTICAR

Pláticas.

1. — Buenas tardes, señor.
— Buenas tardes. ¿ En qué puedo servirle a Vd.?
— Queremos pasar la noche aquí. ¿ Dónde hay un buen hotel?
— Hay tres o cuatro buenos en el centro, a veinte cuadras de aquí.
— Pues, ¿ hay un buen campo de turista en la carretera?
— Sí, hay varios que están en las afueras de la ciudad. También hay otro que no está tan lejos. Muchos turistas se paran allí.
— ¿ Cómo se llega allá?
— Siga Vd. derecho seis cuadras, luego doble Vd. a la derecha. Siga Vd. dos cuadras más y lo encontrará, a la izquierda de la carretera.
— Muchas gracias. Vd. es muy amable.
— De nada. A sus órdenes.

las afueras *outskirts*	doblar *to turn* (a corner)
el campo de turista *tourist camp, motel*	el turista *tourist*
siga Vd. (derecho) *go* or *continue* (*straight ahead*)	
a sus órdenes *at your service*	

2. — ¿ Tiene Vd. un cuarto para dos personas?
— ¿ Con baño o sin baño?
— ¿ Cuánto cuesta un cuarto con baño?
— Veinte y cinco pesos, y con comida, cuarenta pesos por persona.
— Queremos ver el cuarto si es posible.
— ¡ Cómo no! Pasen Vds. por aquí ... Este cuarto es grande y tiene dos ventanas que dan a las montañas.
— ¿ Cómo son las camas?

— Son muy cómodas. Y aquí está el cuarto de baño con agua caliente y fría a todas horas.

— ¿ No te gusta el cuarto, Juan ? Parece muy bueno para el precio, ¿ no es verdad ?

— Sí, a mí me gusta mucho. Hay una vista magnífica desde la ventana. Vamos a tomarlo.

— Muy bien. Estoy cansado y podemos descansar un rato antes de comer.

— Aquí tienen Vds. la llave, señores. La criada traerá jabón y toallas en seguida. Y el botones va a traer las maletas. Aquí se come a las ocho.

    el botones *bellboy* (Mex.)   la llave *key*

      con (sin) baño *with (without) a bath*   la maleta *suitcase, bag*

                por persona *per (for each) person*

The most important road in Latin America is the Pan American Highway, planned to connect all the mainland countries of the hemisphere from Alaska southward. Because of the cost and the physical barriers — mountains, deserts, jungles, and great distances — it has been impossible to complete all sections of the highway. Therefore, we cannot drive all the way to southern South America without putting our car on trains or ferries at several points.

Three routes lead from the United States to Mexico City — the original Pan American Highway from Laredo, Texas; the central highway from El Paso; and the Pacific highway from Nogales, Arizona. From Mexico's capital the road leads through Puebla and Oaxaca to the Guatemalan border. Beyond that point many sections are not hard-surfaced, so we can travel on them only in dry weather. It will be difficult to complete several gaps, especially the long one across the jungles and mountains between Panama City and the Colombian section of the highway. The fork which starts at Caracas, Venezuela, and

413

runs southwest to Colombia and Ecuador crosses plains, lowlands, and many high mountain passes.

Much of the all-weather road in Peru is through desert lands, and there is an additional thousand miles of desert in northern Chile if we follow the route south to Santiago. The road from Santiago to Buenos Aires, which crosses Upsallata Pass at 14,000 feet, is blocked with snow from May to November. The second route from southern Peru through Bolivia climbs to 15,180 feet before descending to Lake Titicaca, at 12,500 feet. A road from Asunción, Paraguay, connects with this route in Argentina. We must use a ferry to reach Uruguay; from there we can continue up the Brazilian coast through São Paulo to Rio de Janeiro.

Mexico, Argentina, Chile, and Peru have the greatest mileage in macadam and concrete roads. While the United States furnishes most of the automobiles for Latin America, there are many of European make, particularly in the southern part of South America. As the countries progress economically and get more good roads, they will have more automobiles.

LECCIÓN

CUARENTA Y CINCO

CARTAS ESPAÑOLAS

— Carmen, el cartero acaba de dejarte una carta. Aquí la tienes.
— Gracias, mamá. ¿ De quién es? No conozco la dirección.
¿ Quién vive en la Avenida de Delmar, 7642, oeste, San Luis? (*Ella rompe el sobre, saca la carta y la lee.*) Mamá, es de la señora de Valdés y ella me ha invitado a visitarla. Voy a leerte la carta. 5
(*Leyendo en voz alta:*)

San Luis, 2 de junio de 1956

Querida Carmen:

Ayer recibí una carta de tu madre. Ésta escribió que pensaba hacer un viaje de tres o cuatro semanas con tu padre por el este de 10 los Estados Unidos, y yo quiero invitarte a visitarme durante ese

415

tiempo. Mi sobrina, Catalina Martín y Pardo, y mi sobrino, Carlos Padilla y Martín, estarán aquí y tú podrás pasar un buen rato con ellos. Ésta es una ciudad interesante y gozarás de nuestro parque grande, donde se encuentran un museo, un jardín zoológico y un
5 teatro al aire libre.

Si no quieres hacer el viaje en avión, será más agradable venir en tren que en ómnibus. ¿ Quieres escribirme qué día y a qué hora llegarás ? Espero verte pronto. Con recuerdos a tus padres, quedo de ti,

10   Sinceramente,
        ISABEL MARTÍN DE VALDÉS

— Isabel es muy amable.
— Sí, mamá. ¿ Me das permiso para ir ?
— ¡ Ya lo creo !
15 — Muchísimas gracias, mamá.

VOCABULARIO

Nombres

la avenida *avenue*
el cartero *postman*
la dirección *address, direction*
el este *east*
el oeste *west*
los recuerdos *regards*
là sobrina *niece*
el sobrino *nephew*

Adjetivos

querido, –a *dear*
zoológico, –a *zoological*

Adverbio

sinceramente *sincerely*

Verbos

esperar *to hope*
romper *to break, tear*

Expresiones

al aire libre *in the open air*
el jardín zoológico *zoo*
quedo de ti (Vd., Vds.) *I remain, yours*
un buen rato *a pleasant time*

PREGUNTAS

1. ¿ Quién dejó la carta ?   2. ¿ Para quién era ?   3. ¿ De quién era ? 4. ¿ En qué calle vive la señora ?   5. ¿ Por qué ha escrito a Carmen ? 6. ¿ Qué harán los padres de Carmen ?   7. ¿ A dónde irá ella ?   8. ¿ Qué hay en el parque grande de San Luis ?

9. ¿ Cuál es el número de la casa de Vd. ?   10. ¿ Le gusta a Vd. ir a un jardín zoológico ?   11. ¿ Ha estado Vd. jamás en un teatro al aire libre ? 12. ¿ Tiene Vd. sobrinos ?

GRAMÁTICA

1. FAMILY NAMES IN SPANISH

(Señorita) Isabel Martín (y) López
(Señor) Carlos Valles (y) Gómez
(Señora) Isabel Martín de Valles

Spanish family names consist of the name of the father followed by the name of the mother before her marriage; **y** may be used or omitted: **Martín (y) López.** Often the mother's name is dropped entirely: **Isabel Martín;** sometimes the initial is used: **Carlos Valles G.** A woman's married name is the name of her father followed by **de** and the name of her husband: **Señora Martín de Valles.**

2. THE DIRECTIONS IN SPANISH

el **norte**	*north*	el **este**	*east*
el **sur**	*south*	el **oeste**	*west*

These words are nouns in Spanish. They are often found in prepositional phrases: **la América del Sur,** *South America;* **Vive al norte de Chicago,** *He lives north of Chicago.*

3. STREET ADDRESSES IN SPANISH

Plaza de San Luis, 8	*8 Saint Louis Plaza (Square)*
Calle de Wáshington, 4444, este	*4444 East Washington Street*
Paseo del Norte, 756	*756 Northern Boulevard*

In a Spanish street address the word **calle,** *street,* **avenida,** *avenue,* **plaza,** *square,* **camino,** *road,* or **paseo,** *boulevard, drive,* is written first, followed by the name by which the street is known, then by the house number, and finally by the direction if the street has one (second example).

4. INFORMAL PERSONAL LETTERS

a. Date line

Buenos Aires, 7 de mayo de 1956   *Buenos Aires, May 7, 1956*

b. Salutation

Querido Juan (Querida Marta):   *Dear John (Dear Martha):*

c. Conclusion

(quedo de ti), sinceramente,   *(I remain yours), sincerely,*

These are the simplest forms used in Spanish correspondence and should be used only in personal letters. They would be quite acceptable in letters to students in Spanish-speaking countries.

EJERCICIOS

a. Write in Spanish:

1. 1834 National Road.   2. 4 Madero Street.   3. 931 Bellrive Boulevard.   4. 3370 West New York Street.   5. 409 South Warren Avenue. 6. Dear Robert.   7. Dear Mother.   8. Dear Barbara.   9. I remain yours (*fam.*).   10. San Antonio, August 10, 1955.   11. Santa Barbara, October 12, 1956.   12. El Paso, December 26, 1954.

b. Complete as indicated:

1. Este traje y *the blue one* me sientan *better than* los otros.   2. *Most of* los dependientes de esta tienda son *more pleasant than this one.*   3. El tercer traje que él *brought us* era *the most expensive* de todos.   4. *The black one* no es *so pretty as* el rojo.   5. El dependiente parece tener *greater interest* por el precio del traje *than* por el tamaño.   6. Creo que serán *less expensive* y de *better quality* en la otra tienda.   7. *Our car* está cerca de aquí.   8. No podremos dejarlo allí *much more* tiempo.   9. Las camisas blancas que se ven en *that counter* son *very beautiful.*   10. Se dice que pronto serán *cheaper.* 11. *Our sisters* estarán esperándonos.   12. *My father and my mother* podrán volver a casa con *your* (fam.) *uncle and aunt.*

c. Give in Spanish:

1. bringing, on bringing.   2. seeing, after seeing.   3. going, before going. 4. offering, without offering.   5. promising, tired of promising.   6. Giving it to me, he left.   7. He wants to give it to her.   8. He had given it to them.   9. He never writes me any letters.   10. I introduced him to her. 11. They were married a week ago.   12. They went to the movie with us last night.   13. I am very glad to know you.

COMPOSICIÓN

1. Mary, can you tell me Caroline's address?   2. I shall have to look for it, Jane.   3. Her family is living in San Francisco now.   4. She was in Saint Joseph when I wrote to her two months ago.   5. I have found it now. They live at 3640 Western Boulevard.   6. I did not know until last week that Mr. Molina is her mother's brother.   7. Nor I either.   Then she is named Caroline Padilla y Molina, isn't she?   8. Yes, I have just written

her address on this envelope. 9. Did you give her my best regards?
10. Yes indeed! And now I have to give this letter to the postman. 11. I
see him in front of the house. 12. Why are you so sad? 13. I tore one of
my stockings when I was getting up from this chair. 14. What a pity!
Are they the best that you have? 15. No, yesterday I bought two pairs
of new hose and I have not put them on yet.

PARA PRACTICAR. (New words in this section are not included in the
end vocabulary.)

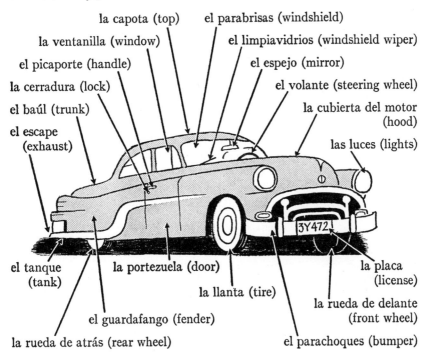

la capota (top)   el parabrisas (windshield)

la ventanilla (window)   el limpiavidrios (windshield wiper)

el picaporte (handle)   el espejo (mirror)

la cerradura (lock)   el volante (steering wheel)

el baúl (trunk)   la cubierta del motor (hood)

el escape (exhaust)   las luces (lights)

el tanque (tank)   la portezuela (door)   la placa (license)

la llanta (tire)   la rueda de delante (front wheel)

el guardafango (fender)

la rueda de atrás (rear wheel)   el parachoques (bumper)

a. Señales de tránsito (*Road signs*)

Alto, *stop,* also is used for a red light, and **siga,** *go,* for a green light.

Otras señales

camino angosto *narrow road*
camino en reparación *road repairs*
camino lateral *side road*
camino sinuoso *winding road*
codo *sharp turn*

columpio *dip*
cruce de caminos *cross roads*
curva doble *S curve*
desviación *detour*
F.C. (ferrocarril) = R.R. (*railroad*)

maneje con cuidado *drive carefully* precaución *caution*
modere su velocidad *slow down* se prohibe estacionar(se) *no parking*
peligro *danger* tome su derecha *keep to the right*
poblado próximo *town ahead* trabajadores *men working*

For drill on the meaning of these signs, use the question ¿ **Qué significa (peligro)**? *What does (danger) mean?* The reply will be: **Peligro significa "danger."**

Students may reproduce the standard shape of the various signs and put on them the Spanish lettering. Road maps or most textbooks on safety will give you these signs.

b. Answer the following general questions:

1. ¿ Hay muchos automóviles en los Estados Unidos? 2. ¿ Tiene Vd. automóvil? 3. ¿ Tiene automóvil la familia de Vd.? 4. ¿ De qué marca es? 5. ¿ De qué año es? 6. ¿ De qué color es? 7. ¿ Sabe Vd. manejar (*to drive*, Mex.) un automóvil? 8. ¿ Trata Vd. de manejar bien? 9. ¿ Dónde compramos gasolina? 10. ¿ Usa mucha gasolina su automóvil? 11. ¿ Usa mucho aceite? 12. ¿ Cuántas ruedas tiene un automóvil? 13. ¿ Qué hay en las ruedas? 14. ¿ Qué ponemos en las llantas? 15. ¿ Dónde está la quinta rueda? 16. ¿ Qué echa el empleado en la batería[1]? 17. ¿ Qué echa en el radiador? 18. ¿ Tiene buenos frenos[2] su automóvil? 19. ¿ Lava Vd. el automóvil todas las semanas? 20. ¿ Le gusta a Vd. lavarlo?

[1] batería, *battery.* [2] frenos, *brakes.*

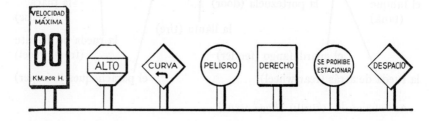

Transportation is a vital problem in Latin America. A glance at the map shows the obstacles which must be overcome if an adequate system is to be developed. There are few good harbors, partly because plateaus and mountains rise sharply from the coast in many regions. Except for the Plata system, rivers are either not navigable, or they lead into undeveloped areas. Large ships can go a thousand miles up the Amazon to Manaus, and small ones can continue another thousand miles to Iquitos, Peru, but this entire region is one of the least developed in the world.

Argentina has a network of railroads which spreads fanlike from Buenos Aires to serve the great fertile pampas. Most parts of Mexico are reached by rail lines, which have good connections with the United States. However, most of the countries do not have adequate rail systems. In the short distance of about one hundred miles Peru's Central

421

Railway climbs nearly three miles while going through sixty-five tunnels, crossing sixty-seven bridges, and using sixteen switchbacks. Peru's Southern Railway climbs to 14,666 feet. The Trans-Andine Railway which connects Chile and Argentina is often blocked with landslides.

The first regular commercial air line in the world was established in Colombia in 1919, and since that time international and national air lines have multiplied so rapidly that passenger and cargo planes fly into nearly every area. The planes carry all kinds of freight from local produce to livestock and machinery. Few areas in the world are so "air-minded." One can almost say that transportation in Latin America jumped overnight from the oxcart to the airplane.

The rapid increase in population, the growth in industry and trade, and the wider interest in world affairs all indicate a need for improved transportation of every type in Latin America.

LAS CHIAPANECAS

Cuan-do bai - lan,____ to-dos can - tan, co - mo
can - tan las Chia-pa - ne-cas;____ y si bai - lan,__
__ se a - le - gran.____ Den la vuel - ta, pues,____ y
ha - gan a - sí: dos pal - ma - das a la vuel - ta.__
____ Se ol - vi - da el____ do - lor.____ Es un
bai - le de a - le - grí - a;____ las pal - ma-das den__

Coro

__ a - sí. (_palméen_)   Ay Chia-pa - ne - cas, ay

ay. (_palméen_)   Ay Chia-pa - ne - cas, ay   ay. (_pal-_

méen)   Ay Chia-pa - ne - cas, ay   ay. (_palméen_)

Fine

Ay   Chia-pa - ne - cas, ay   ay.   (_palméen_)

Ya   no   te - ne - mos   pe - nas.   Ya   es -

ta - mos a - le - gres.   Ven - gan   a   bai - lar   o - tra

vez____   Chia - pa - ne - cas, can - tan - do Ay   Ay   Ay.

Ay Chia-pa - ne - cas.   Den   la   vuel - ta   re - don - da.

Ven - gan   a   bai - lar____   o - tra   vez Chia - pa-

D.S. al Fine

ne - cas   a - sí.   (_palméen_)   Cuan - do

REPASO IX

A. Read in Spanish and translate:

Una ciudad interesantísima de España es Burgos, donde se halla una de las mejores catedrales góticas de Europa. Burgos es la antigua capital de Castilla y cerca de allí se desarrolló[1] la lengua castellana. Cerca de Burgos nació el Cid, el famoso héroe nacional, cuya tumba se ve en el suelo de la
5 catedral.

Cerca de Madrid se encuentra el Escorial, un monumento que se ha llamado una de las verdaderas maravillas del mundo. Es al mismo tiempo biblioteca, palacio, iglesia, monasterio y panteón.[2] Para dar una idea del tamaño de este gran edificio, construido por Felipe II en el siglo XVI,
10 basta[3] decir que tiene unas 2600 ventanas, 1200 puertas, 86 escaleras[4] y 88 fuentes.

En Ávila se pueden ver las murallas[5] que se construyeron en el siglo XI. Salamanca, al oeste de Ávila, tiene un puente romano y la gran universidad, fundada en el año 1220. Al norte de Madrid se encuentra Segovia, donde
15 se puede ver un famoso acueducto, construido por los romanos hace unos veinte siglos. Es otra maravilla del mundo antiguo.

En el sur se encuentran varias ciudades interesantes, como Córdoba, con su gran Mezquita,[6] construida por los moros. En el siglo X, Córdoba fué el centro de la civilización de los moros, la civilización más alta de toda
20 Europa en aquella época. No lejos de allí se halla Granada, la última capital de los moros, que construyeron la Alhambra con sus magníficos jardines y fuentes. Y uno podría hablar de Sevilla hora tras[7] hora. Hay un refrán que dice: « Quien[8] no ha visto a Sevilla no ha visto maravilla ». La catedral es la más grande de todas las iglesias góticas de Europa. Y la Giralda es
25 una de las torres más hermosas del mundo.

En cada ciudad se halla algo que recuerda la historia o la literatura del país. La leyenda del acueducto de Segovia es un buen ejemplo: « Un día una muchacha iba despacio hacia la fuente a buscar agua. Hablaba para sí,[9] diciendo que daría el alma[10] al diablo[11] por no tener que llevar[12] agua
30 todos los días. En aquel momento el diablo vino a decirle que antes del día siguiente construiría el acueducto si era verdad que ella ofrecía darle a él su alma. Ella prometió hacerlo y se fué a casa. Al día siguiente ya estaba construido el acueducto y el agua entraba en la ciudad; por eso la muchacha

---

[1] se desarrolló, *was developed*.　[2] panteón, *burial place*.　[3] basta, *it is sufficient*.
[4] escaleras, *stairways*.　[5] murallas, *walls*.　[6] Mezquita, *Mosque*.　[7] tras, *after*.
[8] Quien, *He who*.　[9] para sí, *to herself*.　[10] alma, *soul*.　[11] diablo, *devil*.　[12] por no tener que llevar, *if she shouldn't have to carry*.

se creyó perdida.[1] Pero al examinar el acueducto, hallaron que faltaban dos piedras.[2] Así es que la muchacha no tuvo que dar el alma al diablo y la ciudad de Segovia ha tenido agua por muchos siglos. » Todavía se usa el acueducto, que se construyó de piedras grandes sin argamasa [3] de ninguna clase.   5

Si uno quiere ver obras de arte no hay país como España. En el Museo del Prado de Madrid se ven muchas de las famosas pinturas de Velázquez, Murillo, El Greco, Goya y otros pintores.

Aquí no se puede decir nada de la gran literatura de España. Se dice que Lope de Vega, autor del siglo XVII, escribió unas 1800 comedias. Y 10 todos conocen a Cervantes, que escribió *Don Quijote*, la novela más famosa que jamás se ha escrito.

B. Read in Spanish, changing the verb to the preterite, imperfect, present perfect, and future:

1. La veo. 2. Vuelven a casa. 3. Juego a la pelota. 4. Puedo mandárselo a ellos. 5. Lo ponemos en la mesa. 6. Busco una casa de piedra.

C. Give the English meaning of:

empecé	jugué	vengo	prestaron
trajeron	se paró	trajo	me puse
valdrá	saldría	muestra	ha hecho
pongo	me acerqué	harás	he abierto
cierran	sabrán	fumaba	hemos ido
pudo	se sientan	almorcé	había visto
busque Vd.	siéntese Vd.	no vengan Vds.	no vuelva Vd.

D. Give the English for:

1. en cambio. 2. al fin. 3. de vez en cuando. 4. en seguida. 5. ¡ Cómo no ! 6. No hay de qué. 7. Hace mucho viento. 8. Iban a menudo. 9. Sí que llegó tarde. 10. Eran las cuatro en punto. 11. Es igual. 12. No vale la pena. 13. Tardó una semana en acabarlo. 14. ¿ A cuántos estamos ? 15. Estamos a primero de mayo. 16. ¿ Qué le parece a Vd. la iglesia ? 17. Dan paseos a la luz de la luna. 18. Echó la carta al correo. 19. ¿ Qué les traigo de postre, señores ? 20. Vale más hacer la cama ahora mismo. 21. Les gusta más tomar el sol. 22. ¡ Cuánto me alegro de verlos a Vds. ! 23. Fué allá dos veces sin ver nada. 24. Estamos seguros de que vol-

---

[1] se creyó perdida, *thought herself lost.*   [2] faltaban dos piedras, *two stones were lacking.*   [3] argamasa, *mortar.*

verán pasado mañana. 25. Espero verlos a Vds. en el mes de septiembre. 26. Empiece Vd. a leerlo. 27. No se lo traiga Vd. a él otra vez. 28. Vamos a lavarnos. 29. Háganlo Vds. ahora mismo. 30. ¿Quiere Vd. hacer el viaje de día o de noche? 31. ¡Cuánto me alegré de verle a Vd. ayer! 32. La mayor parte de mis amigos no viven aquí. 33. Tendré mucho gusto en acompañarle a la corrida de toros. 34. Estoy seguro de que Tomás podrá ir también.

E. General Review Exercise

Supply the Spanish translation of the English words, then give the English meaning of the sentence:

1. *That tall man* es mi tío. 2. Se pone *his overcoat.* 3. *I do not know* al hombre que *is* con él. 4. Mi tía *is* muy cansada. 5. Ellos *are* de Nueva York. 6. ¡*What a* muchacha más bonita! 7. Ella *has just entered* la casa. 8. Juan *has approached* a María y *is greeting her.* 9. *He must* presentarla a su madre. 10. *He is supposed to* partir a las once. 11. ¿*Which one* de los hombres es el padre de Juan? 12. ¿Ha visto Vd. *my brother?* 13. Él *has sat down* en el rincón. 14. Tiene dos paquetes *for us.* 15. Él es *older than* yo. 16. Nació *March 18, 1940.* 17. ¿Dónde *are sold* los sellos? 18. *People say* que pronto habrá sellos muy hermosos. 19. La orquesta ya no *is playing.* 20. *One cannot* bailar ahora. 21. ¿Quiere Vd. *play* a los naipes con *them?* 22. *I shall be glad to* hacerlo. 23. ¿Sabe Vd. *what time it is?* 24. *It is* las ocho y media. 25. *I shall have to* salir *before* las diez. 26. ¿*Have you run across* Guillermo? 27. Tiene *something* para *you.* 28. Él *never* da *anything* a *anyone.* 29. *One must* buscarle para *find him.* 30. Pasa mucho tiempo *talking* con sus amigos. 31. Yo creía que llegaría *on time.* 32. Y ahora creo que *he will come* más tarde *than anyone.* 33. *He does not like* bailar *nor* jugar a los naipes. 34. Si Pablo *returns* de San Luis esta noche, *he intends* pasar *a while* aquí. 35. Su padre es *a great doctor.* 36. *Time* pasa *rapidly.* 37. *It will not be worth while to* esperarle. 38. *Mr. and Mrs. Bazán* hacen *their first trip* a Guatemala. 39. Volverán *the first of September.* 40. Han *bought* muchas cosas *made* allí. 41. *It is known* que son muy ricos. 42. Son personas bien *known* en esta ciudad. 43. El cartero *arrived* con una carta de ellos mientras que yo *was talking* por teléfono. 44. La fecha de la carta es *July 31, 1956.* 45. La echaron al correo *six days ago.* 46. No la mandaron *by air mail either.* 47. ¿Vas *to take Mary* a casa? 48. Sí, pero primero vamos *to take* café *with some friends.* 49. ¿*Would you* (fam.) *like* ir con nosotros *some* día? 50. Gracias, pero tengo *my father's car* y le he prometido no usarlo *after the first* de septiembre.

LECTURA

Cristóbal Colón

El año de 1492 representa para los españoles dos cosas, el fin de una guerra[1] larga contra los moros y el principio de una época de gloria y gran poder.[2] Fernando e[3] Isabel reinaban en España y ya le habían dado la unidad política bajo un gobierno central y una unidad espiritual bajo la iglesia católica. Después de la conquista 5 de los moros, Fernando e Isabel, que habían recibido del Papa[4] el título de « Reyes Católicos » a causa de sus esfuerzos por la iglesia, tuvieron otro ideal para su país, la expansión, y por eso decidieron ayudar a un pobre explorador italiano, Cristóbal Colón.

Hacia el año de 1485 llegó Colón al puerto de Palos, en el sur de 10 España. Allí fué al Convento de Santa María de la Rábida, donde se encontró con el fraile Juan Pérez, antiguo confesor de la reina[5] Isabel, a quien explicó sus planes de hacer un viaje alrededor del[6] mundo. Luego fué a Córdoba donde los Reyes Católicos le recibieron. Éstos estaban ocupados en la guerra contra los moros y le dijeron que 15 no podían ayudarle. Le dijeron lo mismo[7] unos cinco años más tarde cuando los visitó cerca de Granada, pero al fin la reina Isabel le prometió su ayuda. Hay una leyenda que dice que ella vendió sus joyas para obtener dinero, pero probablemente no es verdad.

Colón volvió a Palos donde organizó su expedición. Con sus tres 20 naves,[8] la Pinta, la Niña y la Santa María, partió de aquel puerto el tres de agosto de 1492.

El doce de octubre del mismo año uno de los marineros dió el grito de « ¡ Tierra ! ¡ Tierra ! » y poco después llegaron a una pequeña isla. Tomando posesión de la isla en nombre de los Reyes Católicos de 25 España, le dieron el nombre de San Salvador.[9] Todavía se celebra la llegada de Colón. En los países de habla española se llama el Día de la Raza y en los Estados Unidos se llama *Columbus Day*. Se observa como día de fiesta por varios grupos que tienen interés por cosas históricas. 30

Colón exploró otras islas antes de volver a España, entre ellas La Española y Cuba. Estableció en La Española el primer pueblo del Nuevo Mundo y lo llamó La Navidad porque se fundó el 25 de diciembre. Creyendo que estaba en el Asia, dió el nombre de « indios » a los habitantes de las islas. Al llegar a España en el mes de marzo de 35

---

[1] guerra, *war*.   [2] poder, *power*.   [3] Before words beginning with **i-**, **hi-**, **e** is used for **y**.   [4] Papa, *Pope*.   [5] reina, *queen*.   [6] alrededor de, *around*.   [7] lo mismo, *the same thing*.   [8] naves, *boats*.   [9] San Salvador, *Holy Savior*.

1493 los Reyes Católicos le recibieron con gran entusiasmo y prometieron ayudarle en otros viajes.

En el otoño del mismo año Colón empezó el segundo viaje. Le acompañaron unas 1500 personas que representaban todas las clases
5 sociales de España: padres católicos, agricultores, obreros, médicos, es decir,[1] personas que esperaban llevar al Nuevo Mundo la civilización de España. Trajeron semillas, plantas, árboles frutales, caballos, cerdos, vacas, en efecto, todo lo que se necesitaba para empezar la colonización. En este viaje Colón descubrió la isla de Puerto Rico y
10 varias de las pequeñas Antillas, y en los otros viajes que hizo en 1498 y en 1502 descubrió la isla de Trinidad, exploró la costa de Venezuela y la boca del río Orinoco, y navegó[2] por las costas de la América Central y Yucatán. Volvió a España por última vez[3] en 1504, y allí murió,[4] pobre y casi olvidado,[5] dos años más tarde.
15 No se sabe donde están los restos del gran descubridor. Ciertas personas dicen que están en Santo Domingo, y otras que están en España. En la catedral de Sevilla hay una tumba magnífica que le honra y en el patio de la misma catedral se halla la Biblioteca Colombina, fundada por el hijo de Cristóbal Colón. Contiene unos
20 libros usados por el descubridor. Colombia, uno de los países de la América del Sur, lleva el nombre del explorador, y en Panamá hay dos ciudades llamadas Cristóbal y Colón. Muchos estados de nuestro país tienen ciudades o pueblos que se llaman *Columbus* o *Columbia.*

Todo el mundo debe[6] mucho a Cristóbal Colón. Era fuerte, enérgico
25 y valiente, y con su descubrimiento de un nuevo mundo dejó un buen ejemplo a los otros hombres que más tarde habían de hacer viajes de conquista y de exploración.

---

[1] es decir, *that is to say.*   [2] navegó, *he sailed.*   [3] por última vez, *for the last time.*
[4] murió, *he died.*   [5] olvidar, *to forget.*   [6] deber, *to owe.*

APPENDICES

APPENDIX A

GIVEN NAMES IN SPANISH

Boys' Names

Adolph	Adolfo	*Herman*	Arminio
Alan, Allan,		*Homer*	Homero
Allen	Alano	*Horace*	Horacio
Albert	Alberto	*Hubert*	Huberto
Alexander	Alejandro	*Hugh*	Hugo
Alfred	Alfredo	*Isidore*	Isidro, Isidoro
Andrew	Andrés	*Jacob*	Jacobo
Anthony	Antonio	*James, Jimmie*	Diego, *also* Jaime
Arnold	Arnaldo	*Jerome*	Jerónimo,
Arthur	Arturo		Gerónimo
Augustus	Augusto	*John*	Juan
Benjamin	Benjamín	*Joseph*	José
Bernard	Bernardo	*Julian*	Julián
Cecil	Cecilio	*Lawrence,*	
Charles	Carlos	*Larry*	Lorenzo
Christopher	Cristóbal	*Leon*	León
Claude	Claudio	*Leonard*	Leonardo
Donald	Donato	*Louis, Lewis*	Luis
Edmund	Edmundo	*Luther*	Lutero
Edward	Eduardo	*Marion*	Mariano
Emanuel	Manuel	*Mark*	Marcos
Ernest	Ernesto	*Matthew*	Mateo
Eugene	Eugenio	*Maurice*	Mauricio
Ferdinand	Fernando	*Michael*	Miguel
Francis, Frank	Francisco	*Nathaniel*	Nataniel
Frederick	Federico	*Nicholas*	Nicolás
George	Jorge	*Patrick*	Patricio
Gilbert	Gilberto	*Paul*	Pablo
Gustave	Gustavo	*Peter*	Pedro
Guy	Guido	*Philip*	Felipe
Harold	Haraldo	*Ralph, Rudolph*	Rodolfo
Henry	Enrique	*Randolph*	Randolfo
Herbert	Heriberto,	*Raphael*	Rafael
	Heberto	*Raymond*	Ramón

Richard	Ricardo	*Terence*	Terencio
Robert	Roberto	*Theodore*	Teodoro
Roderick	Rodrigo	*Thomas, Tom*	Tomás
Roger	Rogerio	*Timothy*	Timoteo
Roland	Rolando,	*Vincent*	Vicente
	Orlando	*Virgil*	Virgilio
Ronald	Renaldo	*Walter*	Gualterio
Stanley	Estanislao	*William, Bill*	Guillermo
Stephen	Esteban		

Girls' Names

Ada	Edita	*Eve, Eva*	Eva
Adelaide	Adelaida	*Florence*	Florencia
Adele	Adela	*Frances*	Francisca
Agnes, Inez	Inés	*Genevieve*	Genoveva
Alice	Alicia	*Geraldine*	Gerarda
Ann, Anna,		*Gertrude*	Gertrudis
Anne	Ana, Anita	*Grace*	Engracia
Barbara	Bárbara	*Gwendolyn*	Genoveva
Beatrice	Beatriz	*Hannah*	Ana
Bertha	Berta	*Helen*	Elena
Carmen	Carmen	*Henrietta*	Enriqueta
Caroline	Carolina	*Hortense*	Hortensia
Catherine	Catalina	*Jane, Joan,*	
Charlotte	Carlota	*Jean, Joanna,*	
Christine	Cristina	*Juanita*	Juana, Juanita
Clara	Clara	*Josephine*	Josefa, Josefina
Constance	Constanza	*Judith*	Judit
Daisy	Margarita	*Katherine,*	
Diane	Diana	*Kathryn*	Catalina
Dolores	Dolores	*Laura*	Laura
Dorothy	Dorotea	*Leonore,*	
Edith	Edita	*Leonora*	Leonor
Elizabeth, Betty	Isabel	*Louise, Louisa*	Luisa
Ellen	Elena	*Lucy*	Lucía
Elsie, Elsa	Elisa	*Margaret, Mar-*	
Emily	Emilia	*jorie*	Margarita
Emma	Manuela	*Marian,*	
Estelle	Estela	*Marion*	Mariana
Esther, Hester	Ester	*Martha*	Marta
Eugenia	Eugenia	*Mary*	María

Miriam	María	Sara, Sarah	Sara
Patricia, Pat	Patricia	Sue, Susan,	
Paula, Pauline	Paula, Paulina	Susanna	Susana
Rachel	Raquel	Teresa, Theresa	Teresa
Rebecca	Rebeca	Virginia	Virginia
Rosalie	Rosalía	Winifred	Genoveva
Rose	Rosa		

FRASES PARA LA CLASE

(Classroom Expressions)

A number of expressions and grammatical terms which may be used in the classroom are listed below. These are not included in the end vocabularies unless used in the lessons.

Voy a pasar lista.	*I am going to call the roll.*
Presente.	*Present.*
¿ Qué lección tenemos hoy ?	*What lesson do we have today?*
Tenemos la lección primera.	*We have Lesson One.*
¿ En qué página empieza ?	*On what page does it begin?*
¿ Qué línea (renglón) ?	*What line?*
(La lectura) empieza en la página . . .	*(The reading) begins on page . . .*
Al principio de la página.	*At the beginning of the page.*
En el medio (Al pie) de la página.	*In the middle (At the bottom) of the page.*
Abra Vd. el libro.	*Open your book.*
Cierren Vds. los libros.	*Close your books.*
Lea Vd. en español.	*Read in Spanish.*
Empiece Vd. a leer.	*Begin to read.*
Siga Vd. leyendo.	*Go on (Continue) reading.*
Traduzca Vd. al español (inglés).	*Translate into Spanish (English).*
Repítalo Vd.	*Repeat it.*
Pronuncie Vd.	*Pronounce.*
Basta.	*That is enough, That will do.*
Vayan (Pasen) Vds. a la pizarra.	*Go (Pass) to the blackboard.*
Escriban Vds. (al dictado).	*Write (at dictation).*
Corrijan Vds. las oraciones (frases).	*Correct the sentences.*
Vuelva(n) Vd(s). a su(s) asiento(s).	*Return to your seat(s).*
Tome(n) Vd(s). asiento.	*Take your seat(s).*
Siénte(n)se Vd(s)., por favor.	*Sit down, please.*

Haga Vd. el favor de (+ inf.)	*Please* (+ inf.)
¿ Qué significa la palabra . . . ?	*What does the word . . . mean?*
¿ Cómo se dice . . . ?	*How does one say . . . ?*
¿ Quién quiere hacer una pregunta ?	*Who wants to ask a question?*
Escuchen Vds. bien.	*Listen carefully.*
Preste(n) Vd(s). atención.	*Pay attention.*
Preparen Vds. para mañana.	*Prepare for tomorrow.*
Ha sonado el timbre.	*The bell has rung.*
La clase ha terminado.	*The class has ended.*
Vds. pueden marcharse.	*You may leave (You are excused).*

GRAMMATICAL TERMS

el adjetivo	*adjective*
demostrativo	*demonstrative*
posesivo	*possessive*
el adverbio	*adverb*
el artículo	*article*
definido	*definite*
indefinido	*indefinite*
el cambio ortográfico	*change in spelling*
la capitalización	*capitalization*
la cláusula	*clause*
la comparación	*comparison*
el comparativo	*comparative*
el complemento	*object*
directo	*direct*
indirecto	*indirect*
la composición	*composition, theme*
la concordancia	*agreement*
la conjugación	*conjugation*
la conjunción	*conjunction*
la consonante	*consonant*
el diptongo	*diphthong*
el género	*gender*
masculino	*masculine*
femenino	*feminine*
el gerundio	*present participle*
el infinitivo	*infinitive*
la interjección	*interjection*
la interrogación	*interrogation, question*

el modo indicativo	*indicative mood*
el nombre (sustantivo)	*noun (substantive)*
el nombre propio	*proper noun*
el numeral cardinal (ordinal)	*cardinal (ordinal) numeral*
el número	*number*
singular	*singular*
plural	*plural*
la palabra (negativa)	*(negative) word*
las partes de la oración	*parts of speech*
el participio pasado	*past participle*
la persona	*person*
primera	*first*
segunda	*second*
tercera	*third*
la posición	*position*
el predicado	*predicate*
la preposición	*preposition*
el pronombre	*pronoun*
interrogativo	*interrogative*
personal	*personal*
relativo	*relative*
la pronunciación	*pronunciation*
la puntuación	*punctuation*
la radical (raíz)	*stem*
el significado	*meaning*
la sílaba	*syllable*
última	*last*
penúltima	*next to the last*
el sujeto	*subject*
el superlativo (absoluto)	*(absolute) superlative*
la terminación	*ending*
el tiempo	*tense*
el tiempo simple (compuesto)	*simple (compound) tense*
condicional (de indicativo)	*conditional (indicative)*
condicional perfecto	*conditional perfect*
futuro (perfecto)	*future (perfect)*
imperfecto	*imperfect*
perfecto	*perfect (present perfect)*
pluscuamperfecto	*pluperfect*
presente	*present*
pretérito	*preterite*

el triptongo	*triphthong*
el verbo	*verb*
auxiliar	*auxiliary*
impersonal	*impersonal*
irregular	*irregular*
reflexivo	*reflexive*
regular	*regular*
(in)transitivo	*(in)transitive*
la vocal	*vowel*
la voz	*voice*
activa	*active*
pasiva	*passive*

SIGNOS DE PUNTUACIÓN

(*Punctuation Marks*)

,	coma	( )	paréntesis
;	punto y coma	« »	comillas
:	dos puntos	´	acento escrito
.	punto final	··	diéresis
...	puntos suspensivos	~	tilde
¿ ?	signo(s) de interrogación	-	(el) guión
¡ !	signo(s) de admiración	—	raya

ABBREVIATIONS AND SIGNS

adj.	adjective	*obj.*	object
adv.	adverb	*p.p.*	past participle
dir.	direct	*part.*	participle
f.	feminine	*pers.*	person
fam.	familiar	*pl.*	plural
i.e.	that is	*prep.*	preposition
impers.	impersonal	*pres.*	present
indef.	indefinite	*pron.*	pronoun
indir.	indirect	*reflex.*	reflexive
inf.	infinitive	*sing.*	singular
Mex.	Mexican	*trans.*	transitive
m.	masculine	*U.S.*	United States

( ) Words in parentheses are explanatory or they are to be translated in the exercises.

— In the dialogue a dash indicates a change in speaker; in the general

vocabularies it indicates a word repeated, while in the exercises it usually is to be supplied by some specific grammatical form.

$+$ = followed by.

TRANSLATION OF SONGS[1]

LITTLE MARTIN *(See p. 57)*

Little Martin, little Martin, are you sleeping? Are you sleeping? Morning bells are ringing, morning bells are ringing, Ding! Ding! Dong! Ding!
Ding! Dong!

THE COCKROACH[2] *(See p. 146)*

One thing makes me laugh; Pancho Villa without a shirt. Now Ca-
rranza's men are running, because Villa's men are coming.

The cockroach, the cockroach no longer can run, because it doesn't have,
because it lacks gasoline to burn.

LITTLE–BIT–OF–HEAVEN *(See p. 178)*

From the Sierra Morena, Little-Bit-of-Heaven, there are coming down
(toward me) a pair of bright black eyes, Little-Bit-of-Heaven, stealthily
(into my heart).

Ay, ay, ay, ay! Sing and don't cry, for by singing hearts become gay,
Little-Bit-of-Heaven.

THERE ON THE BIG RANCH *(See p. 214)*

There on the big ranch where once I used to live, there was a little farm
girl who happily told me *(repeat)*: I am going to make your breeches like
those the rancher wears; I'll start them with wool, I'll trim them with hide.

I LIKE ALL THE GIRLS *(See p. 293)*

I like all the girls, I like all the girls, in general I like them all. But that
blonde, that blonde, but that blonde (is the one) I like best.

THE DONKEY OF VILLARINO *(See p. 302)*

Now the donkey has died that used to carry the vinegar, now God has
taken him away from this wretched life. "Que tu ru ru ru rú," etc.

[1] No attempt has been made at a literal or poetic translation of these songs. [2] **La
cucaracha** was really an old car in which Pancho Villa rode.

CHRISTMAS CAROL *(See p. 331)*

The Virgin is washing baby clothes and laying them to dry on the rosemary bush; the little birds are singing as the water rushes by. Shepherds, come, this is indeed a holy night, the holy night of Christmas.

EARLY MORNING SONG *(See p. 339)*

This is the early morning song which King David used to sing, but it was not quite so pretty as (the one) they sing here.

If the night watchman on the corner would only do me the favor of putting out his lantern while my love passes by.

Awake, my love, awake. See, the dawn has come, the little birds are singing, and the moon has gone to rest.

ADELITA *(See p. 382)*

Adelita is the name of the girl whom I love and cannot forget; in the world I have a rose, which in time I am going to pick.

If Adelita would like to be my bride, if Adelita were my wife, I would buy her a silk dress to take her to a dance at the barracks.

THE SWALLOW *(See p. 391)*

Whither can the swallow be bound which is leaving here, swiftly though weary? Oh, if it wails, when lost in the air, looking for shelter unable to find it !

Near my bed I shall put its nest, where it can spend the whole season. I too am lost in this region, oh merciful heaven ! unable to fly.

THE GIRLS FROM (THE STATE OF) CHIAPAS *(See p. 422)*

When they dance, they all sing, like the Chiapas girls sing, and if they dance, they become gay. Turn around, then, and go like this:

(With) two handclaps as you turn, and sorrow is gone. It is a dance of joy; clap your hands as I do. *(Clap hands.)*

"Ay Chiapanecas, ay, ay." *(Clap hands.)* *(Repeat four times.)*

We no longer have sorrows. We are happy indeed. Come and dance again Chiapas girls, singing "ay, ay, ay. Ay Chiapanecas." Turn all the way around. Come and dance again this way, Chiapas girls. *(Clap hands.)*

APPENDIX B

A. PRONUNCIATION

1. THE ALPHABET

Character	Name	Character	Name	Character	Name
a	a	j	jota	r	ere
b	be	k	ka	rr	erre
c	ce	l	ele	s	ese
ch	che	ll	elle	t	te
d	de	m	eme	u	u
e	e	n	ene	v	ve
f	efe	ñ	eñe	w	doble ve
g	ge	o	o	x	equis
h	hache	p	pe	y	i griega
i	i	q	cu	z	zeta

In addition to the letters used in the English alphabet, **ch, ll, ñ,** and **rr** represent single sounds in Spanish and are considered single letters. In dictionaries and vocabularies, words or syllables which begin with **ch, ll,** and **ñ** follow words or syllables that begin with **c, l,** and **n,** while **rr** is alphabetized as in English. **K** and **w** are not true Spanish letters. They appear only in words from other languages. The names of the letters are feminine: **la eme,** (*the*) *m;* **la jota** (*the*) *j.*

2. SPANISH SOUNDS

Spanish uses practically the same alphabet as English but few of the letters have the same sounds in the two languages. It will, however, be necessary to make comparisons between the familiar English sounds and the unfamiliar Spanish sounds in order to show how Spanish is pronounced. In developing a good Spanish pronunciation it is important and desirable *to avoid the use of English sounds* in Spanish words and *to imitate good Spanish pronunciation.*

Spanish pronunciation is much more uniform than the English. Certain rules govern the pronunciation of certain letters under practically all circumstances. The vowel sounds are clipped short and there is none of the slurring that is so commonly heard in English: *no* (*no*^{u}), *came* (*ca*^{i}*me*), *why* (*why*^{e}). Spanish consonants are usually not so strongly pronounced as English consonants. Most of them are pronounced farther forward in the mouth, with the tongue close to the

439

upper teeth and gums, and they are never followed by the *h* sound that is frequently heard in English: *what (what^h), map (map^h).*

In reading and in speaking, Spanish words are linked together as English words are, so that two or more words may sound like one long word. Sounds are linked according to the same rules followed in dividing words into syllables. The sounds of final letters often depend upon the letters which follow and with which they are grouped. Frequently all the words of a short sentence are read together as one word, while the words of a longer sentence are linked in several groups.

3. DIVISION OF WORDS INTO SYLLABLES

a. A Spanish word has as many syllables as it has vowels or diphthongs. All syllables end in a vowel whenever possible. A single consonant (including **ch, ll, rr**) is placed with the vowel which follows: pa-pel, ti-za, te-cho, si-lla, a-ma-ri-llo, pi-za-rra, bai-le.

b. Two consonants are divided unless they are pronounced together: es-pa-ñol, a-lum-nos, Bár-ba-ra, tam-bién, Jor-ge, li-bro, ha-blo. The second of two consonants pronounced together is usually **l** or **r.**

c. Combinations of three consonants are usually divided after the first consonant: in-glés, siem-pre.

4. WORD STRESS

a. The stress of words which end in a vowel or the consonants **n** and **s** falls on the next to the last syllable: *cla*-se, *ma*-pa, *ha*-blan, *plu*-mas, a-*ho*-ra.

b. Words which end in a consonant, except **n** and **s,** are stressed on the last syllable: pro-fe-*sor*, bus-*car*, pa-*pel*, pa-*red*, re-*loj*.

c. Words not pronounced according to these two rules have a written accent on the stressed syllable: fran-*cés*, Jo-*sé*, *lá*-piz, *fá*-cil, di-*fí*-cil.

d. The accent mark is also used to show the difference in words of similar spelling but different meanings: **si,** *if,* **sí,** *yes;* **el,** *the,* **él,** *he.*

5. VOWELS

a is pronounced like *a* in *father: mal, has*-ta, *ha*-bla, pa-*la*-bra
e is pronounced like *e* in *café: pe*-ro, Fe-*li*-pe, se-*ñor, me*-sa
i (y) is pronounced like the *i* in *machine: sí, y,* a-*sí, dí*-as, *mi*
o is pronounced like the *o* in *obey: no, to*-do, de-*se*-o, *mu*-cho
u is pronounced like *u* in *rule: us*-ted, a-*zul, u*-na, nin-*gu*-no

The vowels **e** and **o** also have sounds like *e* in *let* and *o* in *for.* These sounds, as in English, generally occur when the **e** and **o** are followed

by a consonant in the same syllable. Examples: *el, Car*-men, us-*ted,*
es-*tá,* es-pa-*ñol,* se-*ñor, Car*-los.   In pronouncing the e in **el** and **usted,**
and the o in **español** and **señor,** the mouth is opened wider than when
pronouncing the **e** in **pero** and **mesa,** and the o in **no** and **todo.** There
is a greater difference in the two sounds of **e** than in the two sounds
of **o.**

6. CONSONANTS

The consonants **f, l, m, p** are pronounced much as in English: *fá*-cil,
di-*fí*-cil, pa-*pel,* ma-*má, ma*-lo.

b and **v** are pronounced exactly alike.   At the beginning of a word,
or after *m* or *n,* the sound is that of a weakly pronounced English *b:*
bue-nas, tam-*bién, ver*-de, Vi-*cen*-te.   In other places, particularly between vowels, the sound is much weaker than the English *b.*   The lips
touch lightly and the breath continues to pass between them.   Avoid
the English *v* sound.   Try holding a pencil between your lips as you
pronounce these words: *li*-bro, la‿ban-*de*-ra, *ha*-bla‿*bien,* tra-*ba*-jan,
Car-los‿y‿Vi-*cen*-te, es-*cri*-ben, *yo‿vi*-vo.

c before **e** and **i,** and **z** (rarely used before **e** or **i**) are pronounced like
the English soft *s* in *sent* throughout Spanish America and in southern
Spain.   In other parts of Spain this sound is like *th* in *thin.*   Examples:
fran-*cés, gra*-cias, *cen*-tro, *lá*-piz, *vez.*

c before all other letters, and **qu** are like English *c* in *cat.*   Examples:
ca-sa, *cla*-se, *co*-mo, *cur*-vo, *cria*-da, *que, quie*-nes.

ch is considered a single letter and is pronounced like English *ch* in
church: o-cho, *mu*-cho, *co*-che, mu-*cha*-cha.

d is pronounced as follows: (1) At the beginning of a word or follow-
ing **l** or **n** it is like a weak English *d: de, dos,* di-*fí*-cil, ban-*de*-ra, *don*-de,
sal-*dré;* (2) Between vowels and at the end of a word the sound of
d is softer and is made with the tip of the tongue touching the back of
the upper teeth: cua-*der*-no, *ver*-de, E-*duar*-do, *yo‿*de-*se*-o, a-*diós,*
us-*ted,* pa-*red.*

g before **e** and **i,** and **j** are pronounced like a strong English *h* in *halt:*
gen-te, ge-ne-ral-*men*-te, *hi*-jo, *ju*-lio, *J*or-ge, Jo-*sé.*   The letter **x** in
México and **mexicano** is pronounced like Spanish **j.**   (The words are
spelled **Méjico** and **mejicano** in Spain.)

g except before **e** and **i** is pronounced like a weak English *g* as in *go:*
gra-cias, gus-*tar,* in-*glés, Gó*-mez, *di*-go, ga-*nar.*

h is always silent: *ho*-ra, *hom*-bre, ha-*bla*-mos, *hoy.*

ll is considered a single letter and is pronounced like *y* in *yes* in

Spanish America and in some sections of Spain, otherwise like *lli* in *million:* e-lla, ca-lle, lla-*mar*, ca-*ba*-llo, lle-*gar*.

n is like English *n*, except before **b, v, m, p,** whether in the same word or in a following word, when it is pronounced like *m: no, na*-da, *no*-ta, con_*Bár*-ba-ra, *Juan_vi*-ve, un_*po*-co, un_*pri*-mo.

ñ is like the English *ny* in *canyon:* se-*ñor*, es-pa-*ñol*, a-ño.

r, rr. Single **r,** except at the beginning of a word, is pronounced with a single trill produced with the tip of the tongue against the gums and close to the upper teeth: *pe*-ro, pa-*red*, *ne*-gros. Initial **r** and **rr** are strongly trilled: *ro*-jo, Ro-*ber*-to, *ri*-co, *ba*-rrio, Me-di-te-*rrá*-ne-o.

s is pronounced like English *s* in *sent*, except before a voiced consonant (such as **b, d, g, l, m, n,** whether in a word or between words), in which case it is pronounced like English *s* in *rose: ca*-sa, me-*se*-ta, *des*-de, *mis*-mo, *es*_ver-*dad*, los_*li*-bros.

t, like most Spanish consonants, is pronounced farther forward than in English, with the tip of the tongue touching the upper teeth: *to*-do, *tar*-de, Te-*re*-sa, ma-*tar*, *tiem*-po.

x is pronounced as follows: (1) before a consonant, like English *s* in *sent:* ex-*tra*-ño, ex-pli-*car*, ex-tran-*je*-ro; (2) between vowels, like a weak English *gs:* e-*xa*-men, e-xis-*tir;* (3) in *Mé*-xi-co and me-xi-ca-no like English *h* in *halt*.

y at the beginning of a word, and the word **y,** *and*, combined with a following vowel, are pronounced like English *y* in *yes: yo, ya*, Car-los_y_A-*ni*-ta, las_*plu*-mas_y_el_*li*-bro.

7. DIPHTHONGS

When one of the strong vowels **a, e,** or **o** is combined with either of the weak vowels **i** or **u,** or when the weak vowels are combined, the two vowels are pronounced together, giving each one its own sound, but at the same time stressing the strong vowel or the second of the weak vowels. These combinations are called diphthongs and are not separated when a word is divided into syllables.

Vowels standing together at the end of one word and the beginning of a following word are usually pronounced together as diphthongs. When **i,** or the consonant **y,** precedes another vowel, the **i** is pronounced like the *y* in *yes*. When **u** precedes another vowel it is pronounced like the *w* in *wet*.

Two strong vowels are in separate syllables and if the weak vowel of a diphthong has a written accent, the letters are in different syllables. An accent on the strong vowel of a diphthong does not separate the syllables; it simply indicates a stressed syllable.

Examples of vowel combinations follow. Note the division into syllables:

ai	*bai*-le	ia	*gra*-cias	ae	*tra*-e
ay	*hay*	ya	*ya*	ea	de-*se*-a
ei	*seis*	ie	*sie*-te	eo	*le*-o
ey	*rey*	ye	*él y e*-lla	ee	*cre*-e
oi	*sois*	io	es-*tu*-dio	oe	o-*es*-te
oy	*hoy*	yo	*yo*	ío	*tí*-o
au	*aun*-que	ua	*a*-gua	ía	*dí*-as
eu	Eu-*ro*-pa	ue	*bue*-no	ió	a-*diós*
ou	*yo u*-so	uo	tu o-fi-*ci*-na	eí	le-*í*-do
iu	ciu-*dad*	ui	*Luis*	aí	tra-*í*-do
yu	*él y* us-*ted*	uy	*muy*	ái	ha-*bláis*

8. TRIPHTHONGS

A triphthong is a combination of a stressed strong vowel between two weak vowels. It is considered a single syllable. The four combinations are iai, iei, uai (uay), uei (uey): es-tu-*diáis*, Pa-ra-*guay*.

B. PUNCTUATION

Spanish punctuation is much the same as the English. A few differences are: (1) Inverted question marks and exclamation points are placed at the beginning of a question or exclamation. The inverted mark is placed at the actual beginning of the question or exclamation but not necessarily at the beginning of the sentence.

¿ Hablan Carlos y Juan?	*Are Charles and John talking?*
¡ Qué muchacha más bonita !	*What a pretty girl!*
Vd. es español, ¿ verdad?	*You are a Spaniard, aren't you?*

(2) A dash is generally used instead of quotation marks to denote a change of speaker in dialogue. It appears at the beginning of each speech, but is omitted at the end.

— ¿ Es Vd. cubano?	*"Are you a Cuban?"*
— Sí, señor, soy de la Habana.	*"Yes, sir, I am from Havana."*

However, if quotation marks are used, they are placed on the line:

Juan dijo: « Buenos días ».	*John said, "Good morning."*

C. CAPITALIZATION

Only proper names and the first word of a sentence begin with a capital letter in Spanish. The subject pronoun **yo** (*I* in English), names of months and days of the week, adjectives of nationality and nouns formed from them, and titles are not capitalized. However, when titles are abbreviated, capitals are used.

María y yo estudiamos.	*Mary and I are studying.*
Hoy es sábado.	*Today is Saturday.*
Somos norteamericanos.	*We are North Americans.*
Buenas tardes, señor Salas.	*Good afternoon, Mr. Salas.*
¿ Es Vd. el Sr. Molina?	*Are you Mr. Molina?*

APPENDIX C

(Only tenses and verbs used in the text are listed.)

I. REGULAR VERBS

hablar, *to speak*   aprender, *to learn*   vivir, *to live*

PRESENT PARTICIPLE

hablando, *speaking*   aprendiendo, *learning*   viviendo, *living*

PAST PARTICIPLE

hablado, *spoken*   aprendido, *learned*   vivido, *lived*

The Simple Tenses

PRESENT

I speak, do speak, am speaking	*I learn, do learn, am learning*	*I live, do live, am living*
hablo	aprendo	vivo
hablas	aprendes	vives
habla	aprende	vive
hablamos	aprendemos	vivimos
habláis	aprendéis	vivís
hablan	aprenden	viven

IMPERFECT

I was speaking, used to speak, spoke	*I was learning, used to learn, learned*	*I was living, used to live, lived*
hablaba	aprendía	vivía
hablabas	aprendías	vivías
hablaba	aprendía	vivía
hablábamos	aprendíamos	vivíamos
hablabais	aprendíais	vivíais
hablaban	aprendían	vivían

PRETERITE

I spoke, did speak	*I learned, did learn*	*I lived, did live*
hablé	aprendí	viví
hablaste	aprendiste	viviste
habló	aprendió	vivió
hablamos	aprendimos	vivimos
hablasteis	aprendisteis	vivisteis
hablaron	aprendieron	vivieron

FUTURE

I shall (will) speak	*I shall (will) learn*	*I shall (will) live*
hablaré	aprenderé	viviré
hablarás	aprenderás	vivirás
hablará	aprenderá	vivirá
hablaremos	aprenderemos	viviremos
hablaréis	aprenderéis	viviréis
hablarán	aprenderán	vivirán

CONDITIONAL

I should (would) speak	*I should (would) learn*	*I should (would) live*
hablaría	aprendería	viviría
hablarías	aprenderías	vivirías
hablaría	aprendería	viviría
hablaríamos	aprenderíamos	viviríamos
hablaríais	aprenderíais	viviríais
hablarían	aprenderían	vivirían

COMMANDS

speak	*learn*	*live*
hable Vd.	aprenda Vd.	viva Vd.
hablen Vds.	aprendan Vds.	vivan Vds.

The Compound Tenses

PRESENT PERFECT

I have spoken

he hablado
has hablado
ha hablado

hemos hablado
habéis hablado
han hablado

PLUPERFECT

I had spoken

había hablado
habías hablado
había hablado

habíamos hablado
habíais hablado
habían hablado

FUTURE PERFECT	CONDITIONAL PERFECT
I shall (will) have spoken	*I should (would) have spoken*
habré hablado	habría hablado
habrás hablado	habrías hablado
habrá hablado	habría hablado
habremos hablado	habríamos hablado
habréis hablado	habríais hablado
habrán hablado	habrían hablado

II. IRREGULAR VERBS

(The tenses not listed are regular; the present and past participles are given with the infinitive.)

1. dar, dando, dado, *to give*

PRESENT	**doy**	das	da	damos	dais	dan
PRETERITE	**dí**	**diste**	**dió**	**dimos**	**disteis**	**dieron**
COMMANDS	**dé** Vd.,	**den** Vds.				

2. decir, diciendo, dicho, *to say, tell*

PRESENT	**digo**	**dices**	**dice**	decimos	**decís**	**dicen**
PRETERITE	**dije**	**dijiste**	**dijo**	**dijimos**	**dijisteis**	**dijeron**
FUTURE	**diré**	**dirás**	**dirá**	**diremos**	**diréis**	**dirán**
CONDITIONAL	**diría**	**dirías**	**diría**	**diríamos**	**diríais**	**dirían**
COMMANDS	**diga** Vd.,	**digan** Vds.				

3. estar, estando, estado, *to be*

PRESENT	**estoy**	**estás**	**está**	estamos	**estáis**	**están**
PRETERITE	**estuve**	**estuviste**	**estuvo**	**estuvimos**	**estuvisteis**	**estuvieron**
COMMANDS	**esté** Vd.,	**estén** Vds.				

4. haber, habiendo, habido, *to have* (auxiliary)

PRESENT	**he**	**has**	**ha**	**hemos**	habéis	**han**
FUTURE	**habré**	**habrás**	**habrá**	**habremos**	**habréis**	**habrán**
CONDITIONAL	**habría**	**habrías**	**habría**	**habríamos**	**habríais**	**habrían**

5. hacer, haciendo, **hecho,** *to do, make*

PRESENT	**hago**	haces	hace	hacemos	hacéis	hacen
PRETERITE	**hice**	**hiciste**	**hizo**	**hicimos**	**hicisteis**	**hicieron**
FUTURE	**haré**	**harás**	**hará**	**haremos**	**haréis**	**harán**
CONDITIONAL	**haría**	**harías**	**haría**	**haríamos**	**haríais**	**harían**
COMMANDS	**haga** Vd.,	**hagan** Vds.				

6. **ir,** yendo, ido, *to go*

PRESENT	voy vas va vamos vais van
PRETERITE	fuí fuiste fué fuimos fuisteis fueron
IMPERFECT	iba ibas iba íbamos ibais iban
COMMANDS	vaya Vd., **vayan** Vds.

7. **poder,** pudiendo, podido, *to be able*

PRESENT	puedo puedes puede podemos podéis pueden
PRETERITE	pude pudiste pudo pudimos pudisteis pudieron
FUTURE	podré podrás podrá podremos podréis podrán
CONDITIONAL	podría podrías podría podríamos podríais podrían

8. **poner,** poniendo, **puesto,** *to put, place*

PRESENT	pongo pones pone ponemos ponéis ponen
PRETERITE	puse pusiste puso pusimos pusisteis pusieron
FUTURE	pondré pondrás pondrá pondremos pondréis pondrán
CONDITIONAL	pondría pondrías pondría pondríamos pondríais pondrían
COMMANDS	ponga Vd., **pongan** Vds.

9. **querer,** queriendo, querido, *to wish, want*

PRESENT	quiero quieres quiere queremos queréis quieren
PRETERITE	quise quisiste quiso quisimos quisisteis quisieron
FUTURE	querré querrás querrá querremos querréis querrán
CONDITIONAL	querría querrías querría querríamos querríais querrían

10. **saber,** sabiendo, sabido, *to know*

PRESENT	sé sabes sabe sabemos sabéis saben
PRETERITE	supe supiste supo supimos supisteis supieron
FUTURE	sabré sabrás sabrá sabremos sabréis sabrán
CONDITIONAL	sabría sabrías sabría sabríamos sabríais sabrían

11. **salir,** saliendo, salido, *to go out, leave*

PRESENT	salgo sales sale salimos salís salen
FUTURE	saldré saldrás saldrá saldremos saldréis saldrán
CONDITIONAL	saldría saldrías saldría saldríamos saldríais saldrían
COMMANDS	salga Vd., **salgan** Vds.

12. **ser,** siendo, sido, *to be*

PRESENT	soy eres es somos sois son
PRETERITE	fuí fuiste fué fuimos fuisteis fueron
IMPERFECT	era eras era éramos erais eran
COMMANDS	sea Vd., sean Vds.

13. **tener,** teniendo, tenido, *to have*

PRESENT	tengo tienes tiene tenemos tenéis tienen
PRETERITE	tuve tuviste tuvo tuvimos tuvisteis tuvieron
FUTURE	tendré tendrás tendrá tendremos tendréis tendrán
CONDITIONAL	tendría tendrías tendría tendríamos tendríais tendrían
COMMANDS	tenga Vd., **tengan** Vds.

14. traer, trayendo, traído, *to bring*

PRESENT	traigo traes trae traemos traéis traen
PRETERITE	traje trajiste trajo trajimos trajisteis trajeron
COMMANDS	traiga Vd., traigan Vds.

15. valer, valiendo, valido, *to be worth*

PRESENT	valgo vales vale valemos valéis valen
FUTURE	valdré valdrás valdrá valdremos valdréis valdrán
CONDITIONAL	valdría valdrías valdría valdríamos valdríais valdrían

16. venir, viniendo, venido, *to come*

PRESENT	vengo vienes viene venimos venís vienen
PRETERITE	vine viniste vino vinimos vinisteis vinieron
FUTURE	vendré vendrás vendrá vendremos vendréis vendrán
CONDITIONAL	vendría vendrías vendría vendríamos vendríais vendrían
COMMANDS	venga Vd., vengan Vds.

17. ver, viendo, visto, *to see*

PRESENT	veo ves ve vemos veis ven
PRETERITE	ví (vi) viste vió vimos visteis vieron
IMPERFECT	veía veías veía veíamos veíais veían
COMMANDS	vea Vd., vean Vds.

III. STEM-CHANGING VERBS (ending in –ar, –er)

1. pensar (ie), *to think*

| PRESENT | pienso piensas piensa pensamos pensáis piensan |
| COMMANDS | piense Vd., piensen Vds. |

Like pensar: cerrar, *to close;* empezar, *to begin;* perder, *to lose;* sentar, *to fit;* sentarse, *to sit down*

2. volver (ue), *to return*

| PRESENT | vuelvo vuelves vuelve volvemos volvéis vuelven |
| COMMANDS | vuelva Vd., vuelvan Vds. |

Like volver: acostarse, *to go to bed;* almorzar, *to take lunch;* costar, *to cost;* descolgar, *to take down;* devolver, *to give back;* encontrar, *to find;* llover, *to rain;* mostrar, *to show;* probarse, *to try on;* recordar, *to recall;* sonar, *to ring*

3. jugar, *to play* (a game)

| PRESENT | juego juegas juega jugamos jugáis juegan |
| COMMANDS | juegue Vd., jueguen Vds. |

IV. VERBS WITH CHANGES IN SPELLING

1. **buscar,** *to look for*

PRETERITE   **busqué** buscaste buscó buscamos, etc.
COMMANDS   **busque** Vd., **busquen** Vds.

Like **buscar:** acercarse, *to approach;* explicar, *to explain;* sacar, *to take out;* tocar, *to play* (music)

2. **llegar,** *to arrive*

PRETERITE   **llegué** llegaste llegó llegamos, etc.
COMMANDS   **llegue** Vd., **lleguen** Vds.

Like **llegar:** descolgar (ue), *to take down;* pagar, *to pay;* jugar (ue), *to play* (a game)

3. **empezar (ie),** *to begin*

PRETERITE   **empecé** empezaste empezó empezamos, etc.
COMMANDS   **empiece** Vd., **empiecen** Vds.

Like **empezar:** almorzar (ue), *to take lunch;* gozar, *to enjoy*

4. **conocer,** *to know, to be acquainted with*

PRESENT   **conozco** conoces conoce conocemos, etc.

Like **conocer:** ofrecer, *to offer;* parecer, *to seem*

5. **creer,** *to believe*

PRETERITE   **creí creíste creyó creímos creísteis creyeron**

Like **creer:** leer, *to read*

V. VERBS WITH IRREGULAR PAST PARTICIPLES

abrir:	abierto	escribir:	escrito	romper:	roto
creer:	creído	hacer:	hecho	traer:	traído
decir:	dicho	ir:	ido	ver:	visto
descubrir:	descubierto	leer:	leído	volver:	vuelto
devolver:	devuelto	poner:	puesto		

VI. VERBS WITH IRREGULAR PRESENT PARTICIPLES

creer:	creyendo	leer:	leyendo	traer:	trayendo
decir:	diciendo	poder:	pudiendo	venir:	viniendo
ir:	yendo				

VOCABULARY

VOCABULARY

SPANISH-ENGLISH

A

a to, at, in

el **abad** abbot

la **abadía** abbotship, term as abbott

abajo below, downstairs

abierto, -a (*also p.p. of* **abrir**) open

abrazarse a to embrace

el **abrigo** overcoat

abril April

abrir to open

la **abstinencia** abstinence, temperance

la **abuela** grandmother

el **abuelo** grandfather

acá here

acabar to finish

acabar de + *inf.* to have just + *p.p.*

el **accidente** accident

el **aceite** oil

la **aceituna** olive

aceptar to accept

la **acera** sidewalk

acerca de about, concerning

acercarse (a) to approach

acompañar to accompany, go with

acostarse (ue) to go to bed

el **acueducto** aqueduct

además furthermore, moreover, besides

además de *prep.* besides

adiós good-bye

el **adjetivo** adjective

el **adobe** adobe (*sun-dried brick*)

adoptar to adopt

adornado, -a adorned, decorated

adornar (de) to adorn, decorate (with)

el **adulto** adult

el **adverbio** adverb

aéreo, -a air

por correo aéreo by air mail

aficionado, -a fond

ser aficionado a to be fond of

el **aficionado** fan (*sports*)

las **afueras** outskirts

ágil agile

agosto August

agradable pleasant, agreeable

el **agricultor** agriculturist

la **agricultura** agriculture

el **agua** (*f.*) water

el **aguacate** avocado, alligator pear

agudo, -a sharp

el **águila** (*f.*) eagle

ahí there (*near person addressed*)

ahora now

ahora mismo right now (away)

ahorita right now

el **aire** air

al aire libre in the open air

al = a + el

al + *inf.* upon (on) + *pres. part.*

el **ala** (*f.*) wing

la **alameda** poplar grove

Alberto Albert

alcanzar to reach

la **alcoba** bedroom

alegrarse (de + *obj.*) to be glad (to)

me alegro (mucho) de verle I am (very) glad to see you

la **alegría** joy

la **alfalfa** alfalfa

la **alfombra** rug, carpet

el **álgebra** (*f.*) algebra

algo something, anything

el **algodón** cotton

alguien someone, somebody, anyone

alguno (algún), -a some, any, someone; *pl.* some

el **alimento** food

el **alma** (*f.*) soul

la **almohada** pillow

almorzar (ue) to take lunch

el **almuerzo** lunch

tomar el almuerzo to take (eat) lunch

la **alpaca** alpaca (*sheep-like animal of the Andes*)

alrededor de around

el **altar** altar

alto, –a high, tall, lofty

en voz alta aloud, in a loud voice

la **altura** height

la **alumna** pupil, student

alumna del primer año freshman

el **alumno** pupil, student

alumno del segundo año sophomore

allá there

allí there

amable kind

amanecer: al —, at dawn

la **amapola** poppy

amarillo, –a yellow

el **ambiente** atmosphere

la **América** America

la **América del Sur** South America

americano, –a American

la **amiga** friend

el **amigo** friend

ancho, –a broad, wide

andar to walk, go

los **Andes** Andes

el **anillo** ring

anillo nupcial wedding ring

el **animal** animal

Anita Ann, Anita

el **aniversario** anniversary

anoche last night

ante before, in front of

antes de before (*time*)

antiguo, –a ancient, old

las **Antillas** Antilles, West Indies

Antón Antonio, Anthony

anunciar to announce

el **anuncio** advertisement

el **año** year

al año yearly

¿cuántos años tiene Vd.? how old are you?

tener ... años to be ... years old

aparecer to appear

el **apartamiento** apartment

casa de apartamientos apartment house

el **apetito** appetite

tener apetito to have an appetite, be hungry

el **aplauso** (*also pl.*) applause

apreciable esteemed

aprender to learn

aquel (aquella, –os, –as) that, those

aquél (aquélla, –os, –as) that (one), those

aquí here

pasar por aquí to pass (come) this way

el **árbol** tree

árbol de Navidad Christmas tree

el **arco iris** rainbow

la **arena** sand

el **arete** earring

la **argamasa** mortar

la **Argentina** Argentina

argentino, –a Argentine

árido, –a arid, dry

arriba above, upstairs

el **arroyo** small stream

el **arroz** rice

el **arte** art

el **artículo** article

artificial artificial

Arturo Arthur

el **ascensor** elevator

el **asfalto** asphalt

así so, thus

así, así so-so

así como just as

así es que so, thus

el **Asia** Asia

el **asiento** seat

tomar asiento to take a seat

la **asignatura** course, class

el **aspecto** aspect

el **aster** aster

la **atención** attention

prestar atención to pay attention

aterrado, –a terrified

aún even, yet, still

aunque although, even though

ausente absent

el **automóvil** automobile, car

el **autor** author
Ave María Purísima Hail Holy Mary
el **ave** (*f.*) bird
la **avenida** avenue
la **aviación** aviation
el **avión** airplane, plane
    en avión by airplane (plane)
    por avión by air mail
ayer yesterday
    ayer por la mañana (tarde) yesterday morning (afternoon)
la **ayuda** aid, help
ayudar (a + *inf.*) to help, aid
el **ayuno** fasting
el **azteca** Aztec
el **azúcar** sugar
azul blue
    los azules the blues, the blue team

B

bailar to dance
el **baile** dance
bajar to descend, get off (out), go down (stairs)
bajo under
el **balcón** (*pl.* **balcones**) balcony
la **balsa** balsa
la **banana** banana
el **banco** bank
la **bandera** flag
bañarse to bathe, take a bath
el **baño** bath
    con (sin) baño with (without) a bath
    cuarto de baño bathroom
    traje de baño bathing suit
barato, –a cheap
la **barba** chin
Bárbara Barbara
el **barrio** district
el **barro** clay
    de barro earthen
la **base** base, basis
el **básquetbol** basketball
bastante enough, sufficient(ly), quite, quite a lot, fairly
bastar to be sufficient (enough)
bautizar to baptize

beber to drink
el **béisbol** baseball
Belén Bethlehem
la **bendición** blessing
el **beso** kiss
    a besos with kisses
la **bestia** beast, animal
la **biblioteca** library
la **bicicleta** bicycle
    en bicicleta by (on a) bicycle
bien well, quite
    más bien rather
el **biftec** (beef)steak
el **billete** bill, bank note; ticket
    billete de (diez dólares) (ten-dollar) bill
    billete de (para el) teatro theater ticket
blanco, –a white
la **blusa** blouse
la **boca** mouth
la **bocacalle** street intersection
la **boda** wedding
    regalo (traje) de boda wedding gift (dress)
la **bola** ball
el **bolero** *Andalusian dance;* short jacket
el **boleto** ticket (*Mex.*)
la **bolsa** purse, bag
la **bombilla** small tube
el **bombón** (*pl.* **bombones**) bonbon, candy
bonito, –a pretty
el **bosque** woods, forest
la **botella** bottle
el **botones** bellboy (*Mex.*)
el **boxeo** boxing
el **Brasil** Brazil
el **brazo** arm
el **bridge** bridge (*card game*)
brillante brilliant, bright
el **broche** brooch
la **broma** trick, joke
    dar bromas a to play tricks on
el **bronco** bronco (*native horse*)
bueno all right, fine, O.K.
    ¡ bueno ! hello !
bueno (buen), –a good, well

muy **buenas** good afternoon (evening)

el **burro** burro, donkey

buscar to look for, get, seek

C

el **caballero** gentleman

los **caballitos** merry-go-round

el **caballo** horse

montar a **caballo** to ride horseback

la **cabaña** beach house

la **cabeza** head

lavarse la **cabeza** to wash one's hair

tener dolor de **cabeza** to have a headache

el **cacahuete** peanut

el **cacao** cocoa; the cacao plant

cada (*m. and f.*) each

cada uno (una) each (one)

caer to fall

caerse (a) to fall (into)

dejar **caer** to drop

el **café** café; coffee

café solo black coffee

la **caja** cashier's office

en la **caja** at the cashier's

la **calabaza** squash

la **calavera** skull

el **calcetín** (*pl.* **calcetines**) sock

la **calidad** quality

caliente hot, warm

el **calor** heat, warmth

hacer (mucho) **calor** to be (very) warm (*weather*)

tener (mucho) **calor** to be (very) warm (*living beings*)

el **calzón de baño** bathing trunks

calzones cortos (para **deportes**) shorts, trunks

la **calle** street

el **callejón** alley

la **cama** bed

guardar **cama** to stay in bed

hacer la **cama** to make the bed

cambiar to change, exchange

el **cambio** change

en **cambio** on the other hand

el **camello** camel

el **camino** road, way

en **camino** de on the way to

el **camión** (*pl.* **camiones**) truck; bus (*Mex.*)

la **camisa** shirt

el **camote** sweet potato

la **campana** bell

la **campanada** stroke (*of bell*)

el **campeonato** championship

el **campo** country, field

campo de turista tourist camp, motel

el **Canadá** Canada

el **canal** canal

la **canasta** basket, canasta (*card game*)

la **canción** (*pl.* **canciones**) song

cansado, –a tired

cantar to sing

la **cantidad** quantity, amount

la **caña** cane

caña de azúcar sugar cane

la **capilla** chapel

el **capirote** pointed cap

la **capital** capital

la **cápsula** capsule

la **cara** face

la **carga** load, burden

cargado, –a (de) loaded (with)

cargar en cuenta to charge

Caribe Caribbean

Carlos Charles

Carlota Charlotte

Carmen Carmen

el **carnaval** carnival

la **carne** meat, flesh

caro, –a dear, expensive, high

Carolina Caroline

la **carrera** race

carrera de caballos horse race

la **carretera** highway

la **carta** letter

la **cartera** wallet, billfold

el **cartero** postman

la **casa** house, home

a **casa** de (Felipe) to (Philip's)

casa de correos post office

de **casa** en **casa** from house to house

donde tiene Vd. su casa where you are welcome
en casa at home
(ir) a casa (to go) home
salir de casa to leave home
casarse (con + obj.) to marry, get (be) married (to)
la **cáscara** bark
casi almost, nearly
el **casimir** cashmere
el **caso** case
castaño, –a chestnut, brown
castellano, –a Castilian
Castilla Castile
el **castillo** castle
la **catedral** cathedral
católico, –a Catholic
catorce fourteen
la **causa** cause
a causa de because of
la **caza** hunting
la **cebolla** onion
celebrar to celebrate; *reflex.* be celebrated, take place
el **cementerio** cemetery
la **cena** supper
cenar to eat supper
Ceniza: el Miércoles de —, Ash Wednesday
el **centavo** cent
central central
el **centro** center, downtown
(estar) en el centro (to be) downtown
(ir) al centro (to go) downtown
cerca *adv.* near
cerca de *prep.* near
el **cerdo** pig
la **ceremonia** ceremony
cerrar (ie) to close
la **cerveza** beer
el **césped** grass, lawn
la **cesta** racket
el **cielo** sky, heaven
cien(to) a (one) hundred
(el quince) por ciento (fifteen) per cent
cierto, –a (a) certain
cinco five

cincuenta fifty
el **cine** movie(s)
el **cinturón** (*pl.* **cinturones**) belt
el **círculo** circle
la **cita** date, appointment
la **ciudad** city
la **civilización** civilization
claro, –a clear, light (*color*)
la **clase** class, classroom; kind
clase (de español) (Spanish) class
clásico, –a classical
el **clavel** carnation
el **clima** climate
el **club** club
cobrar to cash, collect
el **cobre** copper
la **coca-cola** Coca Cola
la **cocina** kitchen
mesa de cocina kitchen table
el **cocinero** cook
el **coche** car
en coche by car
el **coche comedor** dining car
la **cofradía** brotherhood, trade union
coger to take, seize
la **colección** collection
colgar (ue) to hang
la **colina** hill
colombino, –a Columbian
Colón Columbus
la **colonización** colonization
el **color** color
de color colored
de color chocolate brown
de color de rosa pink
¿ de qué color es? what color is?
el **collar** necklace
la **comedia** play, comedy
el **comedor** dining room
comer to eat, dine; *reflex.* eat up
comestibles: tienda de —, grocery store
la **comida** dinner, meal, food
como as, since, like; that
¿ cómo? how?
¡ cómo no! of course!
cómodo, –a comfortable
el **compañero** companion

compañero de viaje traveling
   companion
completamente completely
completo, –a complete
la composición composition, theme
la compra purchase
   ir de compras to go shopping
comprar to buy
comprender to understand
con with
la conciencia conscience
el concierto concert
el conde count
la condesa countess
el cóndor condor
el confesor confessor
los confetti confetti
confirmar to confirm
la conjunción conjunction
conmigo with me
conocer to be acquainted with,
   know, meet
la conquista conquest
el conquistador conqueror
conservar to conserve, keep
considerar to consider
consistir (en) to consist (of)
construido, –a constructed, built
construir to build, construct
construyeron preterite of construir
contar (ue) to tell, relate
contener to contain
contento, –a contented, pleased,
   happy
contestar to answer, reply
   contestar que sí (no) to answer
   yes (no)
contiene present of contener
contigo with you (fam.)
el continente continent
contra against
el contraste contrast
el convento convent, monastery
la conversación (pl. conversaciones)
   conversation
convertir (ie) to convert
el convidado guest
la corbata necktie
el corcho cork

el cordero lamb
la cordillera mountain range
el corral corral (pen for livestock)
el corredor corridor
el correo mail
   casa de correos post office
   echar (al correo) to mail
   por correo aéreo by air mail
correr to run
corresponder to correspond
la corrida (de toros) bullfight
cortar to cut
la cortesía courtesy
corto, –a short
la cosa thing
   otra cosa anything (something)
   else
   ¿ qué otra cosa ? what else ?
la cosecha harvest
cosechar to harvest
el cosmético cosmetic
la costa coast
costar (ue) to cost
costoso, –a costly
la costumbre custom
crecer to grow
creer to believe, think
   creer que sí (no) to believe so
   (not)
   ¡ ya lo creo ! of course ! certainly !
creído p.p. of creer
la crema cream
la criada maid
el crisantemo chrysanthemum
cristiano, –a Christian
Cristo Christ
Cristóbal Christopher
cruzar to cross
el cuaderno notebook
la cuadra city block
cuadritos: a —, checked
el cuadro picture
   a cuadros plaid
¿ cuál(es) ? which (one, ones) ? what ?
cuando when
   de vez en cuando from time to
   time
¿ cuándo ? when ? how soon ?
¿ cuánto, –a ? how much (many) ?

¿ **cuánto es?** how much is it?
what is the price of it?
¿ **cuánto tiempo?** how long?
¿ **a cuántos estamos?** what is the
date?
¡ **cuánto** + *verb!* how!
cuarenta forty
la **Cuaresma** Lent
cuarto, –a fourth
el **cuarto** quarter (*of an hour*); room
el **cuarto de baño** bathroom
cuatro four
cuatrocientos, –as four hundred
cubano, –a Cuban
cubierto, –a (de) *p.p. of* **cubrir** *and
adj.* covered (with)
el **cubierto** table service, place setting
cubrir to cover
la **cucaracha** cockroach
la **cuchara** tablespoon
la **cucharita** teaspoon
el **cuchillo** knife
el **cuello** neck, collar
la **cuenta** bill, account
cargar en cuenta to charge
el **cuento** story, tale
el **cuero** leather
el **cuerpo** body
la **cueva** cave
cultivar to cultivate
el **cultivo** cultivation
la **cultura** culture
cultural cultural
el **cumpleaños** birthday
regalo de cumpleaños birthday
gift
el **cura** priest
curar to cure
curvo, –a curved
cuyo, –a whose

Ch

la **chaqueta** jacket
de estilo de chaqueta jacket style
charlar to chat, talk
el **cheque** check
el **chicle** chicle (*used for making chewing gum*)

el **chile** chili
la **chimenea** chimney, fireplace
la **chinchilla** chinchilla (*small fur-
bearing animal*)
el **chocolate** chocolate
de color chocolate brown
el **churro** churro (*a sort of fritter*)

D

dar to give; present
dar a to face, open on
dar un paseo to take a walk
de of, from, about, in, at, with; than
(*before a numeral*)
debajo de under, beneath
deber to owe; should, ought to,
must
decidir to decide
décimo, –a tenth
decir to say, tell
es decir that is to say
decorar to decorate
dedicarse a to be dedicated to
el **dedo** finger
el **dedo del pie** toe
la **defensa** defense
dejar *trans.* to leave (*behind*); let
dejar caer to drop, let fall
del = de + el
delgado, –a thin
demás *adj.* rest
demasiado *adj. and adv.* too, too
much
demostrar (ue) to show, demonstrate
el **dentista** dentist
dentro de inside, within
el **dependiente** clerk
el **deporte** sport
derecho: siga Vd. —, go (continue)
straight ahead
derecho, –a right
a la derecha to (on) the right
desarrollar to develop
el **desarrollo** development
el **desayuno** breakfast
tomar el desayuno to take (eat)
breakfast

descalzo, –a barefooted
descansar to rest
descolgar (ue) to take down (off)
describir to describe
descubierto *p.p. of* descubrir
el descubridor discoverer
el descubrimiento discovery
descubrir to discover
desde since, from
desear to desire, wish, want
el deseo desire
despacio slowly
el despacho study, den
la despensa pantry
despertarse (ie) to wake up, awaken
después *adv.* afterwards, later
después de *prep.* after
después que *conj.* after
detrás de behind
devolver (ue) to return, give back
devuelto *p.p. of* devolver
el día day
al día daily, everyday
al día siguiente on the following
day
de día by day
en estos días nowadays
hoy día nowadays
buenos días good morning (day)
todos los días every day
el diablo devil
el diálogo dialogue
diciembre December
dictado: al —, at dictation
dicho *p.p. of* decir
el diente tooth
diez ten
diez y seis (siete) sixteen (seventeen)
la diferencia difference
difícil difficult, hard
digno, –a worthy
el dinero money; piece of money
Dios God
¡ vaya Vd. con Dios ! good-bye !
el dios god
la dirección direction, address
dirigirse a to turn to, direct oneself
to

el disco record (*phonograph*)
dispense Vd. excuse me
la distancia distance
¿ qué distancia hay ? how far is it ?
la diversión amusement
dividido por divided by
divino, –a divine
doblar to turn (*a corner*)
doce twelve
la docena dozen
el doctor doctor (*title*)
el dólar dollar
doler (ue) to ache, pain, hurt
me (le) duele la cabeza my (his)
head aches
el dolor ache, pain
tener dolor de cabeza to have a
headache
Dolores Dolores
doméstico, –a domestic
la dominación domination
el domingo Sunday
Domingo de Ramos Palm Sunday
Domingo de Resurrección Easter
Sunday
Santo Domingo St. Dominic
todos los domingos every Sunday
dominicano, –a Dominican; (*also
noun*)
don *a title not translated*
donde where, in which
¿ (a) dónde ? where ?
¿ por dónde se va ? how does one
go ?
Dorotea Dorothy
dos two
los (las) dos both, the two
doscientos, –as two hundred
el dueño owner
el dulce sweet, confection; *pl.* sweets,
candy
durante during
durar to last
el duro dollar (*Spain*)

E

e and
la economía economy, economics

el **Ecuador** Ecuador
echar to throw; pour; put
echar (al correo) to mail
echarse to lie down
el **edificio** building
Eduardo Edward
efecto: en —, in fact
el **ejemplar** copy (*of book*)
el **ejemplo** example
por ejemplo for example
el **ejercicio** exercise
el the
él he, it; him (*after prep.*)
elegante elegant, graceful
el **elemento** element
Elena Helen
la **elevación** elevation
ella she, it (*f.*); her (*after prep.*)
ellas they (*f.*); them (*f.*) (*after prep.*)
ellos they; them (*after prep.*)
embargo: sin —, nevertheless
el **emparedado** sandwich
el **emperador** emperor
empezar (ie) (a + inf.) to begin (to)
empieza *pres. ind. of* **empezar**
la **empleada** clerk, employee (*f.*)
el **empleado** employee (*m.*), attendant
en in, on, of, at
el **encaje** lace
encantado, –a (de) delighted (with), pleased (to)
encender (ie) to light
encontrar (ue) to find, meet
encontrarse con to meet, run across
el **enemigo** enemy
enérgico, –a energetic
enero January
enfermarse to become ill (sick)
enfermo, –a ill, sick
enfrente de in front of
engañar to deceive
el **enlace (con)** marriage (to)
enojado, –a angry
enojarse to get angry
Enrique Henry
la **ensalada** salad
enseñar (a + inf.) to teach, show
entonces then, at that time

entrar (en + obj.) to enter
entre between, among
entretanto in the meantime
el **entusiasmo** enthusiasm
envolver (ue) to wrap, wrap up
se lo envuelvo I'll wrap it up for you
la **época** epoch, time
el **equipo** team
la **equitación** horseback riding
equivocarse to be mistaken
erguido, –a erect
la **escalera** stairway
el **escaparate** show window
esconder to hide
escribir to write
papel de escribir writing paper
escrito, –a *p.p. of* **escribir** *and adj.* written
escuchar to listen (to)
la **escuela** school
(estar) en la escuela (to be) at (in) school
(ir) a la escuela (to go) to school
ese (–a, –os, –as) that, those (*near person addressed*)
ése (–a, –os, –as) that (one), those
esencial essential
el **esfuerzo** effort
la **esmeralda** emerald
eso that
a eso de at about (*time*)
en eso de in that matter of
por eso because of that, therefore
espaldas: en las —, on your back
España Spain
español (–ola) Spanish; Spaniard (*as noun*)
el **español** Spanish
el español al día everyday Spanish
(profesor) de español Spanish (teacher)
especial special
especialmente especially
el **espectáculo** spectacle
el **espectador** spectator
esperar to wait, wait for; hope
esperar que sí (no) to hope so (not)

el **espíritu** spirit
espiritual spiritual
espléndido, –a splendid
la **esposa** wife
el **esposo** husband
el **esqueleto** skeleton
el **esquiar** skiing
la **esquina** corner (*street*)
establecer to establish
el **establo** stable
la **estación** (*pl.* **estaciones**) season; station
el **estado** state, condition
   los Estados Unidos United States
estampado, –a stamped
el **estaño** tin
estar to be
   ¿ a cuántos estamos? what is the date ?
   ¿ cómo está Vd.? how are you ?
   está bien very well, all right, that's fine
   estamos a (primero de enero) it is the (first of January)
este (–a, –os, –as) this, these
éste (–a, –os, –as) this (one), these; the latter
el **este** east
el **estilo** style
esto this
estrecho, –a narrow, tight
la **estrella** star
el **estudiante** student
estudiar to study
la **estufa** stove
estupendo, –a stupendous
eterno, –a eternal
Europa Europe
evitar to avoid
el **examen** (*pl.* **exámenes**) examination, test
examinar to examine
excepto except
la **exclamación** exclamation
la **excursión** excursion
existir to exist
la **expansión** expansion
la **expedición** expedition
explicar to explain

la **exploración** exploration
el **explorador** explorer
explorar to explore
la **exposición** exhibition, exposition
la **expresión** (*pl.* **expresiones**) expression
extender (ie) to extend
la **extensión** extent, length, spread
extranjero, –a foreign
el **extranjero** foreigner
extraño, –a strange
el **extremo** extreme

F

fácil easy
fácilmente easily
la **falda** skirt
faltar to be lacking
   faltar a la clase to be absent from class
la **familia** family
famoso, –a famous
la **farmacia** drugstore
el **favor** favor
   haga(n) Vd(s). el favor de + *inf.* please + *verb*
   por favor please
la **fe** faith
febrero February
la **fecha** date
Felipe Philip
feliz (*pl.* **felices**) happy
la **feria** fair
Fernando Ferdinand
fértil fertile
festivo, –a festive
la **fiebre** fever
el **fieltro** felt
la **fiesta** festival, fiesta
   día de fiesta holiday
la **figurita** small figure
fijamente fixedly
   mirar fijamente to stare
el **fin** end
   al fin finally
   por fin at last, finally
el **flan** custard
la **flor** flower

florecer to flourish, bloom
la **Florida** Florida
la **forma** form
la **formación** formation
formar to form
la **fotografía** photograph
el **fraile** friar
el **francés** French
el **franciscano** Franciscan
Francisco Francis, Frank
la **franela** flannel
la **frase** sentence, phrase
fresco, –a cool, fresh
  hacer (mucho) fresco to be (very) cool (*weather*)
el **frijol** kidney bean
frío, –a cold
el **frío** cold
  hacer (mucho) frío to be (very) cold (*weather*)
  tener frío to be cold (*living beings*)
frito, –a fried
el **frontón** court (*handball*)
la **fruta** fruit, piece of fruit; *pl.* fruit(s)
frutal *adj.* fruit
la **fuente** fountain
fuera de outside of
fuerte strong
la **fuerza** strength, force
fumar to smoke
la **función** performance
la **funda de almohada** pillowcase
fundar to found
el **fútbol** football
  jugar al fútbol to play football
  partido de fútbol football game

G

la **gabardina** gabardine
la **galería** gallery, corridor
ganar to win, gain, earn
el **garaje** garage
la **gardenia** gardenia
la **garganta** throat
la **garra** claw
la **gasolina** gasoline
  estación de gasolina gasoline (filling) station

el **gatito** kitten
el **gato** cat
el **gemelo** cuff link
generalmente generally
el **género** material, type
la **gente** people
la **geografía** geography
la **gloria** glory
  Sábado de Gloria Holy Saturday
el **gobierno** government
el **golf** golf
la **gorra** cap
gótico, –a Gothic
gozar (de + obj.) to enjoy
gracias thanks, thank you
  mil (muchas) gracias many thanks
el **grado** degree
la **gramática** grammar
gran great
grande large, big; great
el **grano** grain
la **grasa** grease, fat, oil
grave grave, serious
gris gray
gritar to shout
el **grito** cry, shout
grotesco, –a grotesque
el **grupo** group
el **guacamole** guacamole (*Mexican salad or appetizer*)
el **guajolote** turkey (*Mex.*)
el **guanaco** guanaco (*South American animal*)
el **guante** glove
guapo, –a handsome
guardar to guard, keep
  guardar cama to stay in bed
la **guerra** war
Guillermo William, Bill
la **guitarra** guitar
gustar to be pleasing to, like
  gustar más to like better, prefer
  ¿ le gusta a Vd. ? do you like it ?
  me gusta I like (it)
el **gusto** pleasure
  con mucho gusto with much pleasure, gladly
  tanto gusto it is a pleasure (nice) to know you, how do you do ?

tener (mucho) **gusto en** to be (very) glad to

H

la **Habana** Havana
haber to have (*auxiliary*)
   haber de + *inf.* to be to, be supposed to
   haber que + *inf.* (*3rd pers. sing. only*) to be necessary to, must
   había there was (were)
   hay there is (are)
el **habitante** inhabitant
   habla: de — española Spanish-speaking
   hablar to speak, talk
   hacer to do, make; be (*weather*)
   hacer la cama to make the bed
   hacer una pregunta to ask a question
   hace (tres días) (three days) ago
   haga(n) Vd(s). el favor de + *inf.* please + *verb*
   ¿ **me hace Vd. el favor de** + *inf.?* will you please + *verb?*
   hacia toward, about (*time*)
la **hacienda** estate
   hallar to find
   hallarse to be found, find oneself, be
el **hambre** (*f.*) hunger
   tener (mucha) hambre to be (very) hungry
la **harina** flour
   hasta until, to
   hay *impers. form of* **haber** there is (are)
   hay que + *inf.* it is necessary to, one must
   no hay de qué you are welcome, don't mention it
   ¿ **qué hay de nuevo?** what's new?
la **hebilla** (belt) buckle
   hecho *p.p. of* **hacer**
el **helado** ice cream
   tomar un helado to take ice cream
el **hemisferio** hemisphere
la **hermana** sister

el **hermano** brother
   hermoso, –a beautiful, pretty
el **héroe** hero
la **hierba** grass, plant
la **higuera** fig tree
la **hija** daughter
el **hijo** son; *pl.* children
   hispanoamericano, –a Spanish American
la **historia** history
   histórico, –a historical
la **hoja** page
   ¡ **hola!** hello!
el **hombre** man
   honrado, –a honorable
   honrar to honor
la **hora** hour, time (*of day*)
   a (esa) hora at (that) time
   ¿ **a qué hora?** at what time?
   en hora y media in an hour and a half
   la hora de cenar suppertime
   ¿ **qué hora es?** what time is it?
   ser hora de to be time to
el **horno** oven
el **hospital** hospital
el **hotel** hotel
   hoy today
el **huevo** egg
   huevo pasado por agua soft-boiled egg
   huevos rancheros eggs ranchero style
el **hule** rubber
el **humor** humor
   de mal humor in a bad humor

I

ibérico, –a Iberian
la **idea** idea
el **ideal** ideal
   ido *p.p. of* **ir**
la **iglesia** church
   (ir) a la iglesia (to go) to church
   igual equal, same
   es igual it's all the same, it makes no difference
la **iguana** iguana (*lizard*)

ilustre illustrious
la imagen (*pl.* imágenes) image
el impermeable raincoat
la importancia importance
importante important
impresionante impressive
el inca Inca
la independencia independence
independiente independent
la India India
indígena native
indio, –a Indian; (*also noun*)
la industria industry
industrial industrial
Inés Agnes, Inez
el infierno hell
la influencia influence
inglés (–esa) English
el inglés English, Englishman
iniciar to initiate
inmediatamente immediately
inocente innocent
Día de los Inocentes *equivalent to April-fool's Day*
insistir to insist
inteligente intelligent
la intención (*pl.* intenciones) intention
el interés interest
interés por interest in
interesante interesting
el interior interior
la interjección interjection
internacional international
el interrogativo interrogative
introducir to introduce
introdujeron *preterite of* introducir
inútil useless, unnecessary
invadir to invade
el invasor invader
la invención invention
el invierno winter
la invitación invitation
invitar (a + *inf.*) to invite
ir (a + *inf.*) to go (to)
ir por to go for
¿ cómo le va ? how are you ? how goes it ?
vamos let's go
vamos a (tomar) let's (take)

¡ vaya Vd. con Dios ! goodbye !
Isabel Isabel, Betty, Elizabeth
la isla island
italiano, –a Italian
izquierdo, –a left
a la izquierda to (on) the left

J

el jabón soap
el jai-alai *Basque handball game*
la jalea jelly
jamás never, (not) . . . ever, ever (*in a question*)
el jarabe tapatío *Mexican hat dance*
el jardín (*pl.* jardines) garden
jardín zoológico zoo
el jarro jar, jug
el jersey jersey, sweater
Jesús, Jesucristo Jesus Christ
la jícara (chocolate) cup
Jorge George
José Joseph
joven (*pl.* jóvenes) young
la joya jewel
la joyería jewelry store
Juan John
Juanita Juanita, Jane
las judías verdes green beans
el juego game
el jueves (on) Thursday
el jugador player
jugar (ue) (a + *obj.*) to play (*a game*)
jugar al fútbol to play football
el juguete toy
julio July
junio June
juntos, –as together

K

el kilómetro kilometer (*5/8 mile*)

L

la the
la her, it (*f.*), you (*formal f.*)
el labio lip
lápiz de (para) labios lipstick

el lado side
    al lado de beside, at the side of
el ladrillo brick
el lago lake
la lágrima tear
la lámpara lamp
la lana wool
    lanzar to throw, hurl
el lápiz (*pl.* lápices) pencil
    largo, –a long
    las the; them (*f.*), you (*formal f.*)
la lástima pity
    ¡ qué lástima ! what a pity !
la lata tin can
    latino, –a Latin
    latinoamericano, –a Latin American
    lavar to wash; *reflex.* wash (oneself)
    le him, you (*formal*); to him, her, it,
        you
la lección (*pl.* lecciones) lesson
    lección (de español) (Spanish)
        lesson
    lección primera Lesson One
la lectura reading
la leche milk, cream (*in coffee*)
    leche con chocolate chocolate milk
    leche malteada malted milk
la lechería dairy
la lechuga lettuce
    leer to read
la legumbre vegetable
    leído *p.p. of* leer
    lejos far, distant
    lejos de far from
la lengua language, tongue
    Leonardo Leonard
    Leonor Leonore
    les to them, you (*formal pl.*)
    levantar to raise; *reflex.* get up,
        rise
la ley law
la leyenda legend
la libertad liberty
la libra pound
    media libra a half pound
    libre free, unoccupied
el libre taxi (*Mex.*)
la librería bookstore
el libro book

libro(s) de español   Spanish
    book(s)
    ligero, –a light
el limón lemon
la limonada lemonade
el limonero lemon tree
    limpiar to clean
    limpio, –a clean
el lino linen
el lirio lily
la lista menu
    pasar lista to call the roll
    listo, –a ready
la literatura literature
el litro liter (*1.05 quarts*)
    lo it (*m. and neuter*)
la lona canvas
    los the; them, you (*formal pl.*)
la lucha wrestling
    luego then, next, later
    hasta luego until later, see you
        later
    Luis Louis
la luna moon
    a la luz de la luna in the moon-
        light
    luna de miel honeymoon
el lunes (on) Monday
el luto mourning
la luz (*pl.* luces) light

Ll

la llama llama (*South American ani-
        mal*)
    llamar to call, knock; *reflex.* be
        called, be named
    ¿ cómo se llama Vd. ? what is your
        name ?
    me llamo my name is
la llanta tire
    llanta de repuesto spare tire
la llave key
el llavero key ring
la llegada arrival
    llegar (a) to arrive (at), reach
    llenar to fill
    lleno, –a full
    llevar to take, carry; wear; bear

llorar to cry, weep
llover (ue) to rain

M

la **madera** wood
  de madera wooden
la **madre** mother
la **madrina** bridesmaid, godmother
magnífico, –a magnificent, fine, wonderful
Magos: Reyes —, Wise Men
el **maíz** maize, corn
majestuoso, –a majestic
mal *adv.* badly
el **mal** evil; harm
la **malaria** malaria
la **maleta** suitcase, bag
malo (mal), –a bad
malteada: leche —, malted milk
la **mamá** mama, mother
mandar to send, order
la **manera** manner, way
  de esta (esa) manera in this (that) way
la **manga** sleeve
la **mano** hand
la **manta** blanket
la **manteca de cacao** cocoa butter
el **mantel** tablecloth
la **mantequilla** butter
la **mantilla** mantilla, shawl
la **manzana** apple; city block
mañana tomorrow
  pasado mañana day after tomorrow
la **mañana** morning
  (ayer) por la mañana (yesterday) morning
  de la mañana in the morning, A.M.
  por la mañana in the morning
el **mapa** map
la **máquina** machine
el **mar** sea
la **maravilla** marvel
maravilloso, –a marvelous
la **marca** kind, brand, make
marcar to mark

Marco(s) Mark, Marcus
Mardi gras Shrove Tuesday
la **margarita** daisy
María Mary
el **marinero** sailor
Marta Martha
el **martes** (on) Tuesday
marzo March
más more, most; longer
  más o menos more or less, approximately
  no . . . más que only
  (no) . . . nada más (not) . . . anything else (more)
la **máscara** mask
matar to kill
el **mate** maté (*Paraguayan green tea*)
la **materia** matter, material
el **maya** Maya
mayo May
mayor greater, greatest; older, oldest
  la mayor parte de most (of), the majority (of)
me me, to me; (to) myself
la **medalla** medal
la **media** stocking, hose
la **medianoche** midnight
  a la medianoche at midnight
la **medicina** medicine
el **médico** doctor
medio, –a half
  media hora a half hour
Mediterráneo, –a Mediterranean
la **mejilla** cheek
mejor better, best
mejorarse to improve, get better
la **memoria** memory
mencionado, –a mentioned
menor smaller, smallest; younger, youngest
menos less, least, fewer
  a lo menos at least
la **mentira** lie
  ¡ es mentira ! it's a lie !
menudo: a —, often, frequently
el **mercado** market
el **mes** month
la **mesa** table, desk; tableland

el **mesero** waiter (*Mex.*)
la **meseta** plateau
la **mesita** small (end) table
el **metal** metal
mexicano, –a Mexican
México Mexico
la **mezcla** mixture
la **mezquita** mosque, Moorish church
mi my
mí me (*after prep.*)
mientras (que) while, as long as
el **miércoles** (on) Wednesday
    Miércoles de Ceniza Ash
    Wednesday
mil a (one) thousand
    mil gracias many thanks
el **milagro** miracle
la **milla** mile
el **millón** (*pl.* **millones**) million
    un millón de a million
la **mina** mine
el **mineral** mineral
el **ministro** minister
el **minuto** minute
mío, –a mine
mirar to look at
    mirar fijamente to stare
la **misa** mass
la **misión** mission
mismo, –a same
    ahora mismo right now (away)
    lo mismo the same thing
la **mitad** half, middle
la **moda** style, fashion
    de moda fashionable, stylish
moderno, –a modern
mojarse (mucho) to get (very) wet
el **mole** mole (*Mexican sauce*)
el **molino** mill
el **momento** moment
    en (este) momento at (this)
    moment
el **monasterio** monastery
la **moneda** money
la **montaña** mountain
montar to mount, ride
    montar a caballo to ride (on)
    horseback
el **monumento** monument

el **moro** Moor
el **mosquito** mosquito
el **mostrador** counter
mostrar (ue) to show
la **motocicleta** motorcycle
el **movimiento** movement
el **mozo** waiter (*Spain*)
la **muchacha** girl
el **muchacho** boy
muchísimo, –a very much (many)
mucho *adv.* much, very much, a
    great deal, hard; very (*when
    used alone*)
mucho, –a much, many
mudarse to move, change one's
    address
la **mueblería** furniture store
los **muebles** furniture
muerto, –a dead
los **muertos** the dead
la **mujer** woman
la **mula** mule
el **mundo** world
    todo el mundo everybody
la **muralla** wall
murió *preterite of* **morir** he died
el **museo** museum
la **música** music
muy very

N

nacer to be born
el **nacimiento** birth; manger scene
nacional national
nada nothing, (not) ... anything
    de nada you are welcome, don't
    mention it
    nada de particular nothing special
    (no) ... nada más (not) ... any-
    thing else (more)
    no es nada grave it is nothing
    (not at all) serious
nadar to swim
    vamos a nadar let's go swimming
nadie no one, nobody, (not) ...
    anybody
el **naipe** card (playing)
    jugar a los naipes to play cards

Napoleón Napoleon
la naranjada orangeade
el naranjo orange tree
la nariz nose
la natación swimming
la nave boat
navegar to sail
la Navidad Christmas, Nativity
    Feliz Navidad Merry Christmas
    fiesta de Navidad Christmas festival
necesario, –a necessary
necesitar to need
el negocio business dealing
negro, –a black
nervioso, –a nervous
ni neither, nor
    ni . . . ni neither . . . nor
la nieve snow
el nilón nylon
ninguno (ningún), –a no, none, (not) . . . any
el niño child, little boy; pl. children
el nitrato nitrate
no no, not
la noche night, evening
    de la noche in the evening, P.M.
    de noche at (by) night
    el sábado por la noche Saturday night
    esta noche tonight
    por la noche in the evening, at night
    toda la noche all evening
    buenas noches good evening (night)
    todas las noches every night
la Nochebuena Christmas Eve
el nombre name, noun
    en nombre de in the name of
el norte north
    Norteamérica North America
    norteamericano, –a North American
nos us, to us; (to) ourselves
nosotros, –as we; us (after prep.)
notar to note, observe
novecientos, –as nine hundred
la novela novel
noveno, –a ninth

noventa ninety
la novia bride
noviembre November
el novio groom
nuestro, –a our
nueve nine
nuevo, –a new
    Nueva Orleáns New Orleans
    Nueva York New York
    ¿ qué hay de nuevo ? what's new ?
la nuez (pl. nueces) nut
el número number, size
nunca never, ever, (not) . . . ever

O

o or
el obispo bishop
la obra work
el obrero workman
obscuro, –a dark
observar to observe
obtener to obtain
occidental western
el océano ocean
octavo, –a eighth
octubre October
ocupado, –a busy, occupied
ocupar to occupy
ocurrir to occur, happen
ochenta eighty
ocho eight
ochocientos, –as eight hundred
el oeste west
la oficina office
ofrecer to offer
el oído (inner) ear
    oímos pres. ind. of oír
oír to hear
el ojo eye
el olivo olive tree
olvidar to forget
la olla jar
el ómnibus bus
    en ómnibus by bus
ouce eleven
oponerse a to oppose
la orden order (religious)
la oreja (outer) ear

la **organización** organization
 organizar to organize
el **origen** origin
el **orlón** orlon
el **oro** gold
  (reloj) de oro gold (watch)
la **orquesta** orchestra
la **orquídea** orchid
 os you (*fam.*), to you; (to) your-
  selves
el **otoño** fall, autumn
 otro, –a other, another
  el otro the other one
la **oveja** sheep
 oyen *pres. ind. of* **oír**
 oyó *preterite of* **oír**

P

 Pablo Paul
el **Pacífico** the Pacific Ocean
el **padre** father, priest; *pl.* parents
el **padrino** best man, godfather
 pagar to pay, pay for
la **página** page
el **país** country, nation
la **paja** straw
el **pájaro** bird
la **palabra** word
el **palacio** palace
 pálido, –a pale
la **palmada** slap
  dar palmadas to clap one's hands
el **palo** stick
el **pan** bread
la **pana** corduroy
la **panadería** bakery
el **panadero** baker
 panamericano, –a Pan American
el **panecillo** roll
los **pantalones** trousers
el **panteón** burial place
el **paño** cloth
el **pañuelo** handkerchief
el **Papa** Pope
la **papa** potato
el **papá** dad, papa, father
el **papel** paper
  papel de escribir writing paper

el **paquete** package
el **par** pair
 para for, in order to, to
el **parabrisas** windshield
el **paraguas** umbrella
el **Paraguay** Paraguay
 paraguayo, –a Paraguayan
 pararse to stop
el **parasol** parasol
 parecer to seem, appear
  ¿ qué (te) parece . . . ? what do
   you think of . . . ? how do you
   like . . . ?
  parecerse a to resemble
la **pared** wall
la **pareja** couple, pair
el **parque** park
el **párrafo** paragraph
la **parte** part
  de mi parte on my part, for me
  de parte de (Carlos) (Charles) is
   talking
  ¿ de parte de quién ? who's calling (talking) ?
  la mayor parte de most (of), the
   majority (of)
  por todas partes everywhere
 participar to inform
 particular particular, special, private
  nada de particular nothing special
el **partido** game, match
 partir (de + *obj.*) to leave, depart
 pasado, –a past, last
  pasado mañana day after tomorrow
 pasar to pass, spend (*time*); happen
  pasar lista to call the roll
  pasar por to pass (come) by
   (along)
  pasar por aquí to pass (come) this
   way
  pase(n) Vd(s). come in
  ¿ qué le pasa a Vd. ? what is the
   matter with you ?
  ¿ qué pasa ? what's the matter ?
la **Pascua Florida** Easter
el **paseo** walk, ride; boulevard, drive
  dar un paseo to take a walk (ride)

la **pasión** passion, suffering
el **paso** float
la **pasta de cacahuetes** peanut butter
el **pastel** pastry, pie
el **pastor** shepherd
la **patata** potato
el **patinar** skating
el **patio** patio, courtyard
el **patrón** patron
 santo patrón patron saint
 santa patrona patron saint
 pegado, –a stuck, attached
la **película** film
el **pelo** hair
la **pelota** pelota, handball, ball
la **peluquería** barbershop
la **pena** trouble
 valer la pena (de) to be worth
  while (to)
la **península** peninsula
la **penitencia** penance, penitence
el **pensamiento** pansy
 pensar (ie) to think; + *inf.* intend,
  plan
 pensar en to think of (about)
 peor worse, worst
 pequeño, –a small, little
 perder (ie) to lose
 perdido, –a lost
 perfectamente fine, perfect(ly), very
  well
el **periódico** newspaper
el **período** period
 permanente permanent
el **permiso** permission
 con (su, tu) permiso with your
  permission, excuse me
 pero but
el **perrito** puppy
el **perro** dog
la **persona** person; *pl.* persons, people
 por persona for each (per) person
 pertenecer to belong to
el **Perú** Peru
 peruano, –a Peruvian
la **pesca** fishing
el **pescado** fish (*after being caught; prepared*)
el **pesebre** manger

el **peso** peso, dollar (*about 8 cents in
  Mexico*)
el **petróleo** petroleum, oil
el **pico** beak, bill
 pidió *preterite of* **pedir**, he asked for
el **pie** foot
 a pie on foot
 vamos a pie let's walk (go on foot)
la **piedra** stone
 de piedra (of) stone
la **piel** skin, hide
la **pierna** leg
la **píldora** pill
la **pimienta** pepper
el **pintor** painter
la **pintura** painting
la **piñata** *jar filled with sweets and toys*
la **piscina** swimming pool
el **piso** floor, flat, apartment
la **pizarra** blackboard
el **placer** pleasure
el **plan** plan, scheme
el **plano** plan, drawing
la **planta** plant
la **plata** silver
la **platería** silver shop
la **plática** chat, conversation
el **platillo** saucer
el **platino** platinum
el **plato** plate, dish
la **playa** beach
la **plaza** plaza, square
 plaza de toros bull ring
el **plomo** lead
la **pluma** pen; feather, plume
la **población** population
 pobre poor
 poco, –a little (*quantity*); *also adv.*
 poco a poco little by little
 poco después shortly, soon
 un poco (de) a little (of)
 unos (–as) pocos (–as) a few
 poder to be able, can
 no puedo I cannot
el **poder** power
 político, –a political
el **polo** polo
el **polvo** dust
 quitar el polvo a to dust

el **pollo** chicken
poner to put, place; set; *reflex.*
   put on, (+ *adj.*) become, get
   poner la mesa to set the table
popular popular
por in, during, through, along, by,
   for, on behalf of, to
   por eso therefore, because of that
   ¿ **por qué?** why?
porque because
el **portal** vestibule, entrance hall
el **portugués** Portuguese
la **posada** inn; *religious celebration*
   (*Mex.*)
la **posesión** possession
posible possible
el **postre** dessert
   de postre for dessert
la **práctica** practice
practicar to practice
   para practicar for practice
práctico, –a practical
el **precio** price
precioso, –a precious, darling
predilecto, –a favorite
la **pregunta** question
   hacer una pregunta to ask a
   question
preguntar to ask (*a question*)
preparado, –a prepared, ready
preparar to prepare, make
la **preposición** (*pl.* **preposiciones**) preposition
presentar to present, introduce
presente present, here
   del presente of this month
prestar to lend
   prestar atención to pay attention
la **prima** cousin
la **primavera** spring
primero *adv.* first
primero (primer), –a first, one
el **primo** cousin
principal principal, main
principalmente principally
el **principio** beginning
la **prisa** haste
   tener prisa to be in a hurry
la **privación** privation

probablemente probably
probarse (ue) to try on
el **problema** problem
la **procesión** procession
la **producción** production
producir to produce
el **producto** product
el **profesor** teacher
la **profesora** teacher
el **programa** program
prometer to promise
pronto soon, quickly
la **pronunciación** pronunciation
pronunciar to pronounce
la **propina** tip
   de propina as a tip
propio, –a own
próspero, –a prosperous
   próspero Año Nuevo happy (prosperous) New Year
la **protección** protection
proteger to protect
la **provincia** province
próximo, –a next, following
la **prueba** proof
público, –a public
el **pueblo** town, village, people
puede, puedo *pres. ind. of* **poder**
el **puente** bridge
la **puerta** door
   de puerta en puerta from door to
   door
el **puerto** port
pues well, (well) then
puesto *p.p. of* **poner**
   puesto que since
el **puesto** stall, stand
la **pulsera** bracelet
el **pulso** pulse
el **punto** point
   (**las cuatro**) **en punto** (four
   o'clock) sharp
el **puño** fist
el **puré de papas (patatas)** mashed
   potatoes

Q

que that, who, which, whom; than
   el que which, the one who (which)

lo que what, that which
todo lo que all that (which)
¿ qué ? what ? which ?
¿ por qué ? why ?
¿ qué tal ? how goes it ? how are you ? what about ?
¡ qué ! what a ! how !
no hay de qué you are welcome, don't mention it
quedar to remain, be; *reflex.* remain, stay
me queda estrecho it is too tight for me
me quedan cortas they are too short for me
quedo de ti (Vd., Vds.) I remain yours
querer, to wish, want
querer mucho a to love (like) very much
¿ quiere Vd. ir ? will you go ?
querido, –a dear
el **queso** cheese
quien he (the one) who
¿ quién(es) ? who ? whom ?
¿ a quién(es) ? (to) whom ?
¿ de quién(es) es ? whose is it ?
quince fifteen
quinientos, –as five hundred
la **quinina** quinine
quinto, –a fifth
quitar to remove, take away
quitar el polvo (a) to dust

R

rabiar to rage, be furious
me haces rabiar you make me furious
el **radiador** radiator
el **radio** radio (set)
la **radio** radio
Rafael Raphael
Ramón Raymond
Ramos: Domingo de —, Palm Sunday
rancheros: huevos —, eggs ranchero style
el **rancho** ranch

rápidamente rapidly
rápido, –a rapid, fast
el **raso** satin
el **rato** while, short time
un buen rato a pleasant time
rayado, –a striped
el **rayón** rayon
la **raza** race (*of people*)
la **razón** reason
tener razón to be right
real royal
el **real** *old Spanish coin*
rebuznar to bray
el **recado** message
la **recámara** bedroom (*Mex.*)
el **receptor** receiver
recibir to receive
recoger to pick up, gather
recordar (ue) to remember, recall
recreo: sala de —, recreation room
los **recuerdos** regards
redondo, –a round
el **refrán** (*pl.* **refranes**) proverb
el **refresco** refreshment, cold drink
el **refrigerador** refrigerator
el **regalo** gift
regatear to bargain
la **región** (*pl.* **regiones**) region
la **regla** rule
regular fair, fairly well
la **reina** queen
reinar to rule, reign
la **reja** grating (*of a window*)
la **religión** religion
religioso, –a religious
el **reloj** watch, clock
el **repaso** review
representar to represent
la **república** republic
repuesto: llanta de —, spare tire
el **resfriado** cold
responder to respond, answer
la **respuesta** answer, reply
el **restaurante** restaurant
el **resto** rest; *pl.* remains
resultar to result
Resurrección: Domingo de —, Easter Sunday
el **retrato** picture

la **reunión** meeting, gathering
Reverendo Reverend
la **revista** magazine
revolucionario, –a revolutionary
el **rey** king
el **Rey** Wise Man (King)
Reyes Magos Wise Men (Kings)
Ricardo Richard
rico, –a rich
el **rincón** corner
el **río** river
la **risa** laughter
entre risas y lágrimas half laughing, half crying
Roberto Robert
el **rodeo** roundup
rojo, –a red
romano, –a Roman; *also noun*
romántico, –a romantic
la **romería** picnic, excursion
romper to tear, break
la **ropa** clothing
ropa interior underclothing
la **ropería** clothing store
Rosa Rose
la **rosa** rose
de color de rosa pink
roto *p.p. of* **romper**
rubio, –a blond, light
el **ruido** noise
la **ruina** ruin
la **rumba** rumba
rústica: en —, in a paper binding

S

el **sábado** (on) Saturday
sábado por la noche Saturday night
Sábado de Gloria Holy Saturday
la **sábana** sheet
saber to know, know how, find out
no (lo) sé I don't know
sabio, –a wise
sacar to get, obtain, take out, take (*photographs*)
sagrado, –a sacred
la **sal** salt

la **sala** living room
sala de recreo recreation room
salir (**de** + *obj.*) to leave, go (come) out
salir a to go out into
salir de casa to leave home
la **salsa** sauce
saltar to jump
saludar to greet, speak to
el **saludo** greeting
El **Salvador** Savior
salvar to save
salvo, –a safe
sano y salvo safe and sound
la **sangre** blood
sano, –a sound
santo (san), –a saint, holy
el **santo** saint
Día de Todos los Santos All Saints' Day
día de su santo his saint's day
satisfacer to satisfy
se (to) himself, herself, *etc.*; one, people, *etc.*; (*used for* **le, les**) to him, her, it, them, you (*formal*)
secar to dry
la **sed** thirst
tener (mucha) sed to be (very) thirsty
la **seda** silk
seguida: en —, at once
según according to
segundo, –a second
seguro, –a sure, certain
estar seguro de que to be sure that
seis six
seiscientos, –as six hundred
el **sello** stamp (*postage*)
la **semana** week
(tres veces) por semana (three times) a week
semejante similar
la **semilla** seed
sentado, –a seated
sentar (ie) to fit
me (le) sienta bien it fits me (him) well
sentarse (ie) to sit down
la **señal de tránsito** traffic sign

señor sir, Mr.
   los señores (Espinosa) Mr. and
   Mrs. (Espinosa)
el señor gentleman
señora madam, Mrs., ma'am
la señora woman, lady
señorita Miss, young lady, ma'am
septiembre September
séptimo, –a seventh
ser to be
   ¿ cómo es (la profesora)? what's
   (the teacher) like?
   es que the fact is that, or *leave*
   untranslated
sereno, –a calm, clear (*weather*)
el sereno night watchman
la serie series
la serpentina serpentine
la servilleta napkin
servir (i) to serve
   ¿ en qué puedo servirle(s)? what
   can I do for you?
sesenta sixty
setecientos, –as seven hundred
setenta seventy
sexto, –a sixth
si if, whether
sí yes
   (creer) que sí (to believe) so
   sí que certainly, indeed
sí oneself
   para sí to oneself
la sidra cider
siempre always
siento: lo — mucho I am very sorry
la sierra range of mountains
la siesta nap, siesta
siete seven
siga Vd. (derecho) go, continue
   (straight ahead)
el siglo century
significar to mean
siguiente following, next
   al día siguiente on the following
   day
silvestre wild
la silla chair
el sillón (*pl.* sillones) arm chair
el símbolo symbol

simpático, –a pleasant, congenial
sin without
sinceramente sincerely
sino but
el sitio site, place
situado, –a situated
el smoking tuxedo
el sobre envelope
la sobrina niece
el sobrino nephew
social social
la sociedad society
la soda soda
el sol sun
   al sol in the sun
   hace (hay) sol the sun is shining,
   it is sunny
   tomar el sol to take a sun bath
solamente only
el soldado soldier
solemne solemn
solo, –a alone, single
   café solo black coffee
sólo only
la solución solution
la sombra shade, shadow
   a la sombra in the shade
la sombrerería hat store (shop)
el sombrero hat
sonar (ue) to sound, ring
la sopa soup
sorprender to surprise
la sorpresa surprise
su his, her, its, your, their
subir (a + *obj.*) to get into, climb,
   go up
sucio, –a dirty
sudamericano, –a South American
el suelo floor, ground
el sueño sleep
   tener (mucho) sueño to be (very)
   sleepy
la suerte luck
   tener suerte to be lucky, have
   luck
suficiente sufficient, enough
supuesto: por —, of course, certainly
el sur south

la **América del Sur** South America

el **surtido** supply

T

el **taco** taco (*Mexican dish*)

el **tacón** heel
    de tacón alto (bajo) high-(low-) heeled

el **tafetán** taffeta

tal such, such a
    ¿ qué tal ? how are you ? how goes it ? how about ?
    tal como just as, such as

el **tamaño** size

también also, too
    yo también so am I

tampoco neither, (not) . . . either
    ni (yo) tampoco nor (I) either, neither do I

tan so, as
    tan . . . como as (so) . . . as

el **tango** tango

el **tanque** tank

tanto *adv.* as (so) much

tanto, –a so much (many)
    tanto, –a (–os, –as) . . . como as (so) much (many) . . . as

la **tapioca** tapioca

tardar to delay, be late, be long
    tardar (setenta días) en to take (seventy days) to
    no tardo mucho I'll not be long

tarde late

la **tarde** afternoon
    ayer por la tarde yesterday afternoon
    de la tarde in the afternoon, P.M.
    por la tarde in the afternoon
    toda la tarde all afternoon
    buenas tardes good afternoon

la **tarjeta** card (*calling*)

el **taxi** taxi
    en taxi by taxi

la **taza** cup

te you, to you (*fam.*); (to) yourself

el **té** tea

el **teatro** theater

billete de (para el) teatro theater ticket

el **techo** ceiling

el **teléfono** telephone
    por teléfono by (on the) telephone

la **televisión** television

la **temperatura** temperature

templado, –a temperate

temprano early

el **tenedor** fork

tener to have (*possess*)
    tener apetito to have an appetite, be hungry
    tener . . . años to be . . . years old
    tener que + *inf*. to have to, must
    tener . . . que to have . . . to
    aquí (lo) tiene Vd. (tienes) here (it) is
    ¿ cuántos años tiene ? how old are you ?
    ¿ qué tiene (él) ? what's the matter (with him) ?
    tú lo tienes, Vd. lo tiene surely, you have it

el **tenis** tennis

Teodoro Theodore

tercero (tercer), –a third

el **terciopelo** velvet

Teresa Teresa

terminar to end, finish

el **territorio** territory

la **tertulia** social gathering, party

el **texto** text

ti you (*fam., after prep.*)

la **tía** aunt

el **tiempo** time; weather
    a tiempo on time
    al mismo tiempo at the same time
    ¿ cuánto tiempo ? how long ?
    hace buen (mal) tiempo it is fine (bad) weather
    mucho tiempo long, a long time
    ¿ qué tiempo hace ? what kind of weather is it ?
    tener tiempo de (para) to have time to

la **tienda** store, shop

la **tierra** land, soil, eartb

la **tinta** ink

el **tío** uncle
típicamente typically
típico, –a typical, characteristic
tirar to throw
el **título** title
la **tiza** chalk
la **toalla** towel
tocar to play (*music*), ring
(**me**) **toca** it's (my) turn
todavía still, yet
todavía no not yet
todo, –a all, every, everything
tomar to take; eat
tomar el desayuno (almuerzo) to
take breakfast (lunch)
tomar el sol to take a sun bath
(**lo**) **tomo** I'll take (it)
Tomás Thomas
el **tomate** tomato
tonto, –a stupid, foolish
el **tonto** fool, stupid person
el **toro** bull
corrida de toros bullfight
plaza de toros bull ring
la **torre** tower
la **torta** flat pancake, cake
la **tortilla** tortilla (*a small corn pancake*)
las **tostadas** toast
tostado, –a toasted
trabajar to work
trabajar mucho to work hard
la **tradición** tradition
traduzca(n) Vd(s). (al inglés) translate (into English)
traer to bring
¿ **qué les traigo?** what shall I bring you?
traído *p.p. of* **traer**
el **traje** suit
traje de baño bathing suit
traje de noche evening dress
trajeron, trajo *preterite of* **traer**
transformar to transform
el **tránsito** traffic
el **tranvía** streetcar
en tranvía by streetcar
tras after
tratar to treat, try

tratar de to deal with; try to
trece thirteen
treinta thirty
treinta y un(o), –a thirty-one
el **tren** train
en tren by train
tres three
trescientos, –as three hundred
la **tribu** tribe
el **tributo** tribute
el **trigo** wheat
triste sad
la **tristeza** sadness
el **tronco** trunk
la **tropa** troop; *pl.* troops
tropical tropical
tu your (*fam.*)
tú you (*fam.*)
el **tubo** tube
el **tulipán** tulip
la **tumba** tomb
la **túnica** robe
el **turista** tourist
campo de turista tourist camp

U

último, –a last (*in a series*), latest
por último finally, lastly
un, una a, an, one
la **unidad** unity
unido, –a united
la **unificación** unification
la **universidad** university
uno, una one
unos, –as some, about, a few
el **Uruguay** Uruguay
usar to use, wear
uno usado a used one
el **uso** use
usted you (*formal*)
útil useful
la **uva** grape

V

la **vaca** cow
las **vacaciones** vacation
vagar to wander

valer to be worth
  valer más to be better
  vale la pena (de) to be worth while (to)
valgo *pres. ind. of* **valer**
valiente valiant, courageous
el **valor** value
el **valle** valley
  vamos let's go, we are going
  vamos a (tomar) let's (take)
el **vaquero** cowboy
variado, –a varied
la **variedad** variety
varios, –as several, various
el **vasco** Basque
el **vaso** glass
el **vecino** neighbor
  veinte twenty
  veinte y un(o) twenty-one
  veinte y dos twenty-two
la **vela** candle
vendar to bandage
el **vendedor** vender
vender to sell
venerar to venerate, worship
venir to come
  el **(viernes) que viene** next (Friday)
venta: estar de —, to be on sale
la **ventana** window
ver to see
el **verano** summer
la **verbena** verbena (*night festival on eve of a saint's day*)
el **verbo** verb
la **verdad** truth
  es verdad it is true
  ¿ **(no es) verdad?** isn't it true? isn't he? doesn't he?
verdadero, –a real, true
verde green
el **vestido** dress
la **vez** (*pl.* **veces**) time (*in a series*), occasion
  de vez en cuando from time to time
  en vez de instead of
  otra vez again

  por segunda vez for the second time
  por última vez for the last time
  a veces at times
  dos veces twice
viajar to travel
el **viaje** trip
  ¡ **buen viaje!** have a good trip!
  compañero de viaje traveling companion
  hacer un viaje to take a trip
el **viajero** traveler
Vicente Vincent
la **victoria** victory
la **vicuña** vicuña (*animal of the Andes*)
la **vid** grapevine
la **vida** life
  ¡ **vida mía!** my dear (darling)!
viejo, –a old
el **viento** wind
  hace (mucho) viento it is (very) windy
el **viernes** (on) Friday
  Viernes Santo Good Friday
la **violeta** violet
virgen *adj.* virgin
la **Virgen** Virgin
el **virrey** viceroy
visitar to visit
la **víspera** eve
  víspera del Año Nuevo New Year's Eve
la **vista** sight, view
  hasta la vista until I see you, I'll be seeing you
visto *p.p. of* **ver**
vivir to live
vivo, –a living
los **vivos** the living
el **vocabulario** vocabulary
volver (ue) to return
  volver a (ver) to (see) again
vosotros, –as you (*fam.*)
la **voz** (*pl.* **voces**) voice
  en voz alta aloud, in a loud voice
la **vuelta** change (*money*)
vuelto *p.p. of* **volver**
vuestro, –a your (*fam.*)

Y

y and
ya now, already
  ¡ ya lo creo ! of course ! certainly !
la yerba mate yerba mate (*tree from whose leaves maté is made*)
yo I

Z

el zaguán vestibule, entrance hall
la zapatería shoe store (shop)
el zapato shoe
zoológico, –a zoological
  jardín zoológico zoo

VOCABULARY

ENGLISH–SPANISH

A

a, an un, una; *often not translated*
able: be —, poder
about *prep.* de, acerca de; *adj.* (*approximately*) unos, –as
accompany acompañar
acquainted: be — with conocer
across: run —, encontrarse (ue) con
address la dirección
after después de; (*telling time*) y
afternoon la tarde
  all afternoon toda la tarde
  good afternoon buenas tardes
  in the afternoon por la tarde; (*when hour is given*) de la tarde
  yesterday afternoon ayer por la tarde
afterwards después
again otra vez
ago: (two weeks) —, hace (dos semanas)
air *adj.* aéreo, –a; el aire
  by air mail por avión, por correo aéreo
airplane el avión
all todo, –a; *pron.* todo
  after all después de todo
alligator pear el aguacate
almost casi
alone solo, –a
aloud en voz alta
already ya
also también
although aunque
always siempre
A.M. de la mañana
America la América
  South America la América del Sur
American: Latin —, latinoamericano, –a
  North American norteamericano, –a
and y

Ann, Anita Anita
another otro, –a
answer contestar
any alguno, –a, (*before m. sing. nouns*) algún; *often not translated*
anybody, anyone alguien, (*after negative or comparative*) nadie
anything algo, (*after negative*) nada
apartment el apartamiento
  apartment house casa de apartamientos
apple la manzana
  apple pie pastel de manzana
appointment la cita
approach acercarse (a + *obj.*)
April abril
Argentine argentino, –a
arrive (at) llegar (a)
art el arte
article el artículo
as como, tan
  as (so) . . . as tan . . . como
  as (so) much (many) (. . . as) tanto, –a (–os, –as) (. . . como)
ask (*question*) preguntar
at a, en
attendant el empleado
August agosto
aunt la tía
avenue la avenida
away: right —, ahora mismo

B

bad malo, –a, (*before m. sing. nouns*) mal
badly mal
balcony el balcón (*pl.* balcones)
bank el banco
Barbara Bárbara
baseball el béisbol
  play baseball jugar (ue) al béisbol
basketball el básquetbol

basketball game (team) partido (equipo) de básquetbol
bath el baño
 take a bath bañarse
 take a sun bath tomar el sol
bathe bañarse
bathing suit el traje de baño
bathroom el cuarto de baño
be estar, ser
 be able poder
 be (be supposed) to + *inf.* haber de + *inf.*
 be necessary to haber que + *inf.*
 be (very) glad to alegrarse (mucho) de
 be . . . years old tener . . . años
 here (it) is aquí (lo) tiene Vd. (tienes)
 there is (are) hay
 there was (were) había
 there will be habrá
 there would be habría
 you are welcome no hay de qué
beach la playa
beautiful hermoso, –a, bonito, –a
because porque
bed la cama
 go to bed acostarse (ue)
 make the bed hacer la cama
bedroom la alcoba
beefsteak el biftec
before (*time*) antes de
begin empezar (ie) (a + *inf.*)
behind detrás de
believe creer (*p.p.* creído)
 believe so (not) creer que sí (no)
beneath debajo de
besides además
best mejor
better mejor
 be better ser mejor, valer más
Betty Isabel
bill (*account*) la cuenta; (*bank note*) el billete
 (five-dollar) bill billete (de cinco dólares)
Bill Guillermo
birthday el cumpleaños
black negro, –a
 black coffee café solo
blackboard la pizarra

blanket la manta
blouse la blusa
blue azul
book el libro
born: be —, nacer
boulevard el paseo
boy el muchacho
Brazil el Brasil
bread el pan
breakfast el desayuno
 for breakfast para el desayuno
 take breakfast tomar el desayuno
bring traer (*p.p.* traído)
brother el hermano
 brother(s) and sister(s) los hermanos
building el edificio
bullfight la corrida (de toros)
bus el ómnibus
 by bus en ómnibus
busy ocupado, –a
but pero
butter la mantequilla
buy comprar
by por, en, de; *not translated with pres. part.*

C

café el café
call llamar
 be called llamarse
can, be able poder
capital la capital
car el coche, el automóvil
 by car en coche (automóvil)
card (*playing*) el naipe
 play cards jugar (ue) a los naipes
Carmen Carmen
Caroline Carolina
carry llevar
cash cobrar
ceiling el techo
cent el centavo
center el centro
certainly sí que (+ *verb*)
chair la silla
chalk la tiza
championship el campeonato
change el cambio
Charles Carlos

chat charlar
cheap barato, –a
check el cheque
cheese el queso
chicken el pollo
children los hijos
chili el chile
chocolate el chocolate
church la iglesia
  (to go) to church (ir) a la iglesia
city la ciudad
class la clase
classroom la clase
clean limpiar; adj. limpio, –a
clerk el dependiente
climate el clima
close cerrar (ie)
coffee el café
  coffee with cream café con leche
cold adj. frío, –a; el frío
  be cold (living beings) tener frío
  be (very) cold (weather) hacer
    (mucho) frío
collection la colección
color el color
  what color is? ¿ de qué color es ?
colored de color
come venir
  come out salir (de + obj.)
comfortable cómodo, –a
companion el compañero
composition la composición (pl. composiciones)
condition el estado
congenial simpático, –a
cool fresco, –a; (noun with hacer)
  be cool (weather) hacer fresco
corner el rincón
cost costar (ue)
cotton el algodón
counter el mostrador
country el campo; (nation) el país
course: of —! ¡ ya lo creo ! ¡ cómo no !
cousin el primo, la prima
cream (in coffee) la leche
Cuban cubano, –a
cup la taza
custard el flan
custom la costumbre

D

dad el papá
dance el baile; bailar
darling precioso, –a
date (appointment) la cita; (of month)
  la fecha
  what is the date ? ¿ a cuántos esta-
    mos ? ¿ cuál es la fecha ?
daughter la hija
day el día
  by day de día
  day after tomorrow pasado mañana
  every day todos los días
deal: a great —, mucho
deal with tratar de
dear querido, –a
December diciembre
decide decidir
delay tardar
depart partir (de + obj.)
describe describir
desire desear
dessert el postre
  for dessert de postre
difficult difícil
  the difficult one el (la) difícil
dine comer
dining car el coche comedor
dining room el comedor
dinner la comida
  have dinner comer
dirty sucio, –a
discover descubrir (p.p. descubierto)
dish el plato
do hacer (p.p. hecho); not translated
  as an auxiliary
  what can I do for you? ¿ en qué
    puedo servirle(s) ?
doctor el médico
dollar el dólar
  five-dollar bill billete de cinco
    dólares
door la puerta
Dorothy Dorotea
down: go —, bajar
down: sit —, sentarse
downstairs abajo
downtown el centro

(to be) downtown (estar) en el centro
(to go) downtown (ir) al centro
dress el vestido
drink beber
drive el paseo
  take a drive dar un paseo
during durante
dust el polvo; quitar el polvo (a)

E

each cada (*m. and f.*)
  each one cada uno (una)
early temprano
earn ganar
easy fácil
eat comer
  eat dinner comer
  eat lunch tomar el almuerzo, almorzar
    (ue)
  eat supper cenar
Edward Eduardo
egg el huevo
  eggs ranchero style huevos rancheros
eight ocho
  eight hundred ochocientos, –as
eighteen diez y ocho
eighth octavo, –a
eighty ochenta
either (*after negative*) tampoco
  nor (I) either ni (yo) tampoco
elevator el ascensor
eleven once
employee la empleada, el empleado
end terminar
English *adj.* inglés, –esa; el inglés
  English (lesson) (lección) de inglés
enjoy gozar (de + *obj.*)
enough bastante
enter entrar (en + *obj.*)
envelope el sobre
especially especialmente
even aún
  even though aunque
evening la noche
  good evening buenas noches
  in the evening por (de) la noche
ever jamás, (*after negative or comparative*) nunca, jamás

every todo, –a
  every (day) todos (los días)
  every (night) todas (las noches)
examination el examen
examine examinar
except excepto
exercise el ejercicio
expensive caro, –a
explain explicar

F

face la cara
fall el otoño
family la familia
far: how — is it? ¿ qué distancia hay ?
  far from lejos de
father el padre, el papá
  father and mother los padres
February febrero
felt el fieltro
few: a —, unos, unos pocos
fewer menos
fifteen quince; (*in time*) y cuarto
  (eight) fifteen (las ocho) y cuarto
fifth quinto, –a
fifty cincuenta
fill llenar
filling station la estación de gasolina
film la película
finally al fin, por fin
find hallar, encontrar (ue)
fine perfectamente
  that's fine está bien
finish terminar, acabar
first *adv.* primero; *adj.* primero, –a, (*before m. sing. nouns*) primer
fit sentar (ie)
  it fits me (her) me (le) sienta bien
five cinco
  five hundred quinientos, –as
flag la bandera
floor el piso
Florida la Florida
flower la flor
fond: be — of ser aficionado (–a) a
football el fútbol
for para
foreign extranjero, –a

foreigner el extranjero
forest el bosque
fork el tenedor
forty cuarenta
fountain la fuente
four cuatro
  four hundred cuatrocientos, –as
fourteen catorce
fourth cuarto, –a
Frank Francisco
free libre
French *adj.* francés, –esa; el francés
  French teacher profesor(a) de francés
fresh fresco, –a
Friday el viernes
fried frito, –a
friend la amiga, el amigo
from de, desde
front: in — of enfrente de
fruit(s) las frutas
furniture los muebles

G

game el juego, (*match*) el partido
garden el jardín (*pl.* jardines)
gasoline la gasolina
generally generalmente
gentleman el señor
George Jorge
get (*tickets*) sacar
  get married casarse (con + *obj.*)
  get off (out) (of) bajar (de + *obj.*)
  get on (into) subir (a + *obj.*)
  get up levantarse
girl la muchacha
give dar
glad: be — (to) alegrarse (de)
  be (very) glad alegrarse (mucho)
  be glad to know you (tener) mucho
    gusto en conocerle, tanto gusto
gladly con mucho gusto
glass el vaso
glove el guante
go ir (a + *inf.*)
  go down(stairs) bajar
  go shopping ir de compras
  go to bed acostarse (ue)
  go up subir (a)
  how goes it? ¿ qué tal ?

gold(en) de oro
  gold (pencil) (lápiz) de oro
good bueno, –a, (*before m. sing. nouns*)
    buen
  good afternoon (evening) buenas
    tardes (noches)
  good morning buenos días
good-bye adiós
grandfather el abuelo
grandmother la abuela
grandparents los abuelos
grating la reja
great grande, (*before sing. nouns*) **gran**
  a great deal mucho
green verde
greet saludar
guacamole el guacamole

H

hair el pelo
  to wash one's hair lavarse la cabeza
half medio, –a
  half past (one) (la una) y media
hand la mano
  on the other hand en cambio
handkerchief el pañuelo
handsome guapo, –a
happen pasar, ocurrir
hard *adj.* difícil; *adv.* mucho
  work hard trabajar mucho
hat el sombrero
have tener; (*auxiliary*) haber
  have just acabar de + *inf.*
  have to tener que + *inf.*
he él
Helen Elena
hello ! ¡ bueno ! ¡ hola !
help ayudar (a + *inf.*)
Henry Enrique
her *adj.* su(s); su(s) *or* el (la, *etc.*)
    de ella
her *dir. obj.* la; *indir. obj.* le; *after*
    prep. ella
here aquí
  here (it) is aquí (lo) tiene Vd. (tienes)
high alto, –a; (*price*) caro, –a
highway la carretera
him le; *after prep.* él

his *adj.* su(s); su(s) *or* el (la, *etc.*) de él
history la historia
holiday el día de fiesta
home la casa
  at home en casa
  (go) home (ir) a casa
honeymoon la luna de miel
horse el caballo
horseback: ride —, montar a caballo
hose la(s) media(s)
hot *adj.* caliente
  be (very) hot (*weather*) hacer (mucho) calor
hotel el hotel
hour la hora
  at that hour a esa hora
house la casa
how? ¿cómo?
  how about...? ¿qué tal...?
  how are you? ¿cómo está Vd. (estás)?
  how goes it? ¿qué tal?
  how long? ¿cuánto tiempo?
  how much (many)? ¿cuánto, –a (–os, –as)?
  how old are you? ¿cuántos años tiene Vd. (tienes)?
hundred: a (one) —, ciento, (*before nouns and* mil) cien
  (eight) hundred (ocho)cientos
  five hundred quinientos
hungry: be (very) —, tener (mucha) hambre
husband el esposo

I

I yo
ice cream el helado
  take ice cream tomar (un) helado
idea la idea
if si
immediately inmediatamente
in en, (*after a superlative*) de
indeed: yes —! ¡ya lo creo!
inhabitant el habitante
ink la tinta
intend pensar (ie) + *inf.*
interest el interés
  interest in interés por

interesting interesante
introduce presentar
invite invitar (a + *inf.*)
Isabel Isabel
it (*m.*) lo, (*f.*) la; *after prep.* él, ella; *usually omitted as subject*

J

Jane Juanita
January enero
John Juan
Joseph José
Juanita Juanita
July julio
June junio
just: have —, acabar de + *inf.*

K

kill matar
kind amable
kitchen la cocina
  kitchen table mesa de cocina
knife el cuchillo
knock llamar
know (*facts*) saber, (*be acquainted with*) conocer
  I don't know no (lo) sé
  know how to saber + *inf.*

L

lake el lago
language la lengua
large grande
last pasado, –a; (*in a series*) último, –a (*precedes noun*)
  last night anoche
  last (week) (la semana) pasada
late tarde
later después, más tarde
  until (see you) later hasta luego
latest último, –a
Latin American latinoamericano, –a
latter: the —, éste, –a, –os, –as
learn aprender
leather el cuero
leave salir (de + *obj.*), partir (de + *obj.*), (*trans.*) dejar

lemonade la limonada
lend prestar
Leonore Leonor
less menos
lesson la lección (*pl.* lecciones)
  (Spanish) **lesson** lección (de español)
letter la carta
lettuce la lechuga
library la biblioteca
life la vida
light la luz (*pl.* luces)
like gustar
  like better gustar más
  I like (the book) me gusta (el libro)
  I should like me gustaría
listen (to) escuchar
liter el litro
little (*quantity*) poco, –a
  a little un poco
  little by little poco a poco
live vivir
living room la sala
long largo, –a, (*time*) mucho tiempo
  be long in tardar mucho (tiempo)
  en + *inf.*
  how long? ¿ cuánto tiempo ?
look at mirar
look for buscar
loud: in a — voice en voz alta
Louis Luis
lunch el almuerzo
  eat (take) lunch tomar el almuerzo,
  almorzar (ue)

M

magazine la revista
magnificent magnífico, –a
maid la criada
mail echar (al correo)
  by air mail por avión, por correo aéreo
majority: the — (of) la mayor parte
  (de)
make hacer (*p.p.* hecho), preparar
man el hombre
  young man el joven
many mucho, –a
  as (so) many (. . . as) tanto, –a, –os,
  –as (. . . como)

how many? ¿ cuánto, –a, –os, –as ?
very much (many) muchísimo, –a
map el mapa
March marzo
marry, be (get) married casarse (con
  + *obj.*)
Martha Marta
Mary María
mashed potatoes el puré de papas
May mayo
me *dir. and indir. obj.* me; *after prep.*
  mí
  with me conmigo
meal la comida
meet conocer, encontrar (ue), encontrarse (ue) con
menu la lista
Mexican mexicano, –a
Mexico México
midnight la medianoche
  at midnight a la medianoche
milk la leche
million: a (one) —, un millón (*pl.*
  millones) de
mine mío, –a
minute el minuto
Miss (la) señorita
modern moderno, –a
moment el momento
  at that moment en ese (aquel)
  momento
  at this moment en este momento
Monday el lunes
money el dinero
month el mes
moonlight: in the —, a la luz de la
  luna
more más
  more or less más o menos
  more than más que, (*before numer-*
  als) más de
moreover además
morning la mañana
  every morning todas las mañanas
  good morning buenos días
  in the morning por la mañana, (*when*
  hour is given) de la mañana
most más
  most of la mayor parte de

mother la madre, la mamá
mountain la montaña
movie el cine
Mr. (el) señor
  Mr. and Mrs. (Smith) los señores (Smith)
Mrs. (la) señora
much *adv.* mucho; *adj.* mucho, –a
  as (so) much... as tanto, –a ... como
  how much? ¿cuánto, –a?
museum el museo
music la música
must deber, tener que + *inf.*
  one must hay que + *inf.*
my mi

N

name: to be named llamarse
  his name is se llama
  what is your name? ¿cómo se llama Vd.?
napkin la servilleta
national nacional
near cerca de
nearly casi
necessary: it is (was) — to hay (había) que + *inf.*
necktie la corbata
need necesitar
neither ni
  neither... nor ni ... ni
never nunca, jamás
new nuevo, –a
  New Orleans Nueva Orleáns
  New York Nueva York
  what's new? ¿qué hay de nuevo?
newspaper el periódico
next próximo, –a
  next (Friday) (el viernes) que viene, (el viernes) próximo
  the next one (*f.*) la próxima
night la noche
  at night de noche, por la noche
  by night de noche
  every night todas las noches
  last night anoche
  (Saturday) night (el sábado) por la noche

nine nueve
  nine hundred novecientos, –as
nineteen diez y nueve
ninety noventa
ninth noveno, –a
no *adv.* no; *adj.* ninguno, –a, (*before m. sing. nouns*) ningún
  no one nadie
none ninguno, –a; ningún
nor ni
  nor I either ni yo tampoco
North American norteamericano, –a
not no
note notar
notebook el cuaderno
nothing nada
  nothing special nada de particular
November noviembre
now ahora, ya
  right now ahora mismo
number el número
nylon el nilón

O

occupy ocupar
occur ocurrir
o'clock: it is one —, es la una
  at (five) o'clock a las (cinco)
  it is (two) o'clock son las (dos)
October octubre
of de; (*in time*) menos
offer ofrecer
office la oficina
often a menudo
oil el aceite
old viejo, –a, antiguo, –a
  be ... years old tener ... años
  how old are you? ¿cuántos años tiene Vd.?
older mayor, más viejo
on en
  on + *pres. part.* al + *inf.*
  on (Sunday) el (domingo)
once: at —, en seguida
one un, uno, una; *indef. subject* se, uno
  no one nadie
  that one ése, ésa
  this one éste, ésta

only solamente
open abrir; *p.p. and adj.* abierto, –a
or o
orchestra la orquesta
order: in — to para
other, another otro, –a
ought to deber
our nuestro, –a
overcoat el abrigo

P

package el paquete
page la página
painting la pintura
pair el par
paper el papel
paragraph el párrafo
parents los padres
park el parque
part la parte
particular: nothing in —, nada de
   particular
party la tertulia
pass pasar
past pasado, –a, último, –a
   half past (two) (las dos) y media
   quarter past (eleven) (las once) y
   cuarto
pastry el pastel
patio el patio
Paul Pablo
pay (for) pagar
pelota la pelota
   pelota game el juego de pelota
pen la pluma
pencil el lápiz (*pl.* lápices)
people la gente, (*indef. subject*) se
pepper la pimienta
perfectly perfectamente
performance la función
permission el permiso
person la persona
Philadelphia Filadelfia
Philip Felipe
   to Philip's a casa de Felipe
photograph la fotografía
picture el cuadro
pie el pastel
   apple pie pastel de manzana

pillowcase la funda de almohada
pity la lástima
   what a pity! ¡ qué lástima !
place el sitio; poner (*p.p.* puesto)
   place setting el cubierto
plan pensar (ie) + *inf.*
plane el avión
   by plane en avión
plate el plato
play (*game*) jugar (ue) (a + *obj.*);
   (*music*) tocar
player el jugador
pleasant agradable, simpático, –a
please haga(n) Vd(s). el favor
   de + *inf.; (at end of request)* por
   favor
pleasure el placer, el gusto
P.M. de la noche (tarde)
political político, –a
poor pobre
   the poor thing el (la) pobre
popular popular
Portuguese el portugués
   Portuguese (books) (libros) de portugués
possible posible
postman el cartero
post office la casa de correos
potato la papa, la patata
pour echar
practice practicar
precious precioso, –a
prefer gustar más
   I prefer (it) me gusta más
prepare preparar
pretty bonito, –a, hermoso, –a
price el precio
private particular
program el programa
promise prometer
pronounce pronunciar
pupil la alumna, el alumno
put poner (*p.p.* puesto), echar
   put on ponerse

Q

quality la calidad
quarter el cuarto
   a quarter after (one) (la una) y cuarto

a **quarter of** (**two**) (las dos) menos
cuarto

R

radiator el radiador
radio la radio; **radio** (**set**) el radio
raincoat el impermeable
raise levantar
Raphael Rafael
rapidly rápidamente
Raymond Ramón
rayon el rayón
read leer
ready listo, –a, preparado, –a
recall recordar (ue)
receive recibir
recreation room la sala de recreo
red rojo, –a
regards los recuerdos
remain quedarse
  I remain yours quedo de ti
remember recordar (ue)
rest descansar
return volver (ue), (*give back*) devolver (ue) (*p.p.* vuelto, devuelto)
  return home volver a casa
rich rico, –a
Richard Ricardo
ride el paseo; montar
  ride horseback montar a caballo
  take a ride dar un paseo
right: be —, tener razón
  all right está bien
  right away (**now**) ahora mismo
ring sonar (ue)
rise levantarse
river el río
road el camino
Robert Roberto
roll el panecillo
room el cuarto
  dining room el comedor
  living room la sala
  recreation room la sala de recreo
rose la rosa
rug la alfombra
rumba la rumba
run across encontrarse (ue) con

S

sad triste
Saint Santo, Santa, (*before most m.
  names*) San
salad la ensalada
salt la sal
same mismo, –a
sand la arena
Saturday el sábado
sauce la salsa
say decir (*p.p.* dicho)
school la escuela
  at (**in**) **school** en la escuela
  to school a la escuela
sea el mar
season la estación (*pl.* estaciones)
seated sentado, –a
second segundo, –a
see ver (*p.p.* visto)
  see you later hasta luego
seem parecer
sell vender
send mandar
sentence la frase
September septiembre
service: table —, el cubierto
set (*table*) poner
setting: place —, el cubierto
seven siete
  seven hundred setecientos, –as
seventeen diez y siete
seventh séptimo, –a
seventy setenta
several varios, –as
shall *sign of future tense*
sharp en punto
she ella
sheet la sábana
shining: the sun is —, hace (hay) sol
shirt la camisa
shoe el zapato
shop la tienda
shopping: go —, ir de compras
short corto, –a
  a short time un rato
should deber; *sign of conditional tense*
shout gritar
show enseñar, mostrar (ue)

show window el escaparate
sick enfermo, –a
  the sick one el enfermo
silk la seda
silver la plata
  silver (pen) (pluma) de plata
since (*because*) puesto que, como, (*time*) desde
sing cantar
sir señor
sister la hermana
sit down sentarse (ie)
six seis
  six hundred seiscientos, –as
sixteen diez y seis
sixth sexto, –a
sixty sesenta
skirt la falda
sleep el sueño
sleepy: be (very) —, tener (mucho) sueño
slowly despacio
small pequeño, –a
smoke fumar
snow la nieve
so (*stands alone*) así; (*with adj. or adv.*) tan
  so-so así, así
  so ... as tan ... como
  so much (many) ... as tanto, –a (–os, –as) ... como
  I believe so creo que sí
soap el jabón
social social
some alguno, –a, (*before m. sing. nouns*) algún; *often not translated*
  someone alguien
something algo
son el hijo
song la canción (*pl.* canciones)
soon pronto
soup la sopa
south el sur
  South America la América del Sur
Spain España
Spaniard el español
Spanish *adj.* español, –ola; el español
  Spanish (class) (clase) de español
spare tire la llanta de repuesto

speak hablar
special particular
  nothing special nada de particular
spend (*time*) pasar
sport el deporte
spring la primavera
stamp el sello
state el estado
  the United States los Estados Unidos
station la estación
stay quedarse
still todavía
stocking la media
stone la piedra
  stone (church) (iglesia) de piedra
stop pararse
store la tienda
strange extraño, –a
street la calle
streetcar el tranvía
  by streetcar en tranvía
student el alumno, la alumna
study estudiar
style el estilo, la moda
stylish de moda
such (a, an) tal
sufficient bastante
sugar el azúcar
suit el traje
summer el verano
sun el sol
  take a sun bath tomar el sol
  the sun is shining hace (hay) sol
Sunday el domingo
sunny: be (very) —, hacer (mucho) sol
supper la cena
  eat supper cenar
supply el surtido
supposed: be — to haber de + *inf.*
sure seguro, –a
  be sure that estar seguro de que
surely tú lo tienes; ¡ ya lo creo !
surprise la sorpresa
swim nadar
swimming pool la piscina

T

table la mesa
  table service el cubierto

tablecloth el mantel
take tomar, (*carry*) llevar, (*photographs*) sacar
  take a ride (**walk**) dar un paseo
  take a sun bath tomar el sol
  take a trip hacer un viaje
  take breakfast (**lunch**) tomar el desayuno (almuerzo)
  take down descolgar (ue)
  take long to tardar mucho en
  I'll take it lo tomo
talk hablar, charlar
tall alto, –a
tango el tango
tank el tanque
taxi el taxi, el libre (*Mex.*)
tea el té
teach enseñar (a + *inf.*)
teacher el profesor, la profesora
  Spanish teacher profesor(a) de español
team el equipo
  (**basketball**) **team** equipo (de básquetbol)
tear romper (*p.p.* roto)
teaspoon la cucharita
telephone el teléfono
  by (**on the**) **telephone** por teléfono
tell decir (*p.p.* dicho)
ten diez
tenth décimo, –a
Teresa Teresa
test el examen (*pl.* exámenes)
than que, (*before numeral*) de
thank you, thanks gracias
that *adj.* (*near person addressed*) ese, esa; (*at a distance*) aquel, aquella
  that (**one**) *pron.* ése, ésa; aquél, aquélla
  that's fine está bien
that *relative pron.* que
the el, la, los, las
theater el teatro
  theater ticket billete de (para el) teatro
their *adj.* su(s); su(s) *or* el (la, *etc.*) de ellos, –as
them *dir. obj.* los, las; *indir. obj.* les; *after prep.* ellos, –as

theme la composición
then entonces, luego
there allí, (*after verbs of motion*) allá
  there is (**are**) hay
  there was (**were**) había
these *adj.* estos, –as; *pron.* éstos, –as
they ellos, ellas
thing la cosa
  the poor thing el (la) pobre
think pensar (ie), creer
  what do you think of . . .? ¿qué le parece . . . ?
third tercero, –a, (*before m. sing. nouns*) tercer
thirsty: be (**very**) **—,** tener (mucha) sed
thirteen trece
thirty treinta
  thirty-one treinta y un(o), –a
  thirty-five treinta y cinco
this *adj.* este, esta
  this (**one**) *pron.* éste, ésta
Thomas Tomás
those *adj.* (*near person addressed*) esos, –as; (*at a distance*) aquellos, aquellas; *pron.* ésos, –as; aquéllos, –as
though: even —, aunque
thousand: a (**one**) **—,** mil
three tres
through por
Thursday el jueves
thus así
ticket el billete, el boleto (*Mex.*)
  theater ticket billete (boleto) de (para el) teatro
time el tiempo; (*of day*) la hora; (*in a series*) la vez
  a long time mucho tiempo
  a short time un rato
  at that time a esa hora
  at the same time al mismo tiempo
  at (**some**) **times** a veces
  at what time? ¿a qué hora?
  for the second time por segunda vez
  have time to tener tiempo de (para)
  on time a tiempo
tire la llanta
  spare tire llanta de repuesto
tired cansado, –a

to a, para, hasta; que; (*in time*) menos
    to (**his aunt's**) a casa de (su tía)
toast las tostadas
today hoy
    today's lesson la lección de hoy
together juntos, –as
tomato el tomate
tomorrow mañana
    day after tomorrow pasado mañana
tonight esta noche
too también
    too, too much demasiado
towel la toalla
train el tren
    by train en tren
travel viajar
    traveling companion compañero de
    viaje
tree el árbol
trip el viaje
    take (make) a trip hacer un viaje
true: be —, ser verdad
truth la verdad
try (to) tratar (de)
    try on probarse (ue)
Tuesday el martes
twelve doce
twenty veinte
    twenty-one veinte y un(o), –a
    twenty-(two) veinte y (dos)
twice dos veces
two dos
    two hundred doscientos, –as

U

uncle el tío
under debajo de
understand comprender
united unido, –a
    the United States los Estados Unidos
university la universidad
until hasta
    until I see you hasta la vista
    until later (tomorrow) hasta luego
    (mañana)
upon + *pres. part.* al + *inf.*
upstairs arriba
    go upstairs subir

us nos; *after prep.* nosotros, –as
use usar
used to *sign of the imperfect tense*

V

vacation las vacaciones
various varios, –as
very *adv.* muy, (*standing alone*) mucho;
    adj. mucho, –a
view la vista
Vincent Vicente
visit visitar
voice la voz (*pl.* voces)
    in a loud voice en voz alta

W

wait (for) esperar
waiter el mozo
walk el paseo
    take a walk dar un paseo
wall la pared
want desear, querer
warm *adj.* caliente
    be (very) warm (*living beings*) tener
    (mucho) calor
    be warm (*weather*) hacer calor
wash lavar(se)
watch el reloj
water el agua (*f.*)
way (*manner*) la manera; (*road*) el
    camino
    in this (that) way de esta (esa) manera
    on the way to en camino de
we nosotros, –as
wear llevar, usar
weather el tiempo
    be (good) weather hacer (buen)
    tiempo
Wednesday el miércoles
week la semana
welcome: you are —, no hay de qué
well *adv.* bien
    well (then) pues
well-prepared bien preparado, –a
west(ern) (el) oeste (del oeste)
what? ¿ qué ? ¿ cuál ? (*indir. question*)
    qué

what a! ¡ qué!
when cuando
   when? ¿ cuándo?
where donde
   where? ¿ (a) dónde?
whether si
which que
which (one, ones)? ¿ cuál(es)?
while el rato; (*conjunction*) mientras (que)
   be worth while valer la pena
white blanco, –a
who que
   who? ¿ quién(es)?
whom que, a quien(es)
   whom? ¿ quién(es)? ¿ a quién(es)?
whose? ¿ de quién(es)?
why? ¿ por qué?
wide ancho, –a
wife la esposa
will querer; *sign of future tense*
   will you (go)? ¿ quiere Vd. (ir)?
William Guillermo
win ganar
window la ventana
windshield el parabrisas
windy: be —, hacer viento
winter el invierno
wish desear, querer
with con, de
without sin
woman la mujer
wooden de madera

wool la lana
word la palabra
work trabajar
   work hard trabajar mucho
world el mundo
worse peor
worth: be —, valer
   be worth while to valer la pena de
would *sign of conditional tense*
write escribir (*p.p.* escrito)

Y

year el año
yellow amarillo, –a
yes sí
   yes indeed! ¡ ya lo creo!
yesterday ayer
yet todavía
you (*fam.*) tú, *pl.* vosotros; *dir. and indir. obj.* te, os; *after prep.* ti, vosotros
   with you *sing.* contigo
you (*formal*) *subject pron. and after prep.* usted (Vd.), ustedes (Vds.); *dir. obj.* le, la, los, las; *indir. obj.* le, les, se
young joven (*pl.* jóvenes)
   young man el joven
younger más joven, menor
your (*fam.*) tu, vuestro; (*formal*) su(s), su(s) *or* el (la, *etc.*) de Vd. (Vds.)
yourself *reflex. pron.* te, se

INDEX

(REFERENCES ARE TO PAGE NUMBERS)

a: + el, 85; prep., 85, 188; personal, 115, 209, 210, 378 note
abstract nouns with definite article, 265
acabar de + inf., 368
address: forms of, 6, 32, 33
adjective phrases, 265
adjectives: forms, 41, 49, 69, 95; agreement, 41, 49, 69, 78, 95, 141, 223, 229, 297, 334; position of, 41, 48, 69, 78, 95, 165, 223; of nationality, 49; used as nouns, 49, 265; possessive, 69, 157, 195; shortened forms of, 78, 165, 199 note, 223, 229, 368, 369; demonstrative, 95; with ser, 96, 166; with estar, 107, 108, 141, 166, 297; comparison of, 334, 335, 342; past participle used as, 297; indefinite, 368, 369
adverbs: position of, 34; comparison of, 342; formation of, 401
agreement: of adjectives, 41, 49, 69, 78, 95, 141, 223, 229, 297, 334; of cardinal numerals, 41, 78, 223; of ordinal numerals, 229
al + inf., 217, 312
'any,' 49, 265
article, definite: forms, 24; with a language, 25, 26; in time of day, 86, 87, 96; el with feminine nouns, 108; with days of the week, 141, 142; to clarify su(s), 157; with seasons, 166; for the possessive, 182; with expressions of time, 210; in dates, 223, 224; with certain countries, 227 note; with titles, 230; in a general sense, 264, 265; with abstract nouns, 265; with adjs. to form nouns, 265; in comparison of adjs., 334, 335, 342
article, indefinite: forms, 40, 41; omission with predicate noun, 49; with otro, 48; with other nouns, 138 note; with cien(to) and mil, 223; with tal, 311

capitalization, 18, 141
–car verbs, 251, 252, 386, 387
cardinal numerals, 13, 78, 222, 223; to express time of day, 86, 87, 96; to express dates, 223, 224
commands, 108, 117, 142, 173, 273, 274, 385, 386, 387
comparison: of adjectives, 334, 335, 342; of adverbs, 342; of equality, 343
compound tenses, 288, 289, 296, 297, 359
con: conmigo, contigo, 157
conditional: tense, 350, 351; perfect, 359
conocer: uses of, 123, 321
contraction: de + el, 61; a + el, 85
¿ cuál ? 132

dates, 223, 224
days of the week, 8, 141
de: + el, 61; possession, 61
demonstrative: adjectives, 95; pronouns, 274, 360
direct object, see pronouns
diphthongs, 47
directions, 417
division of words into syllables, 47

e, 'and,' 427 note
encontrar, 321
entrar: use of, 123
estar: present of, 107; uses of, 107, 108, 141, 166, 258, 297, 312, 313
éste, 'the latter,' 360
exclamations, 368

family names, 417
feminine adjectives of nationality, 49
future: tense, 350, 351; perfect, 359

–gar verbs, 251, 252, 386, 387
gender of nouns, 25, 153

gran(de), 335
gustar, 174

haber: impersonal use, 41, 351, 360; haber que + inf., 258, 360, 394; with perfect tenses, 288, 289, 296, 297, 359; haber de, 359, 394
hacer: to express weather, 165, 166; for *please*, 189; for *ago, since*, 305
hallar, 321
hay, 41, 257, 258, 288; with weather, 165 166

imperfect indicative, 243, 244, 251
impersonal verbs and expressions, 41, 96, 257, 258, 351, 360
indefinite adjectives and pronouns, 368, 369
indefinite subject, 305
infinitive: after a prep., 85, 129 note, 217, 312; al + inf., 217, 312
–ísimo: use of, 343

jugar, 188

'leave,' 335
letters, personal, 417, 418

months, 223
'must,' 77, 257, 258, 394

negation: simple, 33, 108; double negatives, 209, 210, 368, 369; after *than*, 334, 335
¿ no es verdad ? 174
nouns: gender of, 25; plural of, 25, 30 note; plural referring to persons, 25, 70; adjs. used as, 49; abstract or used in general sense, 264, 265
numerals: cardinal, 13, 78, 222, 223; ordinal, 11, 229

ordinal numerals, 11, 229

past participle: forms, 288; in perfect tenses, 289, 296, 297; used as adj., 297
personal a, 115, 209, 210, 378 note
'please,' 189

pluperfect indicative, 296, 297
plural: of nouns, 25, 30 note; of adjectives, 41, 49; of nouns referring to persons, 25, 70
position: of adverbs, 34; of adjectives, 41, 48, 69, 78, 95, 165, 223; of object pronouns, 116, 132, 188, 189, 273, 274, 289, 312, 313, 320, 321, 385
possession, 61
possessive adjectives, 69, 195; clarification of su(s), 157
predicate noun, 49, 96
preguntar: use of, 134 note
present participle, 312; uses of, 312; pronouns added to, 312, 313
present tense: of regular verbs, 31, 32, 60, 61, 68, 69; perfect, 289
preterite: uses of, 202; contrasted with imperfect, 244
progressive tense, 312
pronouns: subject, 24, 31, 32, 33, 108; dir. obj., 116; position of obj., 116, 132, 188, 189, 273, 274, 289, 312, 313, 320, 321, 385; indir. obj., 131, 132, 174; prepositional, 156, 157, 174; reflexive, 181; table of obj., 195; demonstrative, 274, 360; two obj. pronouns, 320, 321; indefinite pronouns, 368, 369
punctuation, 4, 183

¿ qué ? 132
¡ qué ! 368
querer: special use of, 156, 351
questions, 33, 34, 41; indirect, 121 note

recognition of words, 152, 153
reflexive substitute for the passive, 273
reflexive verbs, 181, 182

saber: uses of, 123
salir: use of, 140, 141, 335
san(to), 199 note, 369
se: reflexive pronoun, 181, 182; as substitute for the passive, 273; as indefinite subject, 305; for le, les, 320
seasons, 166
ser: present of, 48; uses of, 49, 85, 86, 95, 96, 166

shortened forms of adjectives, 78, 165, 199 note, 223, 229, 368, 369
'should,' 350, 351, 394
'some,' 49, 265, 368
songs, 57, 146, 178, 214, 293, 302, 331, 339, 382, 391, 422
stem-changing verbs, 173, 202, 209, 386
street addresses, 417
stress: rules for, 19
subject pronouns: use of, 24, 31, 32, 33

'take,' 189
tener: idioms with, 77, 141; **tener que** + inf., 77, 258, 360, 394
'than,' 334, 335
time: of day, 85, 86, 87, 96; ways to express, 148

uno: as indefinite subject, 305
usted: use of, 24, 32, 33, 108, 157, 372

valer: uses of, 409
verbs, *see* each separately and tables in Appendix; followed by prep., 85, 123, 129 note, 140, 141, 188; requiring inf. obj. without a prep., 85, 123, 156, 173; with changes in spelling in the preterite, 251, 252; with changes in spelling in commands, 386, 387
'very,' 141, 343

weather: expressions of, 165, 166
'will,' 156, 350, 351
word order, 33, 34, 41, 69, 273, 332 note
'would,' 350, 351

–**zar** verbs, 251, 252, 386, 387